W9-CJQ-382

RINEHART MATHEMATICAL TABLES, FORMULAS AND CURVES

Enlarged Edition

Rinehart MATHEMATICAL TABLES, FORMULAS AND CURVES

COMPILED BY *Harold D. Larsen*

PROFESSOR OF MATHEMATICS · ALBION COLLEGE

Enlarged Edition

HOLT, RINEHART AND WINSTON NEW YORK

December, 1962

25154-0113

Preface to the Enlarged Edition

In this edition seven tables, 28–34, have been added to meet the needs of workers in applied mathematics. The same care was exercised in preparing these new tables as in the others. The best available sources were used, and all values were checked in proof at least three times. Difference methods also were used to check source material; this process revealed a surprising number of errors which have been propagated in many handbooks. In fact, we have sufficient evidence to justify the claim that the Rinehart Tables are the most accurate compilation of its kind.

I am indebted to Marchant Calculators, Inc., for permission to reproduce Table 34. This table of square root divisors is a valuable aid in the computation of square roots, particularly on modern desk-type calculators.

HAROLD D. LARSEN

Albion, Michigan
March, 1953

Preface to the 1948 Edition

This book has been compiled to serve as a handbook for mathematics students and for workers in engineering, physics, and other fields in which computation is required. The selection of the contents is based on an extensive survey made by the publisher, the compiler, and the editorial consultant, which indicated the tables most frequently needed in mathematics and engineering.

To obtain the accuracy that is a prime qualification of a good set of tables, the page proofs of each table were checked independently against three separate sources. In cases of disagreement, entries were checked by original calculation. The table of integrals was further checked by two independent differentiations, first in manuscript and then in proof. These differentiations revealed a number of errors that have persisted in various tables in current use.

A second qualification of a good set of tables is an attractive format that affords maximum reading convenience; hence much consideration was given to the design of the tables in this book. The large page size makes possible the use of type of good size and body, providing a high degree of legibility. The arrangement is such that a desired entry can be found quickly and accurately.

A unique feature of Part Two is the collection of mathematical curves. This collection, which is quite complete, comprises in alphabetical order all the standard curves met in elementary mathematics.

I am indebted to the Actuarial Society of America for permission to reproduce Tables 18 and 19 from their *Transactions*, to Professor George W. Snedecor and the Iowa State College Press for permission to reproduce Table 26 from their book *Calculation and Interpretation of Analysis of Variance and Covariance*, and to Professor Ronald A. Fisher and to Messrs. Oliver and Boyd Ltd., Edinburgh, for permission to reprint Table 27 from their book *Statistical Methods for Research Workers*.

I wish to express my thanks also to the many people who have aided in the preparation of these tables, in particular to Professor C. V. Newsom for his sympathetic counsel and many valuable suggestions and to Mr. Valdimar Lund for preparing the drawings.

HAROLD D. LARSEN

Albion, Michigan
June, 1948

Contents

PART ONE

TABLE

PART TWO

PART ONE

TABLE 1

100 — Five-Place Common Logarithms — 150

N	0	1	2	3	4	5	6	7	8	9
100	00 000	043	087	130	173	217	260	303	346	389
101	432	475	518	561	604	647	689	732	775	817
102	860	903	945	988	*030	*072	*115	*157	*199	*242
103	01 284	326	368	410	452	494	536	578	620	662
104	703	745	787	828	870	912	953	995	*036	*078
105	02 119	160	202	243	284	325	366	407	449	490
106	531	572	612	653	694	735	776	816	857	898
107	938	979	*019	*060	*100	*141	*181	*222	*262	*302
108	03 342	383	423	463	503	543	583	623	663	703
109	743	782	822	862	902	941	981	*021	*060	*100
110	04 139	179	218	258	297	336	376	415	454	493
111	532	571	610	650	689	727	766	805	844	883
112	922	961	999	*038	*077	*115	*154	*192	*231	*269
113	05 308	346	385	423	461	500	538	576	614	652
114	690	729	767	805	843	881	918	956	994	*032
115	06 070	108	145	183	221	258	296	333	371	408
116	446	483	521	558	595	633	670	707	744	781
117	819	856	893	930	967	*004	*041	*078	*115	*151
118	07 188	225	262	298	335	372	408	445	482	518
119	555	591	628	664	700	737	773	809	846	882
120	918	954	990	*027	*063	*099	*135	*171	*207	*243
121	08 279	314	350	386	422	458	493	529	565	600
122	636	672	707	743	778	814	849	884	920	955
123	991	*026	*061	*096	*132	*167	*202	*237	*272	*307
124	09 342	377	412	447	482	517	552	587	621	656
125	691	726	760	795	830	864	899	934	968	*003
126	10 037	072	106	140	175	209	243	278	312	346
127	380	415	449	483	517	551	585	619	653	687
128	721	755	789	823	857	890	924	958	992	*025
129	11 059	093	126	160	193	227	261	294	327	361
130	394	428	461	494	528	561	594	628	661	694
131	727	760	793	826	860	893	926	959	992	*024
132	12 057	090	123	156	189	222	254	287	320	352
133	385	418	450	483	516	548	581	613	646	678
134	710	743	775	808	840	872	905	937	969	*001
135	13 033	066	098	130	162	194	226	258	290	322
136	354	386	418	450	481	513	545	577	609	640
137	672	704	735	767	799	830	862	893	925	956
138	988	*019	*051	*082	*114	*145	*176	*208	*239	*270
139	14 301	333	364	395	426	457	489	520	551	582
140	613	644	675	706	737	768	799	829	860	891
141	922	953	983	*014	*045	*076	*106	*137	*168	*198
142	15 229	259	290	320	351	381	412	442	473	503
143	534	564	594	625	655	685	715	746	776	806
144	836	866	897	927	957	987	*017	*047	*077	*107
145	16 137	167	197	227	256	286	316	346	376	406
146	435	465	495	524	554	584	613	643	673	702
147	732	761	791	820	850	879	909	938	967	997
148	17 026	056	085	114	143	173	202	231	260	289
149	319	348	377	406	435	464	493	522	551	580
150	609	638	667	696	725	754	782	811	840	869
N	0	1	2	3	4	5	6	7	8	9

Prop. Parts

	44	43	42
1	4.4	4.3	4.2
2	8.8	8.6	8.4
3	13.2	12.9	12.6
4	17.6	17.2	16.8
5	22.0	21.5	21.0
6	26.4	25.8	25.2
7	30.8	30.1	29.4
8	35.2	34.4	33.6
9	39.6	38.7	37.8

	41	40	39
1	4.1	4.0	3.9
2	8.2	8.0	7.8
3	12.3	12.0	11.7
4	16.4	16.0	15.6
5	20.5	20.0	19.5
6	24.6	24.0	23.4
7	28.7	28.0	27.3
8	32.8	32.0	31.2
9	36.9	36.0	35.1

	38	37	36
1	3.8	3.7	3.6
2	7.6	7.4	7.2
3	11.4	11.1	10.8
4	15.2	14.8	14.4
5	19.0	18.5	18.0
6	22.8	22.2	21.6
7	26.6	25.9	25.2
8	30.4	29.6	28.8
9	34.2	33.3	32.4

	35	34	33
1	3.5	3.4	3.3
2	7.0	6.8	6.6
3	10.5	10.2	9.9
4	14.0	13.6	13.2
5	17.5	17.0	16.5
6	21.0	20.4	19.8
7	24.5	23.8	23.1
8	28.0	27.2	26.4
9	31.5	30.6	29.7

	32	31	30
1	3.2	3.1	3.0
2	6.4	6.2	6.0
3	9.6	9.3	9.0
4	12.8	12.4	12.0
5	16.0	15.5	15.0
6	19.2	18.6	18.0
7	22.4	21.7	21.0
8	25.6	24.8	24.0
9	28.8	27.9	27.0

Prop. Parts

100 — Five-Place Common Logarithms — 150

150 — Five-Place Common Logarithms — 200

N	0	1	2	3	4	5	6	7	8	9
150	17 609	638	667	696	725	754	782	811	840	869
151	898	926	955	984	*013	*041	*070	*099	*127	*156
152	18 184	213	241	270	298	327	355	384	412	441
153	469	498	526	554	583	611	639	667	696	724
154	752	780	808	837	865	893	921	949	977	*005
155	19 033	061	089	117	145	173	201	229	257	285
156	312	340	368	396	424	451	479	507	535	562
157	590	618	645	673	700	728	756	783	811	838
158	866	893	921	948	976	*003	*030	*058	*085	*112
159	20 140	167	194	222	249	276	303	330	358	385
160	412	439	466	493	520	548	575	602	629	656
161	683	710	737	763	790	817	844	871	898	925
162	952	978	*005	*032	*059	*085	*112	*139	*165	*192
163	21 219	245	272	299	325	352	378	405	431	458
164	484	511	537	564	590	617	643	669	696	722
165	748	775	801	827	854	880	906	932	958	985
166	22 011	037	063	089	115	141	167	194	220	246
167	272	298	324	350	376	401	427	453	479	505
168	531	557	583	608	634	660	686	712	737	763
169	789	814	840	866	891	917	943	968	994	*019
170	23 045	070	096	121	147	172	198	223	249	274
171	300	325	350	376	401	426	452	477	502	528
172	553	578	603	629	654	679	704	729	754	779
173	805	830	855	880	905	930	955	980	*005	*030
174	24 055	080	105	130	155	180	204	229	254	279
175	304	329	353	378	403	428	452	477	502	527
176	551	576	601	625	650	674	699	724	748	773
177	797	822	846	871	895	920	944	969	993	*018
178	25 042	066	091	115	139	164	188	212	237	261
179	285	310	334	358	382	406	431	455	479	503
180	527	551	575	600	624	648	672	696	720	744
181	768	792	816	840	864	888	912	935	959	983
182	26 007	031	055	079	102	126	150	174	198	221
183	245	269	293	316	340	364	387	411	435	458
184	482	505	529	553	576	600	623	647	670	694
185	717	741	764	788	811	834	858	881	905	928
186	951	975	998	*021	*045	*068	*091	*114	*138	*161
187	27 184	207	231	254	277	300	323	346	370	393
188	416	439	462	485	508	531	554	577	600	623
189	646	669	692	715	738	761	784	807	830	852
190	875	898	921	944	967	989	*012	*035	*058	*081
191	28 103	126	149	171	194	217	240	262	285	307
192	330	353	375	398	421	443	466	488	511	533
193	556	578	601	623	646	668	691	713	735	758
194	780	803	825	847	870	892	914	937	959	981
195	29 003	026	048	070	092	115	137	159	181	203
196	226	248	270	292	314	336	358	380	403	425
197	447	469	491	513	535	557	579	601	623	645
198	667	688	710	732	754	776	798	820	842	863
199	885	907	929	951	973	994	*016	*038	*060	*081
200	30 103	125	146	168	190	211	233	255	276	298
N	0	1	2	3	4	5	6	7	8	9

Prop. Parts

	29	28
1	2.9	2.8
2	5.8	5.6
3	8.7	8.4
4	11.6	11.2
5	14.5	14.0
6	17.4	16.8
7	20.3	19.6
8	23.2	22.4
9	26.1	25.2

	27	26
1	2.7	2.6
2	5.4	5.2
3	8.1	7.8
4	10.8	10.4
5	13.5	13.0
6	16.2	15.6
7	18.9	18.2
8	21.6	20.8
9	24.3	23.4

	25
1	2.5
2	5.0
3	7.5
4	10.0
5	12.5
6	15.0
7	17.5
8	20.0
9	22.5

	24	23
1	2.4	2.3
2	4.8	4.6
3	7.2	6.9
4	9.6	9.2
5	12.0	11.5
6	14.4	13.8
7	16.8	16.1
8	19.2	18.4
9	21.6	20.7

	22	21
1	2.2	2.1
2	4.4	4.2
3	6.6	6.3
4	8.8	8.4
5	11.0	10.5
6	13.2	12.6
7	15.4	14.7
8	17.6	16.8
9	19.8	18.9

200 — Five-Place Common Logarithms — 250

N	0	1	2	3	4	5	6	7	8	9
200	30 103	125	146	168	190	211	233	255	276	298
201	320	341	363	384	406	428	449	471	492	514
202	535	557	578	600	621	643	664	685	707	728
203	750	771	792	814	835	856	878	899	920	942
204	963	984	*006	*027	*048	*069	*091	*112	*133	*154
205	31 175	197	218	239	260	281	302	323	345	366
206	387	408	429	450	471	492	513	534	555	576
207	597	618	639	660	681	702	723	744	765	785
208	806	827	848	869	890	911	931	952	973	994
209	32 015	035	056	077	098	118	139	160	181	201
210	222	243	263	284	305	325	346	366	387	408
211	428	449	469	490	510	531	552	572	593	613
212	634	654	675	695	715	736	756	777	797	818
213	838	858	879	899	919	940	960	980	*001	*021
214	33 041	062	082	102	122	143	163	183	203	224
215	244	264	284	304	325	345	365	385	405	425
216	445	465	486	506	526	546	566	586	606	626
217	646	666	686	706	726	746	766	786	806	826
218	846	866	885	905	925	945	965	985	*005	*025
219	34 044	064	084	104	124	143	163	183	203	223
220	242	262	282	301	321	341	361	380	400	420
221	439	459	479	498	518	537	557	577	596	616
222	635	655	674	694	713	733	753	772	792	811
223	830	850	869	889	908	928	947	967	986	*005
224	35 025	044	064	083	102	122	141	160	180	199
225	218	238	257	276	295	315	334	353	372	392
226	411	430	449	468	488	507	526	545	564	583
227	603	622	641	660	679	698	717	736	755	774
228	793	813	832	851	870	889	908	927	946	965
229	984	*003	*021	*040	*059	*078	*097	*116	*135	*154
230	36 173	192	211	229	248	267	286	305	324	342
231	361	380	399	418	436	455	474	493	511	530
232	549	568	586	605	624	642	661	680	698	717
233	736	754	773	791	810	829	847	866	884	903
234	922	940	959	977	996	*014	*033	*051	*070	*088
235	37 107	125	144	162	181	199	218	236	254	273
236	291	310	328	346	365	383	401	420	438	457
237	475	493	511	530	548	566	585	603	621	639
238	658	676	694	712	731	749	767	785	803	822
239	840	858	876	894	912	931	949	967	985	*003
240	38 021	039	057	075	093	112	130	148	166	184
241	202	220	238	256	274	292	310	328	346	364
242	382	399	417	435	453	471	489	507	525	543
243	561	578	596	614	632	650	668	686	703	721
244	739	757	775	792	810	828	846	863	881	899
245	917	934	952	970	987	*005	*023	*041	*058	*076
246	39 094	111	129	146	164	182	199	217	235	252
247	270	287	305	322	340	358	375	393	410	428
248	445	463	480	498	515	533	550	568	585	602
249	620	637	655	672	690	707	724	742	759	777
250	794	811	829	846	863	881	898	915	933	950
N	0	1	2	3	4	5	6	7	8	9

Prop. Parts

	22	21	20	19	18	17
1	2.2	2.1	2.0	1.9	1.8	1.7
2	4.4	4.2	4.0	3.8	3.6	3.4
3	6.6	6.3	6.0	5.7	5.4	5.1
4	8.8	8.4	8.0	7.6	7.2	6.8
5	11.0	10.5	10.0	9.5	9.0	8.5
6	13.2	12.6	12.0	11.4	10.8	10.2
7	15.4	14.7	14.0	13.3	12.6	11.9
8	17.6	16.8	16.0	15.2	14.4	13.6
9	19.8	18.9	18.0	17.1	16.2	15.3

Prop. Parts

200 — Five-Place Common Logarithms — 250

250 — Five-Place Common Logarithms — 300

N	0	1	2	3	4	5	6	7	8	9
250	39 794	811	829	846	863	881	898	915	933	950
251	967	985	*002	*019	*037	*054	*071	*088	*106	*123
252	40 140	157	175	192	209	226	243	261	278	295
253	312	329	346	364	381	398	415	432	449	466
254	483	500	518	535	552	569	586	603	620	637
255	654	671	688	705	722	739	756	773	790	807
256	824	841	858	875	892	909	926	943	960	976
257	993	*010	*027	*044	*061	*078	*095	*111	*128	*145
258	41 162	179	196	212	229	246	263	280	296	313
259	330	347	363	380	397	414	430	447	464	481
260	497	514	531	547	564	581	597	614	631	647
261	664	681	697	714	731	747	764	780	797	814
262	830	847	863	880	896	913	929	946	963	979
263	996	*012	*029	*045	*062	*078	*095	*111	*127	*144
264	42 160	177	193	210	226	243	259	275	292	308
265	325	341	357	374	390	406	423	439	455	472
266	488	504	521	537	553	570	586	602	619	635
267	651	667	684	700	716	732	749	765	781	797
268	813	830	846	862	878	894	911	927	943	959
269	975	991	*008	*024	*040	*056	*072	*088	*104	*120
270	43 136	152	169	185	201	217	233	249	265	281
271	297	313	329	345	361	377	393	409	425	441
272	457	473	489	505	521	537	553	569	584	600
273	616	632	648	664	680	696	712	727	743	759
274	775	791	807	823	838	854	870	886	902	917
275	933	949	965	981	996	*012	*028	*044	*059	*075
276	44 091	107	122	138	154	170	185	201	217	232
277	248	264	279	295	311	326	342	358	373	389
278	404	420	436	451	467	483	498	514	529	545
279	560	576	592	607	623	638	654	669	685	700
280	716	731	747	762	778	793	809	824	840	855
281	871	886	902	917	932	948	963	979	994	*010
282	45 025	040	056	071	086	102	117	133	148	163
283	179	194	209	225	240	255	271	286	301	317
284	332	347	362	378	393	408	423	439	454	469
285	484	500	515	530	545	561	576	591	606	621
286	637	652	667	682	697	712	728	743	758	773
287	788	803	818	834	849	864	879	894	909	924
288	939	954	969	984	*000	*015	*030	*045	*060	*075
289	46 090	105	120	135	150	165	180	195	210	225
290	240	255	270	285	300	315	330	345	359	374
291	389	404	419	434	449	464	479	494	509	523
292	538	553	568	583	598	613	627	642	657	672
293	687	702	716	731	746	761	776	790	805	820
294	835	850	864	879	894	909	923	938	953	967
295	982	997	*012	*026	*041	*056	*070	*085	*100	*114
296	47 129	144	159	173	188	202	217	232	246	261
297	276	290	305	319	334	349	363	378	392	407
298	422	436	451	465	480	494	509	524	538	553
299	567	582	596	611	625	640	654	669	683	698
300	712	727	741	756	770	784	799	813	828	842
N	0	1	2	3	4	5	6	7	8	9

Prop. Parts

	18	17	16	15	14
1	1.8	1.7	1.6	1.5	1.4
2	3.6	3.4	3.2	3.0	2.8
3	5.4	5.1	4.8	4.5	4.2
4	7.2	6.8	6.4	6.0	5.6
5	9.0	8.5	8.0	7.5	7.0
6	10.8	10.2	9.6	9.0	8.4
7	12.6	11.9	11.2	10.5	9.8
8	14.4	13.6	12.8	12.0	11.2
9	16.2	15.3	14.4	13.5	12.6

Prop. Parts

300 — Five-Place Common Logarithms — 350

N	0	1	2	3	4	5	6	7	8	9
300	47 712	727	741	756	770	784	799	813	828	842
301	857	871	885	900	914	929	943	958	972	986
302	48 001	015	029	044	058	073	087	101	116	130
303	144	159	173	187	202	216	230	244	259	273
304	287	302	316	330	344	359	373	387	401	416
305	430	444	458	473	487	501	515	530	544	558
306	572	586	601	615	629	643	657	671	686	700
307	714	728	742	756	770	785	799	813	827	841
308	855	869	883	897	911	926	940	954	968	982
309	996	*010	*024	*038	*052	*066	*080	*094	*108	*122
310	49 136	150	164	178	192	206	220	234	248	262
311	276	290	304	318	332	346	360	374	388	402
312	415	429	443	457	471	485	499	513	527	541
313	554	568	582	596	610	624	638	651	665	679
314	693	707	721	734	748	762	776	790	803	817
315	831	845	859	872	886	900	914	927	941	955
316	969	982	996	*010	*024	*037	*051	*065	*079	*092
317	50 106	120	133	147	161	174	188	202	215	229
318	243	256	270	284	297	311	325	338	352	365
319	379	393	406	420	433	447	461	474	488	501
320	515	529	542	556	569	583	596	610	623	637
321	651	664	678	691	705	718	732	745	759	772
322	786	799	813	826	840	853	866	880	893	907
323	920	934	947	961	974	987	*001	*014	*028	*041
324	51 055	068	081	095	108	121	135	148	162	175
325	188	202	215	228	242	255	268	282	295	308
326	322	335	348	362	375	388	402	415	428	441
327	455	468	481	495	508	521	534	548	561	574
328	587	601	614	627	640	654	667	680	693	706
329	720	733	746	759	772	786	799	812	825	838
330	851	865	878	891	904	917	930	943	957	970
331	983	996	*009	*022	*035	*048	*061	*075	*088	*101
332	52 114	127	140	153	166	179	192	205	218	231
333	244	257	270	284	297	310	323	336	349	362
334	375	388	401	414	427	440	453	466	479	492
335	504	517	530	543	556	569	582	595	608	621
336	634	647	660	673	686	699	711	724	737	750
337	763	776	789	802	815	827	840	853	866	879
338	892	905	917	930	943	956	969	982	994	*007
339	53 020	033	046	058	071	084	097	110	122	135
340	148	161	173	186	199	212	224	237	250	263
341	275	288	301	314	326	339	352	364	377	390
342	403	415	428	441	453	466	479	491	504	517
343	529	542	555	567	580	593	605	618	631	643
344	656	668	681	694	706	719	732	744	757	769
345	782	794	807	820	832	845	857	870	882	895
346	908	920	933	945	958	970	983	995	*008	*020
347	54 033	045	058	070	083	095	108	120	133	145
348	158	170	183	195	208	220	233	245	258	270
349	283	295	307	320	332	345	357	370	382	394
350	407	419	432	444	456	469	481	494	506	518
N	0	1	2	3	4	5	6	7	8	9

Prop. Parts

	15
1	1.5
2	3.0
3	4.5
4	6.0
5	7.5
6	9.0
7	10.5
8	12.0
9	13.5

	14
1	1.4
2	2.8
3	4.2
4	5.6
5	7.0
6	8.4
7	9.8
8	11.2
9	12.6

	13
1	1.3
2	2.6
3	3.9
4	5.2
5	6.5
6	7.8
7	9.1
8	10.4
9	11.7

	12
1	1.2
2	2.4
3	3.6
4	4.8
5	6.0
6	7.2
7	8.4
8	9.6
9	10.8

300 — Five-Place Common Logarithms — 350

350 — Five-Place Common Logarithms — 400

N	0	1	2	3	4	5	6	7	8	9
350	54 407	419	432	444	456	469	481	494	506	518
351	531	543	555	568	580	593	605	617	630	642
352	654	667	679	691	704	716	728	741	753	765
353	777	790	802	814	827	839	851	864	876	888
354	900	913	925	937	949	962	974	986	998	*011
355	55 023	035	047	060	072	084	096	108	121	133
356	145	157	169	182	194	206	218	230	242	255
357	267	279	291	303	315	328	340	352	364	376
358	388	400	413	425	437	449	461	473	485	497
359	509	522	534	546	558	570	582	594	606	618
360	630	642	654	666	678	691	703	715	727	739
361	751	763	775	787	799	811	823	835	847	859
362	871	883	895	907	919	931	943	955	967	979
363	991	*003	*015	*027	*038	*050	*062	*074	*086	*098
364	56 110	122	134	146	158	170	182	194	205	217
365	229	241	253	265	277	289	301	312	324	336
366	348	360	372	384	396	407	419	431	443	455
367	467	478	490	502	514	526	538	549	561	573
368	585	597	608	620	632	644	656	667	679	691
369	703	714	726	738	750	761	773	785	797	808
370	820	832	844	855	867	879	891	902	914	926
371	937	949	961	972	984	996	*008	*019	*031	*043
372	57 054	066	078	089	101	113	124	136	148	159
373	171	183	194	206	217	229	241	252	264	276
374	287	299	310	322	334	345	357	368	380	392
375	403	415	426	438	449	461	473	484	496	507
376	519	530	542	553	565	576	588	600	611	623
377	634	646	657	669	680	692	703	715	726	738
378	749	761	772	784	795	807	818	830	841	852
379	864	875	887	898	910	921	933	944	955	967
380	978	990	*001	*013	*024	*035	*047	*058	*070	*081
381	58 092	104	115	127	138	149	161	172	184	195
382	206	218	229	240	252	263	274	286	297	309
383	320	331	343	354	365	377	388	399	410	422
384	433	444	456	467	478	490	501	512	524	535
385	546	557	569	580	591	602	614	625	636	647
386	659	670	681	692	704	715	726	737	749	760
387	771	782	794	805	816	827	838	850	861	872
388	883	894	906	917	928	939	950	961	973	984
389	995	*006	*017	*028	*040	*051	*062	*073	*084	*095
390	59 106	118	129	140	151	162	173	184	195	207
391	218	229	240	251	262	273	284	295	306	318
392	329	340	351	362	373	384	395	406	417	428
393	439	450	461	472	483	494	506	517	528	539
394	550	561	572	583	594	605	616	627	638	649
395	660	671	682	693	704	715	726	737	748	759
396	770	780	791	802	813	824	835	846	857	868
397	879	890	901	912	923	934	945	956	966	977
398	988	999	*010	*021	*032	*043	*054	*065	*076	*086
399	60 097	108	119	130	141	152	163	173	184	195
400	206	217	228	239	249	260	271	282	293	304
N	0	1	2	3	4	5	6	7	8	9

Prop. Parts

	13
1	1.3
2	2.6
3	3.9
4	5.2
5	6.5
6	7.8
7	9.1
8	10.4
9	11.7

	12
1	1.2
2	2.4
3	3.6
4	4.8
5	6.0
6	7.2
7	8.4
8	9.6
9	10.8

	11
1	1.1
2	2.2
3	3.3
4	4.4
5	5.5
6	6.6
7	7.7
8	8.8
9	9.9

	10
1	1.0
2	2.0
3	3.0
4	4.0
5	5.0
6	6.0
7	7.0
8	8.0
9	9.0

Prop. Parts

350 — Five-Place Common Logarithms — 400

400 — Five-Place Common Logarithms — 450

N	0	1	2	3	4	5	6	7	8	9
400	60 206	217	228	239	249	260	271	282	293	304
401	314	325	336	347	358	369	379	390	401	412
402	423	433	444	455	466	477	487	498	509	520
403	531	541	552	563	574	584	595	606	617	627
404	638	649	660	670	681	692	703	713	724	735
405	746	756	767	778	788	799	810	821	831	842
406	853	863	874	885	895	906	917	927	938	949
407	959	970	981	991	*002	*013	*023	*034	*045	*055
408	61 066	077	087	098	109	119	130	140	151	162
409	172	183	194	204	215	225	236	247	257	268
410	278	289	300	310	321	331	342	352	363	374
411	384	395	405	416	426	437	448	458	469	479
412	490	500	511	521	532	542	553	563	574	584
413	595	606	616	627	637	648	658	669	679	690
414	700	711	721	731	742	752	763	773	784	794
415	805	815	826	836	847	857	868	878	888	899
416	909	920	930	941	951	962	972	982	993	*003
417	62 014	024	034	045	055	066	076	086	097	107
418	118	128	138	149	159	170	180	190	201	211
419	221	232	242	252	263	273	284	294	304	315
420	325	335	346	356	366	377	387	397	408	418
421	428	439	449	459	469	480	490	500	511	521
422	531	542	552	562	572	583	593	603	613	624
423	634	644	655	665	675	685	696	706	716	726
424	737	747	757	767	778	788	798	808	818	829
425	839	849	859	870	880	890	900	910	921	931
426	941	951	961	972	982	992	*002	*012	*022	*033
427	63 043	053	063	073	083	094	104	114	124	134
428	144	155	165	175	185	195	205	215	225	236
429	246	256	266	276	286	296	306	317	327	337
430	347	357	367	377	387	397	407	417	428	438
431	448	458	468	478	488	498	508	518	528	538
432	548	558	568	579	589	599	609	619	629	639
433	649	659	669	679	689	699	709	719	729	739
434	749	759	769	779	789	799	809	819	829	839
435	849	859	869	879	889	899	909	919	929	939
436	949	959	969	979	988	998	*008	*018	*028	*038
437	64 048	058	068	078	088	098	108	118	128	137
438	147	157	167	177	187	197	207	217	227	237
439	246	256	266	276	286	296	306	316	326	335
440	345	355	365	375	385	395	404	414	424	434
441	444	454	464	473	483	493	503	513	523	532
442	542	552	562	572	582	591	601	611	621	631
443	640	650	660	670	680	689	699	709	719	729
444	738	748	758	768	777	787	797	807	816	826
445	836	846	856	865	875	885	895	904	914	924
446	933	943	953	963	972	982	992	*002	*011	*021
447	65 031	040	050	060	070	079	089	099	108	118
448	128	137	147	157	167	176	186	196	205	215
449	225	234	244	254	263	273	283	292	302	312
450	321	331	341	350	360	369	379	389	398	408
N	0	1	2	3	4	5	6	7	8	9

Prop. Parts

	11	10	9
1	1.1	1.0	0.9
2	2.2	2.0	1.8
3	3.3	3.0	2.7
4	4.4	4.0	3.6
5	5.5	5.0	4.5
6	6.6	6.0	5.4
7	7.7	7.0	6.3
8	8.8	8.0	7.2
9	9.9	9.0	8.1

400 — Five-Place Common Logarithms — 450

450 — Five-Place Common Logarithms — 500

N	0	1	2	3	4	5	6	7	8	9
450	65 321	331	341	350	360	369	379	389	398	408
451	418	427	437	447	456	466	475	485	495	504
452	514	523	533	543	552	562	571	581	591	600
453	610	619	629	639	648	658	667	677	686	696
454	706	715	725	734	744	753	763	772	782	792
455	801	811	820	830	839	849	858	868	877	887
456	896	906	916	925	935	944	954	963	973	982
457	992	*001	*011	*020	*030	*039	*049	*058	*068	*077
458	66 087	096	106	115	124	134	143	153	162	172
459	181	191	200	210	219	229	238	247	257	266
460	276	285	295	304	314	323	332	342	351	361
461	370	380	389	398	408	417	427	436	445	455
462	464	474	483	492	502	511	521	530	539	549
463	558	567	577	586	596	605	614	624	633	642
464	652	661	671	680	689	699	708	717	727	736
465	745	755	764	773	783	792	801	811	820	829
466	839	848	857	867	876	885	894	904	913	922
467	932	941	950	960	969	978	987	997	*006	*015
468	67 025	034	043	052	062	071	080	089	099	108
469	117	127	136	145	154	164	173	182	191	201
470	210	219	228	237	247	256	265	274	284	293
471	302	311	321	330	339	348	357	367	376	385
472	394	403	413	422	431	440	449	459	468	477
473	486	495	504	514	523	532	541	550	560	569
474	578	587	596	605	614	624	633	642	651	660
475	669	679	688	697	706	715	724	733	742	752
476	761	770	779	788	797	806	815	825	834	843
477	852	861	870	879	888	897	906	916	925	934
478	943	952	961	970	979	988	997	*006	*015	*024
479	68 034	043	052	061	070	079	088	097	106	115
480	124	133	142	151	160	169	178	187	196	205
481	215	224	233	242	251	260	269	278	287	296
482	305	314	323	332	341	350	359	368	377	386
483	395	404	413	422	431	440	449	458	467	476
484	485	494	502	511	520	529	538	547	556	565
485	574	583	592	601	610	619	628	637	646	655
486	664	673	681	690	699	708	717	726	735	744
487	753	762	771	780	789	797	806	815	824	833
488	842	851	860	869	878	886	895	904	913	922
489	931	940	949	958	966	975	984	993	*002	*011
490	69 020	028	037	046	055	064	073	082	090	099
491	108	117	126	135	144	152	161	170	179	188
492	197	205	214	223	232	241	249	258	267	276
493	285	294	302	311	320	329	338	346	355	364
494	373	381	390	399	408	417	425	434	443	452
495	461	469	478	487	496	504	513	522	531	539
496	548	557	566	574	583	592	601	609	618	627
497	636	644	653	662	671	679	688	697	705	714
498	723	732	740	749	758	767	775	784	793	801
499	810	819	827	836	845	854	862	871	880	888
500	897	906	914	923	932	940	949	958	966	975
N	0	1	2	3	4	5	6	7	8	9

Prop. Parts

	10	9	8
1	1.0	0.9	0.8
2	2.0	1.8	1.6
3	3.0	2.7	2.4
4	4.0	3.6	3.2
5	5.0	4.5	4.0
6	6.0	5.4	4.8
7	7.0	6.3	5.6
8	8.0	7.2	6.4
9	9.0	8.1	7.2

Prop. Parts

450 — Five-Place Common Logarithms — 500

500 — Five-Place Common Logarithms — 550

N	0	1	2	3	4	5	6	7	8	9
500	69 897	906	914	923	932	940	949	958	966	975
501	984	992	*001	*010	*018	*027	*036	*044	*053	*062
502	70 070	079	088	096	105	114	122	131	140	148
503	157	165	174	183	191	200	209	217	226	234
504	243	252	260	269	278	286	295	303	312	321
505	329	338	346	355	364	372	381	389	398	406
506	415	424	432	441	449	458	467	475	484	492
507	501	509	518	526	535	544	552	561	569	578
508	586	595	603	612	621	629	638	646	655	663
509	672	680	689	697	706	714	723	731	740	749
510	757	766	774	783	791	800	808	817	825	834
511	842	851	859	868	876	885	893	902	910	919
512	927	935	944	952	961	969	978	986	995	*003
513	71 012	020	029	037	046	054	063	071	079	088
514	096	105	113	122	130	139	147	155	164	172
515	181	189	198	206	214	223	231	240	248	257
516	265	273	282	290	299	307	315	324	332	341
517	349	357	366	374	383	391	399	408	416	425
518	433	441	450	458	466	475	483	492	500	508
519	517	525	533	542	550	559	567	575	584	592
520	600	609	617	625	634	642	650	659	667	675
521	684	692	700	709	717	725	734	742	750	759
522	767	775	784	792	800	809	817	825	834	842
523	850	858	867	875	883	892	900	908	917	925
524	933	941	950	958	966	975	983	991	999	*008
525	72 016	024	032	041	049	057	066	074	082	090
526	099	107	115	123	132	140	148	156	165	173
527	181	189	198	206	214	222	230	239	247	255
528	263	272	280	288	296	304	313	321	329	337
529	346	354	362	370	378	387	395	403	411	419
530	428	436	444	452	460	469	477	485	493	501
531	509	518	526	534	542	550	558	567	575	583
532	591	599	607	616	624	632	640	648	656	665
533	673	681	689	697	705	713	722	730	738	746
534	754	762	770	779	787	795	803	811	819	827
535	835	843	852	860	868	876	884	892	900	908
536	916	925	933	941	949	957	965	973	981	989
537	997	*006	*014	*022	*030	*038	*046	*054	*062	*070
538	73 078	086	094	102	111	119	127	135	143	151
539	159	167	175	183	191	199	207	215	223	231
540	239	247	255	263	272	280	288	296	304	312
541	320	328	336	344	352	360	368	376	384	392
542	400	408	416	424	432	440	448	456	464	472
543	480	488	496	504	512	520	528	536	544	552
544	560	568	576	584	592	600	608	616	624	632
545	640	648	656	664	672	679	687	695	703	711
546	719	727	735	743	751	759	767	775	783	791
547	799	807	815	823	830	838	846	854	862	870
548	878	886	894	902	910	918	926	933	941	949
549	957	965	973	981	989	997	*005	*013	*020	*028
550	74 036	044	052	060	068	076	084	092	099	107
N	0	1	2	3	4	5	6	7	8	9

Prop. Parts

	9
1	0.9
2	1.8
3	2.7
4	3.6
5	4.5
6	5.4
7	6.3
8	7.2
9	8.1

	8
1	0.8
2	1.6
3	2.4
4	3.2
5	4.0
6	4.8
7	5.6
8	6.4
9	7.2

	7
1	0.7
2	1.4
3	2.1
4	2.8
5	3.5
6	4.2
7	4.9
8	5.6
9	6.3

Prop. Parts

550 — Five-Place Common Logarithms — 600

N	0	1	2	3	4	5	6	7	8	9
550	74 036	044	052	060	068	076	084	092	099	107
551	115	123	131	139	147	155	162	170	178	186
552	194	202	210	218	225	233	241	249	257	265
553	273	280	288	296	304	312	320	327	335	343
554	351	359	367	374	382	390	398	406	414	421
555	429	437	445	453	461	468	476	484	492	500
556	507	515	523	531	539	547	554	562	570	578
557	586	593	601	609	617	624	632	640	648	656
558	663	671	679	687	695	702	710	718	726	733
559	741	749	757	764	772	780	788	796	803	811
560	819	827	834	842	850	858	865	873	881	889
561	896	904	912	920	927	935	943	950	958	966
562	974	981	989	997	*005	*012	*020	*028	*035	*043
563	75 051	059	066	074	082	089	097	105	113	120
564	128	136	143	151	159	166	174	182	189	197
565	205	213	220	228	236	243	251	259	266	274
566	282	289	297	305	312	320	328	335	343	351
567	358	366	374	381	389	397	404	412	420	427
568	435	442	450	458	465	473	481	488	496	504
569	511	519	526	534	542	549	557	565	572	580
570	587	595	603	610	618	626	633	641	648	656
571	664	671	679	686	694	702	709	717	724	732
572	740	747	755	762	770	778	785	793	800	808
573	815	823	831	838	846	853	861	868	876	884
574	891	899	906	914	921	929	937	944	952	959
575	967	974	982	989	997	*005	*012	*020	*027	*035
576	76 042	050	057	065	072	080	087	095	103	110
577	118	125	133	140	148	155	163	170	178	185
578	193	200	208	215	223	230	238	245	253	260
579	268	275	283	290	298	305	313	320	328	335
580	343	350	358	365	373	380	388	395	403	410
581	418	425	433	440	448	455	462	470	477	485
582	492	500	507	515	522	530	537	545	552	559
583	567	574	582	589	597	604	612	619	626	634
584	641	649	656	664	671	678	686	693	701	708
585	716	723	730	738	745	753	760	768	775	782
586	790	797	805	812	819	827	834	842	849	856
587	864	871	879	886	893	901	908	916	923	930
588	938	945	953	960	967	975	982	989	997	*004
589	77 012	019	026	034	041	048	056	063	070	078
590	085	093	100	107	115	122	129	137	144	151
591	159	166	173	181	188	195	203	210	217	225
592	232	240	247	254	262	269	276	283	291	298
593	305	313	320	327	335	342	349	357	364	371
594	379	386	393	401	408	415	422	430	437	444
595	452	459	466	474	481	488	495	503	510	517
596	525	532	539	546	554	561	568	576	583	590
597	597	605	612	619	627	634	641	648	656	663
598	670	677	685	692	699	706	714	721	728	735
599	743	750	757	764	772	779	786	793	801	808
600	815	822	830	837	844	851	859	866	873	880
N	0	1	2	3	4	5	6	7	8	9

Prop. Parts

	8
1	0.8
2	1.6
3	2.4
4	3.2
5	4.0
6	4.8
7	5.6
8	6.4
9	7.2

	7
1	0.7
2	1.4
3	2.1
4	2.8
5	3.5
6	4.2
7	4.9
8	5.6
9	6.3

550 — Five-Place Common Logarithms — 600

600 — Five-Place Common Logarithms — 650

N	0	1	2	3	4	5	6	7	8	9
600	77 815	822	830	837	844	851	859	866	873	880
601	887	895	902	909	916	924	931	938	945	952
602	960	967	974	981	988	996	*003	*010	*017	*025
603	78 032	039	046	053	061	068	075	082	089	097
604	104	111	118	125	132	140	147	154	161	168
605	176	183	190	197	204	211	219	226	233	240
606	247	254	262	269	276	283	290	297	305	312
607	319	326	333	340	347	355	362	369	376	383
608	390	398	405	412	419	426	433	440	447	455
609	462	469	476	483	490	497	504	512	519	526
610	533	540	547	554	561	569	576	583	590	597
611	604	611	618	625	633	640	647	654	661	668
612	675	682	689	696	704	711	718	725	732	739
613	746	753	760	767	774	781	789	796	803	810
614	817	824	831	838	845	852	859	866	873	880
615	888	895	902	909	916	923	930	937	944	951
616	958	965	972	979	986	993	*000	*007	*014	*021
617	79 029	036	043	050	057	064	071	078	085	092
618	099	106	113	120	127	134	141	148	155	162
619	169	176	183	190	197	204	211	218	225	232
620	239	246	253	260	267	274	281	288	295	302
621	309	316	323	330	337	344	351	358	365	372
622	379	386	393	400	407	414	421	428	435	442
623	449	456	463	470	477	484	491	498	505	511
624	518	525	532	539	546	553	560	567	574	581
625	588	595	602	609	616	623	630	637	644	650
626	657	664	671	678	685	692	699	706	713	720
627	727	734	741	748	754	761	768	775	782	789
628	796	803	810	817	824	831	837	844	851	858
629	865	872	879	886	893	900	906	913	920	927
630	934	941	948	955	962	969	975	982	989	996
631	80 003	010	017	024	030	037	044	051	058	065
632	072	079	085	092	099	106	113	120	127	134
633	140	147	154	161	168	175	182	188	195	202
634	209	216	223	229	236	243	250	257	264	271
635	277	284	291	298	305	312	318	325	332	339
636	346	353	359	366	373	380	387	393	400	407
637	414	421	428	434	441	448	455	462	468	475
638	482	489	496	502	509	516	523	530	536	543
639	550	557	564	570	577	584	591	598	604	611
640	618	625	632	638	645	652	659	665	672	679
641	686	693	699	706	713	720	726	733	740	747
642	754	760	767	774	781	787	794	801	808	814
643	821	828	835	841	848	855	862	868	875	882
644	889	895	902	909	916	922	929	936	943	949
645	956	963	969	976	983	990	996	*003	*010	*017
646	81 023	030	037	043	050	057	064	070	077	084
647	090	097	104	111	117	124	131	137	144	151
648	158	164	171	178	184	191	198	204	211	218
649	224	231	238	245	251	258	265	271	278	285
650	291	298	305	311	318	325	331	338	345	351
N	0	1	2	3	4	5	6	7	8	9

Prop. Parts

	8
1	0.8
2	1.6
3	2.4
4	3.2
5	4.0
6	4.8
7	5.6
8	6.4
9	7.2

	7
1	0.7
2	1.4
3	2.1
4	2.8
5	3.5
6	4.2
7	4.9
8	5.6
9	6.3

	6
1	0.6
2	1.2
3	1.8
4	2.4
5	3.0
6	3.6
7	4.2
8	4.8
9	5.4

650 — Five-Place Common Logarithms — 700

N	0	1	2	3	4	5	6	7	8	9
650	81 291	298	305	311	318	325	331	338	345	351
651	358	365	371	378	385	391	398	405	411	418
652	425	431	438	445	451	458	465	471	478	485
653	491	498	505	511	518	525	531	538	544	551
654	558	564	571	578	584	591	598	604	611	617
655	624	631	637	644	651	657	664	671	677	684
656	690	697	704	710	717	723	730	737	743	750
657	757	763	770	776	783	790	796	803	809	816
658	823	829	836	842	849	856	862	869	875	882
659	889	895	902	908	915	921	928	935	941	948
660	954	961	968	974	981	987	994	*000	*007	*014
661	82 020	027	033	040	046	053	060	066	073	079
662	086	092	099	105	112	119	125	132	138	145
663	151	158	164	171	178	184	191	197	204	210
664	217	223	230	236	243	249	256	263	269	276
665	282	289	295	302	308	315	321	328	334	341
666	347	354	360	367	373	380	387	393	400	406
667	413	419	426	432	439	445	452	458	465	471
668	478	484	491	497	504	510	517	523	530	536
669	543	549	556	562	569	575	582	588	595	601
670	607	614	620	627	633	640	646	653	659	666
671	672	679	685	692	698	705	711	718	724	730
672	737	743	750	756	763	769	776	782	789	795
673	802	808	814	821	827	834	840	847	853	860
674	866	872	879	885	892	898	905	911	918	924
675	930	937	943	950	956	963	969	975	982	988
676	995	*001	*008	*014	*020	*027	*033	*040	*046	*052
677	83 059	065	072	078	085	091	097	104	110	117
678	123	129	136	142	149	155	161	168	174	181
679	187	193	200	206	213	219	225	232	238	245
680	251	257	264	270	276	283	289	296	302	308
681	315	321	327	334	340	347	353	359	366	372
682	378	385	391	398	404	410	417	423	429	436
683	442	448	455	461	467	474	480	487	493	499
684	506	512	518	525	531	537	544	550	556	563
685	569	575	582	588	594	601	607	613	620	626
686	632	639	645	651	658	664	670	677	683	689
687	696	702	708	715	721	727	734	740	746	753
688	759	765	771	778	784	790	797	803	809	816
689	822	828	835	841	847	853	860	866	872	879
690	885	891	897	904	910	916	923	929	935	942
691	948	954	960	967	973	979	985	992	998	*004
692	84 011	017	023	029	036	042	048	055	061	067
693	073	080	086	092	098	105	111	117	123	130
694	136	142	148	155	161	167	173	180	186	192
695	198	205	211	217	223	230	236	242	248	255
696	261	267	273	280	286	292	298	305	311	317
697	323	330	336	342	348	354	361	367	373	379
698	386	392	398	404	410	417	423	429	435	442
699	448	454	460	466	473	479	485	491	497	504
700	510	516	522	528	535	541	547	553	559	566
N	0	1	2	3	4	5	6	7	8	9

Prop. Parts

	7
1	0.7
2	1.4
3	2.1
4	2.8
5	3.5
6	4.2
7	4.9
8	5.6
9	6.3

	6
1	0.6
2	1.2
3	1.8
4	2.4
5	3.0
6	3.6
7	4.2
8	4.8
9	5.4

700 — Five-Place Common Logarithms — 750

N	0	1	2	3	4	5	6	7	8	9
700	84 510	516	522	528	535	541	547	553	559	566
701	572	578	584	590	597	603	609	615	621	628
702	634	640	646	652	658	665	671	677	683	689
703	696	702	708	714	720	726	733	739	745	751
704	757	763	770	776	782	788	794	800	807	813
705	819	825	831	837	844	850	856	862	868	874
706	880	887	893	899	905	911	917	924	930	936
707	942	948	954	960	967	973	979	985	991	997
708	85 003	009	016	022	028	034	040	046	052	058
709	065	071	077	083	089	095	101	107	114	120
710	126	132	138	144	150	156	163	169	175	181
711	187	193	199	205	211	217	224	230	236	242
712	248	254	260	266	272	278	285	291	297	303
713	309	315	321	327	333	339	345	352	358	364
714	370	376	382	388	394	400	406	412	418	425
715	431	437	443	449	455	461	467	473	479	485
716	491	497	503	509	516	522	528	534	540	546
717	552	558	564	570	576	582	588	594	600	606
718	612	618	625	631	637	643	649	655	661	667
719	673	679	685	691	697	703	709	715	721	727
720	733	739	745	751	757	763	769	775	781	788
721	794	800	806	812	818	824	830	836	842	848
722	854	860	866	872	878	884	890	896	902	908
723	914	920	926	932	938	944	950	956	962	968
724	974	980	986	992	998	*004	*010	*016	*022	*028
725	86 034	040	046	052	058	064	070	076	082	088
726	094	100	106	112	118	124	130	136	141	147
727	153	159	165	171	177	183	189	195	201	207
728	213	219	225	231	237	243	249	255	261	267
729	273	279	285	291	297	303	308	314	320	326
730	332	338	344	350	356	362	368	374	380	386
731	392	398	404	410	415	421	427	433	439	445
732	451	457	463	469	475	481	487	493	499	504
733	510	516	522	528	534	540	546	552	558	564
734	570	576	581	587	593	599	605	611	617	623
735	629	635	641	646	652	658	664	670	676	682
736	688	694	700	705	711	717	723	729	735	741
737	747	753	759	764	770	776	782	788	794	800
738	806	812	817	823	829	835	841	847	853	859
739	864	870	876	882	888	894	900	906	911	917
740	923	929	935	941	947	953	958	964	970	976
741	982	988	994	999	*005	*011	*017	*023	*029	*035
742	87 040	046	052	058	064	070	075	081	087	093
743	099	105	111	116	122	128	134	140	146	151
744	157	163	169	175	181	186	192	198	204	210
745	216	221	227	233	239	245	251	256	262	268
746	274	280	286	291	297	303	309	315	320	326
747	332	338	344	349	355	361	367	373	379	384
748	390	396	402	408	413	419	425	431	437	442
749	448	454	460	466	471	477	483	489	495	500
750	506	512	518	523	529	535	541	547	552	558
N	0	1	2	3	4	5	6	7	8	9

Prop. Parts

	7
1	0.7
2	1.4
3	2.1
4	2.8
5	3.5
6	4.2
7	4.9
8	5.6
9	6.3

	6
1	0.6
2	1.2
3	1.8
4	2.4
5	3.0
6	3.6
7	4.2
8	4.8
9	5.4

	5
1	0.5
2	1.0
3	1.5
4	2.0
5	2.5
6	3.0
7	3.5
8	4.0
9	4.5

750 — Five-Place Common Logarithms — 800

N	0	1	2	3	4	5	6	7	8	9
750	87 506	512	518	523	529	535	541	547	552	558
751	564	570	576	581	587	593	599	604	610	616
752	622	628	633	639	645	651	656	662	668	674
753	679	685	691	697	703	708	714	720	726	731
754	737	743	749	754	760	766	772	777	783	789
755	795	800	806	812	818	823	829	835	841	846
756	852	858	864	869	875	881	887	892	898	904
757	910	915	921	927	933	938	944	950	955	961
758	967	973	978	984	990	996	*001	*007	*013	*018
759	88 024	030	036	041	047	053	058	064	070	076
760	081	087	093	098	104	110	116	121	127	133
761	138	144	150	156	161	167	173	178	184	190
762	195	201	207	213	218	224	230	235	241	247
763	252	258	264	270	275	281	287	292	298	304
764	309	315	321	326	332	338	343	349	355	360
765	366	372	377	383	389	395	400	406	412	417
766	423	429	434	440	446	451	457	463	468	474
767	480	485	491	497	502	508	513	519	525	530
768	536	542	547	553	559	564	570	576	581	587
769	593	598	604	610	615	621	627	632	638	643
770	649	655	660	666	672	677	683	689	694	700
771	705	711	717	722	728	734	739	745	750	756
772	762	767	773	779	784	790	795	801	807	812
773	818	824	829	835	840	846	852	857	863	868
774	874	880	885	891	897	902	908	913	919	925
775	930	936	941	947	953	958	964	969	975	981
776	986	992	997	*003	*009	*014	*020	*025	*031	*037
777	89 042	048	053	059	064	070	076	081	087	092
778	098	104	109	115	120	126	131	137	143	148
779	154	159	165	170	176	182	187	193	198	204
780	209	215	221	226	232	237	243	248	254	260
781	265	271	276	282	287	293	298	304	310	315
782	321	326	332	337	343	348	354	360	365	371
783	376	382	387	393	398	404	409	415	421	426
784	432	437	443	448	454	459	465	470	476	481
785	487	492	498	504	509	515	520	526	531	537
786	542	548	553	559	564	570	575	581	586	592
787	597	603	609	614	620	625	631	636	642	647
788	653	658	664	669	675	680	686	691	697	702
789	708	713	719	724	730	735	741	746	752	757
790	763	768	774	779	785	790	796	801	807	812
791	818	823	829	834	840	845	851	856	862	867
792	873	878	883	889	894	900	905	911	916	922
793	927	933	938	944	949	955	960	966	971	977
794	982	988	993	998	*004	*009	*015	*020	*026	*031
795	90 037	042	048	053	059	064	069	075	080	086
796	091	097	102	108	113	119	124	129	135	140
797	146	151	157	162	168	173	179	184	189	195
798	200	206	211	217	222	227	233	238	244	249
799	255	260	266	271	276	282	287	293	298	304
800	309	314	320	325	331	336	342	347	352	358
N	0	1	2	3	4	5	6	7	8	9

Prop. Parts

	6
1	0.6
2	1.2
3	1.8
4	2.4
5	3.0
6	3.6
7	4.2
8	4.8
9	5.4

	5
1	0.5
2	1.0
3	1.5
4	2.0
5	2.5
6	3.0
7	3.5
8	4.0
9	4.5

Prop. Parts

750 — Five-Place Common Logarithms — 800

800 — Five-Place Common Logarithms — 850

N	0	1	2	3	4	5	6	7	8	9
800	90 309	314	320	325	331	336	342	347	352	358
801	363	369	374	380	385	390	396	401	407	412
802	417	423	428	434	439	445	450	455	461	466
803	472	477	482	488	493	499	504	509	515	520
804	526	531	536	542	547	553	558	563	569	574
805	580	585	590	596	601	607	612	617	623	628
806	634	639	644	650	655	660	666	671	677	682
807	687	693	698	703	709	714	720	725	730	736
808	741	747	752	757	763	768	773	779	784	789
809	795	800	806	811	816	822	827	832	838	843
810	849	854	859	865	870	875	881	886	891	897
811	902	907	913	918	924	929	934	940	945	950
812	956	961	966	972	977	982	988	993	998	*004
813	91 009	014	020	025	030	036	041	046	052	057
814	062	068	073	078	084	089	094	100	105	110
815	116	121	126	132	137	142	148	153	158	164
816	169	174	180	185	190	196	201	206	212	217
817	222	228	233	238	243	249	254	259	265	270
818	275	281	286	291	297	302	307	312	318	323
819	328	334	339	344	350	355	360	365	371	376
820	381	387	392	397	403	408	413	418	424	429
821	434	440	445	450	455	461	466	471	477	482
822	487	492	498	503	508	514	519	524	529	535
823	540	545	551	556	561	566	572	577	582	587
824	593	598	603	609	614	619	624	630	635	640
825	645	651	656	661	666	672	677	682	687	693
826	698	703	709	714	719	724	730	735	740	745
827	751	756	761	766	772	777	782	787	793	798
828	803	808	814	819	824	829	834	840	845	850
829	855	861	866	871	876	882	887	892	897	903
830	908	913	918	924	929	934	939	944	950	955
831	960	965	971	976	981	986	991	997	*002	*007
832	92 012	018	023	028	033	038	044	049	054	059
833	065	070	075	080	085	091	096	101	106	111
834	117	122	127	132	137	143	148	153	158	163
835	169	174	179	184	189	195	200	205	210	215
836	221	226	231	236	241	247	252	257	262	267
837	273	278	283	288	293	298	304	309	314	319
838	324	330	335	340	345	350	355	361	366	371
839	376	381	387	392	397	402	407	412	418	423
840	428	433	438	443	449	454	459	464	469	474
841	480	485	490	495	500	505	511	516	521	526
842	531	536	542	547	552	557	562	567	572	578
843	583	588	593	598	603	609	614	619	624	629
844	634	639	645	650	655	660	665	670	675	681
845	686	691	696	701	706	711	716	722	727	732
846	737	742	747	752	758	763	768	773	778	783
847	788	793	799	804	809	814	819	824	829	834
848	840	845	850	855	860	865	870	875	881	886
849	891	896	901	906	911	916	921	927	932	937
850	942	947	952	957	962	967	973	978	983	988
N	0	1	2	3	4	5	6	7	8	9

Prop. Parts

	6
1	0.6
2	1.2
3	1.8
4	2.4
5	3.0
6	3.6
7	4.2
8	4.8
9	5.4

	5
1	0.5
2	1.0
3	1.5
4	2.0
5	2.5
6	3.0
7	3.5
8	4.0
9	4.5

850 — Five-Place Common Logarithms — 900

N	0	1	2	3	4	5	6	7	8	9
850	92 942	947	952	957	962	967	973	978	983	988
851	993	998	*003	*008	*013	*018	*024	*029	*034	*039
852	93 044	049	054	059	064	069	075	080	085	090
853	095	100	105	110	115	120	125	131	136	141
854	146	151	156	161	166	171	176	181	186	192
855	197	202	207	212	217	222	227	232	237	242
856	247	252	258	263	268	273	278	283	288	293
857	298	303	308	313	318	323	328	334	339	344
858	349	354	359	364	369	374	379	384	389	394
859	399	404	409	414	420	425	430	435	440	445
860	450	455	460	465	470	475	480	485	490	495
861	500	505	510	515	520	526	531	536	541	546
862	551	556	561	566	571	576	581	586	591	596
863	601	606	611	616	621	626	631	636	641	646
864	651	656	661	666	671	676	682	687	692	697
865	702	707	712	717	722	727	732	737	742	747
866	752	757	762	767	772	777	782	787	792	797
867	802	807	812	817	822	827	832	837	842	847
868	852	857	862	867	872	877	882	887	892	897
869	902	907	912	917	922	927	932	937	942	947
870	952	957	962	967	972	977	982	987	992	997
871	94 002	007	012	017	022	027	032	037	042	047
872	052	057	062	067	072	077	082	086	091	096
873	101	106	111	116	121	126	131	136	141	146
874	151	156	161	166	171	176	181	186	191	196
875	201	206	211	216	221	226	231	236	240	245
876	250	255	260	265	270	275	280	285	290	295
877	300	305	310	315	320	325	330	335	340	345
878	349	354	359	364	369	374	379	384	389	394
879	399	404	409	414	419	424	429	433	438	443
880	448	453	458	463	468	473	478	483	488	493
881	498	503	507	512	517	522	527	532	537	542
882	547	552	557	562	567	571	576	581	586	591
883	596	601	606	611	616	621	626	630	635	640
884	645	650	655	660	665	670	675	680	685	689
885	694	699	704	709	714	719	724	729	734	738
886	743	748	753	758	763	768	773	778	783	787
887	792	797	802	807	812	817	822	827	832	836
888	841	846	851	856	861	866	871	876	880	885
889	890	895	900	905	910	915	919	924	929	934
890	939	944	949	954	959	963	968	973	978	983
891	988	993	998	*002	*007	*012	*017	*022	*027	*032
892	95 036	041	046	051	056	061	066	071	075	080
893	085	090	095	100	105	109	114	119	124	129
894	134	139	143	148	153	158	163	168	173	177
895	182	187	192	197	202	207	211	216	221	226
896	231	236	240	245	250	255	260	265	270	274
897	279	284	289	294	299	303	308	313	318	323
898	328	332	337	342	347	352	357	361	366	371
899	376	381	386	390	395	400	405	410	415	419
900	424	429	434	439	444	448	453	458	463	468
N	0	1	2	3	4	5	6	7	8	9

Prop. Parts

	6
1	0.6
2	1.2
3	1.8
4	2.4
5	3.0
6	3.6
7	4.2
8	4.8
9	5.4

	5
1	0.5
2	1.0
3	1.5
4	2.0
5	2.5
6	3.0
7	3.5
8	4.0
9	4.5

	4
1	0.4
2	0.8
3	1.2
4	1.6
5	2.0
6	2.4
7	2.8
8	3.2
9	3.6

Prop. Parts

850 — Five-Place Common Logarithms — 900

900 — Five-Place Common Logarithms — 950

N	0	1	2	3	4	5	6	7	8	9	Prop. Parts
900	95 424	429	434	439	444	448	453	458	463	468	
901	472	477	482	487	492	497	501	506	511	516	
902	521	525	530	535	540	545	550	554	559	564	
903	569	574	578	583	588	593	598	602	607	612	
904	617	622	626	631	636	641	646	650	655	660	
905	665	670	674	679	684	689	694	698	703	708	
906	713	718	722	727	732	737	742	746	751	756	
907	761	766	770	775	780	785	789	794	799	804	
908	809	813	818	823	828	832	837	842	847	852	
909	856	861	866	871	875	880	885	890	895	899	
910	904	909	914	918	923	928	933	938	942	947	
911	952	957	961	966	971	976	980	985	990	995	
912	999	*004	*009	*014	*019	*023	*028	*033	*038	*042	**5**
913	96 047	052	057	061	066	071	076	080	085	090	1 0.5
914	095	099	104	109	114	118	123	128	133	137	2 1.0
915	142	147	152	156	161	166	171	175	180	185	3 1.5
916	190	194	199	204	209	213	218	223	227	232	4 2.0
917	237	242	246	251	256	261	265	270	275	280	5 2.5
918	284	289	294	298	303	308	313	317	322	327	6 3.0
919	332	336	341	346	350	355	360	365	369	374	7 3.5
920	379	384	388	393	398	402	407	412	417	421	8 4.0
921	426	431	435	440	445	450	454	459	464	468	9 4.5
922	473	478	483	487	492	497	501	506	511	515	
923	520	525	530	534	539	544	548	553	558	562	
924	567	572	577	581	586	591	595	600	605	609	
925	614	619	624	628	633	638	642	647	652	656	
926	661	666	670	675	680	685	689	694	699	703	
927	708	713	717	722	727	731	736	741	745	750	
928	755	759	764	769	774	778	783	788	792	797	
929	802	806	811	816	820	825	830	834	839	844	
930	848	853	858	862	867	872	876	881	886	890	
931	895	900	904	909	914	918	923	928	932	937	
932	942	946	951	956	960	965	970	974	979	984	**4**
933	988	993	997	*002	*007	*011	*016	*021	*025	*030	1 0.4
934	97 035	039	044	049	053	058	063	067	072	077	2 0.8
935	081	086	090	095	100	104	109	114	118	123	3 1.2
936	128	132	137	142	146	151	155	160	165	169	4 1.6
937	174	179	183	188	192	197	202	206	211	216	5 2.0
938	220	225	230	234	239	243	248	253	257	262	6 2.4
939	267	271	276	280	285	290	294	299	304	308	7 2.8
940	313	317	322	327	331	336	340	345	350	354	8 3.2
941	359	364	368	373	377	382	387	391	396	400	9 3.6
942	405	410	414	419	424	428	433	437	442	447	
943	451	456	460	465	470	474	479	483	488	493	
944	497	502	506	511	516	520	525	529	534	539	
945	543	548	552	557	562	566	571	575	580	585	
946	589	594	598	603	607	612	617	621	626	630	
947	635	640	644	649	653	658	663	667	672	676	
948	681	685	690	695	699	704	708	713	717	722	
949	727	731	736	740	745	749	754	759	763	768	
950	772	777	782	786	791	795	800	804	809	813	
N	**0**	**1**	**2**	**3**	**4**	**5**	**6**	**7**	**8**	**9**	**Prop. Parts**

950 — Five-Place Common Logarithms — 1000

N	0	1	2	3	4	5	6	7	8	9
950	97 772	777	782	786	791	795	800	804	809	813
951	818	823	827	832	836	841	845	850	855	859
952	864	868	873	877	882	886	891	896	900	905
953	909	914	918	923	928	932	937	941	946	950
954	955	959	964	968	973	978	982	987	991	996
955	98 000	005	009	014	019	023	028	032	037	041
956	046	050	055	059	064	068	073	078	082	087
957	091	096	100	105	109	114	118	123	127	132
958	137	141	146	150	155	159	164	168	173	177
959	182	186	191	195	200	204	209	214	218	223
960	227	232	236	241	245	250	254	259	263	268
961	272	277	281	286	290	295	299	304	308	313
962	318	322	327	331	336	340	345	349	354	358
963	363	367	372	376	381	385	390	394	399	403
964	408	412	417	421	426	430	435	439	444	448
965	453	457	462	466	471	475	480	484	489	493
966	498	502	507	511	516	520	525	529	534	538
967	543	547	552	556	561	565	570	574	579	583
968	588	592	597	601	605	610	614	619	623	628
969	632	637	641	646	650	655	659	664	668	673
970	677	682	686	691	695	700	704	709	713	717
971	722	726	731	735	740	744	749	753	758	762
972	767	771	776	780	784	789	793	798	802	807
973	811	816	820	825	829	834	838	843	847	851
974	856	860	865	869	874	878	883	887	892	896
975	900	905	909	914	918	923	927	932	936	941
976	945	949	954	958	963	967	972	976	981	985
977	989	994	998	*003	*007	*012	*016	*021	*025	*029
978	99 034	038	043	047	052	056	061	065	069	074
979	078	083	087	092	096	100	105	109	114	118
980	123	127	131	136	140	145	149	154	158	162
981	167	171	176	180	185	189	193	198	202	207
982	211	216	220	224	229	233	238	242	247	251
983	255	260	264	269	273	277	282	286	291	295
984	300	304	308	313	317	322	326	330	335	339
985	344	348	352	357	361	366	370	374	379	383
986	388	392	396	401	405	410	414	419	423	427
987	432	436	441	445	449	454	458	463	467	471
988	476	480	484	489	493	498	502	506	511	515
989	520	524	528	533	537	542	546	550	555	559
990	564	568	572	577	581	585	590	594	599	603
991	607	612	616	621	625	629	634	638	642	647
992	651	656	660	664	669	673	677	682	686	691
993	695	699	704	708	712	717	721	726	730	734
994	739	743	747	752	756	760	765	769	774	778
995	782	787	791	795	800	804	808	813	817	822
996	826	830	835	839	843	848	852	856	861	865
997	870	874	878	883	887	891	896	900	904	909
998	913	917	922	926	930	935	939	944	948	952
999	957	961	965	970	974	978	983	987	991	996
1000	00 000	004	009	013	017	022	026	030	035	039
N	0	1	2	3	4	5	6	7	8	9

Prop. Parts

	5
1	0.5
2	1.0
3	1.5
4	2.0
5	2.5
6	3.0
7	3.5
8	4.0
9	4.5

	4
1	0.4
2	0.8
3	1.2
4	1.6
5	2.0
6	2.4
7	2.8
8	3.2
9	3.6

Natural Trigonometric Functions

0°

′	Sin	Tan	Ctn	Cos	′
0	.00000	.00000	—	1.0000	**60**
1	.00029	.00029	3437.7	1.0000	59
2	.00058	.00058	1718.9	1.0000	58
3	.00087	.00087	1145.9	1.0000	57
4	.00116	.00116	859.44	1.0000	56
5	.00145	.00145	687.55	1.0000	**55**
6	.00175	.00175	572.96	1.0000	54
7	.00204	.00204	491.11	1.0000	53
8	.00233	.00233	429.72	1.0000	52
9	.00262	.00262	381.97	1.0000	51
10	.00291	.00291	343.77	1.0000	**50**
11	.00320	.00320	312.52	.99999	49
12	.00349	.00349	286.48	.99999	48
13	.00378	.00378	264.44	.99999	47
14	.00407	.00407	245.55	.99999	46
15	.00436	.00436	229.18	.99999	**45**
16	.00465	.00465	214.86	.99999	44
17	.00495	.00495	202.22	.99999	43
18	.00524	.00524	190.98	.99999	42
19	.00553	.00553	180.93	.99998	41
20	.00582	.00582	171.89	.99998	**40**
21	.00611	.00611	163.70	.99998	39
22	.00640	.00640	156.26	.99998	38
23	.00669	.00669	149.47	.99998	37
24	.00698	.00698	143.24	.99998	36
25	.00727	.00727	137.51	.99997	**35**
26	.00756	.00756	132.22	.99997	34
27	.00785	.00785	127.32	.99997	33
28	.00814	.00815	122.77	.99997	32
29	.00844	.00844	118.54	.99996	31
30	.00873	.00873	114.59	.99996	**30**
31	.00902	.00902	110.89	.99996	29
32	.00931	.00931	107.43	.99996	28
33	.00960	.00960	104.17	.99995	27
34	.00989	.00989	101.11	.99995	26
35	.01018	.01018	98.218	.99995	**25**
36	.01047	.01047	95.489	.99995	24
37	.01076	.01076	92.908	.99994	23
38	.01105	.01105	90.463	.99994	22
39	.01134	.01135	88.144	.99994	21
40	.01164	.01164	85.940	.99993	**20**
41	.01193	.01193	83.844	.99993	19
42	.01222	.01222	81.847	.99993	18
43	.01251	.01251	79.943	.99992	17
44	.01280	.01280	78.126	.99992	16
45	.01309	.01309	76.390	.99991	**15**
46	.01338	.01338	74.729	.99991	14
47	.01367	.01367	73.139	.99991	13
48	.01396	.01396	71.615	.99990	12
49	.01425	.01425	70.153	.99990	11
50	.01454	.01455	68.750	.99989	**10**
51	.01483	.01484	67.402	.99989	9
52	.01513	.01513	66.105	.99989	8
53	.01542	.01542	64.858	.99988	7
54	.01571	.01571	63.657	.99988	6
55	.01600	.01600	62.499	.99987	**5**
56	.01629	.01629	61.383	.99987	4
57	.01658	.01658	60.306	.99986	3
58	.01687	.01687	59.266	.99986	2
59	.01716	.01716	58.261	.99985	1
60	.01745	.01746	57.290	.99985	**0**
′	Cos	Ctn	Tan	Sin	′

89°

1°

′	Sin	Tan	Ctn	Cos	′
0	.01745	.01746	57.290	.99985	**60**
1	.01774	.01775	56.351	.99984	59
2	.01803	.01804	55.442	.99984	58
3	.01832	.01833	54.561	.99983	57
4	.01862	.01862	53.709	.99983	56
5	.01891	.01891	52.882	.99982	**55**
6	.01920	.01920	52.081	.99982	54
7	.01949	.01949	51.303	.99981	53
8	.01978	.01978	50.549	.99980	52
9	.02007	.02007	49.816	.99980	51
10	.02036	.02036	49.104	.99979	**50**
11	.02065	.02066	48.412	.99979	49
12	.02094	.02095	47.740	.99978	48
13	.02123	.02124	47.085	.99977	47
14	.02152	.02153	46.449	.99977	46
15	.02181	.02182	45.829	.99976	**45**
16	.02211	.02211	45.226	.99976	44
17	.02240	.02240	44.639	.99975	43
18	.02269	.02269	44.066	.99974	42
19	.02298	.02298	43.508	.99974	41
20	.02327	.02328	42.964	.99973	**40**
21	.02356	.02357	42.433	.99972	39
22	.02385	.02386	41.916	.99972	38
23	.02414	.02415	41.411	.99971	37
24	.02443	.02444	40.917	.99970	36
25	.02472	.02473	40.436	.99969	**35**
26	.02501	.02502	39.965	.99969	34
27	.02530	.02531	39.506	.99968	33
28	.02560	.02560	39.057	.99967	32
29	.02589	.02589	38.618	.99966	31
30	.02618	.02619	38.188	.99966	**30**
31	.02647	.02648	37.769	.99965	29
32	.02676	.02677	37.358	.99964	28
33	.02705	.02706	36.956	.99963	27
34	.02734	.02735	36.563	.99963	26
35	.02763	.02764	36.178	.99962	**25**
36	.02792	.02793	35.801	.99961	24
37	.02821	.02822	35.431	.99960	23
38	.02850	.02851	35.070	.99959	22
39	.02879	.02881	34.715	.99959	21
40	.02908	.02910	34.368	.99958	**20**
41	.02938	.02939	34.027	.99957	19
42	.02967	.02968	33.694	.99956	18
43	.02996	.02997	33.366	.99955	17
44	.03025	.03026	33.045	.99954	16
45	.03054	.03055	32.730	.99953	**15**
46	.03083	.03084	32.421	.99952	14
47	.03112	.03114	32.118	.99952	13
48	.03141	.03143	31.821	.99951	12
49	.03170	.03172	31.528	.99950	11
50	.03199	.03201	31.242	.99949	**10**
51	.03228	.03230	30.960	.99948	9
52	.03257	.03259	30.683	.99947	8
53	.03286	.03288	30.412	.99946	7
54	.03316	.03317	30.145	.99945	6
55	.03345	.03346	29.882	.99944	**5**
56	.03374	.03376	29.624	.99943	4
57	.03403	.03405	29.371	.99942	3
58	.03432	.03434	29.122	.99941	2
59	.03461	.03463	28.877	.99940	1
60	.03490	.03492	28.636	.99939	**0**
′	Cos	Ctn	Tan	Sin	′

88°

Natural Trigonometric Functions

2°

′	Sin	Tan	Ctn	Cos	′
0	.03490	.03492	28.636	.99939	**60**
1	.03519	.03521	28.399	.99938	59
2	.03548	.03550	28.166	.99937	58
3	.03577	.03579	27.937	.99936	57
4	.03606	.03609	27.712	.99935	56
5	.03635	.03638	27.490	.99934	**55**
6	.03664	.03667	27.271	.99933	54
7	.03693	.03696	27.057	.99932	53
8	.03723	.03725	26.845	.99931	52
9	.03752	.03754	26.637	.99930	51
10	.03781	.03783	26.432	.99929	**50**
11	.03810	.03812	26.230	.99927	49
12	.03839	.03842	26.031	.99926	48
13	.03868	.03871	25.835	.99925	47
14	.03897	.03900	25.642	.99924	46
15	.03926	.03929	25.452	.99923	**45**
16	.03955	.03958	25.264	.99922	44
17	.03984	.03987	25.080	.99921	43
18	.04013	.04016	24.898	.99919	42
19	.04042	.04046	24.719	.99918	41
20	.04071	.04075	24.542	.99917	**40**
21	.04100	.04104	24.368	.99916	39
22	.04129	.04133	24.196	.99915	38
23	.04159	.04162	24.026	.99913	37
24	.04188	.04191	23.859	.99912	36
25	.04217	.04220	23.695	.99911	**35**
26	.04246	.04250	23.532	.99910	34
27	.04275	.04279	23.372	.99909	33
28	.04304	.04308	23.214	.99907	32
29	.04333	.04337	23.058	.99906	31
30	.04362	.04366	22.904	.99905	**30**
31	.04391	.04395	22.752	.99904	29
32	.04420	.04424	22.602	.99902	28
33	.04449	.04454	22.454	.99901	27
34	.04478	.04483	22.308	.99900	26
35	.04507	.04512	22.164	.99898	**25**
36	.04536	.04541	22.022	.99897	24
37	.04565	.04570	21.881	.99896	23
38	.04594	.04599	21.743	.99894	22
39	.04623	.04628	21.606	.99893	21
40	.04653	.04658	21.470	.99892	**20**
41	.04682	.04687	21.337	.99890	19
42	.04711	.04716	21.205	.99889	18
43	.04740	.04745	21.075	.99888	17
44	.04769	.04774	20.946	.99886	16
45	.04798	.04803	20.819	.99885	**15**
46	.04827	.04833	20.693	.99883	14
47	.04856	.04862	20.569	.99882	13
48	.04885	.04891	20.446	.99881	12
49	.04914	.04920	20.325	.99879	11
50	.04943	.04949	20.206	.99878	**10**
51	.04972	.04978	20.087	.99876	9
52	.05001	.05007	19.970	.99875	8
53	.05030	.05037	19.855	.99873	7
54	.05059	.05066	19.740	.99872	6
55	.05088	.05095	19.627	.99870	**5**
56	.05117	.05124	19.516	.99869	4
57	.05146	.05153	19.405	.99867	3
58	.05175	.05182	19.296	.99866	2
59	.05205	.05212	19.188	.99864	1
60	.05234	.05241	19.081	.99863	**0**
′	Cos	Ctn	Tan	Sin	′

87°

3°

′	Sin	Tan	Ctn	Cos	′
0	.05234	.05241	19.081	.99863	**60**
1	.05263	.05270	18.976	.99861	59
2	.05292	.05299	18.871	.99860	58
3	.05321	.05328	18.768	.99858	57
4	.05350	.05357	18.666	.99857	56
5	.05379	.05387	18.564	.99855	**55**
6	.05408	.05416	18.464	.99854	54
7	.05437	.05445	18.366	.99852	53
8	.05466	.05474	18.268	.99851	52
9	.05495	.05503	18.171	.99849	51
10	.05524	.05533	18.075	.99847	**50**
11	.05553	.05562	17.980	.99846	49
12	.05582	.05591	17.886	.99844	48
13	.05611	.05620	17.793	.99842	47
14	.05640	.05649	17.702	.99841	46
15	.05669	.05678	17.611	.99839	**45**
16	.05698	.05708	17.521	.99838	44
17	.05727	.05737	17.431	.99836	43
18	.05756	.05766	17.343	.99834	42
19	.05785	.05795	17.256	.99833	41
20	.05814	.05824	17.169	.99831	**40**
21	.05844	.05854	17.084	.99829	39
22	.05873	.05883	16.999	.99827	38
23	.05902	.05912	16.915	.99826	37
24	.05931	.05941	16.832	.99824	36
25	.05960	.05970	16.750	.99822	**35**
26	.05989	.05999	16.668	.99821	34
27	.06018	.06029	16.587	.99819	33
28	.06047	.06058	16.507	.99817	32
29	.06076	.06087	16.428	.99815	31
30	.06105	.06116	16.350	.99813	**30**
31	.06134	.06145	16.272	.99812	29
32	.06163	.06175	16.195	.99810	28
33	.06192	.06204	16.119	.99808	27
34	.06221	.06233	16.043	.99806	26
35	.06250	.06262	15.969	.99804	**25**
36	.06279	.06291	15.895	.99803	24
37	.06308	.06321	15.821	.99801	23
38	.06337	.06350	15.748	.99799	22
39	.06366	.06379	15.676	.99797	21
40	.06395	.06408	15.605	.99795	**20**
41	.06424	.06438	15.534	.99793	19
42	.06453	.06467	15.464	.99792	18
43	.06482	.06496	15.394	.99790	17
44	.06511	.06525	15.325	.99788	16
45	.06540	.06554	15.257	.99786	**15**
46	.06569	.06584	15.189	.99784	14
47	.06598	.06613	15.122	.99782	13
48	.06627	.06642	15.056	.99780	12
49	.06656	.06671	14.990	.99778	11
50	.06685	.06700	14.924	.99776	**10**
51	.06714	.06730	14.860	.99774	9
52	.06743	.06759	14.795	.99772	8
53	.06773	.06788	14.732	.99770	7
54	.06802	.06817	14.669	.99768	6
55	.06831	.06847	14.606	.99766	**5**
56	.06860	.06876	14.544	.99764	4
57	.06889	.06905	14.482	.99762	3
58	.06918	.06934	14.421	.99760	2
59	.06947	.06963	14.361	.99758	1
60	.06976	.06993	14.301	.99756	**0**
′	Cos	Ctn	Tan	Sin	′

86°

Natural Trigonometric Functions

4°

′	Sin	Tan	Ctn	Cos	′
0	.06976	.06993	14.301	.99756	**60**
1	.07005	.07022	14.241	.99754	59
2	.07034	.07051	14.182	.99752	58
3	.07063	.07080	14.124	.99750	57
4	.07092	.07110	14.065	.99748	56
5	.07121	.07139	14.008	.99746	**55**
6	.07150	.07168	13.951	.99744	54
7	.07179	.07197	13.894	.99742	53
8	.07208	.07227	13.838	.99740	52
9	.07237	.07256	13.782	.99738	51
10	.07266	.07285	13.727	.99736	**50**
11	.07295	.07314	13.672	.99734	49
12	.07324	.07344	13.617	.99731	48
13	.07353	.07373	13.563	.99729	47
14	.07382	.07402	13.510	.99727	46
15	.07411	.07431	13.457	.99725	**45**
16	.07440	.07461	13.404	.99723	44
17	.07469	.07490	13.352	.99721	43
18	.07498	.07519	13.300	.99719	42
19	.07527	.07548	13.248	.99716	41
20	.07556	.07578	13.197	.99714	**40**
21	.07585	.07607	13.146	.99712	39
22	.07614	.07636	13.096	.99710	38
23	.07643	.07665	13.046	.99708	37
24	.07672	.07695	12.996	.99705	36
25	.07701	.07724	12.947	.99703	**35**
26	.07730	.07753	12.898	.99701	34
27	.07759	.07782	12.850	.99699	33
28	.07788	.07812	12.801	.99696	32
29	.07817	.07841	12.754	.99694	31
30	.07846	.07870	12.706	.99692	**30**
31	.07875	.07899	12.659	.99689	29
32	.07904	.07929	12.612	.99687	28
33	.07933	.07958	12.566	.99685	27
34	.07962	.07987	12.520	.99683	26
35	.07991	.08017	12.474	.99680	**25**
36	.08020	.08046	12.429	.99678	24
37	.08049	.08075	12.384	.99676	23
38	.08078	.08104	12.339	.99673	22
39	.08107	.08134	12.295	.99671	21
40	.08136	.08163	12.251	.99668	**20**
41	.08165	.08192	12.207	.99666	19
42	.08194	.08221	12.163	.99664	18
43	.08223	.08251	12.120	.99661	17
44	.08252	.08280	12.077	.99659	16
45	.08281	.08309	12.035	.99657	**15**
46	.08310	.08339	11.992	.99654	14
47	.08339	.08368	11.950	.99652	13
48	.08368	.08397	11.909	.99649	12
49	.08397	.08427	11.867	.99647	11
50	.08426	.08456	11.826	.99644	**10**
51	.08455	.08485	11.785	.99642	9
52	.08484	.08514	11.745	.99639	8
53	.08513	.08544	11.705	.99637	7
54	.08542	.08573	11.664	.99635	6
55	.08571	.08602	11.625	.99632	**5**
56	.08600	.08632	11.585	.99630	4
57	.08629	.08661	11.546	.99627	3
58	.08658	.08690	11.507	.99625	2
59	.08687	.08720	11.468	.99622	1
60	.08716	.08749	11.430	.99619	**0**
′	Cos	Ctn	Tan	Sin	′

85°

5°

′	Sin	Tan	Ctn	Cos	′
0	.08716	.08749	11.430	.99619	**60**
1	.08745	.08778	11.392	.99617	59
2	.08774	.08807	11.354	.99614	58
3	.08803	.08837	11.316	.99612	57
4	.08831	.08866	11.279	.99609	56
5	.08860	.08895	11.242	.99607	**55**
6	.08889	.08925	11.205	.99604	54
7	.08918	.08954	11.168	.99602	53
8	.08947	.08983	11.132	.99599	52
9	.08976	.09013	11.095	.99596	51
10	.09005	.09042	11.059	.99594	**50**
11	.09034	.09071	11.024	.99591	49
12	.09063	.09101	10.988	.99588	48
13	.09092	.09130	10.953	.99586	47
14	.09121	.09159	10.918	.99583	46
15	.09150	.09189	10.883	.99580	**45**
16	.09179	.09218	10.848	.99578	44
17	.09208	.09247	10.814	.99575	43
18	.09237	.09277	10.780	.99572	42
19	.09266	.09306	10.746	.99570	41
20	.09295	.09335	10.712	.99567	**40**
21	.09324	.09365	10.678	.99564	39
22	.09353	.09394	10.645	.99562	38
23	.09382	.09423	10.612	.99559	37
24	.09411	.09453	10.579	.99556	36
25	.09440	.09482	10.546	.99553	**35**
26	.09469	.09511	10.514	.99551	34
27	.09498	.09541	10.481	.99548	33
28	.09527	.09570	10.449	.99545	32
29	.09556	.09600	10.417	.99542	31
30	.09585	.09629	10.385	.99540	**30**
31	.09614	.09658	10.354	.99537	29
32	.09642	.09688	10.322	.99534	28
33	.09671	.09717	10.291	.99531	27
34	.09700	.09746	10.260	.99528	26
35	.09729	.09776	10.229	.99526	**25**
36	.09758	.09805	10.199	.99523	24
37	.09787	.09834	10.168	.99520	23
38	.09816	.09864	10.138	.99517	22
39	.09845	.09893	10.108	.99514	21
40	.09874	.09923	10.078	.99511	**20**
41	.09903	.09952	10.048	.99508	19
42	.09932	.09981	10.019	.99506	18
43	.09961	.10011	9.9893	.99503	17
44	.09990	.10040	9.9601	.99500	16
45	.10019	.10069	9.9310	.99497	**15**
46	.10048	.10099	9.9021	.99494	14
47	.10077	.10128	9.8734	.99491	13
48	.10106	.10158	9.8448	.99488	12
49	.10135	.10187	9.8164	.99485	11
50	.10164	.10216	9.7882	.99482	**10**
51	.10192	.10246	9.7601	.99479	9
52	.10221	.10275	9.7322	.99476	8
53	.10250	.10305	9.7044	.99473	7
54	.10279	.10334	9.6768	.99470	6
55	.10308	.10363	9.6493	.99467	**5**
56	.10337	.10393	9.6220	.99464	4
57	.10366	.10422	9.5949	.99461	3
58	.10395	.10452	9.5679	.99458	2
59	.10424	.10481	9.5411	.99455	1
60	.10453	.10510	9.5144	.99452	**0**
′	Cos	Ctn	Tan	Sin	′

84°

Natural Trigonometric Functions

6°

′	Sin	Tan	Ctn	Cos	′
0	.10453	.10510	9.5144	.99452	**60**
1	.10482	.10540	9.4878	.99449	59
2	.10511	.10569	9.4614	.99446	58
3	.10540	.10599	9.4352	.99443	57
4	.10569	.10628	9.4090	.99440	56
5	.10597	.10657	9.3831	.99437	**55**
6	.10626	.10687	9.3572	.99434	54
7	.10655	.10716	9.3315	.99431	53
8	.10684	.10746	9.3060	.99428	52
9	.10713	.10775	9.2806	.99424	51
10	.10742	.10805	9.2553	.99421	**50**
11	.10771	.10834	9.2302	.99418	49
12	.10800	.10863	9.2052	.99415	48
13	.10829	.10893	9.1803	.99412	47
14	.10858	.10922	9.1555	.99409	46
15	.10887	.10952	9.1309	.99406	**45**
16	.10916	.10981	9.1065	.99402	44
17	.10945	.11011	9.0821	.99399	43
18	.10973	.11040	9.0579	.99396	42
19	.11002	.11070	9.0338	.99393	41
20	.11031	.11099	9.0098	.99390	**40**
21	.11060	.11128	8.9860	.99386	39
22	.11089	.11158	8.9623	.99383	38
23	.11118	.11187	8.9387	.99380	37
24	.11147	.11217	8.9152	.99377	36
25	.11176	.11246	8.8919	.99374	**35**
26	.11205	.11276	8.8686	.99370	34
27	.11234	.11305	8.8455	.99367	33
28	.11263	.11335	8.8225	.99364	32
29	.11291	.11364	8.7996	.99360	31
30	.11320	.11394	8.7769	.99357	**30**
31	.11349	.11423	8.7542	.99354	29
32	.11378	.11452	8.7317	.99351	28
33	.11407	.11482	8.7093	.99347	27
34	.11436	.11511	8.6870	.99344	26
35	.11465	.11541	8.6648	.99341	**25**
36	.11494	.11570	8.6427	.99337	24
37	.11523	.11600	8.6208	.99334	23
38	.11552	.11629	8.5989	.99331	22
39	.11580	.11659	8.5772	.99327	21
40	.11609	.11688	8.5555	.99324	**20**
41	.11638	.11718	8.5340	.99320	19
42	.11667	.11747	8.5126	.99317	18
43	.11696	.11777	8.4913	.99314	17
44	.11725	.11806	8.4701	.99310	16
45	.11754	.11836	8.4490	.99307	**15**
46	.11783	.11865	8.4280	.99303	14
47	.11812	.11895	8.4071	.99300	13
48	.11840	.11924	8.3863	.99297	12
49	.11869	.11954	8.3656	.99293	11
50	.11898	.11983	8.3450	.99290	**10**
51	.11927	.12013	8.3245	.99286	9
52	.11956	.12042	8.3041	.99283	8
53	.11985	.12072	8.2838	.99279	7
54	.12014	.12101	8.2636	.99276	6
55	.12043	.12131	8.2434	.99272	**5**
56	.12071	.12160	8.2234	.99269	4
57	.12100	.12190	8.2035	.99265	3
58	.12129	.12219	8.1837	.99262	2
59	.12158	.12249	8.1640	.99258	1
60	.12187	.12278	8.1443	.99255	**0**
′	Cos	Ctn	Tan	Sin	′

83°

7°

′	Sin	Tan	Ctn	Cos	′
0	.12187	.12278	8.1443	.99255	**60**
1	.12216	.12308	8.1248	.99251	59
2	.12245	.12338	8.1054	.99248	58
3	.12274	.12367	8.0860	.99244	57
4	.12302	.12397	8.0667	.99240	56
5	.12331	.12426	8.0476	.99237	**55**
6	.12360	.12456	8.0285	.99233	54
7	.12389	.12485	8.0095	.99230	53
8	.12418	.12515	7.9906	.99226	52
9	.12447	.12544	7.9718	.99222	51
10	.12476	.12574	7.9530	.99219	**50**
11	.12504	.12603	7.9344	.99215	49
12	.12533	.12633	7.9158	.99211	48
13	.12562	.12662	7.8973	.99208	47
14	.12591	.12692	7.8789	.99204	46
15	.12620	.12722	7.8606	.99200	**45**
16	.12649	.12751	7.8424	.99197	44
17	.12678	.12781	7.8243	.99193	43
18	.12706	.12810	7.8062	.99189	42
19	.12735	.12840	7.7882	.99186	41
20	.12764	.12869	7.7704	.99182	**40**
21	.12793	.12899	7.7525	.99178	39
22	.12822	.12929	7.7348	.99175	38
23	.12851	.12958	7.7171	.99171	37
24	.12880	.12988	7.6996	.99167	36
25	.12908	.13017	7.6821	.99163	**35**
26	.12937	.13047	7.6647	.99160	34
27	.12966	.13076	7.6473	.99156	33
28	.12995	.13106	7.6301	.99152	32
29	.13024	.13136	7.6129	.99148	31
30	.13053	.13165	7.5958	.99144	**30**
31	.13081	.13195	7.5787	.99141	29
32	.13110	.13224	7.5618	.99137	28
33	.13139	.13254	7.5449	.99133	27
34	.13168	.13284	7.5281	.99129	26
35	.13197	.13313	7.5113	.99125	**25**
36	.13226	.13343	7.4947	.99122	24
37	.13254	.13372	7.4781	.99118	23
38	.13283	.13402	7.4615	.99114	22
39	.13312	.13432	7.4451	.99110	21
40	.13341	.13461	7.4287	.99106	**20**
41	.13370	.13491	7.4124	.99102	19
42	.13399	.13521	7.3962	.99098	18
43	.13427	.13550	7.3800	.99094	17
44	.13456	.13580	7.3639	.99091	16
45	.13485	.13609	7.3479	.99087	**15**
46	.13514	.13639	7.3319	.99083	14
47	.13543	.13669	7.3160	.99079	13
48	.13572	.13698	7.3002	.99075	12
49	.13600	.13728	7.2844	.99071	11
50	.13629	.13758	7.2687	.99067	**10**
51	.13658	.13787	7.2531	.99063	9
52	.13687	.13817	7.2375	.99059	8
53	.13716	.13846	7.2220	.99055	7
54	.13744	.13876	7.2066	.99051	6
55	.13773	.13906	7.1912	.99047	**5**
56	.13802	.13935	7.1759	.99043	4
57	.13831	.13965	7.1607	.99039	3
58	.13860	.13995	7.1455	.99035	2
59	.13889	.14024	7.1304	.99031	1
60	.13917	.14054	7.1154	.99027	**0**
′	Cos	Ctn	Tan	Sin	′

82°

Natural Trigonometric Functions

8°

′	Sin	Tan	Ctn	Cos	′
0	.13917	.14054	7.1154	.99027	**60**
1	.13946	.14084	7.1004	.99023	59
2	.13975	.14113	7.0855	.99019	58
3	.14004	.14143	7.0706	.99015	57
4	.14033	.14173	7.0558	.99011	56
5	.14061	.14202	7.0410	.99006	**55**
6	.14090	.14232	7.0264	.99002	54
7	.14119	.14262	7.0117	.98998	53
8	.14148	.14291	6.9972	.98994	52
9	.14177	.14321	6.9827	.98990	51
10	.14205	.14351	6.9682	.98986	**50**
11	.14234	.14381	6.9538	.98982	49
12	.14263	.14410	6.9395	.98978	48
13	.14292	.14440	6.9252	.98973	47
14	.14320	.14470	6.9110	.98969	46
15	.14349	.14499	6.8969	.98965	**45**
16	.14378	.14529	6.8828	.98961	44
17	.14407	.14559	6.8687	.98957	43
18	.14436	.14588	6.8548	.98953	42
19	.14464	.14618	6.8408	.98948	41
20	.14493	.14648	6.8269	.98944	**40**
21	.14522	.14678	6.8131	.98940	39
22	.14551	.14707	6.7994	.98936	38
23	.14580	.14737	6.7856	.98931	37
24	.14608	.14767	6.7720	.98927	36
25	.14637	.14796	6.7584	.98923	**35**
26	.14666	.14826	6.7448	.98919	34
27	.14695	.14856	6.7313	.98914	33
28	.14723	.14886	6.7179	.98910	32
29	.14752	.14915	6.7045	.98906	31
30	.14781	.14945	6.6912	.98902	**30**
31	.14810	.14975	6.6779	.98897	29
32	.14838	.15005	6.6646	.98893	28
33	.14867	.15034	6.6514	.98889	27
34	.14896	.15064	6.6383	.98884	26
35	.14925	.15094	6.6252	.98880	**25**
36	.14954	.15124	6.6122	.98876	24
37	.14982	.15153	6.5992	.98871	23
38	.15011	.15183	6.5863	.98867	22
39	.15040	.15213	6.5734	.98863	21
40	.15069	.15243	6.5606	.98858	**20**
41	.15097	.15272	6.5478	.98854	19
42	.15126	.15302	6.5350	.98849	18
43	.15155	.15332	6.5223	.98845	17
44	.15184	.15362	6.5097	.98841	16
45	.15212	.15391	6.4971	.98836	**15**
46	.15241	.15421	6.4846	.98832	14
47	.15270	.15451	6.4721	.98827	13
48	.15299	.15481	6.4596	.98823	12
49	.15327	.15511	6.4472	.98818	11
50	.15356	.15540	6.4348	.98814	**10**
51	.15385	.15570	6.4225	.98809	9
52	.15414	.15600	6.4103	.98805	8
53	.15442	.15630	6.3980	.98800	7
54	.15471	.15660	6.3859	.98796	6
55	.15500	.15689	6.3737	.98791	**5**
56	.15529	.15719	6.3617	.98787	4
57	.15557	.15749	6.3496	.98782	3
58	.15586	.15779	6.3376	.98778	2
59	.15615	.15809	6.3257	.98773	1
60	.15643	.15838	6.3138	.98769	**0**
′	Cos	Ctn	Tan	Sin	′

81°

9°

′	Sin	Tan	Ctn	Cos	′
0	.15643	.15838	6.3138	.98769	**60**
1	.15672	.15868	6.3019	.98764	59
2	.15701	.15898	6.2901	.98760	58
3	.15730	.15928	6.2783	.98755	57
4	.15758	.15958	6.2666	.98751	56
5	.15787	.15988	6.2549	.98746	**55**
6	.15816	.16017	6.2432	.98741	54
7	.15845	.16047	6.2316	.98737	53
8	.15873	.16077	6.2200	.98732	52
9	.15902	.16107	6.2085	.98728	51
10	.15931	.16137	6.1970	.98723	**50**
11	.15959	.16167	6.1856	.98718	49
12	.15988	.16196	6.1742	.98714	48
13	.16017	.16226	6.1628	.98709	47
14	.16046	.16256	6.1515	.98704	46
15	.16074	.16286	6.1402	.98700	**45**
16	.16103	.16316	6.1290	.98695	44
17	.16132	.16346	6.1178	.98690	43
18	.16160	.16376	6.1066	.98686	42
19	.16189	.16405	6.0955	.98681	41
20	.16218	.16435	6.0844	.98676	**40**
21	.16246	.16465	6.0734	.98671	39
22	.16275	.16495	6.0624	.98667	38
23	.16304	.16525	6.0514	.98662	37
24	.16333	.16555	6.0405	.98657	36
25	.16361	.16585	6.0296	.98652	**35**
26	.16390	.16615	6.0188	.98648	34
27	.16419	.16645	6.0080	.98643	33
28	.16447	.16674	5.9972	.98638	32
29	.16476	.16704	5.9865	.98633	31
30	.16505	.16734	5.9758	.98629	**30**
31	.16533	.16764	5.9651	.98624	29
32	.16562	.16794	5.9545	.98619	28
33	.16591	.16824	5.9439	.98614	27
34	.16620	.16854	5.9333	.98609	26
35	.16648	.16884	5.9228	.98604	**25**
36	.16677	.16914	5.9124	.98600	24
37	.16706	.16944	5.9019	.98595	23
38	.16734	.16974	5.8915	.98590	22
39	.16763	.17004	5.8811	.98585	21
40	.16792	.17033	5.8708	.98580	**20**
41	.16820	.17063	5.8605	.98575	19
42	.16849	.17093	5.8502	.98570	18
43	.16878	.17123	5.8400	.98565	17
44	.16906	.17153	5.8298	.98561	16
45	.16935	.17183	5.8197	.98556	**15**
46	.16964	.17213	5.8095	.98551	14
47	.16992	.17243	5.7994	.98546	13
48	.17021	.17273	5.7894	.98541	12
49	.17050	.17303	5.7794	.98536	11
50	.17078	.17333	5.7694	.98531	**10**
51	.17107	.17363	5.7594	.98526	9
52	.17136	.17393	5.7495	.98521	8
53	.17164	.17423	5.7396	.98516	7
54	.17193	.17453	5.7297	.98511	6
55	.17222	.17483	5.7199	.98506	**5**
56	.17250	.17513	5.7101	.98501	4
57	.17279	.17543	5.7004	.98496	3
58	.17308	.17573	5.6906	.98491	2
59	.17336	.17603	5.6809	.98486	1
60	.17365	.17633	5.6713	.98481	**0**
′	Cos	Ctn	Tan	Sin	′

80°

Natural Trigonometric Functions

10°

′	Sin	Tan	Ctn	Cos	′
0	.17365	.17633	5.6713	.98481	**60**
1	.17393	.17663	5.6617	.98476	59
2	.17422	.17693	5.6521	.98471	58
3	.17451	.17723	5.6425	.98466	57
4	.17479	.17753	5.6329	.98461	56
5	.17508	.17783	5.6234	.98455	**55**
6	.17537	.17813	5.6140	.98450	54
7	.17565	.17843	5.6045	.98445	53
8	.17594	.17873	5.5951	.98440	52
9	.17623	.17903	5.5857	.98435	51
10	.17651	.17933	5.5764	.98430	**50**
11	.17680	.17963	5.5671	.98425	49
12	.17708	.17993	5.5578	.98420	48
13	.17737	.18023	5.5485	.98414	47
14	.17766	.18053	5.5393	.98409	46
15	.17794	.18083	5.5301	.98404	**45**
16	.17823	.18113	5.5209	.98399	44
17	.17852	.18143	5.5118	.98394	43
18	.17880	.18173	5.5026	.98389	42
19	.17909	.18203	5.4936	.98383	41
20	.17937	.18233	5.4845	.98378	**40**
21	.17966	.18263	5.4755	.98373	39
22	.17995	.18293	5.4665	.98368	38
23	.18023	.18323	5.4575	.98362	37
24	.18052	.18353	5.4486	.98357	36
25	.18081	.18384	5.4397	.98352	**35**
26	.18109	.18414	5.4308	.98347	34
27	.18138	.18444	5.4219	.98341	33
28	.18166	.18474	5.4131	.98336	32
29	.18195	.18504	5.4043	.98331	31
30	.18224	.18534	5.3955	.98325	**30**
31	.18252	.18564	5.3868	.98320	29
32	.18281	.18594	5.3781	.98315	28
33	.18309	.18624	5.3694	.98310	27
34	.18338	.18654	5.3607	.98304	26
35	.18367	.18684	5.3521	.98299	**25**
36	.18395	.18714	5.3435	.98294	24
37	.18424	.18745	5.3349	.98288	23
38	.18452	.18775	5.3263	.98283	22
39	.18481	.18805	5.3178	.98277	21
40	.18509	.18835	5.3093	.98272	**20**
41	.18538	.18865	5.3008	.98267	19
42	.18567	.18895	5.2924	.98261	18
43	.18595	.18925	5.2839	.98256	17
44	.18624	.18955	5.2755	.98250	16
45	.18652	.18986	5.2672	.98245	**15**
46	.18681	.19016	5.2588	.98240	14
47	.18710	.19046	5.2505	.98234	13
48	.18738	.19076	5.2422	.98229	12
49	.18767	.19106	5.2339	.98223	11
50	.18795	.19136	5.2257	.98218	**10**
51	.18824	.19166	5.2174	.98212	9
52	.18852	.19197	5.2092	.98207	8
53	.18881	.19227	5.2011	.98201	7
54	.18910	.19257	5.1929	.98196	6
55	.18938	.19287	5.1848	.98190	**5**
56	.18967	.19317	5.1767	.98185	4
57	.18995	.19347	5.1686	.98179	3
58	.19024	.19378	5.1606	.98174	2
59	.19052	.19408	5.1526	.98168	1
60	.19081	.19438	5.1446	.98163	**0**
′	Cos	Ctn	Tan	Sin	′

79°

11°

′	Sin	Tan	Ctn	Cos	′
0	.19081	.19438	5.1446	.98163	**60**
1	.19109	.19468	5.1366	.98157	59
2	.19138	.19498	5.1286	.98152	58
3	.19167	.19529	5.1207	.98146	57
4	.19195	.19559	5.1128	.98140	56
5	.19224	.19589	5.1049	.98135	**55**
6	.19252	.19619	5.0970	.98129	54
7	.19281	.19649	5.0892	.98124	53
8	.19309	.19680	5.0814	.98118	52
9	.19338	.19710	5.0736	.98112	51
10	.19366	.19740	5.0658	.98107	**50**
11	.19395	.19770	5.0581	.98101	49
12	.19423	.19801	5.0504	.98096	48
13	.19452	.19831	5.0427	.98090	47
14	.19481	.19861	5.0350	.98084	46
15	.19509	.19891	5.0273	.98079	**45**
16	.19538	.19921	5.0197	.98073	44
17	.19566	.19952	5.0121	.98067	43
18	.19595	.19982	5.0045	.98061	42
19	.19623	.20012	4.9969	.98056	41
20	.19652	.20042	4.9894	.98050	**40**
21	.19680	.20073	4.9819	.98044	39
22	.19709	.20103	4.9744	.98039	38
23	.19737	.20133	4.9669	.98033	37
24	.19766	.20164	4.9594	.98027	36
25	.19794	.20194	4.9520	.98021	**35**
26	.19823	.20224	4.9446	.98016	34
27	.19851	.20254	4.9372	.98010	33
28	.19880	.20285	4.9298	.98004	32
29	.19908	.20315	4.9225	.97998	31
30	.19937	.20345	4.9152	.97992	**30**
31	.19965	.20376	4.9078	.97987	29
32	.19994	.20406	4.9006	.97981	28
33	.20022	.20436	4.8933	.97975	27
34	.20051	.20466	4.8860	.97969	26
35	.20079	.20497	4.8788	.97963	**25**
36	.20108	.20527	4.8716	.97958	24
37	.20136	.20557	4.8644	.97952	23
38	.20165	.20588	4.8573	.97946	22
39	.20193	.20618	4.8501	.97940	21
40	.20222	.20648	4.8430	.97934	**20**
41	.20250	.20679	4.8359	.97928	19
42	.20279	.20709	4.8288	.97922	18
43	.20307	.20739	4.8218	.97916	17
44	.20336	.20770	4.8147	.97910	16
45	20364	.20800	4.8077	.97905	**15**
46	.20393	.20830	4.8007	.97899	14
47	.20421	.20861	4.7937	.97893	13
48	.20450	.20891	4.7867	.97887	12
49	.20478	.20921	4.7798	.97881	11
50	.20507	.20952	4.7729	.97875	**10**
51	.20535	.20982	4.7659	.97869	9
52	.20563	.21013	4.7591	.97863	8
53	.20592	.21043	4.7522	.97857	7
54	.20620	.21073	4.7453	.97851	6
55	.20649	.21104	4.7385	.97845	**5**
56	.20677	.21134	4.7317	.97839	4
57	.20706	.21164	4.7249	.97833	3
58	.20734	.21195	4.7181	.97827	2
59	.20763	.21225	4.7114	.97821	1
60	.20791	.21256	4.7046	.97815	**0**
′	Cos	Ctn	Tan	Sin	′

78°

Natural Trigonometric Functions

12°

′	Sin	Tan	Ctn	Cos	′
0	.20791	.21256	4.7046	.97815	**60**
1	.20820	.21286	4.6979	.97809	59
2	.20848	.21316	4.6912	.97803	58
3	.20877	.21347	4.6845	.97797	57
4	.20905	.21377	4.6779	.97791	56
5	.20933	.21408	4.6712	.97784	**55**
6	.20962	.21438	4.6646	.97778	54
7	.20990	.21469	4.6580	.97772	53
8	.21019	.21499	4.6514	.97766	52
9	.21047	.21529	4.6448	.97760	51
10	.21076	.21560	4.6382	.97754	**50**
11	.21104	.21590	4.6317	.97748	49
12	.21132	.21621	4.6252	.97742	48
13	.21161	.21651	4.6187	.97735	47
14	.21189	.21682	4.6122	.97729	46
15	.21218	.21712	4.6057	.97723	**45**
16	.21246	.21743	4.5993	.97717	44
17	.21275	.21773	4.5928	.97711	43
18	.21303	.21804	4.5864	.97705	42
19	.21331	.21834	4.5800	.97698	41
20	.21360	.21864	4.5736	.97692	**40**
21	.21388	.21895	4.5673	.97686	39
22	.21417	.21925	4.5609	.97680	38
23	.21445	.21956	4.5546	.97673	37
24	.21474	.21986	4.5483	.97667	36
25	.21502	.22017	4.5420	.97661	**35**
26	.21530	.22047	4.5357	.97655	34
27	.21559	.22078	4.5294	.97648	33
28	.21587	.22108	4.5232	.97642	32
29	.21616	.22139	4.5169	.97636	31
30	.21644	.22169	4.5107	.97630	**30**
31	.21672	.22200	4.5045	.97623	29
32	.21701	.22231	4.4983	.97617	28
33	.21729	.22261	4.4922	.97611	27
34	.21758	.22292	4.4860	.97604	26
35	.21786	.22322	4.4799	.97598	**25**
36	.21814	.22353	4.4737	.97592	24
37	.21843	.22383	4.4676	.97585	23
38	.21871	.22414	4.4615	.97579	22
39	.21899	.22444	4.4555	.97573	21
40	.21928	.22475	4.4494	.97566	**20**
41	.21956	.22505	4.4434	.97560	19
42	.21985	.22536	4.4373	.97553	18
43	.22013	.22567	4.4313	.97547	17
44	.22041	.22597	4.4253	.97541	16
45	.22070	.22628	4.4194	.97534	**15**
46	.22098	.22658	4.4134	.97528	14
47	.22126	.22689	4.4075	.97521	13
48	.22155	.22719	4.4015	.97515	12
49	.22183	.22750	4.3956	.97508	11
50	.22212	.22781	4.3897	.97502	**10**
51	.22240	.22811	4.3838	.97496	9
52	.22268	.22842	4.3779	.97489	8
53	.22297	.22872	4.3721	.97483	7
54	.22325	.22903	4.3662	.97476	6
55	.22353	.22934	4.3604	.97470	**5**
56	.22382	.22964	4.3546	.97463	4
57	.22410	.22995	4.3488	.97457	3
58	.22438	.23026	4.3430	.97450	2
59	.22467	.23056	4.3372	.97444	1
60	.22495	.23087	4.3315	.97437	**0**
′	Cos	Ctn	Tan	Sin	′

77°

13°

′	Sin	Tan	Ctn	Cos	′
0	.22495	.23087	4.3315	.97437	**60**
1	.22523	.23117	4.3257	.97430	59
2	.22552	.23148	4.3200	.97424	58
3	.22580	.23179	4.3143	.97417	57
4	.22608	.23209	4.3086	.97411	56
5	.22637	.23240	4.3029	.97404	**55**
6	.22665	.23271	4.2972	.97398	54
7	.22693	.23301	4.2916	.97391	53
8	.22722	.23332	4.2859	.97384	52
9	.22750	.23363	4.2803	.97378	51
10	.22778	.23393	4.2747	.97371	**50**
11	.22807	.23424	4.2691	.97365	49
12	.22835	.23455	4.2635	.97358	48
13	.22863	.23485	4.2580	.97351	47
14	.22892	.23516	4.2524	.97345	46
15	.22920	.23547	4.2463	.97338	**45**
16	.22948	.23578	4.2413	.97331	44
17	.22977	.23608	4.2358	.97325	43
18	.23005	.23639	4.2303	.97318	42
19	.23033	.23670	4.2248	.97311	41
20	.23062	.23700	4.2193	.97304	**40**
21	.23090	.23731	4.2139	.97298	39
22	.23118	.23762	4.2084	.97291	38
23	.23146	.23793	4.2030	.97284	37
24	.23175	.23823	4.1976	.97278	36
25	.23203	.23854	4.1922	.97271	**35**
26	.23231	.23885	4.1868	.97264	34
27	.23260	.23916	4.1814	.97257	33
28	.23288	.23946	4.1760	.97251	32
29	.23316	.23977	4.1706	.97244	31
30	.23345	.24008	4.1653	.97237	**30**
31	.23373	.24039	4.1600	.97230	29
32	.23401	.24069	4.1547	.97223	28
33	.23429	.24100	4.1493	.97217	27
34	.23458	.24131	4.1441	.97210	26
35	.23486	.24162	4.1388	.97203	**25**
36	.23514	.24193	4.1335	.97196	24
37	.23542	.24223	4.1282	.97189	23
38	.23571	.24254	4.1230	.97182	22
39	.23599	.24285	4.1178	.97176	21
40	.23627	.24316	4.1126	.97169	**20**
41	.23656	.24347	4.1074	.97162	19
42	.23684	.24377	4.1022	.97155	18
43	.23712	.24408	4.0970	.97148	17
44	.23740	.24439	4.0918	.97141	16
45	.23769	.24470	4.0867	.97134	**15**
46	.23797	.24501	4.0815	.97127	14
47	.23825	.24532	4.0764	.97120	13
48	.23853	.24562	4.0713	.97113	12
49	.23882	.24593	4.0662	.97106	11
50	.23910	.24624	4.0611	.97100	**10**
51	.23938	.24655	4.0560	.97093	9
52	.23966	.24686	4.0509	.97086	8
53	.23995	.24717	4.0459	.97079	7
54	.24023	.24747	4.0408	.97072	6
55	.24051	.24778	4.0358	.97065	**5**
56	.24079	.24809	4.0308	.97058	4
57	.24108	.24840	4.0257	.97051	3
58	.24136	.24871	4.0207	.97044	2
59	.24164	.24902	4.0158	.97037	1
60	.24192	.24933	4.0108	.97030	**0**
′	Cos	Ctn	Tan	Sin	′

76°

Natural Trigonometric Functions

14°

′	Sin	Tan	Ctn	Cos	′
0	.24192	.24933	4.0108	.97030	**60**
1	.24220	.24964	4.0058	.97023	59
2	.24249	.24995	4.0009	.97015	58
3	.24277	.25026	3.9959	.97008	57
4	.24305	.25056	3.9910	.97001	56
5	.24333	.25087	3.9861	.96994	**55**
6	.24362	.25118	3.9812	.96987	54
7	.24390	.25149	3.9763	.96980	53
8	.24418	.25180	3.9714	.96973	52
9	.24446	.25211	3.9665	.96966	51
10	.24474	.25242	3.9617	.96959	**50**
11	.24503	.25273	3.9568	.96952	49
12	.24531	.25304	3.9520	.96945	48
13	.24559	.25335	3.9471	.96937	47
14	.24587	.25366	3.9423	.96930	46
15	.24615	.25397	3.9375	.96923	**45**
16	.24644	.25428	3.9327	.96916	44
17	.24672	.25459	3.9279	.96909	43
18	.24700	.25490	3.9232	.96902	42
19	.24728	.25521	3.9184	.96894	41
20	.24756	.25552	3.9136	.96887	**40**
21	.24784	.25583	3.9089	.96880	39
22	.24813	.25614	3.9042	.96873	38
23	.24841	.25645	3.8995	.96866	37
24	.24869	.25676	3.8947	.96858	36
25	.24897	.25707	3.8900	.96851	**35**
26	.24925	.25738	3.8854	.96844	34
27	.24954	.25769	3.8807	.96837	33
28	.24982	.25800	3.8760	.96829	32
29	.25010	.25831	3.8714	.96822	31
30	.25038	.25862	3.8667	.96815	**30**
31	.25066	.25893	3.8621	.96807	29
32	.25094	.25924	3.8575	.96800	28
33	.25122	.25955	3.8528	.96793	27
34	.25151	.25986	3.8482	.96786	26
35	.25179	.26017	3.8436	.96778	**25**
36	.25207	.26048	3.8391	.96771	24
37	.25235	.26079	3.8345	.96764	23
38	.25263	.26110	3.8299	.96756	22
39	.25291	.26141	3.8254	.96749	21
40	.25320	.26172	3.8208	.96742	**20**
41	.25348	.26203	3.8163	.96734	19
42	.25376	.26235	3.8118	.96727	18
43	.25404	.26266	3.8073	.96719	17
44	.25432	.26297	3.8028	.96712	16
45	.25460	.26328	3.7983	.96705	**15**
46	.25488	.26359	3.7938	.96697	14
47	.25516	.26390	3.7893	.96690	13
48	.25545	.26421	3.7848	.96682	12
49	.25573	.26452	3.7804	.96675	11
50	.25601	.26483	3.7760	.96667	**10**
51	.25629	.26515	3.7715	.96660	9
52	.25657	.26546	3.7671	.96653	8
53	.25685	.26577	3.7627	.96645	7
54	.25713	.26608	3.7583	.96638	6
55	.25741	.26639	3.7539	.96630	**5**
56	.25769	.26670	3.7495	.96623	4
57	.25798	.26701	3.7451	.96615	3
58	.25826	.26733	3.7408	.96608	2
59	.25854	.26764	3.7364	.96600	1
60	.25882	.26795	3.7321	.96593	**0**
′	Cos	Ctn	Tan	Sin	′

75°

15°

′	Sin	Tan	Ctn	Cos	′
0	.25882	.26795	3.7321	.96593	**60**
1	.25910	.26826	3.7277	.96585	59
2	.25938	.26857	3.7234	.96578	58
3	.25966	.26888	3.7191	.96570	57
4	.25994	.26920	3.7148	.96562	56
5	.26022	.26951	3.7105	.96555	**55**
6	.26050	.26982	3.7062	.96547	54
7	.26079	.27013	3.7019	.96540	53
8	.26107	.27044	3.6976	.96532	52
9	.26135	.27076	3.6933	.96524	51
10	.26163	.27107	3.6891	.96517	**50**
11	.26191	.27138	3.6848	.96509	49
12	.26219	.27169	3.6806	.96502	48
13	.26247	.27201	3.6764	.96494	47
14	.26275	.27232	3.6722	.96486	46
15	.26303	.27263	3.6680	.96479	**45**
16	.26331	.27294	3.6638	.96471	44
17	.26359	.27326	3.6596	.96463	43
18	.26387	.27357	3.6554	.96456	42
19	.26415	.27388	3.6512	.96448	41
20	.26443	.27419	3.6470	.96440	**40**
21	.26471	.27451	3.6429	.96433	39
22	.26500	.27482	3.6387	.96425	38
23	.26528	.27513	3.6346	.96417	37
24	.26556	.27545	3.6305	.96410	36
25	.26584	.27576	3.6264	.96402	**35**
26	.26612	.27607	3.6222	.96394	34
27	.26640	.27638	3.6181	.96386	33
28	.26668	.27670	3.6140	.96379	32
29	.26696	.27701	3.6100	.96371	31
30	.26724	.27732	3.6059	.96363	**30**
31	.26752	.27764	3.6018	.96355	29
32	.26780	.27795	3.5978	.96347	28
33	.26808	.27826	3.5937	.96340	27
34	.26836	.27858	3.5897	.96332	26
35	.26864	.27889	3.5856	.96324	**25**
36	.26892	.27921	3.5816	.96316	24
37	.26920	.27952	3.5776	.96308	23
38	.26948	.27983	3.5736	.96301	22
39	.26976	.28015	3.5696	.96293	21
40	.27004	.28046	3.5656	.96285	**20**
41	.27032	.28077	3.5616	.96277	19
42	.27060	.28109	3.5576	.96269	18
43	.27088	.28140	3.5536	.96261	17
44	.27116	.28172	3.5497	.96253	16
45	.27144	.28203	3.5457	.96246	**15**
46	.27172	.28234	3.5418	.96238	14
47	.27200	.28266	3.5379	.96230	13
48	.27228	.28297	3.5339	.96222	12
49	.27256	.28329	3.5300	.96214	11
50	.27284	.28360	3.5261	.96206	**10**
51	.27312	.28391	3.5222	.96198	9
52	.27340	.28423	3.5183	.96190	8
53	.27368	.28454	3.5144	.96182	7
54	.27396	.28486	3.5105	.96174	6
55	.27424	.28517	3.5067	.96166	**5**
56	.27452	.28549	3.5028	.96158	4
57	.27480	.28580	3.4989	.96150	3
58	.27508	.28612	3.4951	.96142	2
59	.27536	.28643	3.4912	.96134	1
60	.27564	.28675	3.4874	.96126	**0**
′	Cos	Ctn	Tan	Sin	′

74°

Natural Trigonometric Functions

16°

′	Sin	Tan	Ctn	Cos	′
0	.27564	.28675	3.4874	.96126	**60**
1	.27592	.28706	3.4836	.96118	59
2	.27620	.28738	3.4798	.96110	58
3	.27648	.28769	3.4760	.96102	57
4	.27676	.28801	3.4722	.96094	56
5	.27704	.28832	3.4684	.96086	**55**
6	.27731	.28864	3.4646	.96078	54
7	.27759	.28895	3.4608	.96070	53
8	.27787	.28927	3.4570	.96062	52
9	.27815	.28958	3.4533	.96054	51
10	.27843	.28990	3.4495	.96046	**50**
11	.27871	.29021	3.4458	.96037	49
12	.27899	.29053	3.4420	.96029	48
13	.27927	.29084	3.4383	.96021	47
14	.27955	.29116	3.4346	.96013	46
15	.27983	.29147	3.4308	.96005	**45**
16	.28011	.29179	3.4271	.95997	44
17	.28039	.29210	3.4234	.95989	43
18	.28067	.29242	3.4197	.95981	42
19	.28095	.29274	3.4160	.95972	41
20	.28123	.29305	3.4124	.95964	**40**
21	.28150	.29337	3.4087	.95956	39
22	.28178	.29368	3.4050	.95948	38
23	.28206	.29400	3.4014	.95940	37
24	.28234	.29432	3.3977	.95931	36
25	.28262	.29463	3.3941	.95923	**35**
26	.28290	.29495	3.3904	.95915	34
27	.28318	.29526	3.3868	.95907	33
28	.28346	.29558	3.3832	.95898	32
29	.28374	.29590	3.3796	.95890	31
30	.28402	.29621	3.3759	.95882	**30**
31	.28429	.29653	3.3723	.95874	29
32	.28457	.29685	3.3687	.95865	28
33	.28485	.29716	3.3652	.95857	27
34	.28513	.29748	3.3616	.95849	26
35	.28541	.29780	3.3580	.95841	**25**
36	.28569	.29811	3.3544	.95832	24
37	.28597	.29843	3.3509	.95824	23
38	.28625	.29875	3.3473	.95816	22
39	.28652	.29906	3.3438	.95807	21
40	.28680	.29938	3.3402	.95799	**20**
41	.28708	.29970	3.3367	.95791	19
42	.28736	.30001	3.3332	.95782	18
43	.28764	.30033	3.3297	.95774	17
44	.28792	.30065	3.3261	.95766	16
45	.28820	.30097	3.3226	.95757	**15**
46	.28847	.30128	3.3191	.95749	14
47	.28875	.30160	3.3156	.95740	13
48	.28903	.30192	3.3122	.95732	12
49	.28931	.30224	3.3087	.95724	11
50	.28959	.30255	3.3052	.95715	**10**
51	.28987	.30287	3.3017	.95707	9
52	.29015	.30319	3.2983	.95698	8
53	.29042	.30351	3.2948	.95690	7
54	.29070	.30382	3.2914	.95681	6
55	.29098	.30414	3.2879	.95673	**5**
56	.29126	.30446	3.2845	.95664	4
57	.29154	.30478	3.2811	.95656	3
58	.29182	.30509	3.2777	.95647	2
59	.29209	.30541	3.2743	.95639	1
60	.29237	.30573	3.2709	.95630	**0**
′	Cos	Ctn	Tan	Sin	′

73°

17°

′	Sin	Tan	Ctn	Cos	′
0	.29237	.30573	3.2709	.95630	**60**
1	.29265	.30605	3.2675	.95622	59
2	.29293	.30637	3.2641	.95613	58
3	.29321	.30669	3.2607	.95605	57
4	.29348	.30700	3.2573	.95596	56
5	.29376	.30732	3.2539	.95588	**55**
6	.29404	.30764	3.2506	.95579	54
7	.29432	.30796	3.2472	.95571	53
8	.29460	.30828	3.2438	.95562	52
9	.29487	.30860	3.2405	.95554	51
10	.29515	.30891	3.2371	.95545	**50**
11	.29543	.30923	3.2338	.95536	49
12	.29571	.30955	3.2305	.95528	48
13	.29599	.30987	3.2272	.95519	47
14	.29626	.31019	3.2238	.95511	46
15	.29654	.31051	3.2205	.95502	**45**
16	.29682	.31083	3.2172	.95493	44
17	.29710	.31115	3.2139	.95485	43
18	.29737	.31147	3.2106	.95476	42
19	.29765	.31178	3.2073	.95467	41
20	.29793	.31210	3.2041	.95459	**40**
21	.29821	.31242	3.2008	.95450	39
22	.29849	.31274	3.1975	.95441	38
23	.29876	.31306	3.1943	.95433	37
24	.29904	.31338	3.1910	.95424	36
25	.29932	.31370	3.1878	.95415	**35**
26	.29960	.31402	3.1845	.95407	34
27	.29987	.31434	3.1813	.95398	33
28	.30015	.31466	3.1780	.95389	32
29	.30043	.31498	3.1748	.95380	31
30	.30071	.31530	3.1716	.95372	**30**
31	.30098	.31562	3.1684	.95363	29
32	.30126	.31594	3.1652	.95354	28
33	.30154	.31626	3.1620	.95345	27
34	.30182	.31658	3.1588	.95337	26
35	.30209	.31690	3.1556	.95328	**25**
36	.30237	.31722	3.1524	.95319	24
37	.30265	.31754	3.1492	.95310	23
38	.30292	.31786	3.1460	.95301	22
39	.30320	.31818	3.1429	.95293	21
40	.30348	.31850	3.1397	.95284	**20**
41	.30376	.31882	3.1366	.95275	19
42	.30403	.31914	3.1334	.95266	18
43	.30431	.31946	3.1303	.95257	17
44	.30459	.31978	3.1271	.95248	16
45	.30486	.32010	3.1240	.95240	**15**
46	.30514	.32042	3.1209	.95231	14
47	.30542	.32074	3.1178	.95222	13
48	.30570	.32106	3.1146	.95213	12
49	.30597	.32139	3.1115	.95204	11
50	.30625	.32171	3.1084	.95195	**10**
51	.30653	.32203	3.1053	.95186	9
52	.30680	.32235	3.1022	.95177	8
53	.30708	.32267	3.0991	.95168	7
54	.30736	.32299	3.0961	.95159	6
55	.30763	.32331	3.0930	.95150	**5**
56	.30791	.32363	3.0899	.95142	4
57	.30819	.32396	3.0868	.95133	3
58	.30846	.32428	3.0838	.95124	2
59	.30874	.32460	3.0807	.95115	1
60	.30902	.32492	3.0777	.95106	**0**
′	Cos	Ctn	Tan	Sin	′

72°

Natural Trigonometric Functions

18°

′	Sin	Tan	Ctn	Cos	′
0	.30902	.32492	3.0777	.95106	**60**
1	.30929	.32524	3.0746	.95097	59
2	.30957	.32556	3.0716	.95088	58
3	.30985	.32588	3.0686	.95079	57
4	.31012	.32621	3.0655	.95070	56
5	.31040	.32653	3.0625	.95061	**55**
6	.31068	.32685	3.0595	.95052	54
7	.31095	.32717	3.0565	.95043	53
8	.31123	.32749	3.0535	.95033	52
9	.31151	.32782	3.0505	.95024	51
10	.31178	.32814	3.0475	.95015	**50**
11	.31206	.32846	3.0445	.95006	49
12	.31233	.32878	3.0415	.94997	48
13	.31261	.32911	3.0385	.94988	47
14	.31289	.32943	3.0356	.94979	46
15	.31316	.32975	3.0326	.94970	**45**
16	.31344	.33007	3.0296	.94961	44
17	.31372	.33040	3.0267	.94952	43
18	.31399	.33072	3.0237	.94943	42
19	.31427	.33104	3.0208	.94933	41
20	.31454	.33136	3.0178	.94924	**40**
21	.31482	.33169	3.0149	.94915	39
22	.31510	.33201	3.0120	.94906	38
23	.31537	.33233	3.0090	.94897	37
24	.31565	.33266	3.0061	.94888	36
25	.31593	.33298	3.0032	.94878	**35**
26	.31620	.33330	3.0003	.94869	34
27	.31648	.33363	2.9974	.94860	33
28	.31675	.33395	2.9945	.94851	32
29	.31703	.33427	2.9916	.94842	31
30	.31730	.33460	2.9887	.94832	**30**
31	.31758	.33492	2.9858	.94823	29
32	.31786	.33524	2.9829	.94814	28
33	.31813	.33557	2.9800	.94805	27
34	.31841	.33589	2.9772	.94795	26
35	.31868	.33621	2.9743	.94786	**25**
36	.31896	.33654	2.9714	.94777	24
37	.31923	.33686	2.9686	.94768	23
38	.31951	.33718	2.9657	.94758	22
39	.31979	.33751	2.9629	.94749	21
40	.32006	.33783	2.9600	.94740	**20**
41	.32034	.33816	2.9572	.94730	19
42	.32061	.33848	2.9544	.94721	18
43	.32089	.33881	2.9515	.94712	17
44	.32116	.33913	2.9487	.94702	16
45	.32144	.33945	2.9459	.94693	**15**
46	.32171	.33978	2.9431	.94684	14
47	.32199	.34010	2.9403	.94674	13
48	.32227	.34043	2.9375	.94665	12
49	.32254	.34075	2.9347	.94656	11
50	.32282	.34108	2.9319	.94646	**10**
51	.32309	.34140	2.9291	.94637	9
52	.32337	.34173	2.9263	.94627	8
53	.32364	.34205	2.9235	.94618	7
54	.32392	.34238	2.9208	.94609	6
55	.32419	.34270	2.9180	.94599	**5**
56	.32447	.34303	2.9152	.94590	4
57	.32474	.34335	2.9125	.94580	3
58	.32502	.34368	2.9097	.94571	2
59	.32529	.34400	2.9070	.94561	1
60	.32557	.34433	2.9042	.94552	**0**
′	Cos	Ctn	Tan	Sin	′

71°

19°

′	Sin	Tan	Ctn	Cos	′
0	.32557	.34433	2.9042	.94552	**60**
1	.32584	.34465	2.9015	.94542	59
2	.32612	.34498	2.8987	.94533	58
3	.32639	.34530	2.8960	.94523	57
4	.32667	.34563	2.8933	.94514	56
5	.32694	.34596	2.8905	.94504	**55**
6	.32722	.34628	2.8878	.94495	54
7	.32749	.34661	2.8851	.94485	53
8	.32777	.34693	2.8824	.94476	52
9	.32804	.34726	2.8797	.94466	51
10	.32832	.34758	2.8770	.94457	**50**
11	.32859	.34791	2.8743	.94447	49
12	.32887	.34824	2.8716	.94438	48
13	.32914	.34856	2.8689	.94428	47
14	.32942	.34889	2.8662	.94418	46
15	.32969	.34922	2.8636	.94409	**45**
16	.32997	.34954	2.8609	.94399	44
17	.33024	.34987	2.8582	.94390	43
18	.33051	.35020	2.8556	.94380	42
19	.33079	.35052	2.8529	.94370	41
20	.33106	.35085	2.8502	.94361	**40**
21	.33134	.35118	2.8476	.94351	39
22	.33161	.35150	2.8449	.94342	38
23	.33189	.35183	2.8423	.94332	37
24	.33216	.35216	2.8397	.94322	36
25	.33244	.35248	2.8370	.94313	**35**
26	.33271	.35281	2.8344	.94303	34
27	.33298	.35314	2.8318	.94293	33
28	.33326	.35346	2.8291	.94284	32
29	.33353	.35379	2.8265	.94274	31
30	.33381	.35412	2.8239	.94264	**30**
31	.33408	.35445	2.8213	.94254	29
32	.33436	.35477	2.8187	.94245	28
33	.33463	.35510	2.8161	.94235	27
34	.33490	.35543	2.8135	.94225	26
35	.33518	.35576	2.8109	.94215	**25**
36	.33545	.35608	2.8083	.94206	24
37	.33573	.35641	2.8057	.94196	23
38	.33600	.35674	2.8032	.94186	22
39	.33627	.35707	2.8006	.94176	21
40	.33655	.35740	2.7980	.94167	**20**
41	.33682	.35772	2.7955	.94157	19
42	.33710	.35805	2.7929	.94147	18
43	.33737	.35838	2.7903	.94137	17
44	.33764	.35871	2.7878	.94127	16
45	.33792	.35904	2.7852	.94118	**15**
46	.33819	.35937	2.7827	.94108	14
47	.33846	.35969	2.7801	.94098	13
48	.33874	.36002	2.7776	.94088	12
49	.33901	.36035	2.7751	.94078	11
50	.33929	.36068	2.7725	.94068	**10**
51	.33956	.36101	2.7700	.94058	9
52	.33983	.36134	2.7675	.94049	8
53	.34011	.36167	2.7650	.94039	7
54	.34038	.36199	2.7625	.94029	6
55	.34065	.36232	2.7600	.94019	**5**
56	.34093	.36265	2.7575	.94009	4
57	.34120	.36298	2.7550	.93999	3
58	.34147	.36331	2.7525	.93989	2
59	.34175	.36364	2.7500	.93979	1
60	.34202	.36397	2.7475	.93969	**0**
′	Cos	Ctn	Tan	Sin	′

70°

Natural Trigonometric Functions

20°

′	Sin	Tan	Ctn	Cos	′
0	.34202	.36397	2.7475	.93969	**60**
1	.34229	.36430	2.7450	.93959	59
2	.34257	.36463	2.7425	.93949	58
3	.34284	.36496	2.7400	.93939	57
4	.34311	.36529	2.7376	.93929	56
5	.34339	.36562	2.7351	.93919	**55**
6	.34366	.36595	2.7326	.93909	54
7	.34393	.36628	2.7302	.93899	53
8	.34421	.36661	2.7277	.93889	52
9	.34448	.36694	2.7253	.93879	51
10	.34475	.36727	2.7228	.93869	**50**
11	.34503	.36760	2.7204	.93859	49
12	.34530	.36793	2.7179	.93849	48
13	.34557	.36826	2.7155	.93839	47
14	.34584	.36859	2.7130	.93829	46
15	.34612	.36892	2.7106	.93819	**45**
16	.34639	.36925	2.7082	.93809	44
17	.34666	.36958	2.7058	.93799	43
18	.34694	.36991	2.7034	.93789	42
19	.34721	.37024	2.7009	.93779	41
20	.34748	.37057	2.6985	.93769	**40**
21	.34775	.37090	2.6961	.93759	39
22	.34803	.37123	2.6937	.93748	38
23	.34830	.37157	2.6913	.93738	37
24	.34857	.37190	2.6889	.93728	36
25	.34884	.37223	2.6865	.93718	**35**
26	.34912	.37256	2.6841	.93708	34
27	.34939	.37289	2.6818	.93698	33
28	.34966	.37322	2.6794	.93688	32
29	.34993	.37355	2.6770	.93677	31
30	.35021	.37388	2.6746	.93667	**30**
31	.35048	.37422	2.6723	.93657	29
32	.35075	.37455	2.6699	.93647	28
33	.35102	.37488	2.6675	.93637	27
34	.35130	.37521	2.6652	.93626	26
35	.35157	.37554	2.6628	.93616	**25**
36	.35184	.37588	2.6605	.93606	24
37	.35211	.37621	2.6581	.93596	23
38	.35239	.37654	2.6558	.93585	22
39	.35266	.37687	2.6534	.93575	21
40	.35293	.37720	2.6511	.93565	**20**
41	.35320	.37754	2.6488	.93555	19
42	.35347	.37787	2.6464	.93544	18
43	.35375	.37820	2.6441	.93534	17
44	.35402	.37853	2.6418	.93524	16
45	.35429	.37887	2.6395	.93514	**15**
46	.35456	.37920	2.6371	.93503	14
47	.35484	.37953	2.6348	.93493	13
48	.35511	.37986	2.6325	.93483	12
49	.35538	.38020	2.6302	.93472	11
50	.35565	.38053	2.6279	.93462	**10**
51	.35592	.38086	2.6256	.93452	9
52	.35619	.38120	2.6233	.93441	8
53	.35647	.38153	2.6210	.93431	7
54	.35674	.38186	2.6187	.93420	6
55	.35701	.38220	2.6165	.93410	**5**
56	.35728	.38253	2.6142	.93400	4
57	.35755	.38286	2.6119	.93389	3
58	.35782	.38320	2.6096	.93379	2
59	.35810	.38353	2.6074	.93368	1
60	.35837	.38386	2.6051	.93358	**0**
′	Cos	Ctn	Tan	Sin	′

69°

21°

′	Sin	Tan	Ctn	Cos	′
0	.35837	.38386	2.6051	.93358	**60**
1	.35864	.38420	2.6028	.93348	59
2	.35891	.38453	2.6006	.93337	58
3	.35918	.38487	2.5983	.93327	57
4	.35945	.38520	2.5961	.93316	56
5	.35973	.38553	2.5938	.93306	**55**
6	.36000	.38587	2.5916	.93295	54
7	.36027	.38620	2.5893	.93285	53
8	.36054	.38654	2.5871	.93274	52
9	.36081	.38687	2.5848	.93264	51
10	.36108	.38721	2.5826	.93253	**50**
11	.36135	.38754	2.5804	.93243	49
12	.36162	.38787	2.5782	.93232	48
13	.36190	.38821	2.5759	.93222	47
14	.36217	.38854	2.5737	.93211	46
15	.36244	.38888	2.5715	.93201	**45**
16	.36271	.38921	2.5693	.93190	44
17	.36298	.38955	2.5671	.93180	43
18	.36325	.38988	2.5649	.93169	42
19	.36352	.39022	2.5627	.93159	41
20	.36379	.39055	2.5605	.93148	**40**
21	.36406	.39089	2.5583	.93137	39
22	.36434	.39122	2.5561	.93127	38
23	.36461	.39156	2.5539	.93116	37
24	.36488	.39190	2.5517	.93106	36
25	.36515	.39223	2.5495	.93095	**35**
26	.36542	.39257	2.5473	.93084	34
27	.36569	.39290	2.5452	.93074	33
28	.36596	.39324	2.5430	.93063	32
29	.36623	.39357	2.5408	.93052	31
30	.36650	.39391	2.5386	.93042	**30**
31	.36677	.39425	2.5365	.93031	29
32	.36704	.39458	2.5343	.93020	28
33	.36731	.39492	2.5322	.93010	27
34	.36758	.39526	2.5300	.92999	26
35	.36785	.39559	2.5279	.92988	**25**
36	.36812	.39593	2.5257	.92978	24
37	.36839	.39626	2.5236	.92967	23
38	.36867	.39660	2.5214	.92956	22
39	.36894	.39694	2.5193	.92945	21
40	.36921	.39727	2.5172	.92935	**20**
41	.36948	.39761	2.5150	.92924	19
42	.36975	.39795	2.5129	.92913	18
43	.37002	.39829	2.5108	.92902	17
44	.37029	.39862	2.5086	.92892	16
45	.37056	.39896	2.5065	.92881	**15**
46	.37083	.39930	2.5044	.92870	14
47	.37110	.39963	2.5023	.92859	13
48	.37137	.39997	2.5002	.92849	12
49	.37164	.40031	2.4981	.92838	11
50	.37191	.40065	2.4960	.92827	**10**
51	.37218	.40098	2.4939	.92816	9
52	.37245	.40132	2.4918	.92805	8
53	.37272	.40166	2.4897	.92794	7
54	.37299	.40200	2.4876	.92784	6
55	.37326	.40234	2.4855	.92773	**5**
56	.37353	.40267	2.4834	.92762	4
57	.37380	.40301	2.4813	.92751	3
58	.37407	.40335	2.4792	.92740	2
59	.37434	.40369	2.4772	.92729	1
60	.37461	.40403	2.4751	.92718	**0**
′	Cos	Ctn	Tan	Sin	′

68°

Natural Trigonometric Functions

22°

′	Sin	Tan	Ctn	Cos	′
0	.37461	.40403	2.4751	.92718	**60**
1	.37488	.40436	2.4730	.92707	59
2	.37515	.40470	2.4709	.92697	58
3	.37542	.40504	2.4689	.92686	57
4	.37569	.40538	2.4668	.92675	56
5	.37595	.40572	2.4648	.92664	**55**
6	.37622	.40606	2.4627	.92653	54
7	.37649	.40640	2.4606	.92642	53
8	.37676	.40674	2.4586	.92631	52
9	.37703	.40707	2.4566	.92620	51
10	.37730	.40741	2.4545	.92609	**50**
11	.37757	.40775	2.4525	.92598	49
12	.37784	.40809	2.4504	.92587	48
13	.37811	.40843	2.4484	.92576	47
14	.37838	.40877	2.4464	.92565	46
15	.37865	.40911	2.4443	.92554	**45**
16	.37892	.40945	2.4423	.92543	44
17	.37919	.40979	2.4403	.92532	43
18	.37946	.41013	2.4383	.92521	42
19	.37973	.41047	2.4362	.92510	41
20	.37999	.41081	2.4342	.92499	**40**
21	.38026	.41115	2.4322	.92488	39
22	.38053	.41149	2.4302	.92477	38
23	.38080	.41183	2.4282	.92466	37
24	.38107	.41217	2.4262	.92455	36
25	.38134	.41251	2.4242	.92444	**35**
26	.38161	.41285	2.4222	.92432	34
27	.38188	.41319	2.4202	.92421	33
28	.38215	.41353	2.4182	.92410	32
29	.38241	.41387	2.4162	.92399	31
30	.38268	.41421	2.4142	.92388	**30**
31	.38295	.41455	2.4122	.92377	29
32	.38322	.41490	2.4102	.92366	28
33	.38349	.41524	2.4083	.92355	27
34	.38376	.41558	2.4063	.92343	26
35	.38403	.41592	2.4043	.92332	**25**
36	.38430	.41626	2.4023	.92321	24
37	.38456	.41660	2.4004	.92310	23
38	.38483	.41694	2.3984	.92299	22
39	.38510	.41728	2.3964	.92287	21
40	.38537	.41763	2.3945	.92276	**20**
41	.38564	.41797	2.3925	.92265	19
42	.38591	.41831	2.3906	.92254	18
43	.38617	.41865	2.3886	.92243	17
44	.38644	.41899	2.3867	.92231	16
45	.38671	.41933	2.3847	.92220	**15**
46	.38698	.41968	2.3828	.92209	14
47	.38725	.42002	2.3808	.92198	13
48	.38752	.42036	2.3789	.92186	12
49	.38778	.42070	2.3770	.92175	11
50	.38805	.42105	2.3750	.92164	**10**
51	.38832	.42139	2.3731	.92152	9
52	.38859	.42173	2.3712	.92141	8
53	.38886	.42207	2.3693	.92130	7
54	.38912	.42242	2.3673	.92119	6
55	.38939	.42276	2.3654	.92107	**5**
56	.38966	.42310	2.3635	.92096	4
57	.38993	.42345	2.3616	.92085	3
58	.39020	.42379	2.3597	.92073	2
59	.39046	.42413	2.3578	.92062	1
60	.39073	.42447	2.3559	.92050	**0**
′	Cos	Ctn	Tan	Sin	′

67°

23°

′	Sin	Tan	Ctn	Cos	′
0	.39073	.42447	2.3559	.92050	**60**
1	.39100	.42482	2.3539	.92039	59
2	.39127	.42516	2.3520	.92028	58
3	.39153	.42551	2.3501	.92016	57
4	.39180	.42585	2.3483	.92005	56
5	.39207	.42619	2.3464	.91994	**55**
6	.39234	.42654	2.3445	.91982	54
7	.39260	.42688	2.3426	.91971	53
8	.39287	.42722	2.3407	.91959	52
9	.39314	.42757	2.3388	.91948	51
10	.39341	.42791	2.3369	.91936	**50**
11	.39367	.42826	2.3351	.91925	49
12	.39394	.42860	2.3332	.91914	48
13	.39421	.42894	2.3313	.91902	47
14	.39448	.42929	2.3294	.91891	46
15	.39474	.42963	2.3276	.91879	**45**
16	.39501	.42998	2.3257	.91868	44
17	.39528	.43032	2.3238	.91856	43
18	.39555	.43067	2.3220	.91845	42
19	.39581	.43101	2.3201	.91833	41
20	.39608	.43136	2.3183	.91822	**40**
21	.39635	.43170	2.3164	.91810	39
22	.39661	.43205	2.3146	.91799	38
23	.39688	.43239	2.3127	.91787	37
24	.39715	.43274	2.3109	.91775	36
25	.39741	.43308	2.3090	.91764	**35**
26	.39768	.43343	2.3072	.91752	34
27	.39795	.43378	2.3053	.91741	33
28	.39822	.43412	2.3035	.91729	32
29	.39848	.43447	2.3017	.91718	31
30	.39875	.43481	2.2998	.91706	**30**
31	.39902	.43516	2.2980	.91694	29
32	.39928	.43550	2.2962	.91683	28
33	.39955	.43585	2.2944	.91671	27
34	.39982	.43620	2.2925	.91660	26
35	.40008	.43654	2.2907	.91648	**25**
36	.40035	.43689	2.2889	.91636	24
37	.40062	.43724	2.2871	.91625	23
38	.40088	.43758	2.2853	.91613	22
39	.40115	.43793	2.2835	.91601	21
40	.40141	.43828	2.2817	.91590	**20**
41	.40168	.43862	2.2799	.91578	19
42	.40195	.43897	2.2781	.91566	18
43	.40221	.43932	2.2763	.91555	17
44	.40248	.43966	2.2745	.91543	16
45	.40275	.44001	2.2727	.91531	**15**
46	.40301	.44036	2.2709	.91519	14
47	.40328	.44071	2.2691	.91508	13
48	.40355	.44105	2.2673	.91496	12
49	.40381	.44140	2.2655	.91484	11
50	.40408	.44175	2.2637	.91472	**10**
51	.40434	.44210	2.2620	.91461	9
52	.40461	.44244	2.2602	.91449	8
53	.40488	.44279	2.2584	.91437	7
54	.40514	.44314	2.2566	.91425	6
55	.40541	.44349	2.2549	.91414	**5**
56	.40567	.44384	2.2531	.91402	4
57	.40594	.44418	2.2513	.91390	3
58	.40621	.44453	2.2496	.91378	2
59	.40647	.44488	2.2478	.91366	1
60	.40674	.44523	2.2460	.91355	**0**
′	Cos	Ctn	Tan	Sin	′

66°

Natural Trigonometric Functions

24°

′	Sin	Tan	Ctn	Cos	′
0	.40674	.44523	2.2460	.91355	**60**
1	.40700	.44558	2.2443	.91343	59
2	.40727	.44593	2.2425	.91331	58
3	.40753	.44627	2.2408	.91319	57
4	.40780	.44662	2.2390	.91307	56
5	.40806	.44697	2.2373	.91295	**55**
6	.40833	.44732	2.2355	.91283	54
7	.40860	.44767	2.2338	.91272	53
8	.40886	.44802	2.2320	.91260	52
9	.40913	.44837	2.2303	.91248	51
10	.40939	.44872	2.2286	.91236	**50**
11	.40966	.44907	2.2268	.91224	49
12	.40992	.44942	2.2251	.91212	48
13	.41019	.44977	2.2234	.91200	47
14	.41045	.45012	2.2216	.91188	46
15	.41072	.45047	2.2199	.91176	**45**
16	.41098	.45082	2.2182	.91164	44
17	.41125	.45117	2.2165	.91152	43
18	.41151	.45152	2.2148	.91140	42
19	.41178	.45187	2.2130	91128	41
20	.41204	.45222	2.2113	.91116	**40**
21	.41231	.45257	2.2096	.91104	39
22	.41257	.45292	2.2079	.91092	38
23	.41284	.45327	2.2062	.91080	37
24	.41310	.45362	2.2045	.91068	36
25	.41337	.45397	2.2028	.91056	**35**
26	.41363	.45432	2.2011	.91044	34
27	.41390	.45467	2.1994	.91032	33
28	.41416	.45502	2.1977	.91020	32
29	.41443	.45538	2.1960	.91008	31
30	.41469	.45573	2.1943	.90996	**30**
31	.41496	.45608	2.1926	.90984	29
32	.41522	.45643	2.1909	.90972	28
33	.41549	.45678	2.1892	.90960	27
34	.41575	.45713	2.1876	.90948	26
35	.41602	.45748	2.1859	.90936	**25**
36	.41628	.45784	2.1842	.90924	24
37	.41655	.45819	2.1825	.90911	23
38	.41681	.45854	2.1808	.90899	22
39	.41707	.45889	2.1792	.90887	21
40	.41734	.45924	2.1775	.90875	**20**
41	.41760	.45960	2.1758	.90863	19
42	.41787	.45995	2.1742	.90851	18
43	.41813	.46030	2.1725	.90839	17
44	.41840	.46065	2.1708	.90826	16
45	.41866	.46101	2.1692	.90814	**15**
46	.41892	.46136	2.1675	.90802	14
47	.41919	.46171	2.1659	.90790	13
48	.41945	.46206	2.1642	.90778	12
49	.41972	.46242	2.1625	.90766	11
50	.41998	.46277	2.1609	.90753	**10**
51	.42024	.46312	2.1592	.90741	9
52	.42051	.46348	2.1576	.90729	8
53	.42077	.46383	2.1560	.90717	7
54	.42104	.46418	2.1543	.90704	6
55	.42130	.46454	2.1527	.90692	**5**
56	.42156	.46489	2.1510	.90680	4
57	.42183	.46525	2.1494	.90668	3
58	.42209	.46560	2.1478	.90655	2
59	.42235	.46595	2.1461	.90643	1
60	.42262	.46631	2.1445	.90631	**0**
′	Cos	Ctn	Tan	Sin	′

65°

25°

′	Sin	Tan	Ctn	Cos	′
0	.42262	.46631	2.1445	.90631	**60**
1	.42288	.46666	2.1429	.90618	59
2	.42315	.46702	2.1413	.90606	58
3	.42341	.46737	2.1396	.90594	57
4	.42367	.46772	2.1380	.90582	56
5	.42394	.46808	2.1364	.90569	**55**
6	.42420	.46843	2.1348	.90557	54
7	.42446	.46879	2.1332	.90545	53
8	.42473	.46914	2.1315	.90532	52
9	.42499	.46950	2.1299	.90520	51
10	.42525	.46985	2.1283	.90507	**50**
11	.42552	.47021	2.1267	.90495	49
12	.42578	.47056	2.1251	.90483	48
13	.42604	.47092	2.1235	.90470	47
14	.42631	.47128	2.1219	.90458	46
15	.42657	.47163	2.1203	.90446	**45**
16	.42683	.47199	2.1187	.90433	44
17	.42709	.47234	2.1171	.90421	43
18	.42736	.47270	2.1155	.90408	42
19	.42762	.47305	2.1139	.90396	41
20	.42788	.47341	2.1123	.90383	**40**
21	.42815	.47377	2.1107	.90371	39
22	.42841	.47412	2.1092	.90358	38
23	.42867	.47448	2.1076	.90346	37
24	.42894	.47483	2.1060	.90334	36
25	.42920	.47519	2.1044	.90321	**35**
26	.42946	.47555	2.1028	.90309	34
27	.42972	.47590	2.1013	.90296	33
28	.42999	.47626	2.0997	.90284	32
29	.43025	47662	2.0981	.90271	31
30	.43051	.47698	2.0965	.90259	**30**
31	.43077	.47733	2.0950	.90246	29
32	.43104	.47769	2.0934	.90233	28
33	.43130	.47805	2.0918	.90221	27
34	.43156	.47840	2.0903	.90208	26
35	.43182	.47876	2.0887	.90196	**25**
36	.43209	.47912	2.0872	.90183	24
37	.43235	.47948	2.0856	.90171	23
38	.43261	.47984	2.0840	.90158	22
39	.43287	.48019	2.0825	.90146	21
40	.43313	.48055	2.0809	.90133	**20**
41	.43340	.48091	2.0794	.90120	19
42	.43366	.48127	2.0778	.90108	18
43	.43392	.48163	2.0763	.90095	17
44	.43418	.48198	2.0748	.90082	16
45	.43445	.48234	2.0732	.90070	**15**
46	.43471	.48270	2.0717	.90057	14
47	.43497	.48306	2.0701	.90045	13
48	.43523	.48342	2.0686	.90032	12
49	.43549	.48378	2.0671	.90019	11
50	.43575	.48414	2.0655	.90007	**10**
51	.43602	.48450	2.0640	.89994	9
52	.43628	.48486	2.0625	.89981	8
53	.43654	.48521	2.0609	.89968	7
54	.43680	.48557	2.0594	.89956	6
55	.43706	.48593	2.0579	.89943	**5**
56	.43733	.48629	2.0564	.89930	4
57	.43759	.48665	2.0549	.89918	3
58	.43785	.48701	2.0533	.89905	2
59	.43811	.48737	2.0518	.89892	1
60	.43837	.48773	2.0503	.89879	**0**
′	Cos	Ctn	Tan	Sin	′

64°

Natural Trigonometric Functions

26°

′	Sin	Tan	Ctn	Cos	′
0	.43837	.48773	2.0503	.89879	**60**
1	.43863	.48809	2.0488	.89867	59
2	.43889	.48845	2.0473	.89854	58
3	.43916	.48881	2.0458	.89841	57
4	.43942	.48917	2.0443	.89828	56
5	.43968	.48953	2.0428	.89816	**55**
6	.43994	.48989	2.0413	.89803	54
7	.44020	.49026	2.0398	.89790	53
8	.44046	.49062	2.0383	.89777	52
9	.44072	.49098	2.0368	.89764	51
10	.44098	.49134	2.0353	.89752	**50**
11	.44124	.49170	2.0338	.89739	49
12	.44151	.49206	2.0323	.89726	48
13	.44177	.49242	2.0308	.89713	47
14	.44203	.49278	2.0293	.89700	46
15	.44229	.49315	2.0278	.89687	**45**
16	.44255	.49351	2.0263	.89674	44
17	.44281	.49387	2.0248	.89662	43
18	.44307	.49423	2.0233	.89649	42
19	.44333	.49459	2.0219	.89636	41
20	.44359	.49495	2.0204	.89623	**40**
21	.44385	.49532	2.0189	.89610	39
22	.44411	.49568	2.0174	.89597	38
23	.44437	.49604	2.0160	.89584	37
24	.44464	.49640	2.0145	.89571	36
25	.44490	.49677	2.0130	.89558	**35**
26	.44516	.49713	2.0115	.89545	34
27	.44542	.49749	2 0101	.89532	33
28	.44568	.49786	2.0086	.89519	32
29	.44594	.49822	2.0072	.89506	31
30	.44620	.49858	2.0057	.89493	**30**
31	.44646	.49894	2.0042	.89480	29
32	.44672	.49931	2.0028	.89467	28
33	.44698	.49967	2.0013	.89454	27
34	.44724	.50004	1.9999	.89441	26
35	.44750	.50040	1.9984	.89428	**25**
36	.44776	.50076	1.9970	.89415	24
37	.44802	.50113	1.9955	.89402	23
38	.44828	.50149	1.9941	.89389	22
39	.44854	.50185	1.9926	.89376	21
40	.44880	.50222	1.9912	.89363	**20**
41	.44906	.50258	1.9897	.89350	19
42	.44932	.50295	1.9883	.89337	18
43	.44958	.50331	1.9868	.89324	17
44	.44984	.50368	1.9854	.89311	16
45	.45010	.50404	1.9840	.89298	**15**
46	.45036	.50441	1.9825	.89285	14
47	.45062	.50477	1.9811	.89272	13
48	.45088	.50514	1.9797	.89259	12
49	.45114	.50550	1.9782	.89245	11
50	.45140	.50587	1.9768	.89232	**10**
51	.45166	.50623	1.9754	.89219	9
52	.45192	.50660	1.9740	.89206	8
53	.45218	.50696	1.9725	.89193	7
54	.45243	.50733	1.9711	.89180	6
55	.45269	.50769	1.9697	.89167	**5**
56	.45295	.50806	1.9683	.89153	4
57	.45321	.50843	1.9669	.89140	3
58	.45347	.50879	1.9654	.89127	2
59	.45373	.50916	1.9640	.89114	1
60	.45399	.50953	1.9626	.89101	**0**
′	Cos	Ctn	Tan	Sin	′

63°

27°

′	Sin	Tan	Ctn	Cos	′
0	.45399	.50953	1.9626	.89101	**60**
1	.45425	.50989	1.9612	.89087	59
2	.45451	.51026	1.9598	.89074	58
3	.45477	.51063	1.9584	.89061	57
4	.45503	.51099	1.9570	.89048	56
5	.45529	.51136	1.9556	.89035	**55**
6	.45554	.51173	1.9542	.89021	54
7	.45580	.51209	1.9528	.89008	53
8	.45606	.51246	1.9514	.88995	52
9	.45632	.51283	1.9500	.88981	51
10	.45658	.51319	1.9486	.88968	**50**
11	.45684	.51356	1.9472	.88955	49
12	.45710	.51393	1.9458	.88942	48
13	.45736	.51430	1.9444	.88928	47
14	.45762	.51467	1.9430	.88915	46
15	.45787	.51503	1.9416	.88902	**45**
16	.45813	.51540	1.9402	.88888	44
17	.45839	.51577	1.9388	.88875	43
18	.45865	.51614	1.9375	.88862	42
19	.45891	.51651	1.9361	.88848	41
20	.45917	.51688	1.9347	.88835	**40**
21	.45942	.51724	1.9333	.88822	39
22	.45968	.51761	1.9319	.88808	38
23	.45994	.51798	1.9306	.88795	37
24	.46020	.51835	1.9292	.88782	36
25	.46046	.51872	1.9278	.88768	**35**
26	.46072	.51909	1.9265	.88755	34
27	.46097	.51946	1.9251	.88741	33
28	.46123	.51983	1.9237	.88728	32
29	.46149	.52020	1.9223	.88715	31
30	.46175	.52057	1.9210	.88701	**30**
31	.46201	.52094	1.9196	.88688	29
32	.46226	.52131	1.9183	.88674	28
33	.46252	.52168	1.9169	.88661	27
34	.46278	.52205	1.9155	.88647	26
35	.46304	.52242	1.9142	.88634	**25**
36	.46330	.52279	1.9128	.88620	24
37	.46355	.52316	1.9115	.88607	23
38	.46381	.52353	1.9101	.88593	22
39	.46407	.52390	1.9088	.88580	21
40	.46433	.52427	1.9074	.88566	**20**
41	.46458	.52464	1.9061	.88553	19
42	.46484	.52501	1.9047	.88539	18
43	.46510	.52538	1.9034	.88526	17
44	.46536	.52575	1.9020	.88512	16
45	.46561	.52613	1.9007	.88499	**15**
46	.46587	.52650	1.8993	.88485	14
47	.46613	.52687	1.8980	.88472	13
48	.46639	.52724	1.8967	.88458	12
49	.46664	.52761	1.8953	.88445	11
50	.46690	.52798	1.8940	.88431	**10**
51	.46716	.52836	1.8927	.88417	9
52	.46742	.52873	1.8913	.88404	8
53	.46767	.52910	1.8900	.88390	7
54	.46793	.52947	1.8887	.88377	6
55	.46819	.52985	1.8873	.88363	**5**
56	.46844	.53022	1.8860	.88349	4
57	.46870	.53059	1.8847	.88336	3
58	.46896	.53096	1.8834	.88322	2
59	.46921	.53134	1.8820	.88308	1
60	.46947	.53171	1.8807	.88295	**0**
′	Cos	Ctn	Tan	Sin	′

62°

Natural Trigonometric Functions

28°

′	Sin	Tan	Ctn	Cos	′
0	.46947	.53171	1.8807	.88295	**60**
1	.46973	.53208	1.8794	.88281	59
2	.46999	.53246	1.8781	.88267	58
3	.47024	.53283	1.8768	.88254	57
4	.47050	.53320	1.8755	.88240	56
5	.47076	.53358	1.8741	.88226	**55**
6	.47101	.53395	1.8728	.88213	54
7	.47127	.53432	1.8715	.88199	53
8	.47153	.53470	1.8702	.88185	52
9	.47178	.53507	1.8689	.88172	51
10	.47204	.53545	1.8676	.88158	**50**
11	.47229	.53582	1.8663	.88144	49
12	.47255	.53620	1.8650	.88130	48
13	.47281	.53657	1.8637	.88117	47
14	.47306	.53694	1.8624	.88103	46
15	.47332	.53732	1.8611	.88089	**45**
16	.47358	.53769	1.8598	.88075	44
17	.47383	.53807	1.8585	.88062	43
18	.47409	.53844	1.8572	.88048	42
19	.47434	.53882	1.8559	.88034	41
20	.47460	.53920	1.8546	.88020	**40**
21	.47486	.53957	1.8533	.88006	39
22	.47511	.53995	1.8520	.87993	38
23	.47537	.54032	1.8507	.87979	37
24	.47562	.54070	1.8495	.87965	36
25	.47588	.54107	1.8482	.87951	**35**
26	.47614	.54145	1.8469	.87937	34
27	.47639	.54183	1.8456	.87923	33
28	.47665	.54220	1.8443	.87909	32
29	.47690	.54258	1.8430	.87896	31
30	.47716	.54296	1.8418	.87882	**30**
31	.47741	.54333	1.8405	.87868	29
32	.47767	.54371	1.8392	.87854	28
33	.47793	.54409	1.8379	.87840	27
34	.47818	.54446	1.8367	.87826	26
35	.47844	.54484	1.8354	.87812	**25**
36	.47869	.54522	1.8341	.87798	24
37	.47895	.54560	1.8329	.87784	23
38	.47920	.54597	1.8316	.87770	22
39	.47946	.54635	1.8303	.87756	21
40	.47971	.54673	1.8291	.87743	**20**
41	.47997	.54711	1.8278	.87729	19
42	.48022	.54748	1.8265	.87715	18
43	.48048	.54786	1.8253	.87701	17
44	.48073	.54824	1.8240	.87687	16
45	.48099	.54862	1.8228	.87673	**15**
46	.48124	.54900	1.8215	.87659	14
47	.48150	.54938	1.8202	.87645	13
48	.48175	.54975	1.8190	.87631	12
49	.48201	.55013	1.8177	.87617	11
50	.48226	.55051	1.8165	.87603	**10**
51	.48252	.55089	1.8152	.87589	9
52	.48277	.55127	1.8140	.87575	8
53	.48303	.55165	1.8127	.87561	7
54	.48328	.55203	1.8115	.87546	6
55	.48354	.55241	1.8103	.87532	**5**
56	.48379	.55279	1.8090	.87518	4
57	.48405	.55317	1.8078	.87504	3
58	.48430	.55355	1.8065	.87490	2
59	.48456	.55393	1.8053	.87476	1
60	.48481	.55431	1.8040	.87462	**0**
′	Cos	Ctn	Tan	Sin	′

61°

29°

′	Sin	Tan	Ctn	Cos	′
0	.48481	.55431	1.8040	.87462	**60**
1	.48506	.55469	1.8028	.87448	59
2	.48532	.55507	1.8016	.87434	58
3	.48557	.55545	1.8003	.87420	57
4	.48583	.55583	1.7991	.87406	56
5	.48608	.55621	1.7979	.87391	**55**
6	.48634	.55659	1.7966	.87377	54
7	.48659	.55697	1.7954	.87363	53
8	.48684	.55736	1.7942	.87349	52
9	.48710	.55774	1.7930	.87335	51
10	.48735	.55812	1.7917	.87321	**50**
11	.48761	.55850	1.7905	.87306	49
12	.48786	.55888	1.7893	.87292	48
13	.48811	.55926	1.7881	.87278	47
14	.48837	.55964	1.7868	.87264	46
15	.48862	.56003	1.7856	.87250	**45**
16	.48888	.56041	1.7844	.87235	44
17	.48913	.56079	1.7832	.87221	43
18	.48938	.56117	1.7820	.87207	42
19	.48964	.56156	1.7808	.87193	41
20	.48989	.56194	1.7796	.87178	**40**
21	.49014	.56232	1.7783	.87164	39
22	.49040	.56270	1.7771	.87150	38
23	.49065	.56309	1.7759	.87136	37
24	.49090	.56347	1.7747	.87121	36
25	.49116	.56385	1.7735	.87107	**35**
26	.49141	.56424	1.7723	.87093	34
27	.49166	.56462	1.7711	.87079	33
28	.49192	.56501	1.7699	.87064	32
29	.49217	.56539	1.7687	.87050	31
30	.49242	.56577	1.7675	.87036	**30**
31	.49268	.56616	1.7663	.87021	29
32	.49293	.56654	1.7651	.87007	28
33	.49318	.56693	1.7639	.86993	27
34	.49344	.56731	1.7627	.86978	26
35	.49369	.56769	1.7615	.86964	**25**
36	.49394	.56808	1.7603	.86949	24
37	.49419	.56846	1.7591	.86935	23
38	.49445	.56885	1.7579	.86921	22
39	.49470	.56923	1.7567	.86906	21
40	.49495	.56962	1.7556	.86892	**20**
41	.49521	.57000	1.7544	.86878	19
42	.49546	.57039	1.7532	.86863	18
43	.49571	.57078	1.7520	.86849	17
44	.49596	.57116	1.7508	.86834	16
45	.49622	.57155	1.7496	.86820	**15**
46	.49647	.57193	1.7485	.86805	14
47	.49672	.57232	1.7473	.86791	13
48	.49697	.57271	1.7461	.86777	12
49	.49723	.57309	1.7449	.86762	11
50	.49748	.57348	1.7437	.86748	**10**
51	.49773	.57386	1.7426	.86733	9
52	.49798	.57425	1.7414	.86719	8
53	.49824	.57464	1.7402	.86704	7
54	.49849	.57503	1.7391	.86690	6
55	.49874	.57541	1.7379	.86675	**5**
56	.49899	.57580	1.7367	.86661	4
57	.49924	.57619	1.7355	.86646	3
58	.49950	.57657	1.7344	.86632	2
59	.49975	.57696	1.7332	.86617	1
60	.50000	.57735	1.7321	.86603	**0**
′	Cos	Ctn	Tan	Sin	′

60°

Natural Trigonometric Functions

30°

′	Sin	Tan	Ctn	Cos	′
0	.50000	.57735	1.7321	.86603	**60**
1	.50025	.57774	1.7309	.86588	59
2	.50050	.57813	1.7297	.86573	58
3	.50076	.57851	1.7286	.86559	57
4	.50101	.57890	1.7274	.86544	56
5	.50126	.57929	1.7262	.86530	**55**
6	.50151	.57968	1.7251	.86515	54
7	.50176	.58007	1.7239	.86501	53
8	.50201	.58046	1.7228	.86486	52
9	.50227	.58085	1.7216	.86471	51
10	.50252	.58124	1.7205	.86457	**50**
11	.50277	.58162	1.7193	.86442	49
12	.50302	.58201	1.7182	.86427	48
13	.50327	.58240	1.7170	.86413	47
14	.50352	.58279	1.7159	.86398	46
15	.50377	.58318	1.7147	.86384	**45**
16	.50403	.58357	1.7136	.86369	44
17	.50428	.58396	1.7124	.86354	43
18	.50453	.58435	1.7113	.86340	42
19	.50478	.58474	1.7102	.86325	41
20	.50503	.58513	1.7090	.86310	**40**
21	.50528	.58552	1.7079	.86295	39
22	.50553	.58591	1.7067	.86281	38
23	.50578	.58631	1.7056	.86266	37
24	.50603	.58670	1.7045	.86251	36
25	.50628	.58709	1.7033	.86237	**35**
26	.50654	.58748	1.7022	.86222	34
27	.50679	.58787	1.7011	.86207	33
28	.50704	.58826	1.6999	.86192	32
29	.50729	.58865	1.6988	.86178	31
30	.50754	.58905	1.6977	.86163	**30**
31	.50779	.58944	1.6965	.86148	29
32	.50804	.58983	1.6954	.86133	28
33	.50829	.59022	1.6943	.86119	27
34	.50854	.59061	1.6932	.86104	26
35	.50879	.59101	1.6920	.86089	**25**
36	.50904	.59140	1.6909	.86074	24
37	.50929	.59179	1.6898	.86059	23
38	.50954	.59218	1.6887	.86045	22
39	.50979	.59258	1.6875	.86030	21
40	.51004	.59297	1.6864	.86015	**20**
41	.51029	.59336	1.6853	.86000	19
42	.51054	.59376	1.6842	.85985	18
43	.51079	.59415	1.6831	.85970	17
44	.51104	.59454	1.6820	.85956	16
45	.51129	.59494	1.6808	.85941	**15**
46	.51154	.59533	1.6797	.85926	14
47	.51179	.59573	1.6786	.85911	13
48	.51204	.59612	1.6775	.85896	12
49	.51229	.59651	1.6764	.85881	11
50	.51254	.59691	1.6753	.85866	**10**
51	.51279	.59730	1.6742	.85851	9
52	.51304	.59770	1.6731	.85836	8
53	.51329	.59809	1.6720	.85821	7
54	.51354	.59849	1.6709	.85806	6
55	.51379	.59888	1.6698	.85792	**5**
56	.51404	.59928	1.6687	.85777	4
57	.51429	.59967	1.6676	.85762	3
58	.51454	.60007	1.6665	.85747	2
59	.51479	.60046	1.6654	.85732	1
60	.51504	.60086	1.6643	.85717	**0**
′	Cos	Ctn	Tan	Sin	′

59°

31°

′	Sin	Tan	Ctn	Cos	′
0	.51504	.60086	1.6643	.85717	**60**
1	.51529	.60126	1.6632	.85702	59
2	.51554	.60165	1.6621	.85687	58
3	.51579	.60205	1.6610	.85672	57
4	.51604	.60245	1.6599	.85657	56
5	.51628	.60284	1.6588	.85642	**55**
6	.51653	.60324	1.6577	.85627	54
7	.51678	.60364	1.6566	.85612	53
8	.51703	.60403	1.6555	.85597	52
9	.51728	.60443	1.6545	.85582	51
10	.51753	.60483	1.6534	.85567	**50**
11	.51778	.60522	1.6523	.85551	49
12	.51803	.60562	1.6512	.85536	48
13	.51828	.60602	1.6501	.85521	47
14	.51852	.60642	1.6490	.85506	46
15	.51877	.60681	1.6479	.85491	**45**
16	.51902	.60721	1.6469	.85476	44
17	.51927	.60761	1.6458	.85461	43
18	.51952	.60801	1.6447	.85446	42
19	.51977	.60841	1.6436	.85431	41
20	.52002	.60881	1.6426	.85416	**40**
21	.52026	.60921	1.6415	.85401	39
22	.52051	.60960	1.6404	.85385	38
23	.52076	.61000	1.6393	.85370	37
24	.52101	.61040	1.6383	.85355	36
25	.52126	.61080	1.6372	.85340	**35**
26	.52151	.61120	1.6361	.85325	34
27	.52175	.61160	1.6351	.85310	33
28	.52200	.61200	1.6340	.85294	32
29	.52225	.61240	1.6329	.85279	31
30	.52250	.61280	1.6319	.85264	**30**
31	.52275	.61320	1.6308	.85249	29
32	.52299	.61360	1.6297	.85234	28
33	.52324	.61400	1.6287	.85218	27
34	.52349	.61440	1.6276	.85203	26
35	.52374	.61480	1.6265	.85188	**25**
36	.52399	.61520	1.6255	.85173	24
37	.52423	.61561	1.6244	.85157	23
38	.52448	.61601	1.6234	.85142	22
39	.52473	.61641	1.6223	.85127	21
40	.52498	.61681	1.6212	.85112	**20**
41	.52522	.61721	1.6202	.85096	19
42	.52547	.61761	1.6191	.85081	18
43	.52572	.61801	1.6181	.85066	17
44	.52597	.61842	1.6170	.85051	16
45	.52621	.61882	1.6160	.85035	**15**
46	.52646	.61922	1.6149	.85020	14
47	.52671	.61962	1.6139	.85005	13
48	.52696	.62003	1.6128	.84989	12
49	.52720	.62043	1.6118	.84974	11
50	.52745	.62083	1.6107	.84959	**10**
51	.52770	.62124	1.6097	.84943	9
52	.52794	.62164	1.6087	.84928	8
53	.52819	.62204	1.6076	.84913	7
54	.52844	.62245	1.6066	.84897	6
55	.52869	.62285	1.6055	.84882	**5**
56	.52893	.62325	1.6045	.84866	4
57	.52918	.62366	1.6034	.84851	3
58	.52943	.62406	1.6024	.84836	2
59	.52967	.62446	1.6014	.84820	1
60	.52992	.62487	1.6003	.84805	**0**
′	Cos	Ctn	Tan	Sin	′

58°

Natural Trigonometric Functions

32°

′	Sin	Tan	Ctn	Cos	′
0	.52992	.62487	1.6003	.84805	**60**
1	.53017	.62527	1.5993	.84789	59
2	.53041	.62568	1.5983	.84774	58
3	.53066	.62608	1.5972	.84759	57
4	.53091	.62649	1.5962	84743	56
5	.53115	.62689	1.5952	.84728	**55**
6	.53140	.62730	1.5941	.84712	54
7	.53164	.62770	1.5931	.84697	53
8	.53189	.62811	1.5921	.84681	52
9	.53214	.62852	1.5911	.84666	51
10	.53238	.62892	1.5900	.84650	**50**
11	.53263	.62933	1.5890	.84635	49
12	.53288	.62973	1.5880	.84619	48
13	.53312	.63014	1.5869	.84604	47
14	.53337	.63055	1.5859	.84588	46
15	.53361	.63095	1.5849	.84573	**45**
16	.53386	.63136	1.5839	.84557	44
17	.53411	.63177	1.5829	.84542	43
18	.53435	.63217	1.5818	.84526	42
19	.53460	.63258	1.5808	.84511	41
20	.53484	.63299	1.5798	.84495	**40**
21	.53509	.63340	1.5788	.84480	39
22	.53534	.63380	1.5778	.84464	38
23	.53558	.63421	1.5768	.84448	37
24	.53583	.63462	1.5757	.84433	36
25	.53607	.63503	1.5747	.84417	**35**
26	.53632	.63544	1.5737	.84402	34
27	.53656	.63584	1.5727	.84386	33
28	.53681	.63625	1.5717	.84370	32
29	.53705	.63666	1.5707	.84355	31
30	.53730	.63707	1.5697	.84339	**30**
31	.53754	.63748	1.5687	.84324	29
32	.53779	.63789	1.5677	.84308	28
33	.53804	.63830	1.5667	.84292	27
34	.53828	.63871	1.5657	.84277	26
35	.53853	.63912	1.5647	.84261	**25**
36	.53877	.63953	1.5637	.84245	24
37	.53902	.63994	1.5627	.84230	23
38	.53926	.64035	1.5617	.84214	22
39	.53951	.64076	1.5607	.84198	21
40	.53975	.64117	1.5597	.84182	**20**
41	.54000	.64158	1.5587	.84167	19
42	.54024	.64199	1.5577	.84151	18
43	.54049	.64240	1.5567	.84135	17
44	.54073	.64281	1.5557	.84120	16
45	.54097	.64322	1.5547	.84104	**15**
46	.54122	.64363	1.5537	.84088	14
47	.54146	.64404	1.5527	.84072	13
48	.54171	.64446	1.5517	.84057	12
49	.54195	.64487	1.5507	.84041	11
50	.54220	.64528	1.5497	.84025	**10**
51	.54244	.64569	1.5487	.84009	9
52	.54269	.64610	1.5477	.83994	8
53	.54293	.64652	1.5468	.83978	7
54	.54317	.64693	1.5458	.83962	6
55	.54342	.64734	1.5448	.83946	**5**
56	.54366	.64775	1.5438	.83930	4
57	.54391	.64817	1.5428	.83915	3
58	.54415	.64858	1.5418	.83899	2
59	.54440	.64899	1.5408	.83883	1
60	.54464	.64941	1.5399	.83867	**0**
′	Cos	Ctn	Tan	Sin	′

57°

33°

′	Sin	Tan	Ctn	Cos	′
0	.54464	.64941	1.5399	.83867	**60**
1	.54488	.64982	1.5389	.83851	59
2	.54513	.65024	1.5379	.83835	58
3	.54537	.65065	1.5369	.83819	57
4	.54561	.65106	1.5359	.83804	56
5	.54586	.65148	1.5350	.83788	**55**
6	.54610	.65189	1.5340	.83772	54
7	.54635	.65231	1.5330	.83756	53
8	.54659	.65272	1.5320	.83740	52
9	.54683	.65314	1.5311	.83724	51
10	.54708	.65355	1.5301	.83708	**50**
11	.54732	.65397	1.5291	.83692	49
12	.54756	.65438	1.5282	.83676	48
13	.54781	.65480	1.5272	.83660	47
14	.54805	.65521	1.5262	.83645	46
15	.54829	.65563	1.5253	.83629	**45**
16	.54854	.65604	1.5243	.83613	44
17	.54878	.65646	1.5233	.83597	43
18	.54902	.65688	1.5224	.83581	42
19	.54927	.65729	1.5214	.83565	41
20	.54951	.65771	1.5204	.83549	**40**
21	.54975	.65813	1.5195	.83533	39
22	.54999	.65854	1.5185	.83517	38
23	.55024	.65896	1.5175	.83501	37
24	.55048	.65938	1.5166	.83485	36
25	.55072	.65980	1.5156	.83469	**35**
26	.55097	.66021	1.5147	.83453	34
27	.55121	.66063	1.5137	.83437	33
28	.55145	.66105	1.5127	.83421	32
29	.55169	.66147	1.5118	.83405	31
30	.55194	.66189	1.5108	.83389	**30**
31	.55218	.66230	1.5099	.83373	29
32	.55242	.66272	1.5089	83356	28
33	.55266	.66314	1.5080	.83340	27
34	.55291	.66356	1.5070	.83324	26
35	.55315	.66398	1.5061	.83308	**25**
36	.55339	.66440	1.5051	.83292	24
37	.55363	.66482	1.5042	.83276	23
38	.55388	.66524	1.5032	.83260	22
39	.55412	.66566	1.5023	.83244	21
40	.55436	.66608	1.5013	.83228	**20**
41	.55460	.66650	1.5004	.83212	19
42	.55484	.66692	1 4994	.83195	18
43	.55509	.66734	1.4985	.83179	17
44	.55533	.66776	1.4975	.83163	16
45	.55557	.66818	1.4966	.83147	**15**
46	55581	.66860	1.4957	.83131	14
47	.55605	.66902	1.4947	.83115	13
48	.55630	.66944	1.4938	.83098	12
49	.55654	.66986	1.4928	.83082	11
50	.55678	.67028	1.4919	.83066	**10**
51	.55702	.67071	1.4910	.83050	9
52	.55726	.67113	1.4900	.83034	8
53	.55750	.67155	1.4891	.83017	7
54	.55775	.67197	1.4882	.83001	6
55	.55799	.67239	1.4872	.82985	**5**
56	.55823	.67282	1.4863	.82969	4
57	.55847	.67324	1.4854	.82953	3
58	.55871	.67366	1.4844	.82936	2
59	.55895	.67409	1.4835	.82920	1
60	.55919	.67451	1.4826	.82904	**0**
′	Cos	Ctn	Tan	Sin	′

56°

Natural Trigonometric Functions

34°

′	Sin	Tan	Ctn	Cos	′
0	.55919	.67451	1.4826	.82904	**60**
1	.55943	.67493	1.4816	.82887	59
2	.55968	.67536	1.4807	.82871	58
3	.55992	.67578	1.4798	.82855	57
4	.56016	.67620	1.4788	.82839	56
5	.56040	.67663	1.4779	.82822	**55**
6	.56064	.67705	1.4770	.82806	54
7	.56088	.67748	1.4761	.82790	53
8	.56112	.67790	1.4751	.82773	52
9	.56136	.67832	1.4742	.82757	51
10	.56160	.67875	1.4733	.82741	**50**
11	.56184	.67917	1.4724	.82724	49
12	.56208	.67960	1.4715	.82708	48
13	.56232	.68002	1.4705	.82692	47
14	.56256	.68045	1.4696	.82675	46
15	.56280	.68088	1.4687	.82659	**45**
16	.56305	.68130	1.4678	.82643	44
17	.56329	.68173	1.4669	.82626	43
18	.56353	.68215	1.4659	.82610	42
19	.56377	.68258	1.4650	.82593	41
20	.56401	.68301	1.4641	.82577	**40**
21	.56425	.68343	1.4632	.82561	39
22	.56449	.68386	1.4623	.82544	38
23	.56473	.68429	1.4614	.82528	37
24	.56497	.68471	1.4605	.82511	36
25	.56521	.68514	1.4596	.82495	**35**
26	.56545	.68557	1.4586	.82478	34
27	.56569	.68600	1.4577	.82462	33
28	.56593	.68642	1.4568	.82446	32
29	.56617	.68685	1.4559	.82429	31
30	.56641	.68728	1.4550	.82413	**30**
31	.56665	.68771	1.4541	.82396	29
32	.56689	.68814	1.4532	.82380	28
33	.56713	.68857	1.4523	.82363	27
34	.56736	.68900	1.4514	.82347	26
35	.56760	.68942	1.4505	.82330	**25**
36	.56784	.68985	1.4496	.82314	24
37	.56808	.69028	1.4487	.82297	23
38	.56832	.69071	1.4478	.82281	22
39	.56856	.69114	1.4469	.82264	21
40	.56880	.69157	1.4460	.82248	**20**
41	.56904	.69200	1.4451	.82231	19
42	.56928	.69243	1.4442	.82214	18
43	.56952	.69286	1.4433	.82198	17
44	.56976	.69329	1.4424	.82181	16
45	.57000	.69372	1.4415	.82165	**15**
46	.57024	.69416	1.4406	.82148	14
47	.57047	.69459	1.4397	.82132	13
48	.57071	.69502	1.4388	.82115	12
49	.57095	.69545	1.4379	.82098	11
50	.57119	.69588	1.4370	.82082	**10**
51	.57143	.69631	1.4361	.82065	9
52	.57167	.69675	1.4352	.82048	8
53	.57191	.69718	1.4344	.82032	7
54	.57215	.69761	1.4335	.82015	6
55	.57238	.69804	1.4326	.81999	**5**
56	.57262	.69847	1.4317	.81982	4
57	.57286	.69891	1.4308	.81965	3
58	.57310	.69934	1.4299	.81949	2
59	.57334	.69977	1.4290	.81932	1
60	.57358	.70021	1.4281	.81915	**0**
′	Cos	Ctn	Tan	Sin	′

55°

35°

′	Sin	Tan	Ctn	Cos	′
0	.57358	.70021	1.4281	.81915	**60**
1	.57381	.70064	1.4273	.81899	59
2	.57405	.70107	1.4264	.81882	58
3	.57429	.70151	1.4255	.81865	57
4	.57453	.70194	1.4246	.81848	56
5	.57477	.70238	1.4237	.81832	**55**
6	.57501	.70281	1.4229	.81815	54
7	.57524	.70325	1.4220	.81798	53
8	.57548	.70368	1.4211	.81782	52
9	.57572	.70412	1.4202	.81765	51
10	.57596	.70455	1.4193	.81748	**50**
11	.57619	.70499	1.4185	.81731	49
12	.57643	.70542	1.4176	.81714	48
13	.57667	.70586	1.4167	.81698	47
14	.57691	.70629	1.4158	.81681	46
15	.57715	.70673	1.4150	.81664	**45**
16	.57738	.70717	1.4141	.81647	44
17	.57762	.70760	1.4132	.81631	43
18	.57786	.70804	1.4124	.81614	42
19	.57810	.70848	1.4115	.81597	41
20	.57833	.70891	1.4106	.81580	**40**
21	.57857	.70935	1.4097	.81563	39
22	.57881	.70979	1.4089	.81546	38
23	.57904	.71023	1.4080	.81530	37
24	.57928	.71066	1.4071	.81513	36
25	.57952	.71110	1.4063	.81496	**35**
26	.57976	.71154	1.4054	.81479	34
27	.57999	.71198	1.4045	.81462	33
28	.58023	.71242	1.4037	.81445	32
29	.58047	.71285	1.4028	.81428	31
30	.58070	.71329	1.4019	.81412	**30**
31	.58094	.71373	1.4011	.81395	29
32	.58118	.71417	1.4002	.81378	28
33	.58141	.71461	1.3994	.81361	27
34	.58165	.71505	1.3985	.81344	26
35	.58189	.71549	1.3976	.81327	**25**
36	.58212	.71593	1.3968	.81310	24
37	.58236	.71637	1.3959	.81293	23
38	.58260	.71681	1.3951	.81276	22
39	.58283	.71725	1.3942	.81259	21
40	.58307	.71769	1.3934	.81242	**20**
41	.58330	.71813	1.3925	.81225	19
42	.58354	.71857	1.3916	.81208	18
43	.58378	.71901	1.3908	.81191	17
44	.58401	.71946	1.3899	.81174	16
45	.58425	.71990	1.3891	.81157	**15**
46	.58449	.72034	1.3882	.81140	14
47	.58472	.72078	1.3874	.81123	13
48	.58496	.72122	1.3865	.81106	12
49	.58519	.72167	1.3857	.81089	11
50	.58543	.72211	1.3848	.81072	**10**
51	.58567	.72255	1.3840	.81055	9
52	.58590	.72299	1.3831	.81038	8
53	.58614	.72344	1.3823	.81021	7
54	.58637	.72388	1.3814	.81004	6
55	.58661	.72432	1.3806	.80987	**5**
56	.58684	.72477	1.3798	.80970	4
57	.58708	.72521	1.3789	.80953	3
58	.58731	.72565	1.3781	.80936	2
59	.58755	.72610	1.3772	.80919	1
60	.58779	.72654	1.3764	.80902	**0**
′	Cos	Ctn	Tan	Sin	′

54°

Natural Trigonometric Functions

36°

′	Sin	Tan	Ctn	Cos	′
0	.58779	.72654	1.3764	.80902	**60**
1	.58802	.72699	1.3755	.80885	59
2	.58826	.72743	1.3747	.80867	58
3	.58849	.72788	1.3739	.80850	57
4	.58873	.72832	1.3730	.80833	56
5	.58896	.72877	1.3722	.80816	**55**
6	.58920	.72921	1.3713	.80799	54
7	.58943	.72966	1.3705	.80782	53
8	.58967	.73010	1.3697	.80765	52
9	.58990	.73055	1.3688	.80748	51
10	.59014	.73100	1.3680	.80730	**50**
11	.59037	.73144	1.3672	.80713	49
12	.59061	.73189	1.3663	.80696	48
13	.59084	.73234	1.3655	.80679	47
14	.59108	.73278	1.3647	.80662	46
15	.59131	.73323	1.3638	.80644	**45**
16	.59154	.73368	1.3630	.80627	44
17	.59178	.73413	1.3622	.80610	43
18	.59201	.73457	1.3613	.80593	42
19	.59225	.73502	1.3605	.80576	41
20	.59248	.73547	1.3597	.80558	**40**
21	.59272	.73592	1.3588	.80541	39
22	.59295	.73637	1.3580	.80524	38
23	.59318	.73681	1.3572	.80507	37
24	.59342	.73726	1.3564	.80489	36
25	.59365	.73771	1.3555	.80472	**35**
26	.59389	.73816	1.3547	.80455	34
27	.59412	.73861	1.3539	.80438	33
28	.59436	.73906	1.3531	.80420	32
29	.59459	.73951	1.3522	.80403	31
30	.59482	.73996	1.3514	.80386	**30**
31	.59506	.74041	1.3506	.80368	29
32	.59529	.74086	1.3498	.80351	28
33	.59552	.74131	1.3490	.80334	27
34	.59576	.74176	1.3481	.80316	26
35	.59599	.74221	1.3473	.80299	**25**
36	.59622	.74267	1.3465	.80282	24
37	.59646	.74312	1.3457	.80264	23
38	.59669	.74357	1.3449	.80247	22
39	.59693	.74402	1.3440	.80230	21
40	.59716	.74447	1.3432	.80212	**20**
41	.59739	.74492	1.3424	.80195	19
42	.59763	.74538	1.3416	.80178	18
43	.59786	.74583	1.3408	.80160	17
44	.59809	.74628	1.3400	.80143	16
45	.59832	.74674	1.3392	.80125	**15**
46	.59856	.74719	1.3384	.80108	14
47	.59879	.74764	1.3375	.80091	13
48	.59902	.74810	1.3367	.80073	12
49	.59926	.74855	1.3359	.80056	11
50	.59949	.74900	1.3351	.80038	**10**
51	.59972	.74946	1.3343	.80021	9
52	.59995	.74991	1.3335	.80003	8
53	.60019	.75037	1.3327	.79986	7
54	.60042	.75082	1.3319	.79968	6
55	.60065	.75128	1.3311	.79951	**5**
56	.60089	.75173	1.3303	.79934	4
57	.60112	.75219	1.3295	.79916	3
58	.60135	.75264	1.3287	.79899	2
59	.60158	.75310	1.3278	.79881	1
60	.60182	.75355	1.3270	.79864	**0**
′	Cos	Ctn	Tan	Sin	′

53°

37°

′	Sin	Tan	Ctn	Cos	′
0	.60182	.75355	1.3270	.79864	**60**
1	.60205	.75401	1.3262	.79846	59
2	.60228	.75447	1.3254	.79829	58
3	.60251	.75492	1.3246	.79811	57
4	.60274	.75538	1.3238	.79793	56
5	.60298	.75584	1.3230	.79776	**55**
6	.60321	.75629	1.3222	.79758	54
7	.60344	.75675	1.3214	.79741	53
8	.60367	.75721	1.3206	.79723	52
9	.60390	.75767	1.3198	.79706	51
10	.60414	.75812	1.3190	.79688	**50**
11	.60437	.75858	1.3182	.79671	49
12	.60460	.75904	1.3175	.79653	48
13	.60483	.75950	1.3167	.79635	47
14	.60506	.75996	1.3159	.79618	46
15	.60529	.76042	1.3151	.79600	**45**
16	.60553	.76088	1.3143	.79583	44
17	.60576	.76134	1.3135	.79565	43
18	.60599	.76180	1.3127	.79547	42
19	.60622	.76226	1.3119	.79530	41
20	.60645	.76272	1.3111	.79512	**40**
21	.60668	.76318	1.3103	.79494	39
22	.60691	.76364	1.3095	.79477	38
23	.60714	.76410	1.3087	.79459	37
24	.60738	.76456	1.3079	.79441	36
25	.60761	.76502	1.3072	.79424	**35**
26	.60784	.76548	1.3064	.79406	34
27	.60807	.76594	1.3056	.79388	33
28	.60830	.76640	1.3048	.79371	32
29	.60853	.76686	1.3040	.79353	31
30	.60876	.76733	1.3032	.79335	**30**
31	.60899	.76779	1.3024	.79318	29
32	.60922	.76825	1.3017	.79300	28
33	.60945	.76871	1.3009	.79282	27
34	.60968	.76918	1.3001	.79264	26
35	.60991	.76964	1.2993	.79247	**25**
36	.61015	.77010	1.2985	.79229	24
37	.61038	.77057	1.2977	.79211	23
38	.61061	.77103	1.2970	.79193	22
39	.61084	.77149	1.2962	.79176	21
40	.61107	.77196	1.2954	.79158	**20**
41	.61130	.77242	1.2946	.79140	19
42	.61153	.77289	1.2938	.79122	18
43	.61176	.77335	1.2931	.79105	17
44	.61199	.77382	1.2923	.79087	16
45	.61222	.77428	1.2915	.79069	**15**
46	.61245	.77475	1.2907	.79051	14
47	.61268	.77521	1.2900	.79033	13
48	.61291	.77568	1.2892	.79016	12
49	.61314	.77615	1.2884	.78998	11
50	.61337	.77661	1.2876	.78980	**10**
51	.61360	.77708	1.2869	.78962	9
52	.61383	.77754	1.2861	.78944	8
53	.61406	.77801	1.2853	.78926	7
54	.61429	.77848	1.2846	.78908	6
55	.61451	.77895	1.2838	.78891	**5**
56	.61474	.77941	1.2830	.78873	4
57	.61497	.77988	1.2822	.78855	3
58	.61520	.78035	1.2815	.78837	2
59	.61543	.78082	1.2807	.78819	1
60	.61566	.78129	1.2799	.78801	**0**
′	Cos	Ctn	Tan	Sin	′

52°

Natural Trigonometric Functions

38°

′	Sin	Tan	Ctn	Cos	′
0	.61566	.78129	1.2799	.78801	**60**
1	.61589	.78175	1.2792	.78783	59
2	.61612	.78222	1.2784	.78765	58
3	.61635	.78269	1.2776	.78747	57
4	.61658	.78316	1.2769	.78729	56
5	.61681	.78363	1.2761	.78711	**55**
6	.61704	.78410	1.2753	.78694	54
7	.61726	.78457	1.2746	.78676	53
8	.61749	.78504	1.2738	.78658	52
9	.61772	.78551	1.2731	.78640	51
10	.61795	.78598	1.2723	.78622	**50**
11	.61818	.78645	1.2715	.78604	49
12	.61841	.78692	1.2708	.78586	48
13	.61864	.78739	1.2700	.78568	47
14	.61887	.78786	1.2693	.78550	46
15	.61909	.78834	1.2685	.78532	**45**
16	.61932	.78881	1.2677	.78514	44
17	.61955	.78928	1.2670	.78496	43
18	.61978	.78975	1.2662	.78478	42
19	.62001	.79022	1.2655	.78460	41
20	.62024	.79070	1.2647	.78442	**40**
21	.62046	.79117	1.2640	.78424	39
22	.62069	.79164	1.2632	.78405	38
23	.62092	.79212	1.2624	.78387	37
24	.62115	.79259	1.2617	.78369	36
25	.62138	.79306	1.2609	.78351	**35**
26	.62160	.79354	1.2602	.78333	34
27	.62183	.79401	1.2594	.78315	33
28	.62206	.79449	1.2587	.78297	32
29	.62229	.79496	1.2579	.78279	31
30	.62251	.79544	1.2572	.78261	**30**
31	.62274	.79591	1.2564	.78243	29
32	.62297	.79639	1.2557	.78225	28
33	.62320	.79686	1.2549	.78206	27
34	.62342	.79734	1.2542	.78188	26
35	.62365	.79781	1.2534	.78170	**25**
36	.62388	.79829	1.2527	.78152	24
37	.62411	.79877	1.2519	.78134	23
38	.62433	.79924	1.2512	.78116	22
39	.62456	.79972	1.2504	.78098	21
40	.62479	.80020	1.2497	.78079	**20**
41	.62502	.80067	1.2489	.78061	19
42	.62524	.80115	1.2482	.78043	18
43	.62547	.80163	1.2475	.78025	17
44	.62570	.80211	1.2467	.78007	16
45	.62592	.80258	1.2460	.77988	**15**
46	.62615	.80306	1.2452	.77970	14
47	.62638	.80354	1.2445	.77952	13
48	.62660	.80402	1.2437	.77934	12
49	.62683	.80450	1.2430	.77916	11
50	.62706	.80498	1.2423	.77897	**10**
51	.62728	.80546	1.2415	.77879	9
52	.62751	.80594	1.2408	.77861	8
53	.62774	.80642	1.2401	.77843	7
54	.62796	.80690	1.2393	.77824	6
55	.62819	.80738	1.2386	.77806	**5**
56	.62842	.80786	1.2378	.77788	4
57	.62864	.80834	1.2371	.77769	3
58	.62887	.80882	1.2364	.77751	2
59	.62909	.80930	1.2356	.77733	1
60	.62932	.80978	1.2349	.77715	**0**
′	Cos	Ctn	Tan	Sin	′

51°

39°

′	Sin	Tan	Ctn	Cos	′
0	.62932	.80978	1.2349	.77715	**60**
1	.62955	.81027	1.2342	.77696	59
2	.62977	.81075	1.2334	.77678	58
3	.63000	.81123	1.2327	.77660	57
4	.63022	.81171	1.2320	.77641	56
5	.63045	.81220	1.2312	.77623	**55**
6	.63068	.81268	1.2305	.77605	54
7	.63090	.81316	1.2298	.77586	53
8	.63113	.81364	1.2290	.77568	52
9	.63135	.81413	1.2283	.77550	51
10	.63158	.81461	1.2276	.77531	**50**
11	.63180	.81510	1.2268	.77513	49
12	.63203	.81558	1.2261	.77494	48
13	.63225	.81606	1.2254	.77476	47
14	.63248	.81655	1.2247	.77458	46
15	.63271	.81703	1.2239	.77439	**45**
16	.63293	.81752	1.2232	.77421	44
17	.63316	.81800	1.2225	.77402	43
18	.63338	.81849	1.2218	.77384	42
19	.63361	.81898	1.2210	.77366	41
20	.63383	.81946	1.2203	.77347	**40**
21	.63406	.81995	1.2196	.77329	39
22	.63428	.82044	1.2189	.77310	38
23	.63451	.82092	1.2181	.77292	37
24	.63473	.82141	1.2174	.77273	36
25	.63496	.82190	1.2167	.77255	**35**
26	.63518	.82238	1.2160	.77236	34
27	.63540	.82287	1.2153	.77218	33
28	.63563	.82336	1.2145	.77199	32
29	.63585	.82385	1.2138	.77181	31
30	.63608	.82434	1.2131	.77162	**30**
31	.63630	.82483	1.2124	.77144	29
32	.63653	.82531	1.2117	.77125	28
33	.63675	.82580	1.2109	.77107	27
34	.63698	.82629	1.2102	.77088	26
35	.63720	.82678	1.2095	.77070	**25**
36	.63742	.82727	1.2088	.77051	24
37	.63765	.82776	1.2081	.77033	23
38	.63787	.82825	1.2074	.77014	22
39	.63810	.82874	1.2066	.76996	21
40	.63832	.82923	1.2059	.76977	**20**
41	.63854	.82972	1.2052	.76959	19
42	.63877	.83022	1.2045	.76940	18
43	.63899	.83071	1.2038	.76921	17
44	.63922	.83120	1.2031	.76903	16
45	.63944	.83169	1.2024	.76884	**15**
46	.63966	.83218	1.2017	.76866	14
47	.63989	.83268	1.2009	.76847	13
48	.64011	.83317	1.2002	.76828	12
49	.64033	.83366	1.1995	.76810	11
50	.64056	.83415	1.1988	.76791	**10**
51	.64078	.83465	1.1981	.76772	9
52	.64100	.83514	1.1974	.76754	8
53	.64123	.83564	1.1967	.76735	7
54	.64145	.83613	1.1960	.76717	6
55	.64167	.83662	1.1953	.76698	**5**
56	.64190	.83712	1.1946	.76679	4
57	.64212	.83761	1.1939	.76661	3
58	.64234	.83811	1.1932	.76642	2
59	.64256	.83860	1.1925	.76623	1
60	.64279	.83910	1.1918	.76604	**0**
′	Cos	Ctn	Tan	Sin	′

50°

Natural Trigonometric Functions

40°

′	Sin	Tan	Ctn	Cos	′
0	.64279	.83910	1.1918	.76604	**60**
1	.64301	.83960	1.1910	.76586	59
2	.64323	.84009	1.1903	.76567	58
3	.64346	.84059	1.1896	.76548	57
4	.64368	.84108	1.1889	.76530	56
5	.64390	.84158	1.1882	.76511	**55**
6	.64412	.84208	1.1875	.76492	54
7	.64435	.84258	1.1868	.76473	53
8	.64457	.84307	1.1861	.76455	52
9	.64479	.84357	1.1854	.76436	51
10	.64501	.84407	1.1847	.76417	**50**
11	.64524	.84457	1.1840	.76398	49
12	.64546	.84507	1.1833	.76380	48
13	.64568	.84556	1.1826	.76361	47
14	.64590	.84606	1.1819	.76342	46
15	.64612	.84656	1.1812	.76323	**45**
16	.64635	.84706	1.1806	.76304	44
17	.64657	.84756	1.1799	.76286	43
18	.64679	.84806	1.1792	.76267	42
19	.64701	.84856	1.1785	.76248	41
20	.64723	.84906	1.1778	.76229	**40**
21	.64746	.84956	1.1771	.76210	39
22	.64768	.85006	1.1764	.76192	38
23	.64790	.85057	1.1757	.76173	37
24	.64812	.85107	1.1750	.76154	36
25	.64834	.85157	1.1743	.76135	**35**
26	.64856	.85207	1.1736	.76116	34
27	.64878	.85257	1.1729	.76097	33
28	.64901	.85308	1.1722	.76078	32
29	.64923	.85358	1.1715	.76059	31
30	.64945	.85408	1.1708	.76041	**30**
31	.64967	.85458	1.1702	.76022	29
32	.64989	.85509	1.1695	.76003	28
33	.65011	.85559	1.1688	.75984	27
34	.65033	.85609	1.1681	.75965	26
35	.65055	.85660	1.1674	.75946	**25**
36	.65077	.85710	1.1667	.75927	24
37	.65100	.85761	1.1660	.75908	23
38	.65122	.85811	1.1653	.75889	22
39	.65144	.85862	1.1647	.75870	21
40	.65166	.85912	1.1640	.75851	**20**
41	.65188	.85963	1.1633	.75832	19
42	.65210	.86014	1.1626	.75813	18
43	.65232	.86064	1.1619	.75794	17
44	.65254	.86115	1.1612	.75775	16
45	.65276	.86166	1.1606	.75756	**15**
46	.65298	.86216	1.1599	.75738	14
47	.65320	.86267	1.1592	.75719	13
48	.65342	.86318	1.1585	.75700	12
49	.65364	.86368	1.1578	.75680	11
50	.65386	.86419	1.1571	.75661	**10**
51	.65408	.86470	1.1565	.75642	9
52	.65430	.86521	1.1558	.75623	8
53	.65452	.86572	1.1551	.75604	7
54	.65474	.86623	1.1544	.75585	6
55	.65496	.86674	1.1538	.75566	**5**
56	.65518	.86725	1.1531	.75547	4
57	.65540	.86776	1.1524	.75528	3
58	.65562	.86827	1.1517	.75509	2
59	.65584	.86878	1.1510	.75490	1
60	.65606	.86929	1.1504	.75471	**0**
′	Cos	Ctn	Tan	Sin	′

49°

41°

′	Sin	Tan	Ctn	Cos	′
0	.65606	.86929	1.1504	.75471	**60**
1	.65628	.86980	1.1497	.75452	59
2	.65650	.87031	1.1490	.75433	58
3	.65672	.87082	1.1483	.75414	57
4	.65694	.87133	1.1477	.75395	56
5	.65716	.87184	1.1470	.75375	**55**
6	.65738	.87236	1.1463	.75356	54
7	.65759	.87287	1.1456	.75337	53
8	.65781	.87338	1.1450	.75318	52
9	.65803	.87389	1.1443	.75299	51
10	.65825	.87441	1.1436	.75280	**50**
11	.65847	.87492	1.1430	.75261	49
12	.65869	.87543	1.1423	.75241	48
13	.65891	.87595	1.1416	.75222	47
14	.65913	.87646	1.1410	.75203	46
15	.65935	.87698	1.1403	.75184	**45**
16	.65956	.87749	1.1396	.75165	44
17	.65978	.87801	1.1389	.75146	43
18	.66000	.87852	1.1383	.75126	42
19	.66022	.87904	1.1376	.75107	41
20	.66044	.87955	1.1369	.75088	**40**
21	.66066	.88007	1.1363	.75069	39
22	.66088	.88059	1.1356	.75050	38
23	.66109	.88110	1.1349	.75030	37
24	.66131	.88162	1.1343	.75011	36
25	.66153	.88214	1.1336	.74992	**35**
26	.66175	.88265	1.1329	.74973	34
27	.66197	.88317	1.1323	.74953	33
28	.66218	.88369	1.1316	.74934	32
29	.66240	.88421	1.1310	.74915	31
30	.66262	.88473	1.1303	.74896	**30**
31	.66284	.88524	1.1296	.74876	29
32	.66306	.88576	1.1290	.74857	28
33	.66327	.88628	1.1283	.74838	27
34	.66349	.88680	1.1276	.74818	26
35	.66371	.88732	1.1270	.74799	**25**
36	.66393	.88784	1.1263	.74780	24
37	.66414	.88836	1.1257	.74760	23
38	.66436	.88888	1.1250	.74741	22
39	.66458	.88940	1.1243	.74722	21
40	.66480	.88992	1.1237	.74703	**20**
41	.66501	.89045	1.1230	.74683	19
42	.66523	.89097	1.1224	.74664	18
43	.66545	.89149	1.1217	.74644	17
44	.66566	.89201	1.1211	.74625	16
45	.66588	.89253	1.1204	.74606	**15**
46	.66610	.89306	1.1197	.74586	14
47	.66632	.89358	1.1191	.74567	13
48	.66653	.89410	1.1184	.74548	12
49	.66675	.89463	1.1178	.74528	11
50	.66697	.89515	1.1171	.74509	**10**
51	.66718	.89567	1.1165	.74489	9
52	.66740	.89620	1.1158	.74470	8
53	.66762	.89672	1.1152	.74451	7
54	.66783	.89725	1.1145	.74431	6
55	.66805	.89777	1.1139	.74412	**5**
56	.66827	.89830	1.1132	.74392	4
57	.66848	.89883	1.1126	.74373	3
58	.66870	.89935	1.1119	.74353	2
59	.66891	.89988	1.1113	.74334	1
60	.66913	.90040	1.1106	.74314	**0**
′	Cos	Ctn	Tan	Sin	′

48°

Natural Trigonometric Functions

42°

′	Sin	Tan	Ctn	Cos	′
0	.66913	.90040	1.1106	.74314	**60**
1	.66935	.90093	1.1100	.74295	59
2	.66956	.90146	1.1093	.74276	58
3	.66978	.90199	1.1087	.74256	57
4	.66999	.90251	1.1080	.74237	56
5	.67021	.90304	1.1074	.74217	**55**
6	.67043	.90357	1.1067	.74198	54
7	.67064	.90410	1.1061	.74178	53
8	.67086	.90463	1.1054	.74159	52
9	.67107	.90516	1.1048	.74139	51
10	.67129	.90569	1.1041	.74120	**50**
11	.67151	.90621	1.1035	.74100	49
12	.67172	.90674	1.1028	.74080	48
13	.67194	.90727	1.1022	.74061	47
14	.67215	.90781	1.1016	.74041	46
15	.67237	.90834	1.1009	.74022	**45**
16	.67258	.90887	1.1003	.74002	44
17	.67280	.90940	1.0996	.73983	43
18	.67301	.90993	1.0990	.73963	42
19	.67323	.91046	1.0983	.73944	41
20	.67344	.91099	1.0977	.73924	**40**
21	.67366	.91153	1.0971	.73904	39
22	.67387	.91206	1.0964	.73885	38
23	.67409	.91259	1.0958	.73865	37
24	.67430	.91313	1.0951	.73846	36
25	.67452	.91366	1.0945	.73826	**35**
26	.67473	.91419	1.0939	.73806	34
27	.67495	.91473	1.0932	.73787	33
28	.67516	.91526	1.0926	.73767	32
29	.67538	.91580	1.0919	.73747	31
30	.67559	.91633	1.0913	.73728	**30**
31	.67580	.91687	1.0907	.73708	29
32	.67602	.91740	1.0900	.73688	28
33	.67623	.91794	1.0894	.73669	27
34	.67645	.91847	1.0888	.73649	26
35	.67666	.91901	1.0881	.73629	**25**
36	.67688	.91955	1.0875	.73610	24
37	.67709	.92008	1.0869	.73590	23
38	.67730	.92062	1.0862	.73570	22
39	.67752	.92116	1.0856	.73551	21
40	.67773	.92170	1.0850	.73531	**20**
41	.67795	.92224	1.0843	.73511	19
42	.67816	.92277	1.0837	.73491	18
43	.67837	.92331	1.0831	.73472	17
44	.67859	.92385	1.0824	.73452	16
45	.67880	.92439	1.0818	.73432	**15**
46	.67901	.92493	1.0812	.73413	14
47	.67923	.92547	1.0805	.73393	13
48	.67944	.92601	1.0799	.73373	12
49	.67965	.92655	1.0793	.73353	11
50	.67987	.92709	1.0786	.73333	**10**
51	.68008	.92763	1.0780	.73314	9
52	.68029	.92817	1.0774	.73294	8
53	.68051	.92872	1.0768	.73274	7
54	.68072	.92926	1.0761	.73254	6
55	68093	.92980	1.0755	.73234	**5**
56	.68115	.93034	1.0749	.73215	4
57	.68136	.93088	1.0742	.73195	3
58	.68157	.93143	1.0736	.73175	2
59	.68179	.93197	1.0730	.73155	1
60	.68200	.93252	1.0724	.73135	**0**
′	Cos	Ctn	Tan	Sin	′

47°

43°

′	Sin	Tan	Ctn	Cos	′
0	.68200	.93252	1.0724	.73135	**60**
1	.68221	.93306	1.0717	.73116	59
2	.68242	.93360	1.0711	.73096	58
3	.68264	.93415	1.0705	.73076	57
4	.68285	.93469	1.0699	.73056	56
5	.68306	.93524	1.0692	.73036	**55**
6	.68327	.93578	1.0686	.73016	54
7	.68349	.93633	1.0680	.72996	53
8	.68370	.93688	1.0674	.72976	52
9	.68391	.93742	1.0668	.72957	51
10	.68412	.93797	1.0661	.72937	**50**
11	.68434	.93852	1.0655	.72917	49
12	.68455	.93906	1.0649	.72897	48
13	.68476	.93961	1.0643	.72877	47
14	.68497	.94016	1.0637	.72857	46
15	.68518	.94071	1.0630	.72837	**45**
16	.68539	.94125	1.0624	.72817	44
17	.68561	.94180	1.0618	.72797	43
18	.68582	.94235	1.0612	.72777	42
19	.68603	.94290	1.0606	.72757	41
20	.68624	.94345	1.0599	.72737	**40**
21	.68645	.94400	1.0593	.72717	39
22	.68666	.94455	1.0587	.72697	38
23	.68688	.94510	1.0581	.72677	37
24	.68709	.94565	1.0575	.72657	36
25	.68730	.94620	1.0569	.72637	**35**
26	.68751	.94676	1.0562	.72617	34
27	.68772	.94731	1.0556	.72597	33
28	.68793	.94786	1.0550	.72577	32
29	.68814	.94841	1.0544	.72557	31
30	.68835	.94896	1.0538	.72537	**30**
31	.68857	.94952	1.0532	.72517	29
32	.68878	.95007	1.0526	.72497	28
33	.68899	.95062	1.0519	.72477	27
34	.68920	.95118	1.0513	.72457	26
35	.68941	.95173	1.0507	.72437	**25**
36	.68962	.95229	1.0501	.72417	24
37	.68983	.95284	1.0495	.72397	23
38	.69004	.95340	1.0489	.72377	22
39	.69025	.95395	1.0483	.72357	21
40	.69046	.95451	1.0477	.72337	**20**
41	.69067	.95506	1.0470	.72317	19
42	.69088	.95562	1.0464	.72297	18
43	.69109	.95618	1.0458	.72277	17
44	.69130	.95673	1.0452	.72257	16
45	.69151	.95729	1.0446	.72236	**15**
46	.69172	.95785	1.0440	.72216	14
47	.69193	.95841	1.0434	.72196	13
48	.69214	.95897	1.0428	.72176	12
49	.69235	.95952	1.0422	.72156	11
50	.69256	.96008	1.0416	.72136	**10**
51	.69277	.96064	1.0410	.72116	9
52	.69298	.96120	1.0404	.72095	8
53	.69319	.96176	1.0398	.72075	7
54	.69340	.96232	1.0392	.72055	6
55	.69361	.96288	1.0385	.72035	**5**
56	.69382	.96344	1.0379	.72015	4
57	.69403	.96400	1.0373	.71995	3
58	.69424	.96457	1.0367	.71974	2
59	.69445	.96513	1.0361	.71954	1
60	.69466	.96569	1.0355	.71934	**0**
′	Cos	Ctn	Tan	Sin	′

46°

Natural Trigonometric Functions

44°

′	Sin	Tan	Ctn	Cos	′
0	.69466	.96569	1.0355	.71934	**60**
1	.69487	.96625	1.0349	.71914	59
2	.69508	.96681	1.0343	.71894	58
3	.69529	.96738	1.0337	.71873	57
4	.69549	.96794	1.0331	.71853	56
5	.69570	.96850	1.0325	.71833	**55**
6	.69591	.96907	1.0319	.71813	54
7	.69612	.96963	1.0313	.71792	53
8	.69633	.97020	1.0307	.71772	52
9	.69654	.97076	1.0301	.71752	51
10	.69675	.97133	1.0295	.71732	**50**
11	.69696	.97189	1.0289	.71711	49
12	.69717	.97246	1.0283	.71691	48
13	.69737	.97302	1.0277	.71671	47
14	.69758	.97359	1.0271	.71650	46
15	.69779	.97416	1.0265	.71630	**45**
16	.69800	.97472	1.0259	.71610	44
17	.69821	.97529	1.0253	.71590	43
18	.69842	.97586	1.0247	.71569	42
19	.69862	.97643	1.0241	.71549	41
20	.69883	.97700	1.0235	.71529	**40**
21	.69904	.97756	1.0230	.71508	39
22	.69925	.97813	1.0224	.71488	38
23	.69946	.97870	1.0218	.71468	37
24	.69966	.97927	1.0212	.71447	36
25	.69987	.97984	1.0206	.71427	**35**
26	.70008	.98041	1.0200	.71407	34
27	.70029	.98098	1.0194	.71386	33
28	.70049	.98155	1.0188	.71366	32
29	.70070	.98213	1.0182	.71345	31
30	.70091	.98270	1.0176	.71325	**30**
31	.70112	.98327	1.0170	.71305	29
32	.70132	.98384	1.0164	.71284	28
33	.70153	.98441	1.0158	.71264	27
34	.70174	.98499	1.0152	.71243	26
35	.70195	.98556	1.0147	.71223	**25**
36	.70215	.98613	1.0141	.71203	24
37	.70236	.98671	1.0135	.71182	23
38	.70257	.98728	1.0129	.71162	22
39	.70277	.98786	1.0123	.71141	21
40	.70298	.98843	1.0117	.71121	**20**
41	.70319	.98901	1.0111	.71100	19
42	.70339	.98958	1.0105	.71080	18
43	.70360	.99016	1.0099	.71059	17
44	.70381	.99073	1.0094	.71039	16
45	.70401	.99131	1.0088	.71019	**15**
46	.70422	.99189	1.0082	.70998	14
47	.70443	.99247	1.0076	.70978	13
48	.70463	.99304	1.0070	.70957	12
49	.70484	.99362	1.0064	.70937	11
50	.70505	.99420	1.0058	.70916	**10**
51	.70525	.99478	1.0052	.70896	9
52	.70546	.99536	1.0047	.70875	8
53	.70567	.99594	1.0041	.70855	7
54	.70587	.99652	1.0035	.70834	6
55	.70608	.99710	1.0029	.70813	**5**
56	.70628	.99768	1.0023	.70793	4
57	.70649	.99826	1.0017	.70772	3
58	.70670	.99884	1.0012	.70752	2
59	.70690	.99942	1.0006	.70731	1
60	.70711	1.0000	1.0000	.70711	**0**
′	Cos	Ctn	Tan	Sin	′

45°

0° — Log Sine — 0°

′	.0	.1	.2	.3	.4	.5	.6	.7	.8	.9	′
0	—	5.46373	5.76476	5.94085	6.06579	6.16270	6.24188	6.30882	6.36682	6.41797	**0**
1	6.46373	6.50512	6.54291	6.57767	6.60985	6.63982	6.66785	6.69418	6.71900	6.74248	1
2	6.76476	6.78595	6.80615	6.82545	6.84394	6.86167	6.87870	6.89509	6.91088	6.92612	2
3	6.94085	6.95509	6.96888	6.98224	6.99520	7.00779	7.02003	7.03193	7.04351	7.05479	3
4	7.06579	7.07651	7.08698	7.09719	7.10718	7.11694	7.12648	7.13582	7.14497	7.15392	4
5	7.16270	7.17130	7.17973	7.18800	7.19612	7.20409	7.21191	7.21960	7.22715	7.23458	**5**
6	7.24188	7.24906	7.25612	7.26307	7.26991	7.27664	7.28327	7.28980	7.29623	7.30257	6
7	7.30882	7.31498	7.32106	7.32705	7.33296	7.33879	7.34454	7.35022	7.35582	7.36135	7
8	7.36682	7.37221	7.37754	7.38280	7.38800	7.39314	7.39822	7.40324	7.40821	7.41312	8
9	7.41797	7.42277	7.42751	7.43221	7.43685	7.44145	7.44600	7.45050	7.45495	7.45936	9
10	7.46373	7.46805	7.47233	7.47656	7.48076	7.48491	7.48903	7.49311	7.49715	7.50115	**10**
11	7.50512	7.50905	7.51294	7.51680	7.52063	7.52442	7.52818	7.53191	7.53561	7.53927	11
12	7.54291	7.54651	7.55009	7.55363	7.55715	7.56064	7.56410	7.56753	7.57094	7.57431	12
13	7.57767	7.58100	7.58430	7.58758	7.59083	7.59406	7.59726	7.60045	7.60360	7.60674	13
14	7.60985	7.61294	7.61601	7.61906	7.62209	7.62509	7.62808	7.63104	7.63399	7.63691	14
15	7.63982	7.64270	7.64557	7.64842	7.65125	7.65406	7.65685	7.65962	7.66238	7.66512	**15**
16	7.66784	7.67055	7.67324	7.67591	7.67857	7.68121	7.68383	7.68644	7.68903	7.69161	16
17	7.69417	7.69672	7.69925	7.70177	7.70427	7.70676	7.70924	7.71170	7.71414	7.71658	17
18	7.71900	7.72140	7.72380	7.72618	7.72854	7.73090	7.73324	7.73557	7.73788	7.74019	18
19	7.74248	7.74476	7.74703	7.74928	7.75153	7.75376	7.75598	7.75819	7.76039	7.76258	19
20	7.76475	7.76692	7.76907	7.77122	7.77335	7.77548	7.77759	7.77969	7.78179	7.78387	**20**
21	7.78594	7.78801	7.79006	7.79210	7.79414	7.79616	7.79818	7.80018	7.80218	7.80417	21
22	7.80615	7.80812	7.81008	7.81203	7.81397	7.81591	7.81783	7.81975	7.82166	7.82356	22
23	7.82545	7.82733	7.82921	7.83108	7.83294	7.83479	7.83663	7.83847	7.84030	7.84212	23
24	7.84393	7.84574	7.84754	7.84933	7.85111	7.85289	7.85466	7.85642	7.85817	7.85992	24
25	7.86166	7.86340	7.86512	7.86684	7.86856	7.87026	7.87196	7.87366	7.87534	7.87702	**25**
26	7.87870	7.88036	7.88202	7.88368	7.88533	7.88697	7.88860	7.89023	7.89186	7.89347	26
27	7.89509	7.89669	7.89829	7.89988	7.90147	7.90305	7.90463	7.90620	7.90777	7.90933	27
28	7.91088	7.91243	7.91397	7.91551	7.91704	7.91857	7.92009	7.92160	7.92311	7.92462	28
29	7.92612	7.92761	7.92910	7.93059	7.93207	7.93354	7.93501	7.93648	7.93794	7.93939	29
30	7.94084	7.94229	7.94373	7.94516	7.94659	7.94802	7.94944	7.95086	7.95227	7.95368	**30**
31	7.95508	7.95648	7.95787	7.95926	7.96065	7.96203	7.96341	7.96478	7.96615	7.96751	31
32	7.96887	7.97022	7.97158	7.97292	7.97426	7.97560	7.97694	7.97827	7.97959	7.98092	32
33	7.98223	7.98355	7.98486	7.98616	7.98747	7.98876	7.99006	7.99135	7.99264	7.99392	33
34	7.99520	7.99647	7.99775	7.99901	8.00028	8.00154	8.00279	8.00405	8.00530	8.00654	34
35	8.00779	8.00903	8.01026	8.01149	8.01272	8.01395	8.01517	8.01639	8.01760	8.01881	**35**
36	8.02002	8.02123	8.02243	8.02362	8.02482	8.02601	8.02720	8.02838	8.02957	8.03074	36
37	8.03192	8.03309	8.03426	8.03543	8.03659	8.03775	8.03891	8.04006	8.04121	8.04236	37
38	8.04350	8.04464	8.04578	8.04692	8.04805	8.04918	8.05030	8.05143	8.05255	8.05367	38
39	8.05478	8.05589	8.05700	8.05811	8.05921	8.06031	8.06141	8.06251	8.06360	8.06469	39
40	8.06578	8.06686	8.06794	8.06902	8.07010	8.07117	8.07224	8.07331	8.07438	8.07544	**40**
41	8.07650	8.07756	8.07861	8.07967	8.08072	8.08176	8.08281	8.08385	8.08489	8.08593	41
42	8.08696	8.08800	8.08903	8.09006	8.09108	8.09210	8.09312	8.09414	8.09516	8.09617	42
43	8.09718	8.09819	8.09920	8.10020	8.10120	8.10220	8.10320	8.10420	8.10519	8.10618	43
44	8.10717	8.10815	8.10914	8.11012	8.11110	8.11207	8.11305	8.11402	8.11499	8.11596	44
45	8.11693	8.11789	8.11885	8.11981	8.12077	8.12172	8.12268	8.12363	8.12458	8.12553	**45**
46	8.12647	8.12741	8.12836	8.12929	8.13023	8.13117	8.13210	8.13303	8.13396	8.13489	46
47	8.13581	8.13673	8.13765	8.13857	8.13949	8.14041	8.14132	8.14223	8.14314	8.14405	47
48	8.14495	8.14586	8.14676	8.14766	8.14856	8.14945	8.15035	8.15124	8.15213	8.15302	48
49	8.15391	8.15479	8.15568	8.15656	8.15744	8.15832	8.15919	8.16007	8.16094	8.16181	49
50	8.16268	8.16355	8.16441	8.16528	8.16614	8.16700	8.16786	8.16872	8.16957	8.17043	**50**
51	8.17128	8.17213	8.17298	8.17383	8.17467	8.17552	8.17636	8.17720	8.17804	8.17888	51
52	8.17971	8.18055	8.18138	8.18221	8.18304	8.18387	8.18469	8.18552	8.18634	8.18716	52
53	8.18798	8.18880	8.18962	8.19044	8.19125	8.19206	8.19287	8.19368	8.19449	8.19530	53
54	8.19610	8.19691	8.19771	8.19851	8.19931	8.20010	8.20090	8.20170	8.20249	8.20328	54
55	8.20407	8.20486	8.20565	8.20643	8.20722	8.20800	8.20878	8.20956	8.21034	8.21112	**55**
56	8.21189	8.21267	8.21344	8.21422	8.21499	8.21576	8.21652	8.21729	8.21805	8.21882	56
57	8.21958	8.22034	8.22110	8.22186	8.22262	8.22337	8.22413	8.22488	8.22563	8.22638	57
58	8.22713	8.22788	8.22863	8.22937	8.23012	8.23086	8.23160	8.23234	8.23308	8.23382	58
59	8.23456	8.23529	8.23603	8.23676	8.23749	8.23822	8.23895	8.23968	8.24041	8.24113	59
60	8.24186	8.24258	8.24330	8.24402	8.24474	8.24546	8.24618	8.24689	8.24761	8.24832	**60**
′	.0	.1	.2	.3	.4	.5	.6	.7	.8	.9	′

$\text{Log Cos } \theta = \text{Log Sin } (90° - \theta)$

0° — Log Tan — 0°

′	.0	.1	.2	.3	.4	.5	.6	.7	.8	.9	′
0	—	5.46373	5.76476	5.94085	6.06579	6.16270	6.24188	6.30882	6.36682	6.41797	**0**
1	6.46373	6.50512	6.54291	6.57767	6.60985	6.63982	6.66785	6.69418	6.71900	6.74248	1
2	6.76476	6.78595	6.80615	6.82545	6.84394	6.86167	6.87870	6.89509	6.91088	6.92612	2
3	6.94085	6.95509	6.96888	6.98224	6.99521	7.00779	7.02003	7.03193	7.04351	7.05479	3
4	7.06579	7.07651	7.08698	7.09719	7.10718	7.11694	7.12648	7.13582	7.14497	7.15392	4
5	7.16270	7.17130	7.17973	7.18800	7.19612	7.20409	7.21191	7.21960	7.22715	7.23458	**5**
6	7.24188	7.24906	7.25612	7.26307	7.26991	7.27664	7.28327	7.28980	7.29624	7.30258	6
7	7.30882	7.31499	7.32106	7.32705	7.33296	7.33879	7.34454	7.35022	7.35582	7.36135	7
8	7.36682	7.37221	7.37754	7.38281	7.38801	7.39315	7.39823	7.40325	7.40821	7.41312	8
9	7.41797	7.42277	7.42751	7.43221	7.43686	7.44145	7.44600	7.45050	7.45495	7.45936	9
10	7.46373	7.46805	7.47233	7.47656	7.48076	7.48492	7.48903	7.49311	7.49715	7.50115	**10**
11	7.50512	7.50905	7.51295	7.51681	7.52063	7.52443	7.52819	7.53191	7.53561	7.53927	11
12	7.54291	7.54651	7.55009	7.55363	7.55715	7.56064	7.56410	7.56753	7.57094	7.57432	12
13	7.57767	7.58100	7.58430	7.58758	7.59083	7.59406	7.59727	7.60045	7.60361	7.60674	13
14	7.60986	7.61295	7.61602	7.61906	7.62209	7.62510	7.62808	7.63105	7.63399	7.63692	14
15	7.63982	7.64271	7.64557	7.64842	7.65125	7.65406	7.65685	7.65963	7.66239	7.66513	**15**
16	7.66785	7.67056	7.67324	7.67592	7.67857	7.68121	7.68384	7.68645	7.68904	7.69162	16
17	7.69418	7.69673	7.69926	7.70178	7.70428	7.70677	7.70924	7.71170	7.71415	7.71658	17
18	7.71900	7.72141	7.72380	7.72618	7.72855	7.73090	7.73324	7.73557	7.73789	7.74019	18
19	7.74248	7.74476	7.74703	7.74929	7.75153	7.75377	7.75599	7.75820	7.76040	7.76258	19
20	7.76476	7.76693	7.76908	7.77123	7.77336	7.77549	7.77760	7.77970	7.78179	7.78388	**20**
21	7.78595	7.78801	7.79007	7.79211	7.79415	7.79617	7.79819	7.80019	7.80219	7.80418	21
22	7.80615	7.80812	7.81009	7.81204	7.81398	7.81591	7.81784	7.81976	7.82167	7.82357	22
23	7.82546	7.82734	7.82922	7.83109	7.83295	7.83480	7.83664	7.83848	7.84031	7.84213	23
24	7.84394	7.84575	7.84755	7.84934	7.85112	7.85290	7.85467	7.85643	7.85819	7.85993	24
25	7.86167	7.86341	7.86513	7.86685	7.86857	7.87027	7.87197	7.87367	7.87535	7.87703	**25**
26	7.87871	7.88037	7.88204	7.88369	7.88534	7.88698	7.88862	7.89025	7.89187	7.89349	26
27	7.89510	7.89670	7.89830	7.89990	7.90149	7.90307	7.90464	7.90622	7.90778	7.90934	27
28	7.91089	7.91244	7.91398	7.91552	7.91705	7.91858	7.92010	7.92162	7.92313	7.92463	28
29	7.92613	7.92763	7.92912	7.93060	7.93208	7.93356	7.93503	7.93649	7.93795	7.93941	29
30	7.94086	7.94230	7.94374	7.94518	7.94661	7.94804	7.94946	7.95088	7.95229	7.95370	**30**
31	7.95510	7.95650	7.95789	7.95928	7.96067	7.96205	7.96343	7.96480	7.96617	7.96753	31
32	7.96889	7.97024	7.97159	7.97294	7.97428	7.97562	7.97696	7.97829	7.97961	7.98094	32
33	7.98225	7.98357	7.98488	7.98618	7.98749	7.98878	7.99008	7.99137	7.99266	7.99394	33
34	7.99522	7.99649	7.99777	7.99903	8.00030	8.00156	8.00282	8.00407	8.00532	8.00657	34
35	8.00781	8.00905	8.01028	8.01152	8.01274	8.01397	8.01519	8.01641	8.01762	8.01884	**35**
36	8.02004	8.02125	8.02245	8.02365	8.02484	8.02604	8.02722	8.02841	8.02959	8.03077	36
37	8.03194	8.03312	8.03429	8.03545	8.03661	8.03777	8.03893	8.04008	8.04124	8.04238	37
38	8.04353	8.04467	8.04581	8.04694	8.04808	8.04921	8.05033	8.05146	8.05258	8.05369	38
39	8.05481	8.05592	8.05703	8.05814	8.05924	8.06034	8.06144	8.06254	8.06363	8.06472	39
40	8.06581	8.06689	8.06797	8.06905	8.07013	8.07120	8.07227	8.07334	8.07441	8.07547	**40**
41	8.07653	8.07759	8.07864	8.07970	8.08075	8.08180	8.08284	8.08388	8.08492	8.08596	41
42	8.08700	8.08803	8.08906	8.09009	8.09111	8.09214	8.09316	8.09418	8.09519	8.09621	42
43	8.09722	8.09823	8.09923	8.10024	8.10124	8.10224	8.10324	8.10423	8.10522	8.10621	43
44	8.10720	8.10819	8.10917	8.11015	8.11113	8.11211	8.11309	8.11406	8.11503	8.11600	44
45	8.11696	8.11793	8.11889	8.11985	8.12081	8.12176	8.12272	8.12367	8.12462	8.12556	**45**
46	8.12651	8.12745	8.12839	8.12933	8.13027	8.13121	8.13214	8.13307	8.13400	8.13493	46
47	8.13585	8.13677	8.13770	8.13861	8.13953	8.14045	8.14136	8.14227	8.14318	8.14409	47
48	8.14500	8.14590	8.14680	8.14770	8.14860	8.14950	8.15039	8.15128	8.15218	8.15306	48
49	8.15395	8.15484	8.15572	8.15660	8.15748	8.15836	8.15924	8.16011	8.16099	8.16186	49
50	8.16273	8.16359	8.16446	8.16533	8.16619	8.16705	8.16791	8.16877	8.16962	8.17048	**50**
51	8.17133	8.17218	8.17303	8.17388	8.17472	8.17557	8.17641	8.17725	8.17809	8.17893	51
52	8.17976	8.18060	8.18143	8.18226	8.18309	8.18392	8.18475	8.18557	8.18639	8.18722	52
53	8.18804	8.18886	8.18967	8.19049	8.19130	8.19211	8.19293	8.19374	8.19454	8.19535	53
54	8.19616	8.19696	8.19776	8.19856	8.19936	8.20016	8.20096	8.20175	8.20254	8.20334	54
55	8.20413	8.20491	8.20570	8.20649	8.20727	8.20806	8.20884	8.20962	8.21040	8.21118	**55**
56	8.21195	8.21273	8.21350	8.21427	8.21504	8.21581	8.21658	8.21735	8.21811	8.21888	56
57	8.21964	8.22040	8.22116	8.22192	8.22268	8.22343	8.22419	8.22494	8.22569	8.22645	57
58	8.22720	8.22794	8.22869	8.22944	8.23018	8.23092	8.23167	8.23241	8.23315	8.23388	58
59	8.23462	8.23536	8.23609	8.23682	8.23756	8.23829	8.23902	8.23974	8.24047	8.24120	59
60	8.24192	8.24264	8.24337	8.24409	8.24481	8.24553	8.24624	8.24696	8.24767	8.24839	**60**
′	.0	.1	.2	.3	.4	.5	.6	.7	.8	.9	′

Log Ctn Θ = Log Tan $(90° - \Theta)$

1° — Log Sine — 1°

′	.0	.1	.2	.3	.4	.5	.6	.7	.8	.9	′
0	8.24186	8.24258	8.24330	8.24402	8.24474	8.24546	8.24618	8.24689	8.24761	8.24832	**0**
1	8.24903	8.24974	8.25045	8.25116	8.25187	8.25258	8.25328	8.25399	8.25469	8.25539	1
2	8.25609	8.25679	8.25749	8.25819	8.25889	8.25958	8.26028	8.26097	8.26166	8.26235	2
3	8.26304	8.26373	8.26442	8.26511	8.26579	8.26648	8.26716	8.26784	8.26852	8.26920	3
4	8.26988	8.27056	8.27124	8.27191	8.27259	8.27326	8.27393	8.27460	8.27528	8.27595	4
5	8.27661	8.27728	8.27795	8.27861	8.27928	8.27994	8.28060	8.28127	8.28193	8.28258	**5**
6	8.28324	8.28390	8.28456	8.28521	8.28587	8.28652	8.28717	8.28782	8.28848	8.28912	6
7	8.28977	8.29042	8.29107	8.29171	8.29236	8.29300	8.29364	8.29429	8.29493	8.29557	7
8	8.29621	8.29684	8.29748	8.29812	8.29875	8.29939	8.30002	8.30065	8.30129	8.30192	8
9	8.30255	8.30317	8.30380	8.30443	8.30506	8.30568	8.30631	8.30693	8.30755	8.30817	9
10	8.30879	8.30941	8.31003	8.31065	8.31127	8.31188	8.31250	8.31311	8.31373	8.31434	**10**
11	8.31495	8.31556	8.31618	8.31678	8.31739	8.31800	8.31861	8.31921	8.31982	8.32042	11
12	8.32103	8.32163	8.32223	8.32283	8.32343	8.32403	8.32463	8.32523	8.32583	8.32642	12
13	8.32702	8.32761	8.32820	8.32880	8.32939	8.32998	8.33057	8.33116	8.33175	8.33234	13
14	8.33292	8.33351	8.33410	8.33468	8.33527	8.33585	8.33643	8.33701	8.33759	8.33817	14
15	8.33875	8.33933	8.33991	8.34049	8.34106	8.34164	8.34221	8.34279	8.34336	8.34393	**15**
16	8.34450	8.34508	8.34565	8.34621	8.34678	8.34735	8.34792	8.34849	8.34905	8.34962	16
17	8.35018	8.35074	8.35131	8.35187	8.35243	8.35299	8.35355	8.35411	8.35467	8.35523	17
18	8.35578	8.35634	8.35690	8.35745	8.35800	8.35856	8.35911	8.35966	8.36021	8.36076	18
19	8.36131	8.36186	8.36241	8.36296	8.36351	8.36405	8.36460	8.36515	8.36569	8.36623	19
20	8.36678	8.36732	8.36786	8.36840	8.36894	8.36948	8.37002	8.37056	8.37110	8.37163	**20**
21	8.37217	8.37271	8.37324	8.37378	8.37431	8.37484	8.37538	8.37591	8.37644	8.37697	21
22	8.37750	8.37803	8.37856	8.37908	8.37961	8.38014	8.38066	8.38119	8.38171	8.38224	22
23	8.38276	8.38328	8.38381	8.38433	8.38485	8.38537	8.38589	8.38641	8.38693	8.38744	23
24	8.38796	8.38848	8.38899	8.38951	8.39002	8.39054	8.39105	8.39157	8.39208	8.39259	24
25	8.39310	8.39361	8.39412	8.39463	8.39514	8.39565	8.39616	8.39666	8.39717	8.39767	**25**
26	8.39818	8.39868	8.39919	8.39969	8.40019	8.40070	8.40120	8.40170	8.40220	8.40270	26
27	8.40320	8.40370	8.40420	8.40469	8.40519	8.40569	8.40618	8.40668	8.40717	8.40767	27
28	8.40816	8.40865	8.40915	8.40964	8.41013	8.41062	8.41111	8.41160	8.41209	8.41258	28
29	8.41307	8.41356	8.41404	8.41453	8.41501	8.41550	8.41598	8.41647	8.41695	8.41744	29
30	8.41792	8.41840	8.41888	8.41936	8.41984	8.42032	8.42080	8.42128	8.42176	8.42224	**30**
31	8.42272	8.42319	8.42367	8.42415	8.42462	8.42510	8.42557	8.42604	8.42652	8.42699	31
32	8.42746	8.42793	8.42840	8.42888	8.42935	8.42982	8.43028	8.43075	8.43122	8.43169	32
33	8.43216	8.43262	8.43309	8.43355	8.43402	8.43448	8.43495	8.43541	8.43588	8.43634	33
34	8.43680	8.43726	8.43772	8.43818	8.43864	8.43910	8.43956	8.44002	8.44048	8.44094	34
35	8.44139	8.44185	8.44231	8.44276	8.44322	8.44367	8.44413	8.44458	8.44504	8.44549	**35**
36	8.44594	8.44639	8.44684	8.44730	8.44775	8.44820	8.44865	8.44910	8.44954	8.44999	36
37	8.45044	8.45089	8.45133	8.45178	8.45223	8.45267	8.45312	8.45356	8.45401	8.45445	37
38	8.45489	8.45534	8.45578	8.45622	8.45666	8.45710	8.45754	8.45798	8.45842	8.45886	38
39	8.45930	8.45974	8.46018	8.46061	8.46105	8.46149	8.46192	8.46236	8.46280	8.46323	39
40	8.46366	8.46410	8.46453	8.46497	8.46540	8.46583	8.46626	8.46669	8.46712	8.46755	**40**
41	8.46799	8.46841	8.46884	8.46927	8.46970	8.47013	8.47056	8.47098	8.47141	8.47184	41
42	8.47226	8.47269	8.47311	8.47354	8.47396	8.47439	8.47481	8.47523	8.47565	8.47608	42
43	8.47650	8.47692	8.47734	8.47776	8.47818	8.47860	8.47902	8.47944	8.47986	8.48028	43
44	8.48069	8.48111	8.48153	8.48194	8.48236	8.48278	8.48319	8.48361	8.48402	8.48443	44
45	8.48485	8.48526	8.48567	8.48609	8.48650	8.48691	8.48732	8.48773	8.48814	8.48855	**45**
46	8.48896	8.48937	8.48978	8.49019	8.49060	8.49101	8.49141	8.49182	8.49223	8.49263	46
47	8.49304	8.49345	8.49385	8.49426	8.49466	8.49506	8.49547	8.49587	8.49627	8.49668	47
48	8.49708	8.49748	8.49788	8.49828	8.49868	8.49908	8.49948	8.49988	8.50028	8.50068	48
49	8.50108	8.50148	8.50188	8.50227	8.50267	8.50307	8.50346	8.50386	8.50425	8.50465	49
50	8.50504	8.50544	8.50583	8.50623	8.50662	8.50701	8.50741	8.50780	8.50819	8.50858	**50**
51	8.50897	8.50936	8.50976	8.51015	8.51054	8.51092	8.51131	8.51170	8.51209	8.51248	51
52	8.51287	8.51325	8.51364	8.51403	8.51442	8.51480	8.51519	8.51557	8.51596	8.51634	52
53	8.51673	8.51711	8.51749	8.51788	8.51826	8.51864	8.51903	8.51941	8.51979	8.52017	53
54	8.52055	8.52093	8.52131	8.52169	8.52207	8.52245	8.52283	8.52321	8.52359	8.52397	54
55	8.52434	8.52472	8.52510	8.52547	8.52585	8.52623	8.52660	8.52698	8.52735	8.52773	**55**
56	8.52810	8.52848	8.52885	8.52922	8.52960	8.52997	8.53034	8.53071	8.53109	8.53146	56
57	8.53183	8.53220	8.53257	8.53294	8.53331	8.53368	8.53405	8.53442	8.53479	8.53515	57
58	8.53552	8.53589	8.53626	8.53663	8.53699	8.53736	8.53772	8.53809	8.53846	8.53882	58
59	8.53919	8.53955	8.53992	8.54028	8.54064	8.54101	8.54137	8.54173	8.54210	8.54246	59
60	8.54282	8.54318	8.54354	8.54390	8.54426	8.54462	8.54498	8.54534	8.54570	8.54606	**60**
′	.0	.1	.2	.3	.4	.5	.6	.7	.8	.9	′

Log Cos θ = Log Sin $(90° - \theta)$

1° — Log Tan — 1°

′	.0	.1	.2	.3	.4	.5	.6	.7	.8	.9	′
0	8.24192	8.24264	8.24337	8.24409	8.24481	8.24553	8.24624	8.24696	8.24767	8.24839	**0**
1	8.24910	8.24981	8.25052	8.25123	8.25194	8.25265	8.25335	8.25406	8.25476	8.25546	1
2	8.25616	8.25686	8.25756	8.25826	8.25896	8.25965	8.26035	8.26104	8.26173	8.26243	2
3	8.26312	8.26380	8.26449	8.26518	8.26586	8.26655	8.26723	8.26792	8.26860	8.26928	3
4	8.26996	8.27063	8.27131	8.27199	8.27266	8.27334	8.27401	8.27468	8.27535	8.27602	4
5	8.27669	8.27736	8.27803	8.27869	8.27936	8.28002	8.28068	8.28134	8.28201	8.28266	**5**
6	8.28332	8.28398	8.28464	8.28529	8.28595	8.28660	8.28725	8.28791	8.28856	8.28921	6
7	8.28986	8.29050	8.29115	8.29180	8.29244	8.29309	8.29373	8.29437	8.29501	8.29565	7
8	8.29629	8.29693	8.29757	8.29820	8.29884	8.29947	8.30011	8.30074	8.30137	8.30200	8
9	8.30263	8.30326	8.30389	8.30452	8.30514	8.30577	8.30639	8.30702	8.30764	8.30826	9
10	8.30888	8.30950	8.31012	8.31074	8.31136	8.31198	8.31259	8.31321	8.31382	8.31443	**10**
11	8.31505	8.31566	8.31627	8.31688	8.31749	8.31809	8.31870	8.31931	8.31991	8.32052	11
12	8.32112	8.32173	8.32233	8.32293	8.32353	8.32413	8.32473	8.32533	8.32592	8.32652	12
13	8.32711	8.32771	8.32830	8.32890	8.32949	8.33008	8.33067	8.33126	8.33185	8.33244	13
14	8.33302	8.33361	8.33420	8.33478	8.33537	8.33595	8.33653	8.33712	8.33770	8.33828	14
15	8.33886	8.33944	8.34001	8.34059	8.34117	8.34174	8.34232	8.34289	8.34347	8.34404	**15**
16	8.34461	8.34518	8.34575	8.34632	8.34689	8.34746	8.34803	8.34859	8.34916	8.34972	16
17	8.35029	8.35085	8.35142	8.35198	8.35254	8.35310	8.35366	8.35422	8.35478	8.35534	17
18	8.35590	8.35645	8.35701	8.35756	8.35812	8.35867	8.35922	8.35978	8.36033	8.36088	18
19	8.36143	8.36198	8.36253	8.36308	8.36362	8.36417	8.36472	8.36526	8.36581	8.36635	19
20	8.36689	8.36744	8.36798	8.36852	8.36906	8.36960	8.37014	8.37068	8.37122	8.37175	**20**
21	8.37229	8.37283	8.37336	8.37390	8.37443	8.37497	8.37550	8.37603	8.37656	8.37709	21
22	8.37762	8.37815	8.37868	8.37921	8.37974	8.38026	8.38079	8.38132	8.38184	8.38236	22
23	8.38289	8.38341	8.38393	8.38446	8.38498	8.38550	8.38602	8.38654	8.38706	8.38757	23
24	8.38809	8.38861	8.38913	8.38964	8.39016	8.39067	8.39118	8.39170	8.39221	8.39272	24
25	8.39323	8.39374	8.39425	8.39476	8.39527	8.39578	8.39629	8.39680	8.39730	8.39781	**25**
26	8.39832	8.39882	8.39932	8.39983	8.40033	8.40083	8.40134	8.40184	8.40234	8.40284	26
27	8.40334	8.40384	8.40434	8.40483	8.40533	8.40583	8.40632	8.40682	8.40732	8.40781	27
28	8.40830	8.40880	8.40929	8.40978	8.41027	8.41077	8.41126	8.41175	8.41224	8.41272	28
29	8.41321	8.41370	8.41419	8.41468	8.41516	8.41565	8.41613	8.41662	8.41710	8.41758	29
30	8.41807	8.41855	8.41903	8.41951	8.41999	8.42048	8.42095	8.42143	8.42191	8.42239	**30**
31	8.42287	8.42335	8.42382	8.42430	8.42477	8.42525	8.42572	8.42620	8.42667	8.42715	31
32	8.42762	8.42809	8.42856	8.42903	8.42950	8.42997	8.43044	8.43091	8.43138	8.43185	32
33	8.43232	8.43278	8.43325	8.43371	8.43418	8.43464	8.43511	8.43557	8.43604	8.43650	33
34	8.43696	8.43742	8.43789	8.43835	8.43881	8.43927	8.43973	8.44019	8.44064	8.44110	34
35	8.44156	8.44202	8.44247	8.44293	8.44339	8.44384	8.44430	8.44475	8.44520	8.44566	**35**
36	8.44611	8.44656	8.44701	8.44747	8.44792	8.44837	8.44882	8.44927	8.44972	8.45016	36
37	8.45061	8.45106	8.45151	8.45195	8.45240	8.45285	8.45329	8.45374	8.45418	8.45463	37
38	8.45507	8.45551	8.45596	8.45640	8.45684	8.45728	8.45772	8.45816	8.45860	8.45904	38
39	8.45948	8.45992	8.46036	8.46080	8.46123	8.46167	8.46211	8.46254	8.46298	8.46341	39
40	8.46385	8.46428	8.46472	8.46515	8.46558	8.46602	8.46645	8.46688	8.46731	8.46774	**40**
41	8.46817	8.46860	8.46903	8.46946	8.46989	8.47032	8.47075	8.47117	8.47160	8.47203	41
42	8.47245	8.47288	8.47330	8.47373	8.47415	8.47458	8.47500	8.47543	8.47585	8.47627	42
43	8.47669	8.47712	8.47754	8.47796	8.47838	8.47880	8.47922	8.47964	8.48006	8.48047	43
44	8.48089	8.48131	8.48173	8.48214	8.48256	8.48298	8.48339	8.48381	8.48422	8.48464	44
45	8.48505	8.48546	8.48588	8.48629	8.48670	8.48711	8.48753	8.48794	8.48835	8.48876	**45**
46	8.48917	8.48958	8.48999	8.49040	8.49081	8.49121	8.49162	8.49203	8.49244	8.49284	46
47	8.49325	8.49366	8.49406	8.49447	8.49487	8.49528	8.49568	8.49608	8.49649	8.49689	47
48	8.49729	8.49769	8.49810	8.49850	8.49890	8.49930	8.49970	8.50010	8.50050	8.50090	48
49	8.50130	8.50170	8.50209	8.50249	8.50289	8.50329	8.50368	8.50408	8.50448	8.50487	49
50	8.50527	8.50566	8.50606	8.50645	8.50684	8.50724	8.50763	8.50802	8.50842	8.50881	**50**
51	8.50920	8.50959	8.50998	8.51037	8.51076	8.51115	8.51154	8.51193	8.51232	8.51271	51
52	8.51310	8.51349	8.51387	8.51426	8.51465	8.51503	8.51542	8.51581	8.51619	8.51658	52
53	8.51696	8.51735	8.51773	8.51811	8.51850	8.51888	8.51926	8.51964	8.52003	8.52041	53
54	8.52079	8.52117	8.52155	8.52193	8.52231	8.52269	8.52307	8.52345	8.52383	8.52421	54
55	8.52459	8.52496	8.52534	8.52572	8.52610	8.52647	8.52685	8.52722	8.52760	8.52797	**55**
56	8.52835	8.52872	8.52910	8.52947	8.52985	8.53022	8.53059	8.53096	8.53134	8.53171	56
57	8.53208	8.53245	8.53282	8.53319	8.53356	8.53393	8.53430	8.53467	8.53504	8.53541	57
58	8.53578	8.53615	8.53651	8.53688	8.53725	8.53762	8.53798	8.53835	8.53872	8.53908	58
59	8.53945	8.53981	8.54018	8.54054	8.54091	8.54127	8.54163	8.54200	8.54236	8.54272	59
60	8.54308	8.54345	8.54381	8.54417	8.54453	8.54489	8.54525	8.54561	8.54597	8.54633	**60**
′	.0	.1	.2	.3	.4	.5	.6	.7	.8	.9	′

$\text{Log Ctn } \theta = \text{Log Tan } (90° - \theta)$

2° — Log Sine — 2°

′	.0	.1	.2	.3	.4	.5	.6	.7	.8	.9	′
0	8.54282	8.54318	8.54354	8.54390	8.54426	8.54462	8.54498	8.54534	8.54570	8.54606	**0**
1	8.54642	8.54678	8.54714	8.54750	8.54785	8.54821	8.54857	8.54893	8.54928	8.54964	1
2	8.54999	8.55035	8.55071	8.55106	8.55142	8.55177	8.55212	3.55248	8.55283	8.55319	2
3	8.55354	8.55389	8.55424	8.55460	8.55495	8.55530	8.55565	8.55600	8.55635	8.55670	3
4	8.55705	8.55740	8.55775	8.55810	8.55845	8.55880	8.55915	8.55950	8.55985	8.56019	4
5	8.56054	8.56089	8.56123	8.56158	8.56193	8.56227	8.56262	8.56296	8.56331	8.56365	**5**
6	8.56400	8.56434	8.56469	8.56503	8.56538	8.56572	8.56606	8.56640	8.56675	8.56709	6
7	8.56743	8.56777	8.56811	8.56846	8.56880	8.56914	8.56948	8.56982	8.57016	8.57050	7
8	8.57084	8.57117	8.57151	8.57185	8.57219	8.57253	8.57287	8.57320	8.57354	8.57388	8
9	8.57421	8.57455	8.57489	8.57522	8.57556	8.57589	8.57623	8.57656	8.57690	8.57723	9
10	8.57757	8.57790	8.57823	8.57857	8.57890	8.57923	8.57956	8.57990	8.58023	8.58056	**10**
11	8.58089	8.58122	8.58155	8.58189	8.58222	8.58255	8.58288	8.58321	8.58354	8.58386	11
12	8.58419	8.58452	8.58485	8.58518	8.58551	8.58583	8.58616	8.58649	8.58682	8.58714	12
13	8.58747	8.58780	8.58812	8.58845	8.58877	8.58910	8.58942	8.58975	8.59007	8.59040	13
14	8.59072	8.59104	8.59137	8.59169	8.59201	8.59234	8.59266	8.59298	8.59330	8.59363	14
15	8.59395	8.59427	8.59459	8.59491	8.59523	8.59555	8.59587	8.59619	8.59651	8.59683	**15**
16	8.59715	8.59747	8.59779	8.59811	8.59843	8.59874	8.59906	8.59938	8.59970	8.60001	16
17	8.60033	8.60065	8.60096	8.60128	8.60160	8.60191	8.60223	8.60254	8.60286	8.60317	17
18	8.60349	8.60380	8.60412	8.60443	8.60474	8.60506	8.60537	8.60568	8.60600	8.60631	18
19	8.60662	8.60693	8.60725	8.60756	8.60787	8.60818	8.60849	8.60880	8.60911	8.60942	19
20	8.60973	8.61004	8.61035	8.61066	8.61097	8.61128	8.61159	8.61190	8.61221	8.61252	**20**
21	8.61282	8.61313	8.61344	8.61375	8.61405	8.61436	8.61467	8.61497	8.61528	8.61559	21
22	8.61589	8.61620	8.61650	8.61681	8.61711	8.61742	8.61772	8.61803	8.61833	8.61863	22
23	8.61894	8.61924	8.61954	8.61985	8.62015	8.62045	8.62075	8.62106	8.62136	8.62166	23
24	8.62196	8.62226	8.62256	8.62286	8.62317	8.62347	8.62377	8.62407	8.62437	8.62467	24
25	8.62497	8.62526	8.62556	8.62586	8.62616	8.62646	8.62676	8.62706	8.62735	8.62765	**25**
26	8.62795	8.62825	8.62854	8.62884	8.62914	8.62943	8.62973	8.63002	8.63032	8.63062	26
27	8.63091	8.63121	8.63150	8.63180	8.63209	8.63238	8.63268	8.63297	8.63327	8.63356	27
28	8.63385	8.63415	8.63444	8.63473	8.63503	8.63532	8.63561	8.63590	8.63619	8.63649	28
29	8.63678	8.63707	8.63736	8.63765	8.63794	8.63823	8.63852	8.63881	8.63910	3.63939	29
30	8.63968	8.63997	8.64026	8.64055	8.64084	8.64112	8.64141	8.64170	8.64199	8.64228	**30**
31	8.64256	8.64285	8.64314	8.64342	8.64371	8.64400	8.64428	8.64457	8.64486	8.64514	31
32	8.64543	8.64571	8.64600	8.64628	8.64657	8.64685	8.64714	8.64742	8.64771	8.64799	32
33	8.64827	8.64856	8.64884	8.64912	8.64941	8.64969	8.64997	8.65026	8.65054	8.65082	33
34	8.65110	8.65138	8.65166	8.65195	8.65223	8.65251	8.65279	8.65307	8.65335	8.65363	34
35	8.65391	8.65419	8.65447	8.65475	8.65503	8.65531	8.65559	8.65587	8.65614	8.65642	**35**
36	8.65670	8.65698	8.65726	8.65754	8.65781	8.65809	8.65837	8.65864	8.65892	8.65920	36
37	8.65947	8.65975	8.66003	8.66030	8.66058	8.66085	8.66113	8.66141	8.66168	8.66196	37
38	8.66223	8.66250	8.66278	8.66305	8.66333	8.66360	8.66388	8.66415	8.66442	8.66470	38
39	8.66497	8.66524	8.66551	8.66579	8.66606	8.66633	8.66660	8.66687	8.66715	8.66742	39
40	8.66769	8.66796	8.66823	8.66850	8.66877	8.66904	8.66931	8.66958	8.66985	8.67012	**40**
41	8.67039	8.67066	8.67093	8.67120	8.67147	8.67174	8.67201	8.67228	8.67254	8.67281	41
42	8.67308	8.67335	8.67362	8.67388	8.67415	8.67442	8.67468	8.67495	8.67522	8.67548	42
43	8.67575	8.67602	8.67628	8.67655	8.67681	8.67708	8.67735	8.67761	8.67788	8.67814	43
44	8.67841	8.67867	8.67893	8.67920	8.67946	8.67973	8.67999	8.68025	8.68052	8.68078	44
45	8.68104	8.68131	8.68157	8.68183	8.68209	8.68236	8.68262	8.68288	8.68314	8.68340	**45**
46	8.68367	8.68393	8.68419	8.68445	8.68471	8.68497	8.68523	8.68549	8.68575	8.68601	46
47	8.68627	8.68653	8.68679	8.68705	8.68731	8.68757	8.68783	8.68809	8.68835	8.68860	47
48	8.68886	8.68912	8.68938	8.68964	8.68989	8.69015	8.69041	8.69067	8.69092	8.69118	48
49	8.69144	8.69169	8.69195	8.69221	8.69246	8.69272	8.69298	8.69323	8.69349	8.69374	49
50	8.69400	8.69425	8.69451	8.69476	8.69502	8.69527	8.69553	8.69578	8.69604	8.69629	**50**
51	8.69654	8.69680	8.69705	8.69730	8.69756	8.69781	8.69806	8.69832	8.69857	8.69882	51
52	8.69907	8.69933	8.69958	8.69983	8.70008	8.70033	8.70058	8.70084	8.70109	8.70134	52
53	8.70159	8.70184	8.70209	8.70234	8.70259	8.70284	8.70309	8.70334	8.70359	8.70384	53
54	8.70409	8.70434	8.70459	8.70484	8.70509	8.70534	8.70558	8.70583	8.70608	8.70633	54
55	8.70658	8.70682	8.70707	8.70732	8.70757	8.70781	8.70806	8.70831	8.70856	8.70880	**55**
56	8.70905	8.70930	8.70954	8.70979	8.71003	8.71028	8.71053	8.71077	8.71102	8.71126	56
57	8.71151	8.71175	8.71200	8.71224	8.71249	8.71273	8.71298	8.71322	8.71346	8.71371	57
58	8.71395	8.71420	8.71444	8.71468	8.71493	8.71517	8.71541	8.71566	8.71590	8.71614	58
59	8.71638	8.71663	8.71687	8.71711	8.71735	8.71759	8.71783	8.71808	8.71832	8.71856	59
60	8.71880	8.71904	8.71928	8.71952	8.71976	8.72000	8.72024	8.72048	8.72072	8.72096	**60**
′	.0	.1	.2	.3	.4	.5	.6	.7	.8	.9	′

Log Cos θ = Log Sin $(90° - \theta)$

2° — Log Tan — 2°

′	.0	.1	.2	.3	.4	.5	.6	.7	.8	.9	′
0	8.54308	8.54345	8.54381	8.54417	8.54453	8.54489	8.54525	8.54561	8.54597	8.54633	**0**
1	8.54669	8.54705	8.54741	8.54777	8.54813	8.54848	8.54884	8.54920	8.54956	8.54991	1
2	8.55027	8.55062	8.55098	8.55134	8.55169	8.55205	8.55240	8.55276	8.55311	8.55346	2
3	8.55382	8.55417	8.55452	8.55488	8.55523	8.55558	8.55593	8.55628	8.55663	8.55699	3
4	8.55734	8.55769	8.55804	8.55839	8.55874	8.55909	8.55943	8.55978	8.56013	8.56048	4
5	8.56083	8.56118	8.56152	8.56187	8.56222	8.56256	8.56291	8.56326	8.56360	8.56395	**5**
6	8.56429	8.56464	8.56498	8.56532	8.56567	8.56601	8.56636	8.56670	8.56704	8.56739	6
7	8.56773	8.56807	8.56841	8.56875	8.56909	8.56944	8.56978	8.57012	8.57046	8.57080	7
8	8.57114	8.57148	8.57182	8.57215	8.57249	8.57283	8.57317	8.57351	8.57385	8.57418	8
9	8.57452	8.57486	8.57519	8.57553	8.57587	8.57620	8.57654	8.57687	8.57721	8.57754	9
10	8.57788	8.57821	8.57854	8.57888	8.57921	8.57955	8.57988	8.58021	8.58054	8.58088	**10**
11	8.58121	8.58154	8.58187	8.58220	8.58253	8.58286	8.58319	8.58352	8.58385	8.58418	11
12	8.58451	8.58484	8.58517	8.58550	8.58583	8.58616	8.58649	8.58681	8.58714	8.58747	12
13	8.58779	8.58812	8.58845	8.58877	8.58910	8.58943	8.58975	8.59008	8.59040	8.59073	13
14	8.59105	8.59138	8.59170	8.59202	8.59235	8.59267	8.59299	8.59332	8.59364	8.59396	14
15	8.59428	8.59461	8.59493	8.59525	8.59557	8.59589	8.59621	8.59653	8.59685	8.59717	**15**
16	8.59749	8.59781	8.59813	8.59845	8.59877	8.59909	8.59941	8.59972	8.60004	8.60036	16
17	8.60068	8.60099	8.60131	8.60163	8.60194	8.60226	8.60258	8.60289	8.60321	8.60352	17
18	8.60384	8.60415	8.60447	8.60478	8.60510	8.60541	8.60572	8.60604	8.60635	8.60666	18
19	8.60698	8.60729	8.60760	8.60792	8.60823	8.60854	8.60885	8.60916	8.60947	8.60978	19
20	8.61009	8.61040	8.61071	8.61103	8.61133	8.61164	8.61195	8.61226	8.61257	8.61288	**20**
21	8.61319	8.61350	8.61381	8.61411	8.61442	8.61473	8.61504	8.61534	8.61565	8.61596	21
22	8.61626	8.61657	8.61687	8.61718	8.61748	8.61779	8.61809	8.61840	8.61870	8.61901	22
23	8.61931	8.61962	8.61992	8.62022	8.62053	8.62083	8.62113	8.62144	8.62174	8.62204	23
24	8.62234	8.62264	8.62295	8.62325	8.62355	8.62385	8.62415	8.62445	8.62475	8.62505	24
25	8.62535	8.62565	8.62595	8.62625	8.62655	8.62685	8.62715	8.62745	8.62774	8.62804	**25**
26	8.62834	8.62864	8.62894	8.62923	8.62953	8.62983	8.63012	8.63042	8.63072	8.63101	26
27	8.63131	8.63160	8.63190	8.63219	8.63249	8.63278	8.63308	8.63337	8.63367	8.63396	27
28	8.63426	8.63455	8.63484	8.63514	8.63543	8.63572	8.63602	8.63631	8.63660	8.63689	28
29	8.63718	8.63748	8.63777	8.63806	8.63835	8.63864	8.63893	8.63922	8.63951	8.63980	29
30	8.64009	8.64038	8.64067	8.64096	8.64125	8.64154	8.64183	8.64212	8.64241	8.64269	**30**
31	8.64298	8.64327	8.64356	8.64385	8.64413	8.64442	8.64471	8.64499	8.64528	8.64557	31
32	8.64585	8.64614	8.64642	8.64671	8.64700	8.64728	8.64757	8.64785	8.64814	8.64842	32
33	8.64870	8.64899	8.64927	8.64956	8.64984	8.65012	8.65041	8.65069	8.65097	8.65126	33
34	8.65154	8.65182	8.65210	8.65238	8.65267	8.65295	8.65323	8.65351	8.65379	8.65407	34
35	8.65435	8.65463	8.65491	8.65519	8.65547	8.65575	8.65603	8.65631	8.65659	8.65687	**35**
36	8.65715	8.65743	8.65771	8.65798	8.65826	8.65854	8.65882	8.65910	8.65937	8.65965	36
37	8.65993	8.66020	8.66048	8.66076	8.66103	8.66131	8.66159	8.66186	8.66214	8.66241	37
38	8.66269	8.66296	8.66324	8.66351	8.66379	8.66406	8.66434	8.66461	8.66489	8.66516	38
39	8.66543	8.66571	8.66598	8.66625	8.66653	8.66680	8.66707	8.66734	8.66762	8.66789	39
40	8.66816	8.66843	8.66870	8.66897	8.66925	8.66952	8.66979	8.67006	8.67033	8.67060	**40**
41	8.67087	8.67114	8.67141	8.67168	8.67195	8.67222	8.67249	8.67276	8.67303	8.67329	41
42	8.67356	8.67383	8.67410	8.67437	8.67464	8.67490	8.67517	8.67544	8.67571	8.67597	42
43	8.67624	8.67651	8.67677	8.67704	8.67731	8.67757	8.67784	8.67810	8.67837	8.67863	43
44	8.67890	8.67916	8.67943	8.67969	8.67996	8.68022	8.68049	8.68075	8.68102	8.68128	44
45	8.68154	8.68181	8.68207	8.68233	8.68260	8.68286	8.68312	8.68339	8.68365	8.68391	**45**
46	8.68417	8.68443	8.68470	8.68496	8.68522	8.68548	8.68574	8.68600	8.68626	8.68652	46
47	8.68678	8.68704	8.68731	8.68757	8.68782	8.68808	8.68834	8.68860	8.68886	8.68912	47
48	8.68938	8.68964	8.68990	8.69016	8.69042	8.69067	8.69093	8.69119	8.69145	8.69171	48
49	8.69196	8.69222	8.69248	8.69273	8.69299	8.69325	8.69350	8.69376	8.69402	8.69427	49
50	8.69453	8.69479	8.69504	8.69530	8.69555	8.69581	8.69606	8.69632	8.69657	8.69683	**50**
51	8.69708	8.69733	8.69759	8.69784	8.69810	8.69835	8.69860	8.69886	8.69911	8.69936	51
52	8.69962	8.69987	8.70012	8.70038	8.70063	8.70088	8.70113	8.70138	8.70164	8.70189	52
53	8.70214	8.70239	8.70264	8.70289	8.70314	8.70339	8.70365	8.70390	8.70415	8.70440	53
54	8.70465	8.70490	8.70515	8.70540	8.70565	8.70589	8.70614	8.70639	8.70664	8.70689	54
55	8.70714	8.70739	8.70764	8.70788	8.70813	8.70838	8.70863	8.70888	8.70912	8.70937	**55**
56	8.70962	8.70987	8.71011	8.71036	8.71061	8.71085	8.71110	8.71135	8.71159	8.71184	56
57	8.71208	8.71233	8.71257	8.71282	8.71307	8.71331	8.71356	8.71380	8.71405	8.71429	57
58	8.71453	8.71478	8.71502	8.71527	8.71551	8.71575	8.71600	8.71624	8.71649	8.71673	58
59	8.71697	8.71721	8.71746	8.71770	8.71794	8.71819	8.71843	8.71867	8.71891	8.71915	59
60	8.71940	8.71964	8.71988	8.72012	8.72036	8.72060	8.72084	8.72108	8.72133	8.72157	**60**
′	0	.1	.2	.3	.4	.5	.6	.7	.8	.9	′

Log Ctn θ = Log Tan $(90° - \theta)$

0° — Common Logarithms of Trigonometric Functions — 0°

′	L Sin	d	L Tan	cd	L Ctn	L Cos	′
0	—		—		—	0.00 000	**60**
1	6.46 373	30103	6.46 373	30103	3.53 627	0.00 000	59
2	6.76 476	17609	6.76 476	17609	3.23 524	0.00 000	58
3	6.94 085	12494	6.94 085	12494	3.05 915	0.00 000	57
4	7.06 579	9691	7.06 579	9691	2.93 421	0.00 000	56
5	7.16 270	7918	7.16 270	7918	2.83 730	0.00 000	**55**
6	7.24 188	6694	7.24 188	6694	2.75 812	0.00 000	54
7	7.30 882	5800	7.30 882	5800	2.69 118	0.00 000	53
8	7.36 682	5115	7.36 682	5115	2.63 318	0.00 000	52
9	7.41 797	4576	7.41 797	4576	2.58 203	0.00 000	51
10	7.46 373	4139	7.46 373	4139	2.53 627	0.00 000	**50**
11	7.50 512	3779	7.50 512	3779	2.49 488	0.00 000	49
12	7.54 291	3476	7.54 291	3476	2.45 709	0.00 000	48
13	7.57 767	3218	7.57 767	3219	2.42 233	0.00 000	47
14	7.60 985	2997	7.60 986	2996	2.39 014	0.00 000	46
15	7.63 982	2802	7.63 982	2803	2.36 018	0.00 000	**45**
16	7.66 784	2633	7.66 785	2633	2.33 215	0.00 000	44
17	7.69 417	2483	7.69 418	2482	2.30 582	9.99 999	43
18	7.71 900	2348	7.71 900	2348	2.28 100	9.99 999	42
19	7.74 248	2227	7.74 248	2228	2.25 752	9.99 999	41
20	7.76 475	2119	7.76 476	2119	2.23 524	9.99 999	**40**
21	7.78 594	2021	7.78 595	2020	2.21 405	9.99 999	39
22	7.80 615	1930	7.80 615	1931	2.19 385	9.99 999	38
23	7.82 545	1848	7.82 546	1848	2.17 454	9.99 999	37
24	7.84 393	1773	7.84 394	1773	2.15 606	9.99 999	36
25	7.86 166	1704	7.86 167	1704	2.13 833	9.99 999	**35**
26	7.87 870	1639	7.87 871	1639	2.12 129	9.99 999	34
27	7.89 509	1579	7.89 510	1579	2.10 490	9.99 999	33
28	7.91 088	1524	7.91 089	1524	2.08 911	9.99 999	32
29	7.92 612	1472	7.92 613	1473	2.07 387	9.99 998	31
30	7.94 084	1424	7.94 086	1424	2.05 914	9.99 998	**30**
31	7.95 508	1379	7.95 510	1379	2.04 490	9.99 998	29
32	7.96 887	1336	7.96 889	1336	2.03 111	9.99 998	28
33	7.98 223	1297	7.98 225	1297	2.01 775	9.99 998	27
34	7.99 520	1259	7.99 522	1259	2.00 478	9.99 998	26
35	8.00 779	1223	8.00 781	1223	1.99 219	9.99 998	**25**
36	8.02 002	1190	8.02 004	1190	1.97 996	9.99 998	24
37	8.03 192	1158	8.03 194	1159	1.96 806	9.99 997	23
38	8.04 350	1128	8.04 353	1128	1.95 647	9.99 997	22
39	8.05 478	1100	8.05 481	1100	1.94 519	9.99 997	21
40	8.06 578	1072	8.06 581	1072	1.93 419	9.99 997	**20**
41	8.07 650	1046	8.07 653	1047	1.92 347	9.99 997	19
42	8.08 696	1022	8.08 700	1022	1.91 300	9.99 997	18
43	8.09 718	999	8.09 722	998	1.90 278	9.99 997	17
44	8.10 717	976	8.10 720	976	1.89 280	9.99 996	16
45	8.11 693	954	8.11 696	955	1.88 304	9.99 996	**15**
46	8.12 647	934	8.12 651	934	1.87 349	9.99 996	14
47	8.13 581	914	8.13 585	915	1.86 415	9.99 996	13
48	8.14 495	896	8.14 500	895	1.85 500	9.99 996	12
49	8.15 391	877	8.15 395	878	1.84 605	9.99 996	11
50	8.16 268	860	8.16 273	860	1.83 727	9.99 995	**10**
51	8.17 128	843	8.17 133	843	1.82 867	9.99 995	9
52	8.17 971	827	8.17 976	828	1.82 024	9.99 995	8
53	8.18 798	812	8.18 804	812	1.81 196	9.99 995	7
54	8.19 610	797	8.19 616	797	1.80 384	9.99 995	6
55	8.20 407	782	8.20 413	782	1.79 587	9.99 994	**5**
56	8.21 189	769	8.21 195	769	1.78 805	9.99 994	4
57	8.21 958	755	8.21 964	756	1.78 036	9.99 994	3
58	8.22 713	743	8.22 720	742	1.77 280	9.99 994	2
59	8.23 456	730	8.23 462	730	1.76 538	9.99 994	1
60	8.24 186		8.24 192		1.75 808	9.99 993	**0**
′	L Cos	d	L Ctn	cd	L Tan	L Sin	′

See pages 44-49 for the logarithms of sines and tangents of angles less than 3° and the logarithms of cosines and cotangents of angles greater than 87°.

89° — Common Logarithms of Trigonometric Functions — 89°

1° — Common Logarithms of Trigonometric Functions — 1°

′	L Sin	d	L Tan	cd	L Ctn	L Cos	′
0	8.24 186	717	8.24 192	718	1.75 808	9.99 993	**60**
1	8.24 903	706	8.24 910	706	1.75 090	9.99 993	59
2	8.25 609	695	8.25 616	696	1.74 384	9.99 993	58
3	8.26 304	684	8.26 312	684	1.73 688	9.99 993	57
4	8.26 988	673	8.26 996	673	1.73 004	9.99 992	56
5	8.27 661	663	8.27 669	663	1.72 331	9.99 992	**55**
6	8.28 324	653	8.28 332	654	1.71 668	9.99 992	54
7	8.28 977	644	8.28 986	643	1.71 014	9.99 992	53
8	8.29 621	634	8.29 629	634	1.70 371	9.99 992	52
9	8.30 255	624	8.30 263	625	1.69 737	9.99 991	51
10	8.30 879	616	8.30 888	617	1.69 112	9.99 991	**50**
11	8.31 495	608	8.31 505	607	1.68 495	9.99 991	49
12	8.32 103	599	8.32 112	599	1.67 888	9.99 990	48
13	8.32 702	590	8.32 711	591	1.67 289	9.99 990	47
14	8.33 292	583	8.33 302	584	1.66 698	9.99 990	46
15	8.33 875	575	8.33 886	575	1.66 114	9.99 990	**45**
16	8.34 450	568	8.34 461	568	1.65 539	9.99 989	44
17	8.35 018	560	8.35 029	561	1.64 971	9.99 989	43
18	8.35 578	553	8.35 590	553	1.64 410	9.99 989	42
19	8.36 131	547	8.36 143	546	1.63 857	9.99 989	41
20	8.36 678	539	8.36 689	540	1.63 311	9.99 988	**40**
21	8.37 217	533	8.37 229	533	1.62 771	9.99 988	39
22	8.37 750	526	8.37 762	527	1.62 238	9.99 988	38
23	8.38 276	520	8.38 289	520	1.61 711	9.99 987	37
24	8.38 796	514	8.38 809	514	1.61 191	9.99 987	36
25	8.39 310	508	8.39 323	509	1.60 677	9.99 987	**35**
26	8.39 818	502	8.39 832	502	1.60 168	9.99 986	34
27	8.40 320	496	8.40 334	496	1.59 666	9.99 986	33
28	8.40 816	491	8.40 830	491	1.59 170	9.99 986	32
29	8.41 307	485	8.41 321	486	1.58 679	9.99 985	31
30	8.41 792	480	8.41 807	480	1.58 193	9.99 985	**30**
31	8.42 272	474	8.42 287	475	1.57 713	9.99 985	29
32	8.42 746	470	8.42 762	470	1.57 238	9.99 984	28
33	8.43 216	464	8.43 232	464	1.56 768	9.99 984	27
34	8.43 680	459	8.43 696	460	1.56 304	9.99 984	26
35	8.44 139	455	8.44 156	455	1.55 844	9.99 983	**25**
36	8.44 594	450	8.44 611	450	1.55 389	9.99 983	24
37	8.45 044	445	8.45 061	446	1.54 939	9.99 983	23
38	8.45 489	441	8.45 507	441	1.54 493	9.99 982	22
39	8.45 930	436	8.45 948	437	1.54 052	9.99 982	21
40	8.46 366	433	8.46 385	432	1.53 615	9.99 982	**20**
41	8.46 799	427	8.46 817	428	1.53 183	9.99 981	19
42	8.47 226	424	8.47 245	424	1.52 755	9.99 981	18
43	8.47 650	419	8.47 669	420	1.52 331	9.99 981	17
44	8.48 069	416	8.48 089	416	1.51 911	9.99 980	16
45	8.48 485	411	8.48 505	412	1.51 495	9.99 980	**15**
46	8.48 896	408	8.48 917	408	1.51 083	9.99 979	14
47	8.49 304	404	8.49 325	404	1.50 675	9.99 979	13
48	8.49 708	400	8.49 729	401	1.50 271	9.99 979	12
49	8.50 108	396	8.50 130	397	1.49 870	9.99 978	11
50	8.50 504	393	8.50 527	393	1.49 473	9.99 978	**10**
51	8.50 897	390	8.50 920	390	1.49 080	9.99 977	9
52	8.51 287	386	8.51 310	386	1.48 690	9.99 977	8
53	8.51 673	382	8.51 696	383	1.48 304	9.99 977	7
54	8.52 055	379	8.52 079	380	1.47 921	9.99 976	6
55	8.52 434	376	8.52 459	376	1.47 541	9.99 976	**5**
56	8.52 810	373	8.52 835	373	1.47 165	9.99 975	4
57	8.53 183	369	8.53 208	370	1.46 792	9.99 975	3
58	8.53 552	367	8.53 578	367	1.46 422	9.99 974	2
59	8.53 919	363	8.53 945	363	1.46 055	9.99 974	1
60	8.54 282		8.54 308		1.45 692	9.99 974	**0**
′	L Cos	d	L Ctn	cd	L Tan	L Sin	′

See pages 44–49 for the logarithms of sines and tangents of angles less than 3° and the logarithms of cosines and cotangents of angles greater than 87°.

88° — Common Logarithms of Trigonometric Functions — 88°

2° — Common Logarithms of Trigonometric Functions — 2°

′	L Sin	d	L Tan	cd	L Ctn	L Cos	′
0	8.54 282	360	8.54 308	361	1.45 692	9.99 974	**60**
1	8.54 642	357	8.54 669	358	1.45 331	9.99 973	59
2	8.54 999	355	8.55 027	355	1.44 973	9.99 973	58
3	8.55 354	351	8.55 382	352	1.44 618	9.99 972	57
4	8.55 705	349	8.55 734	349	1.44 266	9.99 972	56
5	8.56 054	346	8.56 083	346	1.43 917	9.99 971	**55**
6	8.56 400	343	8.56 429	344	1.43 571	9.99 971	54
7	8.56 743	341	8.56 773	341	1.43 227	9.99 970	53
8	8.57 084	337	8.57 114	338	1.42 886	9.99 970	52
9	8.57 421	336	8.57 452	336	1.42 548	9.99 969	51
10	8.57 757	332	8.57 788	333	1.42 212	9.99 969	**50**
11	8.58 089	330	8.58 121	330	1.41 879	9.99 968	49
12	8.58 419	328	8.58 451	328	1.41 549	9.99 968	48
13	8.58 747	325	8.58 779	326	1.41 221	9.99 967	47
14	8.59 072	323	8.59 105	323	1.40 895	9.99 967	46
15	8.59 395	320	8.59 428	321	1.40 572	9.99 967	**45**
16	8.59 715	318	8.59 749	319	1.40 251	9.99 966	44
17	8.60 033	316	8.60 068	316	1.39 932	9.99 966	43
18	8.60 349	313	8.60 384	314	1.39 616	9.99 965	42
19	8.60 662	311	8.60 698	311	1.39 302	9.99 964	41
20	8.60 973	309	8.61 009	310	1.38 991	9.99 964	**40**
21	8.61 282	307	8.61 319	307	1.38 681	9.99 963	39
22	8.61 589	305	8.61 626	305	1.38 374	9.99 963	38
23	8.61 894	302	8.61 931	303	1.38 069	9.99 962	37
24	8.62 196	301	8.62 234	301	1.37 766	9.99 962	36
25	8.62 497	298	8.62 535	299	1.37 465	9.99 961	**35**
26	8.62 795	296	8.62 834	297	1.37 166	9.99 961	34
27	8.63 091	294	8.63 131	295	1.36 869	9.99 960	33
28	8.63 385	293	8.63 426	292	1.36 574	9.99 960	32
29	8.63 678	290	8.63 718	291	1.36 282	9.99 959	31
30	8.63 968	288	8.64 009	289	1.35 991	9.99 959	**30**
31	8.64 256	287	8.64 298	287	1.35 702	9.99 958	29
32	8.64 543	284	8.64 585	285	1.35 415	9.99 958	28
33	8.64 827	283	8.64 870	284	1.35 130	9.99 957	27
34	8.65 110	281	8.65 154	281	1.34 846	9.99 956	26
35	8.65 391	279	8.65 435	280	1.34 565	9.99 956	**25**
36	8.65 670	277	8.65 715	278	1.34 285	9.99 955	24
37	8.65 947	276	8.65 993	276	1.34 007	9.99 955	23
38	8.66 223	274	8.66 269	274	1.33 731	9.99 954	22
39	8.66 497	272	8.66 543	273	1.33 457	9.99 954	21
40	8.66 769	270	8.66 816	271	1.33 184	9.99 953	**20**
41	8.67 039	269	8.67 087	269	1.32 913	9.99 952	19
42	8.67 308	267	8.67 356	268	1.32 644	9.99 952	18
43	8.67 575	266	8.67 624	266	1.32 376	9.99 951	17
44	8.67 841	263	8.67 890	264	1.32 110	9.99 951	16
45	8.68 104	263	8.68 154	263	1.31 846	9.99 950	**15**
46	8.68 367	260	8.68 417	261	1.31 583	9.99 949	14
47	8.68 627	259	8.68 678	260	1.31 322	9.99 949	13
48	8.68 886	258	8.68 938	258	1.31 062	9.99 948	12
49	8.69 144	256	8.69 196	257	1.30 804	9.99 948	11
50	8.69 400	254	8.69 453	255	1.30 547	9.99 947	**10**
51	8.69 654	253	8.69 708	254	1.30 292	9.99 946	9
52	8.69 907	252	8.69 962	252	1.30 038	9.99 946	8
53	8.70 159	250	8.70 214	251	1.29 786	9.99 945	7
54	8.70 409	249	8.70 465	249	1.29 535	9.99 944	6
55	8.70 658	247	8.70 714	248	1.29 286	9.99 944	**5**
56	8.70 905	246	8.70 962	246	1.29 038	9.99 943	4
57	8.71 151	244	8.71 208	245	1.28 792	9.99 942	3
58	8.71 395	243	8.71 453	244	1.28 547	9.99 942	2
59	8.71 638	242	8.71 697	243	1.28 303	9.99 941	1
60	8.71 880		8.71 940		1.28 060	9.99 940	**0**
′	L Cos	d	L Ctn	cd	L Tan	L Sin	′

See pages 44–49 for the logarithms of sines and tangents of angles less than 3° and the logarithms of cosines and cotangents of angles greater than 87°.

87° — Common Logarithms of Trigonometric Functions — 87°

3° — Common Logarithms of Trigonometric Functions — 3°

′	L Sin	d	L Tan	cd	L Ctn	L Cos	′
0	8.71 880	240	8.71 940	241	1.28 060	9.99 940	**60**
1	8.72 120	239	8.72 181	239	1.27 819	9.99 940	59
2	8.72 359	238	8.72 420	239	1.27 580	9.99 939	58
3	8.72 597	237	8.72 659	237	1.27 341	9.99 938	57
4	8.72 834	235	8.72 896	236	1.27 104	9.99 938	56
5	8.73 069	234	8.73 132	234	1.26 868	9.99 937	**55**
6	8.73 303	232	8.73 366	234	1.26 634	9.99 936	54
7	8.73 535	232	8.73 600	232	1.26 400	9.99 936	53
8	8.73 767	230	8.73 832	231	1.26 168	9.99 935	52
9	8.73 997	229	8.74 063	229	1.25 937	9.99 934	51
10	8.74 226	228	8.74 292	229	1.25 708	9.99 934	**50**
11	8.74 454	226	8.74 521	227	1.25 479	9.99 933	49
12	8.74 680	226	8.74 748	226	1.25 252	9.99 932	48
13	8.74 906	224	8.74 974	225	1.25 026	9.99 932	47
14	8.75 130	223	8.75 199	224	1.24 801	9.99 931	46
15	8.75 353	222	8.75 423	222	1.24 577	9.99 930	**45**
16	8.75 575	220	8.75 645	222	1.24 355	9.99 929	44
17	8.75 795	220	8.75 867	220	1.24 133	9.99 929	43
18	8.76 015	219	8.76 087	219	1.23 913	9.99 928	42
19	8.76 234	217	8.76 306	219	1.23 694	9.99 927	41
20	8.76 451	216	8.76 525	217	1.23 475	9.99 926	**40**
21	8.76 667	216	8.76 742	216	1.23 258	9.99 926	39
22	8.76 883	214	8.76 958	215	1.23 042	9.99 925	38
23	8.77 097	213	8.77 173	214	1.22 827	9.99 924	37
24	8.77 310	212	8.77 387	213	1.22 613	9.99 923	36
25	8.77 522	211	8.77 600	211	1.22 400	9.99 923	**35**
26	8.77 733	210	8.77 811	211	1.22 189	9.99 922	34
27	8.77 943	209	8.78 022	210	1.21 978	9.99 921	33
28	8.78 152	208	8.78 232	209	1.21 768	9.99 920	32
29	8.78 360	208	8.78 441	208	1.21 559	9.99 920	31
30	8.78 568	206	8.78 649	206	1.21 351	9.99 919	**30**
31	8.78 774	205	8.78 855	206	1.21 145	9.99 918	29
32	8.78 979	204	8.79 061	205	1.20 939	9.99 917	28
33	8.79 183	203	8.79 266	204	1.20 734	9.99 917	27
34	8.79 386	202	8.79 470	203	1.20 530	9.99 916	26
35	8.79 588	201	8.79 673	202	1.20 327	9.99 915	**25**
36	8.79 789	201	8.79 875	201	1.20 125	9.99 914	24
37	8.79 990	199	8.80 076	201	1.19 924	9.99 913	23
38	8.80 189	199	8.80 277	199	1.19 723	9.99 913	22
39	8.80 388	197	8.80 476	198	1.19 524	9.99 912	21
40	8.80 585	197	8.80 674	198	1.19 326	9.99 911	**20**
41	8.80 782	196	8.80 872	196	1.19 128	9.99 910	19
42	8.80 978	195	8.81 068	196	1.18 932	9.99 909	18
43	8.81 173	194	8.81 264	195	1.18 736	9.99 909	17
44	8.81 367	193	8.81 459	194	1.18 541	9.99 908	16
45	8.81 560	192	8.81 653	193	1.18 347	9.99 907	**15**
46	8.81 752	192	8.81 846	192	1.18 154	9.99 906	14
47	8.81 944	190	8.82 038	192	1.17 962	9.99 905	13
48	8.82 134	190	8.82 230	190	1.17 770	9.99 904	12
49	8.82 324	189	8.82 420	190	1.17 580	9.99 904	11
50	8.82 513	188	8.82 610	189	1.17 390	9.99 903	**10**
51	8.82 701	187	8.82 799	188	1.17 201	9.99 902	9
52	8.82 888	187	8.82 987	188	1.17 013	9.99 901	8
53	8.83 075	186	8.83 175	186	1.16 825	9.99 900	7
54	8.83 261	185	8.83 361	186	1.16 639	9.99 899	6
55	8.83 446	184	8.83 547	185	1.16 453	9.99 898	**5**
56	8.83 630	183	8.83 732	184	1.16 268	9.99 898	4
57	8.83 813	183	8.83 916	184	1.16 084	9.99 897	3
58	8.83 996	181	8.84 100	182	1.15 900	9.99 896	2
59	8.84 177	181	8.84 282	182	1.15 718	9.99 895	1
60	8.84 358		8.84 464		1.15 536	9.99 894	**0**
′	L Cos	d	L Ctn	cd	L Tan	L Sin	′

Prop. Parts

	240	**235**
1	24.0	23.5
2	48.0	47.0
3	72.0	70.5
4	96.0	94.0
5	120.0	117.5
6	144.0	141.0
7	168.0	164.5
8	192.0	188.0
9	216.0	211.5

	230	**225**
1	23.0	22.5
2	46.0	45.0
3	69.0	67.5
4	92.0	90.0
5	115.0	112.5
6	138.0	135.0
7	161.0	157.5
8	184.0	180.0
9	207.0	202.5

	220	**215**
1	22.0	21.5
2	44.0	43.0
3	66.0	64.5
4	88.0	86.0
5	110.0	107.5
6	132.0	129.0
7	154.0	150.5
8	176.0	172.0
9	198.0	193.5

	210	**205**
1	21.0	20.5
2	42.0	41.0
3	63.0	61.5
4	84.0	82.0
5	105.0	102.5
6	126.0	123.0
7	147.0	143.5
8	168.0	164.0
9	189.0	184.5

	195	**192**
1	19.5	19.2
2	39.0	38.4
3	58.5	57.6
4	78.0	76.8
5	97.5	96.0
6	117.0	115.2
7	136.5	134.4
8	156.0	153.6
9	175.5	172.8

	188	**184**
1	18.8	18.4
2	37.6	36.8
3	56.4	55.2
4	75.2	73.6
5	94.0	92.0
6	112.8	110.4
7	131.6	128.8
8	150.4	147.2
9	169.2	165.6

	182	**180**
1	18.2	18.0
2	36.4	36.0
3	54.6	54.0
4	72.8	72.0
5	91.0	90.0
6	109.2	108.0
7	127.4	126.0
8	145.6	144.0
9	163.8	162.0

Prop. Parts

86° — Common Logarithms of Trigonometric Functions — 86°

4° — Common Logarithms of Trigonometric Functions — 4°

′	L Sin	d	L Tan	cd	L Ctn	L Cos	′
0	8.84 358	181	8.84 464	182	1.15 536	9.99 894	**60**
1	8.84 539	179	8.84 646	180	1.15 354	9.99 893	59
2	8.84 718	179	8.84 826	180	1.15 174	9.99 892	58
3	8.84 897	178	8.85 006	179	1.14 994	9.99 891	57
4	8.85 075	177	8.85 185	178	1.14 815	9.99 891	56
5	8.85 252	177	8.85 363	177	1.14 637	9.99 890	**55**
6	8.85 429	176	8.85 540	177	1.14 460	9.99 889	54
7	8.85 605	175	8.85 717	176	1.14 283	9.99 888	53
8	8.85 780	175	8.85 893	176	1.14 107	9.99 887	52
9	8.85 955	173	8.86 069	174	1.13 931	9.99 886	51
10	8.86 128	173	8.86 243	174	1.13 757	9.99 885	**50**
11	8.86 301	173	8.86 417	174	1.13 583	9.99 884	49
12	8.86 474	171	8.86 591	172	1.13 409	9.99 883	48
13	8.86 645	171	8.86 763	172	1.13 237	9.99 882	47
14	8.86 816	171	8.86 935	171	1.13 065	9.99 881	46
15	8.86 987	169	8.87 106	171	1.12 894	9.99 880	**45**
16	8.87 156	169	8.87 277	170	1.12 723	9.99 879	44
17	8.87 325	169	8.87 447	169	1.12 553	9.99 879	43
18	8.87 494	167	8.87 616	169	1.12 384	9.99 878	42
19	8.87 661	168	8.87 785	168	1.12 215	9.99 877	41
20	8.87 829	166	8.87 953	167	1.12 047	9.99 876	**40**
21	8.87 995	166	8.88 120	167	1.11 880	9.99 875	39
22	8.88 161	165	8.88 287	166	1.11 713	9.99 874	38
23	8.88 326	164	8.88 453	165	1.11 547	9.99 873	37
24	8.88 490	164	8.88 618	165	1.11 382	9.99 872	36
25	8.88 654	163	8.88 783	165	1.11 217	9.99 871	**35**
26	8.88 817	163	8.88 948	163	1.11 052	9.99 870	34
27	8.88 980	162	8.89 111	163	1.10 889	9.99 869	33
28	8.89 142	162	8.89 274	163	1.10 726	9.99 868	32
29	8.89 304	160	8.89 437	161	1.10 563	9.99 867	31
30	8.89 464	161	8.89 598	162	1.10 402	9.99 866	**30**
31	8.89 625	159	8.89 760	160	1.10 240	9.99 865	29
32	8.89 784	159	8.89 920	160	1.10 080	9.99 864	28
33	8.89 943	159	8.90 080	160	1.09 920	9.99 863	27
34	8.90 102	158	8.90 240	159	1.09 760	9.99 862	26
35	8.90 260	157	8.90 399	158	1.09 601	9.99 861	**25**
36	8.90 417	157	8.90 557	158	1.09 443	9.99 860	24
37	8.90 574	156	8.90 715	157	1.09 285	9.99 859	23
38	8.90 730	155	8.90 872	157	1.09 128	9.99 858	22
39	8.90 885	155	8.91 029	156	1.08 971	9.99 857	21
40	8.91 040	155	8.91 185	155	1.08 815	9.99 856	**20**
41	8.91 195	154	8.91 340	155	1.08 660	9.99 855	19
42	8.91 349	153	8.91 495	155	1.08 505	9.99 854	18
43	8.91 502	153	8.91 650	153	1.08 350	9.99 853	17
44	8.91 655	152	8.91 803	154	1.08 197	9.99 852	16
45	8.91 807	152	8.91 957	153	1.08 043	9.99 851	**15**
46	8.91 959	151	8.92 110	152	1.07 890	9.99 850	14
47	8.92 110	151	8.92 262	152	1.07 738	9.99 848	13
48	8.92 261	150	8.92 414	151	1.07 586	9.99 847	12
49	8.92 411	150	8.92 565	151	1.07 435	9.99 846	11
50	8.92 561	149	8.92 716	150	1.07 284	9.99 845	**10**
51	8.92 710	149	8.92 866	150	1.07 134	9.99 844	9
52	8.92 859	148	8.93 016	149	1.06 984	9.99 843	8
53	8.93 007	147	8.93 165	148	1.06 835	9.99 842	7
54	8.93 154	147	8.93 313	149	1.06 687	9.99 841	6
55	8.93 301	147	8.93 462	147	1.06 538	9.99 840	**5**
56	8.93 448	146	8.93 609	147	1.06 391	9.99 839	4
57	8.93 594	146	8.93 756	147	1.06 244	9.99 838	3
58	8.93 740	145	8.93 903	146	1.06 097	9.99 837	2
59	8.93 885	145	8.94 049	146	1.05 951	9.99 836	1
60	8.94 030		8.94 195		1.05 805	9.99 834	**0**
′	L Cos	d	L Ctn	cd	L Tan	L Sin	′

Prop. Parts

	178	**176**
1	17.8	17.6
2	35.6	35.2
3	53.4	52.8
4	71.2	70.4
5	89.0	88.0
6	106.8	105.6
7	124.6	123.2
8	142.4	140.8
9	160.2	158.4

	174	**172**
1	17.4	17.2
2	34.8	34.4
3	52.2	51.6
4	69.6	68.8
5	87.0	86.0
6	104.4	103.2
7	121.8	120.4
8	139.2	137.6
9	156.6	154.8

	170	**168**
1	17.0	16.8
2	34.0	33.6
3	51.0	50.4
4	68.0	67.2
5	85.0	84.0
6	102.0	100.8
7	119.0	117.6
8	136.0	134.4
9	153.0	151.2

	166	**164**
1	16.6	16.4
2	33.2	32.8
3	49.8	49.2
4	66.4	65.6
5	83.0	82.0
6	99.6	98.4
7	116.2	114.8
8	132.8	131.2
9	149.4	147.6

	162	**160**
1	16.2	16.0
2	32.4	32.0
3	48.6	48.0
4	64.8	64.0
5	81.0	80.0
6	97.2	96.0
7	113.4	112.0
8	129.6	128.0
9	145.8	144.0

	158	**156**
1	15.8	15.6
2	31.6	31.2
3	47.4	46.8
4	63.2	62.4
5	79.0	78.0
6	94.8	93.6
7	110.6	109.2
8	126.4	124.8
9	142.2	140.4

	154	**152**
1	15.4	15.2
2	30.8	30.4
3	46.2	45.6
4	61.6	60.8
5	77.0	76.0
6	92.4	91.2
7	107.8	106.4
8	123.2	121.6
9	138.6	136.8

85° — Common Logarithms of Trigonometric Functions — 85°

5° — Common Logarithms of Trigonometric Functions — 5°

′	L Sin	d	L Tan	cd	L Ctn	L Cos	′
0	8.94 030	144	8.94 195	145	1.05 805	9.99 834	**60**
1	8.94 174	143	8.94 340	145	1.05 660	9.99 833	59
2	8.94 317	144	8.94 485	145	1.05 515	9.99 832	58
3	8.94 461	142	8.94 630	143	1.05 370	9.99 831	57
4	8.94 603	143	8.94 773	144	1.05 227	9.99 830	56
5	8.94 746	141	8.94 917	143	1.05 083	9.99 829	**55**
6	8.94 887	142	8.95 060	142	1.04 940	9.99 828	54
7	8.95 029	141	8.95 202	142	1.04 798	9.99 827	53
8	8.95 170	140	8.95 344	142	1.04 656	9.99 825	52
9	8.95 310	140	8.95 486	141	1.04 514	9.99 824	51
10	8.95 450	139	8.95 627	140	1.04 373	9.99 823	**50**
11	8.95 589	139	8.95 767	141	1.04 233	9.99 822	49
12	8.95 728	139	8.95 908	139	1.04 092	9.99 821	48
13	8.95 867	138	8.96 047	140	1.03 953	9.99 820	47
14	8.96 005	138	8.96 187	138	1.03 813	9.99 819	46
15	8.96 143	137	8.96 325	139	1.03 675	9.99 817	**45**
16	8.96 280	137	8.96 464	138	1.03 536	9.99 816	44
17	8.96 417	136	8.96 602	137	1.03 398	9.99 815	43
18	8.96 553	136	8.96 739	138	1.03 261	9.99 814	42
19	8.96 689	136	8.96 877	136	1.03 123	9.99 813	41
20	8.96 825	135	8.97 013	137	1.02 987	9.99 812	**40**
21	8.96 960	135	8.97 150	135	1.02 850	9.99 810	39
22	8.97 095	134	8.97 285	136	1.02 715	9.99 809	38
23	8.97 229	134	8.97 421	135	1.02 579	9.99 808	37
24	8.97 363	133	8.97 556	135	1.02 444	9.99 807	36
25	8.97 496	133	8.97 691	134	1.02 309	9.99 806	**35**
26	8.97 629	133	8.97 825	134	1.02 175	9.99 804	34
27	8.97 762	132	8.97 959	133	1.02 041	9.99 803	33
28	8.97 894	132	8.98 092	133	1.01 908	9.99 802	32
29	8.98 026	131	8.98 225	133	1.01 775	9.99 801	31
30	8.98 157	131	8.98 358	132	1.01 642	9.99 800	**30**
31	8.98 288	131	8.98 490	132	1.01 510	9.99 798	29
32	8.98 419	130	8.98 622	131	1.01 378	9.99 797	28
33	8.98 549	130	8.98 753	131	1.01 247	9.99 796	27
34	8.98 679	129	8.98 884	131	1.01 116	9.99 795	26
35	8.98 808	129	8.99 015	130	1.00 985	9.99 793	**25**
36	8.98 937	129	8.99 145	130	1.00 855	9.99 792	24
37	8.99 066	128	8.99 275	130	1.00 725	9.99 791	23
38	8.99 194	128	8.99 405	129	1.00 595	9.99 790	22
39	8.99 322	128	8.99 534	128	1.00 466	9.99 788	21
40	8.99 450	127	8.99 662	129	1.00 338	9.99 787	**20**
41	8.99 577	127	8.99 791	128	1.00 209	9.99 786	19
42	8.99 704	126	8.99 919	127	1.00 081	9.99 785	18
43	8.99 830	126	9.00 046	128	0.99 954	9.99 783	17
44	8.99 956	126	9.00 174	127	0.99 826	9.99 782	16
45	9.00 082	125	9.00 301	126	0.99 699	9.99 781	**15**
46	9.00 207	125	9.00 427	126	0.99 573	9.99 780	14
47	9.00 332	124	9.00 553	126	0.99 447	9.99 778	13
48	9.00 456	125	9.00 679	126	0.99 321	9.99 777	12
49	9.00 581	123	9.00 805	125	0.99 195	9.99 776	11
50	9.00 704	124	9.00 930	125	0.99 070	9.99 775	**10**
51	9.00 828	123	9.01 055	124	0.98 945	9.99 773	9
52	9.00 951	123	9.01 179	124	0.98 821	9.99 772	8
53	9.01 074	122	9.01 303	124	0.98 697	9.99 771	7
54	9.01 196	122	9.01 427	123	0.98 573	9.99 769	6
55	9.01 318	122	9.01 550	123	0.98 450	9.99 768	**5**
56	9.01 440	121	9.01 673	123	0.98 327	9.99 767	4
57	9.01 561	121	9.01 796	122	0.98 204	9.99 765	3
58	9.01 682	121	9.01 918	122	0.98 082	9.99 764	2
59	9.01 803	120	9.02 040	122	0.97 960	9.99 763	1
60	9.01 923		9.02 162		0.97 838	9.99 761	**0**
′	L Cos	d	L Ctn	cd	L Tan	L Sin	′

Prop. Parts

	150	**148**	**146**	**144**	**142**	**140**	**138**	**136**
1	15.0	14.8	14.6	14.4	14.2	14.0	13.8	13.6
2	30.0	29.6	29.2	28.8	28.4	28.0	27.6	27.2
3	45.0	44 4	43.8	43.2	42.6	42.0	41.4	40.8
4	60.0	59.2	58.4	57.6	56.8	56.0	55.2	54.4
5	75.0	74.0	73.0	72.0	71.0	70.0	69.0	68.0
6	90.0	88.8	87.6	86.4	85.2	84.0	82.8	81.6
7	105.0	103.6	102.2	100.8	99.4	98.0	96.6	95.2
8	120.0	118.4	116.8	115.2	113.6	112.0	110.4	108.8
9	135.0	133.2	131.4	129.6	127.8	126.0	124.2	122.4

	134	**132**	**130**	**128**	**126**	**124**
1	13.4	13.2	13.0	12.8	12.6	12.4
2	26.8	26.4	26.0	25.6	25.2	24.8
3	40.2	39.6	39.0	38.4	37.8	37.2
4	53.6	52.8	52.0	51.2	50.4	49.6
5	67.0	66.0	65.0	64.0	63.0	62.0
6	80.4	79.2	78.0	76.8	75.6	74.4
7	93.8	92.4	91.0	89.6	88.2	86.8
8	107.2	105.6	104.0	102.4	100.8	99.2
9	120.6	118.8	117.0	115.2	113.4	111 6

Prop. Parts

84° — Common Logarithms of Trigonometric Functions — 84°

6° — Common Logarithms of Trigonometric Functions — 6°

′	L Sin	d	L Tan	cd	L Ctn	L Cos	′
0	9.01 923	120	9.02 162	121	0.97 838	9.99 761	60
1	9.02 043	120	9.02 283	121	0.97 717	9.99 760	59
2	9.02 163	120	9.02 404	121	0.97 596	9.99 759	58
3	9.02 283	119	9.02 525	120	0.97 475	9.99 757	57
4	9.02 402	118	9.02 645	121	0.97 355	9.99 756	56
5	9.02 520	119	9.02 766	119	0.97 234	9.99 755	55
6	9.02 639	118	9.02 885	120	0.97 115	9.99 753	54
7	9.02 757	117	9.03 005	119	0.96 995	9.99 752	53
8	9.02 874	118	9.03 124	118	0.96 876	9.99 751	52
9	9.02 992	117	9.03 242	119	0.96 758	9.99 749	51
10	9.03 109	117	9.03 361	118	0.96 639	9.99 748	50
11	9.03 226	116	9.03 479	118	0.96 521	9.99 747	49
12	9.03 342	116	9.03 597	117	0.96 403	9.99 745	48
13	9.03 458	116	9.03 714	118	0.96 286	9.99 744	47
14	9.03 574	116	9.03 832	116	0.96 168	9.99 742	46
15	9.03 690	115	9.03 948	117	0.96 052	9.99 741	45
16	9.03 805	115	9.04 065	116	0.95 935	9.99 740	44
17	9.03 920	114	9.04 181	116	0.95 819	9.99 738	43
18	9.04 034	115	9.04 297	116	0.95 703	9.99 737	42
19	9.04 149	113	9.04 413	115	0.95 587	9.99 736	41
20	9.04 262	114	9.04 528	115	0.95 472	9.99 734	40
21	9.04 376	114	9.04 643	115	0.95 357	9.99 733	39
22	9.04 490	113	9.04 758	115	0.95 242	9.99 731	38
23	9.04 603	112	9.04 873	114	0.95 127	9.99 730	37
24	9.04 715	113	9.04 987	114	0.95 013	9.99 728	36
25	9.04 828	112	9.05 101	113	0.94 899	9.99 727	35
26	9.04 940	112	9.05 214	114	0.94 786	9.99 726	34
27	9.05 052	112	9.05 328	113	0.94 672	9.99 724	33
28	9.05 164	111	9.05 441	112	0.94 559	9.99 723	32
29	9.05 275	111	9.05 553	113	0.94 447	9.99 721	31
30	9.05 386	111	9.05 666	112	0.94 334	9.99 720	30
31	9.05 497	110	9.05 778	112	0.94 222	9.99 718	29
32	9.05 607	110	9.05 890	112	0.94 110	9.99 717	28
33	9.05 717	110	9.06 002	111	0.93 998	9.99 716	27
34	9.05 827	110	9.06 113	111	0.93 887	9.99 714	26
35	9.05 937	109	9.06 224	111	0.93 776	9.99 713	25
36	9.06 046	109	9.06 335	110	0.93 665	9.99 711	24
37	9.06 155	109	9.06 445	111	0.93 555	9.99 710	23
38	9.06 264	108	9.06 556	110	0.93 444	9.99 708	22
39	9.06 372	109	9.06 666	109	0.93 334	9.99 707	21
40	9.06 481	108	9.06 775	110	0.93 225	9.99 705	20
41	9.06 589	107	9.06 885	109	0.93 115	9.99 704	19
42	9.06 696	108	9.06 994	109	0.93 006	9.99 702	18
43	9.06 804	107	9.07 103	108	0.92 897	9.99 701	17
44	9.06 911	107	9.07 211	109	0.92 789	9.99 699	16
45	9.07 018	106	9.07 320	108	0.92 680	9.99 698	15
46	9.07 124	107	9.07 428	108	0.92 572	9.99 696	14
47	9.07 231	106	9.07 536	107	0.92 464	9.99 695	13
48	9.07 337	105	9.07 643	108	0.92 357	9.99 693	12
49	9.07 442	106	9.07 751	107	0.92 249	9.99 692	11
50	9.07 548	105	9.07 858	106	0.92 142	9.99 690	10
51	9.07 653	105	9.07 964	107	0.92 036	9.99 689	9
52	9.07 758	105	9.08 071	106	0.91 929	9.99 687	8
53	9.07 863	105	9.08 177	106	0.91 823	9.99 686	7
54	9.07 968	104	9.08 283	106	0.91 717	9.99 684	6
55	9.08 072	104	9.08 389	106	0.91 611	9.99 683	5
56	9.08 176	104	9.08 495	105	0.91 505	9.99 681	4
57	9.08 280	103	9.08 600	105	0.91 400	9.99 680	3
58	9.08 383	103	9.08 705	105	0.91 295	9.99 678	2
59	9.08 486	103	9.08 810	104	0.91 190	9.99 677	1
60	9.08 589		9.08 914		0.91 086	9.99 675	0
′	L Cos	d	L Ctn	cd	L Tan	L Sin	′

Prop. Parts

	122	120		118	116		114	112		110	109
1	12.2	12.0	1	11.8	11.6	1	11.4	11.2	1	11.0	10.9
2	24.4	24.0	2	23.6	23.2	2	22.8	22.4	2	22.0	21.8
3	36.6	36.0	3	35.4	34.8	3	34.2	33.6	3	33.0	32.7
4	48.8	48.0	4	47.2	46.4	4	45.6	44.8	4	44.0	43.6
5	61.0	60.0	5	59.0	58.0	5	57.0	56.0	5	55.0	54.5
6	73.2	72.0	6	70.8	69.6	6	68.4	67.2	6	66.0	65.4
7	85.4	84.0	7	82.6	81.2	7	79.8	78.4	7	77.0	76.3
8	97.6	96.0	8	94.4	92.8	8	91.2	89.6	8	88.0	87.2
9	109.8	108.0	9	106.2	104.4	9	102.6	100.8	9	99.0	98.1

	108	107		106	105		104	103
1	10.8	10.7	1	10.6	10.5	1	10.4	10.3
2	21.6	21.4	2	21.2	21.0	2	20.8	20.6
3	32.4	32.1	3	31.8	31.5	3	31.2	30.9
4	43.2	42.8	4	42.4	42.0	4	41.6	41.2
5	54.0	53.5	5	53.0	52.5	5	52.0	51.5
6	64.8	64.2	6	63.6	63.0	6	62.4	61.8
7	75.6	74.9	7	74.2	73.5	7	72.8	72.1
8	86.4	85.6	8	84.8	84.0	8	83.2	82.4
9	97.2	96.3	9	95.4	94.5	9	93.6	92.7

Prop. Parts

83° — Common Logarithms of Trigonometric Functions — 83°

7° — Common Logarithms of Trigonometric Functions — 7°

′	L Sin	d	L Tan	cd	L Ctn	L Cos	′
0	9.08 589	103	9.08 914	105	0.91 086	9.99 675	**60**
1	9.08 692	103	9.09 019	104	0.90 981	9.99 674	59
2	9.08 795	102	9.09 123	104	0.90 877	9.99 672	58
3	9.08 897	102	9.09 227	103	0.90 773	9.99 670	57
4	9.08 999	102	9.09 330	104	0.90 670	9.99 669	56
5	9.09 101	101	9.09 434	103	0.90 566	9.99 667	**55**
6	9.09 202	102	9.09 537	103	0.90 463	9.99 666	54
7	9.09 304	101	9.09 640	102	0.90 360	9.99 664	53
8	9.09 405	101	9.09 742	103	0.90 258	9.99 663	52
9	9.09 506	100	9.09 845	102	0.90 155	9.99 661	51
10	9.09 606	101	9.09 947	102	0.90 053	9.99 659	**50**
11	9.09 707	100	9.10 049	101	0.89 951	9.99 658	49
12	9.09 807	100	9.10 150	102	0.89 850	9.99 656	48
13	9.09 907	99	9.10 252	101	0.89 748	9.99 655	47
14	9.10 006	100	9.10 353	101	0.89 647	9.99 653	46
15	9.10 106	99	9.10 454	101	0.89 546	9.99 651	**45**
16	9.10 205	99	9.10 555	101	0.89 445	9.99 650	44
17	9.10 304	98	9.10 656	100	0.89 344	9.99 648	43
18	9.10 402	99	9.10 756	100	0.89 244	9.99 647	42
19	9.10 501	98	9.10 856	100	0.89 144	9.99 645	41
20	9.10 599	98	9.10 956	100	0.89 044	9.99 643	**40**
21	9.10 697	98	9.11 056	99	0.88 944	9.99 642	39
22	9.10 795	98	9.11 155	99	0.88 845	9.99 640	38
23	9.10 893	97	9.11 254	99	0.88 746	9.99 638	37
24	9.10 990	97	9.11 353	99	0.88 647	9.99 637	36
25	9.11 087	97	9.11 452	99	0.88 548	9.99 635	**35**
26	9.11 184	97	9.11 551	98	0.88 449	9.99 633	34
27	9.11 281	96	9.11 649	98	0.88 351	9.99 632	33
28	9.11 377	97	9.11 747	98	0.88 253	9.99 630	32
29	9.11 474	96	9.11 845	98	0.88 155	9.99 629	31
30	9.11 570	96	9.11 943	97	0.88 057	9.99 627	**30**
31	9.11 666	95	9.12 040	98	0.87 960	9.99 625	29
32	9.11 761	96	9.12 138	97	0.87 862	9.99 624	28
33	9.11 857	95	9.12 235	97	0.87 765	9.99 622	27
34	9.11 952	95	9.12 332	96	0.87 668	9.99 620	26
35	9.12 047	95	9.12 428	97	0.87 572	9.99 618	**25**
36	9.12 142	94	9.12 525	96	0.87 475	9.99 617	24
37	9.12 236	95	9.12 621	96	0.87 379	9.99 615	23
38	9.12 331	94	9.12 717	96	0.87 283	9.99 613	22
39	9.12 425	94	9.12 813	96	0.87 187	9.99 612	21
40	9.12 519	93	9.12 909	95	0.87 091	9.99 610	**20**
41	9.12 612	94	9.13 004	95	0.86 996	9.99 608	19
42	9.12 706	93	9.13 099	95	0.86 901	9.99 607	18
43	9.12 799	93	9.13 194	95	0.86 806	9.99 605	17
44	9.12 892	93	9.13 289	95	0.86 711	9.99 603	16
45	9.12 985	93	9.13 384	94	0.86 616	9.99 601	**15**
46	9.13 078	93	9.13 478	95	0.86 522	9.99 600	14
47	9.13 171	92	9.13 573	94	0.86 427	9.99 598	13
48	9.13 263	92	9.13 667	94	0.86 333	9.99 596	12
49	9.13 355	92	9.13 761	93	0.86 239	9.99 595	11
50	9.13 447	92	9.13 854	94	0.86 146	9.99 593	**10**
51	9.13 539	91	9.13 948	93	0.86 052	9.99 591	9
52	9.13 630	92	9.14 041	93	0.85 959	9.99 589	8
53	9.13 722	91	9.14 134	93	0.85 866	9.99 588	7
54	9.13 813	91	9.14 227	93	0.85 773	9.99 586	6
55	9.13 904	90	9.14 320	92	0.85 680	9.99 584	**5**
56	9.13 994	91	9.14 412	92	0.85 588	9.99 582	4
57	9.14 085	90	9.14 504	93	0.85 496	9.99 581	3
58	9.14 175	91	9.14 597	91	0.85 403	9.99 579	2
59	9.14 266	90	9.14 688	92	0.85 312	9.99 577	1
60	9.14 356		9.14 780		0.85 220	9.99 575	**0**
′	L Cos	d	L Ctn	cd	L Tan	L Sin	′

Prop. Parts

	103	**102**	**101**	**99**	**98**	**97**
1	10.3	10.2	10.1	9.9	9.8	9.7
2	20.6	20.4	20.2	19.8	19.6	19.4
3	30.9	30.6	30.3	29.7	29.4	29.1
4	41.2	40.8	40.4	39.6	39.2	38.8
5	51.5	51.0	50.5	49.5	49.0	48.5
6	61.8	61.2	60.6	59.4	58.8	58.2
7	72.1	71.4	70.7	69.3	68.6	67.9
8	82.4	81.6	80.8	79.2	78.4	77.6
9	92.7	91.8	90.9	89.1	88.2	87.3

	96	**95**	**94**	**93**	**92**	**91**	**90**
1	9.6	9.5	9.4	9.3	9.2	9.1	9.0
2	19.2	19.0	18.8	18.6	18.4	18.2	18.0
3	28.8	28.5	28.2	27.9	27.6	27.3	27.0
4	38.4	38.0	37.6	37.2	36.8	36.4	36.0
5	48.0	47.5	47.0	46.5	46.0	45.5	45.0
6	57.6	57.0	56.4	55.8	55.2	54.6	54.0
7	67.2	66.5	65.8	65.1	64.4	63.7	63.0
8	76.8	76.0	75.2	74.4	73.6	72.8	72.0
9	86.4	85.5	84.6	83.7	82.8	81.9	81.0

Prop. Parts

82° — Common Logarithms of Trigonometric Functions — 82°

8° — Common Logarithms of Trigonometric Functions — 8°

′	L Sin	d	L Tan	cd	L Ctn	L Cos	′
0	9.14 356	89	9.14 780	92	0.85 220	9.99 575	**60**
1	9.14 445	90	9.14 872	91	0.85 128	9.99 574	59
2	9.14 535	89	9.14 963	91	0.85 037	9.99 572	58
3	9.14 624	90	9.15 054	91	0.84 946	9.99 570	57
4	9.14 714	89	9.15 145	91	0.84 855	9.99 568	56
5	9.14 803	88	9.15 236	91	0.84 764	9.99 566	**55**
6	9.14 891	89	9.15 327	90	0.84 673	9.99 565	54
7	9.14 980	89	9.15 417	91	0.84 583	9.99 563	53
8	9.15 069	88	9.15 508	90	0.84 492	9.99 561	52
9	9.15 157	88	9.15 598	90	0.84 402	9.99 559	51
10	9.15 245	88	9.15 688	89	0.84 312	9.99 557	**50**
11	9.15 333	88	9.15 777	90	0.84 223	9.99 556	49
12	9.15 421	87	9.15 867	89	0.84 133	9.99 554	48
13	9.15 508	88	9.15 956	90	0.84 044	9.99 552	47
14	9.15 596	87	9.16 046	89	0.83 954	9.99 550	46
15	9.15 683	87	9.16 135	89	0.83 865	9.99 548	**45**
16	9.15 770	87	9.16 224	88	0.83 776	9.99 546	44
17	9.15 857	87	9.16 312	89	0.83 688	9.99 545	43
18	9.15 944	86	9.16 401	88	0.83 599	9.99 543	42
19	9.16 030	86	9.16 489	88	0.83 511	9.99 541	41
20	9.16 116	87	9.16 577	88	0.83 423	9.99 539	**40**
21	9.16 203	86	9.16 665	88	0.83 335	9.99 537	39
22	9.16 289	85	9.16 753	88	0.83 247	9.99 535	38
23	9.16 374	86	9.16 841	87	0.83 159	9.99 533	37
24	9.16 460	85	9.16 928	88	0.83 072	9.99 532	36
25	9.16 545	86	9.17 016	87	0.82 984	9.99 530	**35**
26	9.16 631	85	9.17 103	87	0.82 897	9.99 528	34
27	9.16 716	85	9.17 190	87	0.82 810	9.99 526	33
28	9.16 801	85	9.17 277	86	0.82 723	9.99 524	32
29	9.16 886	84	9.17 363	87	0.82 637	9.99 522	31
30	9.16 970	85	9.17 450	86	0.82 550	9.99 520	**30**
31	9.17 055	84	9.17 536	86	0.82 464	9.99 518	29
32	9.17 139	84	9.17 622	86	0.82 378	9.99 517	28
33	9.17 223	84	9.17 708	86	0.82 292	9.99 515	27
34	9.17 307	84	9.17 794	86	0.82 206	9.99 513	26
35	9.17 391	83	9.17 880	85	0.82 120	9.99 511	**25**
36	9.17 474	84	9.17 965	86	0.82 035	9.99 509	24
37	9.17 558	83	9.18 051	85	0.81 949	9.99 507	23
38	9.17 641	83	9.18 136	85	0.81 864	9.99 505	22
39	9.17 724	83	9.18 221	85	0.81 779	9.99 503	21
40	9.17 807	83	9.18 306	85	0.81 694	9.99 501	**20**
41	9.17 890	83	9.18 391	84	0.81 609	9.99 499	19
42	9.17 973	82	9.18 475	85	0.81 525	9.99 497	18
43	9.18 055	82	9.18 560	84	0.81 440	9.99 495	17
44	9.18 137	83	9.18 644	84	0.81 356	9.99 494	16
45	9.18 220	82	9.18 728	84	0.81 272	9.99 492	**15**
46	9.18 302	81	9.18 812	84	0.81 188	9.99 490	14
47	9.18 383	82	9.18 896	83	0.81 104	9.99 488	13
48	9.18 465	82	9.18 979	84	0.81 021	9.99 486	12
49	9.18 547	81	9.19 063	83	0.80 937	9.99 484	11
50	9.18 628	81	9.19 146	83	0.80 854	9.99 482	**10**
51	9.18 709	81	9.19 229	83	0.80 771	9.99 480	9
52	9.18 790	81	9.19 312	83	0.80 688	9.99 478	8
53	9.18 871	81	9.19 395	83	0.80 605	9.99 476	7
54	9.18 952	81	9.19 478	83	0.80 522	9.99 474	6
55	9.19 033	80	9.19 561	82	0.80 439	9.99 472	**5**
56	9.19 113	80	9.19 643	82	0.80 357	9.99 470	4
57	9.19 193	80	9.19 725	82	0.80 275	9.99 468	3
58	9.19 273	80	9.19 807	82	0.80 193	9.99 466	2
59	9.19 353	80	9.19 889	82	0.80 111	9.99 464	1
60	9.19 433		9.19 971		0.80 029	9.99 462	**0**
′	L Cos	d	L Ctn	cd	L Tan	L Sin	′

Prop. Parts

	92	**91**	**90**	**89**	**88**	**87**	**86**	**85**	**84**	**83**	**82**	**81**	**80**
1	9.2	9.1	9.0	8.9	8.8	8.7	8.6	8.5	8.4	8.3	8.2	8.1	8.0
2	18.4	18.2	18.0	17.8	17.6	17.4	17.2	17.0	16.8	16.6	16.4	16.2	16.0
3	27.6	27.3	27.0	26.7	26.4	26.1	25.8	25.5	25.2	24.9	24.6	24.3	24.0
4	36.8	36.4	36.0	35.6	35.2	34.8	34.4	34.0	33.6	33.2	32.8	32.4	32.0
5	46.0	45.5	45.0	44.5	44.0	43.5	43.0	42.5	42.0	41.5	41.0	40.5	40.0
6	55.2	54.6	54.0	53.4	52.8	52.2	51.6	51.0	50.4	49.8	49.2	48.6	48.0
7	64.4	63.7	63.0	62.3	61.6	60.9	60.2	59.5	58.8	58.1	57.4	56.7	56.0
8	73.6	72.8	72.0	71.2	70.4	69.6	68.8	68.0	67.2	66.4	65.6	64.8	64.0
9	82.8	81.9	81.0	80.1	79.2	78.3	77.4	76.5	75.6	74.7	73.8	72.9	72.0

Prop. Parts

81° — Common Logarithms of Trigonometric Functions — 81°

9° — Common Logarithms of Trigonometric Functions — 9°

′	L Sin	d	L Tan	cd	L Ctn	L Cos	′
0	9.19 433	80	9.19 971	82	0.80 029	9.99 462	**60**
1	9.19 513	79	9.20 053	81	0.79 947	9.99 460	59
2	9.19 592	80	9.20 134	82	0.79 866	9.99 458	58
3	9.19 672	79	9.20 216	81	0.79 784	9.99 456	57
4	9.19 751	79	9.20 297	81	0.79 703	9.99 454	56
5	9.19 830	79	9.20 378	81	0.79 622	9.99 452	**55**
6	9.19 909	79	9.20 459	81	0.79 541	9.99 450	54
7	9.19 988	79	9.20 540	81	0.79 460	9.99 448	53
8	9.20 067	78	9.20 621	80	0.79 379	9.99 446	52
9	9.20 145	78	9.20 701	81	0.79 299	9.99 444	51
10	9.20 223	79	9.20 782	80	0.79 218	9.99 442	**50**
11	9.20 302	78	9.20 862	80	0.79 138	9.99 440	49
12	9.20 380	78	9.20 942	80	0.79 058	9.99 438	48
13	9.20 458	77	9.21 022	80	0.78 978	9.99 436	47
14	9.20 535	78	9.21 102	80	0.78 898	9.99 434	46
15	9.20 613	78	9.21 182	79	0.78 818	9.99 432	**45**
16	9.20 691	77	9.21 261	80	0.78 739	9.99 429	44
17	9.20 768	77	9.21 341	79	0.78 659	9.99 427	43
18	9.20 845	77	9.21 420	79	0.78 580	9.99 425	42
19	9.20 922	77	9.21 499	79	0.78 501	9.99 423	41
20	9.20 999	77	9.21 578	79	0.78 422	9.99 421	**40**
21	9.21 076	77	9.21 657	79	0.78 343	9.99 419	39
22	9.21 153	76	9.21 736	78	0.78 264	9.99 417	38
23	9.21 229	77	9.21 814	79	0.78 186	9.99 415	37
24	9.21 306	76	9.21 893	78	0.78 107	9.99 413	36
25	9.21 382	76	9.21 971	78	0.78 029	9.99 411	**35**
26	9.21 458	76	9.22 049	78	0.77 951	9.99 409	34
27	9.21 534	76	9.22 127	78	0.77 873	9.99 407	33
28	9.21 610	75	9.22 205	78	0.77 795	9.99 404	32
29	9.21 685	76	9.22 283	78	0.77 717	9.99 402	31
30	9.21 761	75	9.22 361	77	0.77 639	9.99 400	**30**
31	9.21 836	76	9.22 438	78	0.77 562	9.99 398	29
32	9.21 912	75	9.22 516	77	0.77 484	9.99 396	28
33	9.21 987	75	9.22 593	77	0.77 407	9.99 394	27
34	9.22 062	75	9.22 670	77	0.77 330	9.99 392	26
35	9.22 137	74	9.22 747	77	0.77 253	9.99 390	**25**
36	9.22 211	75	9.22 824	77	0.77 176	9.99 388	24
37	9.22 286	75	9.22 901	76	0.77 099	9.99 385	23
38	9.22 361	74	9.22 977	77	0.77 023	9.99 383	22
39	9.22 435	74	9.23 054	76	0.76 946	9.99 381	21
40	9.22 509	74	9.23 130	76	0.76 870	9.99 379	**20**
41	9.22 583	74	9.23 206	77	0.76 794	9.99 377	19
42	9.22 657	74	9.23 283	76	0.76 717	9.99 375	18
43	9.22 731	74	9.23 359	76	0.76 641	9.99 372	17
44	9.22 805	73	9.23 435	75	0.76 565	9.99 370	16
45	9.22 878	74	9.23 510	76	0.76 490	9.99 368	**15**
46	9.22 952	73	9.23 586	75	0.76 414	9.99 366	14
47	9.23 025	73	9.23 661	76	0.76 339	9.99 364	13
48	9.23 098	73	9.23 737	75	0.76 263	9.99 362	12
49	9.23 171	73	9.23 812	75	0.76 188	9.99 359	11
50	9.23 244	73	9.23 887	75	0.76 113	9.99 357	**10**
51	9.23 317	73	9.23 962	75	0.76 038	9.99 355	9
52	9.23 390	72	9.24 037	75	0.75 963	9.99 353	8
53	9.23 462	73	9.24 112	74	0.75 888	9.99 351	7
54	9.23 535	72	9.24 186	75	0.75 814	9.99 348	6
55	9.23 607	72	9.24 261	74	0.75 739	9.99 346	**5**
56	9.23 679	73	9.24 335	75	0.75 665	9.99 344	4
57	9.23 752	71	9.24 410	74	0.75 590	9.99 342	3
58	9.23 823	72	9.24 484	74	0.75 516	9.99 340	2
59	9.23 895	72	9.24 558	74	0.75 442	9.99 337	1
60	9.23 967		9.24 632		0.75 368	9.99 335	**0**
′	L Cos	d	L Ctn	cd	L Tan	L Sin	′

Prop. Parts

	82	81	80	79	78	77	76	75	74	73	72	71
1	8.2	8.1	8.0	7.9	7.8	7.7	7.6	7.5	7.4	7.3	7.2	7.1
2	16.4	16.2	16.0	15.8	15.6	15.4	15.2	15.0	14.8	14.6	14.4	14.2
3	24.6	24.3	24.0	23.7	23.4	23.1	22.8	22.5	22.2	21.9	21.6	21.3
4	32.8	32.4	32.0	31.6	31.2	30.8	30.4	30.0	29.6	29.2	28.8	28.4
5	41.0	40.5	40.0	39.5	39.0	38.5	38.0	37.5	37.0	36.5	36.0	35.5
6	49.2	48.6	48.0	47.4	46.8	46.2	45.6	45.0	44.4	43.8	43.2	42.6
7	57.4	56.7	56.0	55.3	54.6	53.9	53.2	52.5	51.8	51.1	50.4	49.7
8	65.6	64.8	64.0	63.2	62.4	61.6	60.8	60.0	59.2	58.4	57.6	56.8
9	73.8	72.9	72.0	71.1	70.2	69.3	68.4	67.5	66.6	65.7	64.8	63.9

80° — Common Logarithms of Trigonometric Functions — 80°

10° — Common Logarithms of Trigonometric Functions — 10°

′	L Sin	d	L Tan	cd	L Ctn	L Cos	d	′
0	9.23 967	72	9.24 632	74	0.75 368	9.99 335	2	**60**
1	9.24 039	71	9.24 706	73	0.75 294	9.99 333	2	59
2	9.24 110	71	9.24 779	74	0.75 221	9.99 331	3	58
3	9.24 181	72	9.24 853	73	0.75 147	9.99 328	2	57
4	9.24 253	71	9.24 926	74	0.75 074	9.99 326	2	56
5	9.24 324	71	9.25 000	73	0.75 000	9.99 324	2	**55**
6	9.24 395	71	9.25 073	73	0.74 927	9.99 322	3	54
7	9.24 466	70	9.25 146	73	0.74 854	9.99 319	2	53
8	9.24 536	71	9.25 219	73	0.74 781	9.99 317	2	52
9	9.24 607	70	9.25 292	73	0.74 708	9.99 315	2	51
10	9.24 677	71	9.25 365	72	0.74 635	9.99 313	3	**50**
11	9.24 748	70	9.25 437	73	0.74 563	9.99 310	2	49
12	9.24 818	70	9.25 510	72	0.74 490	9.99 308	2	48
13	9.24 888	70	9.25 582	73	0.74 418	9.99 306	2	47
14	9.24 958	70	9.25 655	72	0.74 345	9.99 304	3	46
15	9.25 028	70	9.25 727	72	0.74 273	9.99 301	2	**45**
16	9.25 098	70	9.25 799	72	0.74 201	9.99 299	2	44
17	9.25 168	69	9.25 871	72	0.74 129	9.99 297	3	43
18	9.25 237	70	9.25 943	72	0.74 057	9.99 294	2	42
19	9.25 307	69	9.26 015	71	0.73 985	9.99 292	2	41
20	9.25 376	69	9.26 086	72	0.73 914	9.99 290	2	**40**
21	9.25 445	69	9.26 158	71	0.73 842	9.99 288	3	39
22	9.25 514	69	9.26 229	72	0.73 771	9.99 285	2	38
23	9.25 583	69	9.26 301	71	0.73 699	9.99 283	2	37
24	9.25 652	69	9.26 372	71	0.73 628	9.99 281	3	36
25	9.25 721	69	9.26 443	71	0.73 557	9.99 278	2	**35**
26	9.25 790	68	9.26 514	71	0.73 486	9.99 276	2	34
27	9.25 858	69	9.26 585	70	0.73 415	9.99 274	3	33
28	9.25 927	68	9.26 655	71	0.73 345	9.99 271	2	32
29	9.25 995	68	9.26 726	71	0.73 274	9.99 269	2	31
30	9.26 063	68	9.26 797	70	0.73 203	9.99 267	3	**30**
31	9.26 131	68	9.26 867	70	0.73 133	9.99 264	2	29
32	9.26 199	68	9.26 937	71	0.73 063	9.99 262	2	28
33	9.26 267	68	9.27 008	70	0.72 992	9.99 260	3	27
34	9.26 335	68	9.27 078	70	0.72 922	9.99 257	2	26
35	9.26 403	67	9.27 148	70	0.72 852	9.99 255	3	**25**
36	9.26 470	68	9.27 218	70	0.72 782	9.99 252	2	24
37	9.26 538	67	9.27 288	69	0.72 712	9.99 250	2	23
38	9.26 605	67	9.27 357	70	0.72 643	9.99 248	3	22
39	9.26 672	67	9.27 427	69	0.72 573	9.99 245	2	21
40	9.26 739	67	9.27 496	70	0.72 504	9.99 243	2	**20**
41	9.26 806	67	9.27 566	69	0.72 434	9.99 241	3	19
42	9.26 873	67	9.27 635	69	0.72 365	9.99 238	2	18
43	9.26 940	67	9.27 704	69	0.72 296	9.99 236	3	17
44	9.27 007	66	9.27 773	69	0.72 227	9.99 233	2	16
45	9.27 073	67	9.27 842	69	0.72 158	9.99 231	2	**15**
46	9.27 140	66	9.27 911	69	0.72 089	9.99 229	3	14
47	9.27 206	67	9.27 980	69	0.72 020	9.99 226	2	13
48	9.27 273	66	9.28 049	68	0.71 951	9.99 224	3	12
49	9.27 339	66	9.28 117	69	0.71 883	9.99 221	2	11
50	9.27 405	66	9.28 186	68	0.71 814	9.99 219	2	**10**
51	9.27 471	66	9.28 254	69	0.71 746	9.99 217	3	9
52	9.27 537	65	9.28 323	68	0.71 677	9.99 214	2	8
53	9.27 602	66	9.28 391	68	0.71 609	9.99 212	3	7
54	9.27 668	66	9.28 459	68	0.71 541	9.99 209	2	6
55	9.27 734	65	9.28 527	68	0.71 473	9.99 207	3	**5**
56	9.27 799	65	9.28 595	67	0.71 405	9.99 204	2	4
57	9.27 864	66	9.28 662	68	0.71 338	9.99 202	2	3
58	9.27 930	65	9.28 730	68	0.71 270	9.99 200	3	2
59	9.27 995	65	9.28 798	67	0.71 202	9.99 197	2	1
60	9.28 060		9.28 865		0.71 135	9.99 195		**0**
′	L Cos	d	L Ctn	cd	L Tan	L Sin	d	′

Prop. Parts

	74	73
1	7.4	7.3
2	14.8	14.6
3	22.2	21.9
4	29.6	29.2
5	37.0	36.5
6	44.4	43.8
7	51.8	51.1
8	59.2	58.4
9	66.6	65.7

	72	71
1	7.2	7.1
2	14.4	14.2
3	21.6	21.3
4	28.8	28.4
5	36.0	35.5
6	43.2	42.6
7	50.4	49.7
8	57.6	56.8
9	64.8	63.9

	70	69
1	7.0	6.9
2	14.0	13.8
3	21.0	20.7
4	28.0	27.6
5	35.0	34.5
6	42.0	41.4
7	49.0	48.3
8	56.0	55.2
9	63.0	62.1

	68	67
1	6.8	6.7
2	13.6	13.4
3	20.4	20.1
4	27.2	26.8
5	34.0	33.5
6	40.8	40.2
7	47.6	46.9
8	54.4	53.6
9	61.2	60.3

	66	65
1	6.6	6.5
2	13.2	13.0
3	19.8	19.5
4	26.4	26.0
5	33.0	32.5
6	39.6	39.0
7	46.2	45.5
8	52.8	52.0
9	59.4	58.5

	3
1	0.3
2	0.6
3	0.9
4	1.2
5	1.5
6	1.8
7	2.1
8	2.4
9	2.7

79° — Common Logarithms of Trigonometric Functions — 79°

11° — Common Logarithms of Trigonometric Functions — 11°

′	L Sin	d	L Tan	cd	L Ctn	L Cos	d	′
0	9.28 060	65	9.28 865	68	0.71 135	9.99 195	3	**60**
1	9.28 125	65	9.28 933	67	0.71 067	9.99 192	2	59
2	9.28 190	64	9.29 000	67	0.71 000	9.99 190	3	58
3	9.28 254	65	9.29 067	67	0.70 933	9.99 187	2	57
4	9.28 319	65	9.29 134	67	0.70 866	9.99 185	3	56
5	9.28 384	64	9.29 201	67	0.70 799	9.99 182	2	**55**
6	9.28 448	64	9.29 268	67	0.70 732	9.99 180	3	54
7	9.28 512	65	9.29 335	67	0.70 665	9.99 177	2	53
8	9.28 577	64	9.29 402	66	0.70 598	9.99 175	3	52
9	9.28 641	64	9.29 468	67	0.70 532	9.99 172	2	51
10	9.28 705	64	9.29 535	66	0.70 465	9.99 170	3	**50**
11	9.28 769	64	9.29 601	67	0.70 399	9.99 167	2	49
12	9.28 833	63	9.29 668	66	0.70 332	9.99 165	3	48
13	9.28 896	64	9.29 734	66	0.70 266	9.99 162	2	47
14	9.28 960	64	9.29 800	66	0.70 200	9.99 160	3	46
15	9.29 024	63	9.29 866	66	0.70 134	9.99 157	2	**45**
16	9.29 087	63	9.29 932	66	0.70 068	9.99 155	3	44
17	9.29 150	64	9.29 998	66	0.70 002	9.99 152	2	43
18	9.29 214	63	9.30 064	66	0.69 936	9.99 150	3	42
19	9.29 277	63	9.30 130	65	0.69 870	9.99 147	2	41
20	9.29 340	63	9.30 195	66	0.69 805	9.99 145	3	**40**
21	9.29 403	63	9.30 261	65	0.69 739	9.99 142	2	39
22	9.29 466	63	9.30 326	65	0.69 674	9.99 140	3	38
23	9.29 529	62	9.30 391	66	0.69 609	9.99 137	2	37
24	9.29 591	63	9.30 457	65	0.69 543	9.99 135	3	36
25	9.29 654	62	9.30 522	65	0.69 478	9.99 132	2	**35**
26	9.29 716	63	9.30 587	65	0.69 413	9.99 130	3	34
27	9.29 779	62	9.30 652	65	0.69 348	9.99 127	3	33
28	9.29 841	62	9.30 717	65	0.69 283	9.99 124	2	32
29	9.29 903	63	9.30 782	64	0.69 218	9.99 122	3	31
30	9.29 966	62	9.30 846	65	0.69 154	9.99 119	2	**30**
31	9.30 028	62	9.30 911	64	0.69 089	9.99 117	3	29
32	9.30 090	61	9.30 975	65	0.69 025	9.99 114	2	28
33	9.30 151	62	9.31 040	64	0.68 960	9.99 112	3	27
34	9.30 213	62	9.31 104	64	0.68 896	9.99 109	3	26
35	9.30 275	61	9.31 168	65	0.68 832	9.99 106	2	**25**
36	9.30 336	62	9.31 233	64	0.68 767	9.99 104	3	24
37	9.30 398	61	9.31 297	64	0.68 703	9.99 101	2	23
38	9.30 459	62	9.31 361	64	0.68 639	9.99 099	3	22
39	9.30 521	61	9.31 425	64	0.68 575	9.99 096	3	21
40	9.30 582	61	9.31 489	63	0.68 511	9.99 093	2	**20**
41	9.30 643	61	9.31 552	64	0.68 448	9.99 091	3	19
42	9.30 704	61	9.31 616	63	0.68 384	9.99 088	2	18
43	9.30 765	61	9.31 679	64	0.68 321	9.99 086	3	17
44	9.30 826	61	9.31 743	63	0.68 257	9.99 083	3	16
45	9.30 887	60	9.31 806	64	0.68 194	9.99 080	2	**15**
46	9.30 947	61	9.31 870	63	0.68 130	9.99 078	3	14
47	9.31 008	60	9.31 933	63	0.68 067	9.99 075	3	13
48	9.31 068	61	9.31 996	63	0.68 004	9.99 072	2	12
49	9.31 129	60	9.32 059	63	0.67 941	9.99 070	3	11
50	9.31 189	61	9.32 122	63	0.67 878	9.99 067	3	**10**
51	9.31 250	60	9.32 185	63	0.67 815	9.99 064	2	9
52	9.31 310	60	9.32 248	63	0.67 752	9.99 062	3	8
53	9.31 370	60	9.32 311	62	0.67 689	9.99 059	3	7
54	9.31 430	60	9.32 373	63	0.67 627	9.99 056	2	6
55	9.31 490	59	9.32 436	62	0.67 564	9.99 054	3	**5**
56	9.31 549	60	9.32 498	63	0.67 502	9.99 051	3	4
57	9.31 609	60	9.32 561	62	0.67 439	9.99 048	2	3
58	9.31 669	59	9.32 623	62	0.67 377	9.99 046	3	2
59	9.31 728	60	9.32 685	62	0.67 315	9.99 043	3	1
60	9.31 788		9.32 747		0.67 253	9.99 040		**0**
′	L Cos	d	L Ctn	cd	L Tan	L Sin	d	′

Prop. Parts

	68	**67**
1	6.8	6.7
2	13.6	13.4
3	20.4	20.1
4	27.2	26.8
5	34.0	33.5
6	40.8	40.2
7	47.6	46.9
8	54.4	53.6
9	61.2	60.3

	66	**65**
1	6.6	6.5
2	13.2	13.0
3	19.8	19.5
4	26.4	26.0
5	33.0	32.5
6	39.6	39.0
7	46.2	45.5
8	52.8	52.0
9	59.4	58.5

	64	**63**
1	6.4	6.3
2	12.8	12.6
3	19.2	18.9
4	25.6	25.2
5	32.0	31.5
6	38.4	37.8
7	44.8	44.1
8	51.2	50.4
9	57 6	56.7

	62	**61**
1	6.2	6.1
2	12.4	12.2
3	18.6	18.3
4	24 8	24.4
5	31.0	30.5
6	37.2	36.6
7	43.4	42.7
8	49.6	48.8
9	55.8	54.9

	60	**59**
1	6.0	5.9
2	12.0	11 8
3	18.0	17.7
4	24 0	23.6
5	30.0	29.5
6	36.0	35.4
7	42.0	41.3
8	48.0	47.2
9	54.0	53.1

	3
1	0.3
2	0.6
3	0.9
4	1.2
5	1.5
6	1.8
7	2.1
8	2.4
9	2.7

Prop. Parts

78° — Common Logarithms of Trigonometric Functions — 78°

12° — Common Logarithms of Trigonometric Functions — 12°

′	L Sin	d	L Tan	cd	L Ctn	L Cos	d	′
0	9.31 788		9.32 747		0.67 253	9.99 040		**60**
1	9.31 847	59	9.32 810	63	0.67 190	9.99 038	2	59
2	9.31 907	60	9.32 872	62	0.67 128	9.99 035	3	58
3	9.31 966	59	9.32 933	61	0.67 067	9.99 032	3	57
4	9.32 025	59	9.32 995	62	0.67 005	9.99 030	2	56
5	9.32 084	59	9.33 057	62	0.66 943	9.99 027	3	**55**
6	9.32 143	59	9.33 119	62	0.66 881	9.99 024	3	54
7	9.32 202	59	9.33 180	61	0.66 820	9.99 022	2	53
8	9.32 261	59	9.33 242	62	0.66 758	9.99 019	3	52
9	9.32 319	58	9.33 303	61	0.66 697	9.99 016	3	51
10	9.32 378	59	9.33 365	62	0.66 635	9.99 013	3	**50**
11	9.32 437	59	9.33 426	61	0.66 574	9.99 011	2	49
12	9.32 495	58	9.33 487	61	0.66 513	9.99 008	3	48
13	9.32 553	58	9.33 548	61	0.66 452	9.99 005	3	47
14	9.32 612	59	9.33 609	61	0.66 391	9.99 002	3	46
15	9.32 670	58	9.33 670	61	0.66 330	9.99 000	2	**45**
16	9.32 728	58	9.33 731	61	0.66 269	9.98 997	3	44
17	9.32 786	58	9.33 792	61	0.66 208	9.98 994	3	43
18	9.32 844	58	9.33 853	61	0.66 147	9.98 991	3	42
19	9.32 902	58	9.33 913	60	0.66 087	9.98 989	2	41
20	9.32 960	58	9.33 974	61	0.66 026	9.98 986	3	**40**
21	9.33 018	58	9.34 034	60	0.65 966	9.98 983	3	39
22	9.33 075	57	9.34 095	61	0.65 905	9.98 980	3	38
23	9.33 133	58	9.34 155	60	0.65 845	9.98 978	2	37
24	9.33 190	57	9.34 215	60	0.65 785	9.98 975	3	36
25	9.33 248	58	9.34 276	61	0.65 724	9.98 972	3	**35**
26	9.33 305	57	9.34 336	60	0.65 664	9.98 969	3	34
27	9.33 362	57	9.34 396	60	0.65 604	9.98 967	2	33
28	9.33 420	58	9.34 456	60	0.65 544	9.98 964	3	32
29	9.33 477	57	9.34 516	60	0.65 484	9.98 961	3	31
30	9.33 534	57	9.34 576	60	0.65 424	9.98 958	3	**30**
31	9.33 591	57	9.34 635	59	0.65 365	9.98 955	3	29
32	9.33 647	56	9.34 695	60	0.65 305	9.98 953	2	28
33	9.33 704	57	9.34 755	60	0.65 245	9.98 950	3	27
34	9.33 761	57	9.34 814	59	0.65 186	9.98 947	3	26
35	9.33 818	57	9.34 874	60	0.65 126	9.98 944	3	**25**
36	9.33 874	56	9.34 933	59	0.65 067	9.98 941	3	24
37	9.33 931	57	9.34 992	59	0.65 008	9.98 938	3	23
38	9.33 987	56	9.35 051	59	0.64 949	9.98 936	2	22
39	9.34 043	56	9.35 111	60	0.64 889	9.98 933	3	21
40	9.34 100	57	9.35 170	59	0.64 830	9.98 930	3	**20**
41	9.34 156	56	9.35 229	59	0.64 771	9.98 927	3	19
42	9.34 212	56	9.35 288	59	0.64 712	9.98 924	3	18
43	9.34 268	56	9.35 347	59	0.64 653	9.98 921	3	17
44	9.34 324	56	9.35 405	58	0.64 595	9.98 919	2	16
45	9.34 380	56	9.35 464	59	0.64 536	9.98 916	3	**15**
46	9.34 436	56	9.35 523	59	0.64 477	9.98 913	3	14
47	9.34 491	55	9.35 581	58	0.64 419	9.98 910	3	13
48	9.34 547	56	9.35 640	59	0.64 360	9.98 907	3	12
49	9.34 602	55	9.35 698	58	0.64 302	9.98 904	3	11
50	9.34 658	56	9.35 757	59	0.64 243	9.98 901	3	**10**
51	9.34 713	55	9.35 815	58	0.64 185	9.98 898	3	9
52	9.34 769	56	9.35 873	58	0.64 127	9.98 896	2	8
53	9.34 824	55	9.35 931	58	0.64 069	9.98 893	3	7
54	9.34 879	55	9.35 989	58	0.64 011	9.98 890	3	6
55	9.34 934	55	9.36 047	58	0.63 953	9.98 887	3	**5**
56	9.34 989	55	9.36 105	58	0.63 895	9.98 884	3	4
57	9.35 044	55	9.36 163	58	0.63 837	9.98 881	3	3
58	9.35 099	55	9.36 221	58	0.63 779	9.98 878	3	2
59	9.35 154	55	9.36 279	58	0.63 721	9.98 875	3	1
60	9.35 209	55	9.36 336	57	0.63 664	9.98 872	3	**0**
′	L Cos	d	L Ctn	cd	L Tan	L Sin	d	′

Prop. Parts

	63	**62**
1	6.3	6.2
2	12.6	12.4
3	18.9	18.6
4	25.2	24.8
5	31.5	31.0
6	37.8	37.2
7	44.1	43.4
8	50.4	49.6
9	56.7	55.8

	61	**60**
1	6.1	6.0
2	12.2	12.0
3	18.3	18.0
4	24.4	24.0
5	30.5	30.0
6	36.6	36.0
7	42.7	42.0
8	48.8	48.0
9	54.9	54.0

	59	**58**
1	5.9	5.8
2	11.8	11.6
3	17.7	17.4
4	23.6	23.2
5	29.5	29.0
6	35.4	34.8
7	41.3	40.6
8	47.2	46.4
9	53.1	52.2

	57	**56**
1	5.7	5.6
2	11.4	11.2
3	17.1	16.8
4	22.8	22.4
5	28.5	28.0
6	34.2	33.6
7	39.9	39.2
8	45.6	44.8
9	51.3	50.4

	55	**3**
1	5.5	0.3
2	11.0	0.6
3	16.5	0.9
4	22.0	1.2
5	27.5	1.5
6	33.0	1.8
7	38.5	2.1
8	44.0	2.4
9	49.5	2.7

Prop. Parts

77° — Common Logarithms of Trigonometric Functions — 77°

13° — Common Logarithms of Trigonometric Functions — 13°

′	L Sin	d	L Tan	cd	L Ctn	L Cos	d	′
0	9.35 209	54	9.36 336	58	0.63 664	9.98 872	3	**60**
1	9.35 263	55	9.36 394	58	0.63 606	9.98 869	2	59
2	9.35 318	55	9.36 452	57	0.63 548	9.98 867	3	58
3	9.35 373	54	9.36 509	57	0.63 491	9.98 864	3	57
4	9.35 427	54	9.36 566	58	0.63 434	9.98 861	3	56
5	9.35 481	55	9.36 624	57	0.63 376	9.98 858	3	**55**
6	9.35 536	54	9.36 681	57	0.63 319	9.98 855	3	54
7	9.35 590	54	9.36 738	57	0.63 262	9.98 852	3	53
8	9.35 644	54	9.36 795	57	0.63 205	9.98 849	3	52
9	9.35 698	54	9.36 852	57	0.63 148	9.98 846	3	51
10	9.35 752	54	9.36 909	57	0.63 091	9.98 843	3	**50**
11	9.35 806	54	9.36 966	57	0.63 034	9.98 840	3	49
12	9.35 860	54	9.37 023	57	0.62 977	9.98 837	3	48
13	9.35 914	54	9.37 080	57	0.62 920	9.98 834	3	47
14	9.35 968	54	9.37 137	56	0.62 863	9.98 831	3	46
15	9.36 022	53	9.37 193	57	0.62 807	9.98 828	3	**45**
16	9.36 075	54	9.37 250	56	0.62 750	9.98 825	3	44
17	9.36 129	53	9.37 306	57	0.62 694	9.98 822	3	43
18	9.36 182	54	9.37 363	56	0.62 637	9.98 819	3	42
19	9.36 236	53	9.37 419	57	0.62 581	9.98 816	3	41
20	9.36 289	53	9.37 476	56	0.62 524	9.98 813	3	**40**
21	9.36 342	53	9.37 532	56	0.62 468	9.98 810	3	39
22	9.36 395	54	9.37 588	56	0.62 412	9.98 807	3	38
23	9.36 449	53	9.37 644	56	0.62 356	9.98 804	3	37
24	9.36 502	53	9.37 700	56	0.62 300	9.98 801	3	36
25	9.36 555	53	9.37 756	56	0.62 244	9.98 798	3	**35**
26	9.36 608	52	9.37 812	56	0.62 188	9.98 795	3	34
27	9.36 660	53	9.37 868	56	0.62 132	9.98 792	3	33
28	9.36 713	53	9.37 924	56	0.62 076	9.98 789	3	32
29	9.36 766	53	9.37 980	55	0.62 020	9.98 786	3	31
30	9.36 819	52	9.38 035	56	0.61 965	9.98 783	3	**30**
31	9.36 871	53	9.38 091	56	0.61 909	9.98 780	3	29
32	9.36 924	52	9.38 147	55	0.61 853	9.98 777	3	28
33	9.36 976	52	9.38 202	55	0.61 798	9.98 774	3	27
34	9.37 028	53	9.38 257	56	0.61 743	9.98 771	3	26
35	9.37 081	52	9.38 313	55	0.61 687	9.98 768	3	**25**
36	9.37 133	52	9.38 368	55	0.61 632	9.98 765	3	24
37	9.37 185	52	9.38 423	56	0.61 577	9.98 762	3	23
38	9.37 237	52	9.38 479	55	0.61 521	9.98 759	3	22
39	9.37 289	52	9.38 534	55	0.61 466	9.98 756	3	21
40	9.37 341	52	9.38 589	55	0.61 411	9.98 753	3	**20**
41	9.37 393	52	9.38 644	55	0.61 356	9.98 750	4	19
42	9.37 445	52	9.38 699	55	0.61 301	9.98 746	3	18
43	9.37 497	52	9.38 754	54	0.61 246	9.98 743	3	17
44	9.37 549	51	9.38 808	55	0.61 192	9.98 740	3	16
45	9.37 600	52	9.38 863	55	0.61 137	9.98 737	3	**15**
46	9.37 652	51	9.38 918	54	0.61 082	9.98 734	3	14
47	9.37 703	52	9.38 972	55	0.61 028	9.98 731	3	13
48	9.37 755	51	9.39 027	55	0.60 973	9.98 728	3	12
49	9.37 806	52	9.39 082	54	0.60 918	9.98 725	3	11
50	9.37 858	51	9.39 136	54	0.60 864	9.98 722	3	**10**
51	9.37 909	51	9.39 190	55	0.60 810	9.98 719	4	9
52	9.37 960	51	9.39 245	54	0.60 755	9.98 715	3	8
53	9.38 011	51	9.39 299	54	0.60 701	9.98 712	3	7
54	9.38 062	51	9.39 353	54	0.60 647	9.98 709	3	6
55	9.38 113	51	9.39 407	54	0.60 593	9.98 706	3	**5**
56	9.38 164	51	9.39 461	54	0.60 539	9.98 703	3	4
57	9.38 215	51	9.39 515	54	0.60 485	9.98 700	3	3
58	9.38 266	51	9.39 569	54	0.60 431	9.98 697	3	2
59	9.38 317	51	9.39 623	54	0.60 377	9.98 694	4	1
60	9.38 368		9.39 677		0.60 323	9.98 690		**0**
′	L Cos	d	L Ctn	cd	L Tan	L Sin	d	′

Prop. Parts

	58	57	56	55	54	53	52	51	4	3
1	5.8	5.7	5.6	5.5	5.4	5.3	5.2	5.1	0.4	0.3
2	11.6	11.4	11.2	11.0	10.8	10.6	10.4	10.2	0.8	0.6
3	17.4	17.1	16.8	16.5	16.2	15.9	15.6	15.3	1.2	0.9
4	23.2	22.8	22.4	22.0	21.6	21.2	20.8	20.4	1.6	1.2
5	29.0	28.5	28.0	27.5	27.0	26.5	26.0	25.5	2.0	1.5
6	34.8	34.2	33.6	33.0	32.4	31.8	31.2	30.6	2.4	1.8
7	40.6	39.9	39.2	38.5	37.8	37.1	36.4	35.7	2.8	2.1
8	46.4	45.6	44.8	44.0	43.2	42.4	41.6	40.8	3.2	2.4
9	52.2	51.3	50.4	49.5	48.6	47.7	46.8	45.9	3.6	2.7

76° — Common Logarithms of Trigonometric Functions — 76°

14° — Common Logarithms of Trigonometric Functions — 14°

′	L Sin	d	L Tan	cd	L Ctn	L Cos	d	′
0	9.38 368	50	9.39 677	54	0.60 323	9.98 690	3	**60**
1	9.38 418	51	9.39 731	54	0.60 269	9.98 687	3	59
2	9.38 469	50	9.39 785	53	0.60 215	9.98 684	3	58
3	9.38 519	51	9.39 838	54	0.60 162	9.98 681	3	57
4	9.38 570	50	9.39 892	53	0.60 108	9.98 678	3	56
5	9.38 620	50	9.39 945	54	0.60 055	9.98 675	4	**55**
6	9.38 670	51	9.39 999	53	0.60 001	9.98 671	3	54
7	9.38 721	50	9.40 052	54	0.59 948	9.98 668	3	53
8	9.38 771	50	9.40 106	53	0.59 894	9.98 665	3	52
9	9.38 821	50	9.40 159	53	0.59 841	9.98 662	3	51
10	9.38 871	50	9.40 212	54	0.59 788	9.98 659	3	**50**
11	9.38 921	50	9.40 266	53	0.59 734	9.98 656	4	49
12	9.38 971	50	9.40 319	53	0.59 681	9.98 652	3	48
13	9.39 021	50	9.40 372	53	0.59 628	9.98 649	3	47
14	9.39 071	50	9.40 425	53	0.59 575	9.98 646	3	46
15	9.39 121	49	9.40 478	53	0.59 522	9.98 643	3	**45**
16	9.39 170	50	9.40 531	53	0.59 469	9.98 640	4	44
17	9.39 220	50	9.40 584	52	0.59 416	9.98 636	3	43
18	9.39 270	49	9.40 636	53	0.59 364	9.98 633	3	42
19	9.39 319	50	9.40 689	53	0.59 311	9.98 630	3	41
20	9.39 369	49	9.40 742	53	0.59 258	9.98 627	4	**40**
21	9.39 418	49	9.40 795	52	0.59 205	9.98 623	3	39
22	9.39 467	50	9.40 847	53	0.59 153	9.98 620	3	38
23	9.39 517	49	9.40 900	52	0.59 100	9.98 617	3	37
24	9.39 566	49	9.40 952	53	0.59 048	9.98 614	4	36
25	9.39 615	49	9.41 005	52	0.58 995	9.98 610	3	**35**
26	9.39 664	49	9.41 057	52	0.58 943	9.98 607	3	34
27	9.39 713	49	9.41 109	52	0.58 891	9.98 604	3	33
28	9.39 762	49	9.41 161	53	0.58 839	9.98 601	4	32
29	9.39 811	49	9.41 214	52	0.58 786	9.98 597	3	31
30	9.39 860	49	9.41 266	52	0·58 734	9.98 594	3	**30**
31	9.39 909	49	9.41 318	52	0.58 682	9.98 591	3	29
32	9.39 958	48	9.41 370	52	0.58 630	9.98 588	4	28
33	9.40 006	49	9.41 422	52	0.58 578	9.98 584	3	27
34	9.40 055	48	9.41 474	52	0.58 526	9.98 581	3	26
35	9.40 103	49	9.41 526	52	0.58 474	9.98 578	4	**25**
36	9.40 152	48	9.41 578	51	0.58 422	9.98 574	3	24
37	9.40 200	49	9.41 629	52	0.58 371	9.98 571	3	23
38	9.40 249	48	9.41 681	52	0.58 319	9.98 568	3	22
39	9.40 297	49	9.41 733	51	0.58 267	9.98 565	4	21
40	9.40 346	48	9.41 784	52	0.58 216	9.98 561	3	**20**
41	9.40 394	48	9.41 836	51	0.58 164	9.98 558	3	19
42	9.40 442	48	9.41 887	52	0.58 113	9.98 555	4	18
43	9.40 490	48	9.41 939	51	0.58 061	9.98 551	3	17
44	9.40 538	48	9.41 990	51	0.58 010	9.98 548	3	16
45	9.40 586	48	9.42 041	52	0.57 959	9.98 545	4	**15**
46	9.40 634	48	9.42 093	51	0.57 907	9.98 541	3	14
47	9.40 682	48	9.42 144	51	0.57 856	9.98 538	3	13
48	9.40 730	48	9.42 195	51	0.57 805	9.98 535	4	12
49	9.40 778	47	9.42 246	51	0.57 754	9.98 531	3	11
50	9.40 825	48	9.42 297	51	0.57 703	9.98 528	3	**10**
51	9.40 873	48	9.42 348	51	0.57 652	9.98 525	4	9
52	9.40 921	47	9.42 399	51	0.57 601	9.98 521	3	8
53	9.40 968	48	9.42 450	51	0.57 550	9.98 518	3	7
54	9.41 016	47	9.42 501	51	0.57 499	9.98 515	4	6
55	9.41 063	48	9.42 552	51	0.57 448	9.98 511	3	**5**
56	9.41 111	47	9.42 603	50	0.57 397	9.98 508	3	4
57	9.41 158	47	9.42 653	51	0.57 347	9.98 505	4	3
58	9.41 205	47	9.42 704	51	0.57 296	9.98 501	3	2
59	9.41 252	48	9.42 755	50	0.57 245	9.98 498	4	1
60	9.41 300		9.42 805		0.57 195	9.98 494		**0**
′	L Cos	d	L Ctn	cd	L Tan	L Sin	d	′

Prop. Parts

	54	53
1	5.4	5.3
2	10.8	10.6
3	16.2	15.9
4	21.6	21.2
5	27.0	26.5
6	32.4	31.8
7	37.8	37.1
8	43.2	42.4
9	48.6	47.7

	52	51
1	5.2	5.1
2	10.4	10.2
3	15.6	15.3
4	20.8	20.4
5	26.0	25.5
6	31.2	30.6
7	36.4	35.7
8	41.6	40.8
9	46.8	45.9

	50	49
1	5.0	4.9
2	10.0	9.8
3	15.0	14.7
4	20.0	19.6
5	25.0	24.5
6	30.0	29.4
7	35.0	34.3
8	40.0	39.2
9	45.0	44.1

	48	47
1	4.8	4.7
2	9.6	9.4
3	14.4	14.1
4	19.2	18.8
5	24.0	23.5
6	28.8	28.2
7	33.6	32.9
8	38.4	37.6
9	43.2	42.3

	4	3
1	0.4	0.3
2	0.8	0.6
3	1.2	0.9
4	1.6	1.2
5	2.0	1.5
6	2.4	1.8
7	2.8	2.1
8	3.2	2.4
9	3.6	2.7

Prop. Parts

75° — Common Logarithms of Trigonometric Functions — 75°

15° — Common Logarithms of Trigonometric Functions — 15°

′	L Sin	d	L Tan	cd	L Ctn	L Cos	d	′
0	9.41 300	47	9.42 805	51	0.57 195	9.98 494	3	**60**
1	9.41 347	47	9.42 856	50	0.57 144	9.98 491	3	59
2	9.41 394	47	9.42 906	51	0.57 094	9.98 488	4	58
3	9.41 441	47	9.42 957	50	0.57 043	9.98 484	3	57
4	9.41 488	47	9.43 007	50	0.56 993	9.98 481	4	56
5	9.41 535	47	9.43 057	51	0.56 943	9.98 477	3	**55**
6	9.41 582	46	9.43 108	50	0.56 892	9.98 474	3	54
7	9.41 628	47	9.43 158	50	0.56 842	9.98 471	4	53
8	9.41 675	47	9.43 208	50	0.56 792	9.98 467	3	52
9	9.41 722	46	9.43 258	50	0.56 742	9.98 464	4	51
10	9.41 768	47	9.43 308	50	0.56 692	9.98 460	3	**50**
11	9.41 815	46	9.43 358	50	0.56 642	9.98 457	4	49
12	9.41 861	47	9.43 408	50	0.56 592	9.98 453	3	48
13	9.41 908	46	9.43 458	50	0.56 542	9.98 450	3	47
14	9.41 954	47	9.43 508	50	0.56 492	9.98 447	4	46
15	9.42 001	46	9.43 558	49	0.56 442	9.98 443	3	**45**
16	9.42 047	46	9.43 607	50	0.56 393	9.98 440	4	44
17	9.42 093	47	9.43 657	50	0.56 343	9.98 436	3	43
18	9.42 140	46	9.43 707	49	0.56 293	9.98 433	4	42
19	9.42 186	46	9.43 756	50	0.56 244	9.98 429	3	41
20	9.42 232	46	9.43 806	49	0.56 194	9.98 426	4	**40**
21	9.42 278	46	9.43 855	50	0.56 145	9.98 422	3	39
22	9.42 324	46	9.43 905	49	0.56 095	9.98 419	4	38
23	9.42 370	46	9.43 954	50	0.56 046	9.98 415	3	37
24	9.42 416	45	9.44 004	49	0.55 996	9.98 412	3	36
25	9.42 461	46	9.44 053	49	0.55 947	9.98 409	4	**35**
26	9.42 507	46	9.44 102	49	0.55 898	9.98 405	3	34
27	9.42 553	46	9.44 151	50	0.55 849	9.98 402	4	33
28	9.42 599	45	9.44 201	49	0.55 799	9.98 398	3	32
29	9.42 644	46	9.44 250	49	0.55 750	9.98 395	4	31
30	9.42 690	45	9.44 299	49	0.55 701	9.98 391	3	**30**
31	9.42 735	46	9.44 348	49	0.55 652	9.98 388	4	29
32	9.42 781	45	9.44 397	49	0.55 603	9.98 384	3	28
33	9.42 826	46	9.44 446	49	0.55 554	9.98 381	4	27
34	9.42 872	45	9.44 495	49	0.55 505	9.98 377	4	26
35	9.42 917	45	9.44 544	48	0.55 456	9.98 373	3	**25**
36	9.42 962	46	9.44 592	49	0.55 408	9.98 370	4	24
37	9.43 008	45	9.44 641	49	0.55 359	9.98 366	3	23
38	9.43 053	45	9.44 690	48	0.55 310	9.98 363	4	22
39	9.43 098	45	9.44 738	49	0.55 262	9.98 359	3	21
40	9.43 143	45	9.44 787	49	0.55 213	9.98 356	4	**20**
41	9.43 188	45	9.44 836	48	0.55 164	9.98 352	3	19
42	9.43 233	45	9.44 884	49	0.55 116	9.98 349	4	18
43	9.43 278	45	9.44 933	48	0.55 067	9.98 345	3	17
44	9.43 323	44	9.44 981	48	0.55 019	9.98 342	4	16
45	9.43 367	45	9.45 029	49	0.54 971	9.98 338	4	**15**
46	9.43 412	45	9.45 078	48	0.54 922	9.98 334	3	14
47	9.43 457	45	9.45 126	48	0.54 874	9.98 331	4	13
48	9.43 502	44	9.45 174	48	0.54 826	9.98 327	3	12
49	9.43 546	45	9.45 222	49	0.54 778	9.98 324	4	11
50	9.43 591	44	9.45 271	48	0.54 729	9.98 320	3	**10**
51	9.43 635	45	9.45 319	48	0.54 681	9.98 317	4	9
52	9.43 680	44	9.45 367	48	0.54 633	9.98 313	4	8
53	9.43 724	45	9.45 415	48	0.54 585	9.98 309	3	7
54	9.43 769	44	9.45 463	48	0.54 537	9.98 306	4	6
55	9.43 813	44	9.45 511	48	0.54 489	9.98 302	3	**5**
56	9.43 857	44	9.45 559	47	0.54 441	9.98 299	4	4
57	9.43 901	45	9.45 606	48	0.54 394	9.98 295	4	3
58	9.43 946	44	9.45 654	48	0.54 346	9.98 291	3	2
59	9.43 990	44	9.45 702	48	0.54 298	9.98 288	4	1
60	9.44 034		9.45 750		0.54 250	9.98 284		**0**
′	L Cos	d	L Ctn	cd	L Tan	L Sin	d	′

Prop. Parts

	51	50
1	5.1	5.0
2	10.2	10.0
3	15.3	15.0
4	20.4	20.0
5	25.5	25.0
6	30.6	30.0
7	35.7	35.0
8	40.8	40.0
9	45.9	45.0

	49	48
1	4.9	4.8
2	9.8	9.6
3	14.7	14.4
4	19.6	19.2
5	24.5	24.0
6	29.4	28.8
7	34.3	33.6
8	39.2	38.4
9	44.1	43.2

	47	46
1	4.7	4.6
2	9.4	9.2
3	14.1	13.8
4	18.8	18.4
5	23.5	23.0
6	28.2	27.6
7	32.9	32.2
8	37.6	36.8
9	42.3	41.4

	45	44
1	4.5	4.4
2	9.0	8.8
3	13.5	13.2
4	18.0	17.6
5	22.5	22.0
6	27.0	26.4
7	31.5	30.8
8	36.0	35.2
9	40.5	39.6

	4	3
1	0.4	0.3
2	0.8	0.6
3	1.2	0.9
4	1.6	1.2
5	2.0	1.5
6	2.4	1.8
7	2.8	2.1
8	3.2	2.4
9	3.6	2.7

Prop. Parts

74° — Common Logarithms of Trigonometric Functions — 74°

16° — Common Logarithms of Trigonometric Functions — 16°

′	L Sin	d	L Tan	cd	L Ctn	L Cos	d	′
0	9.44 034	44	9.45 750	47	0.54 250	9.98 284	3	**60**
1	9.44 078	44	9.45 797	48	0.54 203	9.98 281	4	59
2	9.44 122	44	9.45 845	47	0.54 155	9.98 277	4	58
3	9.44 166	44	9.45 892	48	0.54 108	9.98 273	3	57
4	9.44 210	43	9.45 940	47	0.54 060	9.98 270	4	56
5	9.44 253	44	9.45 987	48	0.54 013	9.98 266	4	**55**
6	9.44 297	44	9.46 035	47	0.53 965	9.98 262	3	54
7	9.44 341	44	9.46 082	48	0.53 918	9.98 259	4	53
8	9.44 385	43	9.46 130	47	0.53 870	9.98 255	4	52
9	9.44 428	44	9.46 177	47	0.53 823	9.98 251	3	51
10	9.44 472	44	9.46 224	47	0.53 776	9.98 248	4	**50**
11	9.44 516	43	9.46 271	48	0.53 729	9.98 244	4	49
12	9.44 559	43	9.46 319	47	0.53 681	9.98 240	3	48
13	9.44 602	44	9.46 366	47	0.53 634	9.98 237	4	47
14	9.44 646	43	9.46 413	47	0.53 587	9.98 233	4	46
15	9.44 689	44	9.46 460	47	0.53 540	9.98 229	3	**45**
16	9.44 733	43	9.46 507	47	0.53 493	9.98 226	4	44
17	9.44 776	43	9.46 554	47	0.53 446	9.98 222	4	43
18	9.44 819	43	9.46 601	47	0.53 399	9.98 218	3	42
19	9.44 862	43	9.46 648	46	0.53 352	9.98 215	4	41
20	9.44 905	43	9.46 694	47	0.53 306	9.98 211	4	**40**
21	9.44 948	44	9.46 741	47	0.53 259	9.98 207	3	39
22	9.44 992	43	9.46 788	47	0.53 212	9.98 204	4	38
23	9.45 035	42	9.46 835	46	0.53 165	9.98 200	4	37
24	9.45 077	43	9.46 881	47	0.53 119	9.98 196	4	36
25	9.45 120	43	9.46 928	47	0.53 072	9.98 192	3	**35**
26	9.45 163	43	9.46 975	46	0.53 025	9.98 189	4	34
27	9.45 206	43	9.47 021	47	0.52 979	9.98 185	4	33
28	9.45 249	43	9.47 068	46	0.52 932	9.98 181	4	32
29	9.45 292	42	9.47 114	46	0.52 886	9.98 177	3	31
30	9.45 334	43	9.47 160	47	0.52 840	9.98 174	4	**30**
31	9.45 377	42	9.47 207	46	0.52 793	9.98 170	4	29
32	9.45 419	43	9.47 253	46	0.52 747	9.98 166	4	28
33	9.45 462	42	9.47 299	47	0.52 701	9.98 162	3	27
34	9.45 504	43	9.47 346	46	0.52 654	9.98 159	4	26
35	9.45 547	42	9.47 392	46	0.52 608	9.98 155	4	**25**
36	9.45 589	43	9.47 438	46	0.52 562	9.98 151	4	24
37	9.45 632	42	9.47 484	46	0.52 516	9.98 147	3	23
38	9.45 674	42	9.47 530	46	0.52 470	9.98 144	4	22
39	9.45 716	42	9.47 576	46	0.52 424	9.98 140	4	21
40	9.45 758	43	9.47 622	46	0.52 378	9.98 136	4	**20**
41	9.45 801	42	9.47 668	46	0.52 332	9.98 132	3	19
42	9.45 843	42	9.47 714	46	0.52 286	9.98 129	4	18
43	9.45 885	42	9.47 760	46	0.52 240	9.98 125	4	17
44	9.45 927	42	9.47 806	46	0.52 194	9.98 121	4	16
45	9.45 969	42	9.47 852	45	0.52 148	9.98 117	4	**15**
46	9.46 011	42	9.47 897	46	0.52 103	9.98 113	3	14
47	9.46 053	42	9.47 943	46	0.52 057	9.98 110	4	13
48	9.46 095	41	9.47 989	46	0.52 011	9.98 106	4	12
49	9.46 136	42	9.48 035	45	0.51 965	9.98 102	4	11
50	9.46 178	42	9.48 080	46	0.51 920	9.98 098	4	**10**
51	9.46 220	42	9.48 126	45	0.51 874	9.98 094	4	9
52	9.46 262	41	9.48 171	46	0.51 829	9.98 090	3	8
53	9.46 303	42	9.48 217	45	0.51 783	9.98 087	4	7
54	9.46 345	41	9.48 262	45	0.51 738	9.98 083	4	6
55	9.46 386	42	9.48 307	46	0.51 693	9.98 079	4	**5**
56	9.46 428	41	9.48 353	45	0.51 647	9.98 075	4	4
57	9.46 469	42	9.48 398	45	0.51 602	9.98 071	4	3
58	9.46 511	41	9.48 443	46	0.51 557	9.98 067	4	2
59	9.46 552	42	9.48 489	45	0.51 511	9.98 063	3	1
60	9.46 594		9.48 534		0.51 466	9.98 060		**0**
′	L Cos	d	L Ctn	cd	L Tan	L Sin	d	′

Prop. Parts

	48	47	46	45	44	43	42	41	4	3
1	4.8	4.7	4.6	4.5	4.4	4.3	4.2	4.1	0.4	0.3
2	9.6	9.4	9.2	9.0	8.8	8.6	8.4	8.2	0.8	0.6
3	14.4	14.1	13.8	13.5	13.2	12.9	12.6	12.3	1.2	0.9
4	19.2	18.8	18.4	18.0	17.6	17.2	16.8	16.4	1.6	1.2
5	24.0	23.5	23.0	22.5	22.0	21.5	21.0	20.5	2.0	1.5
6	28.8	28.2	27.6	27.0	26.4	25.8	25.2	24.6	2.4	1.8
7	33.6	32.9	32.2	31.5	30.8	30.1	29.4	28.7	2.8	2.1
8	38.4	37.6	36.8	36.0	35.2	34.4	33.6	32.8	3.2	2.4
9	43.2	42.3	41.4	40.5	39.6	38.7	37.8	36.9	3.6	2.7

73° — Common Logarithms of Trigonometric Functions — 73°

17° — Common Logarithms of Trigonometric Functions — 17°

′	L Sin	d	L Tan	cd	L Ctn	L Cos	d	′
0	9.46 594	41	9.48 534	45	0.51 466	9.98 060	4	**60**
1	9.46 635	41	9.48 579	45	0.51 421	9.98 056	4	59
2	9.46 676	41	9.48 624	45	0.51 376	9.98 052	4	58
3	9.46 717	41	9.48 669	45	0.51 331	9.98 048	4	57
4	9.46 758	42	9.48 714	45	0.51 286	9.98 044	4	56
5	9.46 800	41	9.48 759	45	0.51 241	9.98 040	4	**55**
6	9.46 841	41	9.48 804	45	0.51 196	9.98 036	4	54
7	9.46 882	41	9.48 849	45	0.51 151	9.98 032	3	53
8	9.46 923	41	9.48 894	45	0.51 106	9.98 029	4	52
9	9.46 964	41	9.48 939	45	0.51 061	9.98 025	4	51
10	9.47 005	40	9.48 984	45	0.51 016	9.98 021	4	**50**
11	9.47 045	41	9.49 029	44	0.50 971	9.98 017	4	49
12	9.47 086	41	9.49 073	45	0.50 927	9.98 013	4	48
13	9.47 127	41	9.49 118	45	0.50 882	9.98 009	4	47
14	9.47 168	41	9.49 163	44	0.50 837	9.98 005	4	46
15	9.47 209	40	9.49 207	45	0.50 793	9.98 001	4	**45**
16	9.47 249	41	9.49 252	44	0.50 748	9.97 997	4	44
17	9.47 290	40	9.49 296	45	0.50 704	9.97 993	4	43
18	9.47 330	41	9.49 341	44	0.50 659	9.97 989	3	42
19	9.47 371	40	9.49 385	45	0.50 615	9.97 986	4	41
20	9.47 411	41	9.49 430	44	0.50 570	9.97 982	4	**40**
21	9.47 452	40	9.49 474	45	0.50 526	9.97 978	4	39
22	9.47 492	41	9.49 519	44	0.50 481	9.97 974	4	38
23	9.47 533	40	9.49 563	44	0.50 437	9.97 970	4	37
24	9.47 573	40	9.49 607	45	0.50 393	9.97 966	4	36
25	9.47 613	41	9.49 652	44	0.50 348	9.97 962	4	**35**
26	9.47 654	40	9.49 696	44	0.50 304	9.97 958	4	34
27	9.47 694	40	9.49 740	44	0.50 260	9.97 954	4	33
28	9.47 734	40	9.49 784	44	0.50 216	9.97 950	4	32
29	9.47 774	40	9.49 828	44	0.50 172	9.97 946	4	31
30	9.47 814	40	9.49 872	44	0.50 128	9.97 942	4	**30**
31	9.47 854	40	9.49 916	44	0.50 084	9.97 938	4	29
32	9.47 894	40	9.49 960	44	0.50 040	9.97 934	4	28
33	9.47 934	40	9.50 004	44	0.49 996	9.97 930	4	27
34	9.47 974	40	9.50 048	44	0.49 952	9.97 926	4	26
35	9.48 014	40	9.50 092	44	0.49 908	9.97 922	4	**25**
36	9.48 054	40	9.50 136	44	0.49 864	9.97 918	4	24
37	9.48 094	39	9.50 180	43	0.49 820	9.97 914	4	23
38	9.48 133	40	9.50 223	44	0.49 777	9.97 910	4	22
39	9.48 173	40	9.50 267	44	0.49 733	9.97 906	4	21
40	9.48 213	39	9.50 311	44	0.49 689	9.97 902	4	**20**
41	9.48 252	40	9.50 355	43	0.49 645	9.97 898	4	19
42	9.48 292	40	9.50 398	44	0.49 602	9.97 894	4	18
43	9.48 332	39	9.50 442	43	0.49 558	9.97 890	4	17
44	9.48 371	40	9.50 485	44	0.49 515	9.97 886	4	16
45	9.48 411	39	9.50 529	43	0.49 471	9.97 882	4	**15**
46	9.48 450	40	9.50 572	44	0.49 428	9.97 878	4	14
47	9.48 490	39	9.50 616	43	0.49 384	9.97 874	4	13
48	9.48 529	39	9.50 659	44	0.49 341	9.97 870	4	12
49	9.48 568	39	9.50 703	43	0.49 297	9.97 866	5	11
50	9.48 607	40	9.50 746	43	0.49 254	9.97 861	4	**10**
51	9.48 647	39	9.50 789	44	0.49 211	9.97 857	4	9
52	9.48 686	39	9.50 833	43	0.49 167	9.97 853	4	8
53	9.48 725	39	9.50 876	43	0.49 124	9.97 849	4	7
54	9.48 764	39	9.50 919	43	0.49 081	9.97 845	4	6
55	9.48 803	39	9.50 962	43	0.49 038	9.97 841	4	**5**
56	9.48 842	39	9.51 005	43	0.48 995	9.97 837	4	4
57	9.48 881	39	9.51 048	44	0.48 952	9.97 833	4	3
58	9.48 920	39	9.51 092	43	0.48 908	9.97 829	4	2
59	9.48 959	39	9.51 135	43	0.48 865	9.97 825	4	1
60	9.48 998		9.51 178		0.48 822	9.97 821		**0**
′	L Cos	d	L Ctn	cd	L Tan	L Sin	d	′

Prop. Parts

	45	44	43	42	41	40	39
1	4.5	4.4	4.3	4.2	4.1	4.0	3.9
2	9.0	8.8	8.6	8.4	8.2	8.0	7.8
3	13.5	13.2	12.9	12.6	12.3	12.0	11.7
4	18.0	17.6	17.2	16.8	16.4	16.0	15.6
5	22.5	22.0	21.5	21.0	20.5	20.0	19.5
6	27.0	26.4	25.8	25.2	24.6	24.0	23.4
7	31.5	30.8	30.1	29.4	28.7	28.0	27.3
8	36.0	35.2	34.4	33.6	32.8	32.0	31.2
9	40.5	39.6	38.7	37.8	36.9	36.0	35.1

	5	4	3
1	0.5	0.4	0.3
2	1.0	0.8	0.6
3	1.5	1.2	0.9
4	2.0	1.6	1.2
5	2.5	2.0	1.5
6	3.0	2.4	1.8
7	3.5	2.8	2.1
8	4.0	3.2	2.4
9	4.5	3.6	2.7

72° — Common Logarithms of Trigonometric Functions — 72°

18° — Common Logarithms of Trigonometric Functions — 18°

′	L Sin	d	L Tan	cd	L Ctn	L Cos	d	′
0	9.48 998	39	9.51 178	43	0.48 822	9.97 821	4	**60**
1	9.49 037	39	9.51 221	43	0.48 779	9.97 817	5	59
2	9.49 076	39	9.51 264	42	0.48 736	9.97 812	4	58
3	9.49 115	38	9.51 306	43	0.48 694	9.97 808	4	57
4	9.49 153	39	9.51 349	43	0.48 651	9.97 804	4	56
5	9.49 192	39	9.51 392	43	0.48 608	9.97 800	4	**55**
6	9.49 231	38	9.51 435	43	0.48 565	9.97 796	4	54
7	9.49 269	39	9.51 478	42	0.48 522	9.97 792	4	53
8	9.49 308	39	9.51 520	43	0.48 480	9.97 788	4	52
9	9.49 347	38	9.51 563	43	0.48 437	9.97 784	5	51
10	9.49 385	39	9.51 606	42	0.48 394	9.97 779	4	**50**
11	9.49 424	38	9.51 648	43	0.48 352	9.97 775	4	49
12	9.49 462	38	9.51 691	43	0.48 309	9.97 771	4	48
13	9.49 500	39	9.51 734	42	0.48 266	9.97 767	4	47
14	9.49 539	38	9.51 776	43	0.48 224	9.97 763	4	46
15	9.49 577	38	9.51 819	42	0.48 181	9.97 759	5	**45**
16	9.49 615	39	9.51 861	42	0.48 139	9.97 754	4	44
17	9.49 654	38	9.51 903	43	0.48 097	9.97 750	4	43
18	9.49 692	38	9.51 946	42	0.48 054	9.97 746	4	42
19	9.49 730	38	9.51 988	43	0.48 012	9.97 742	4	41
20	9.49 768	38	9.52 031	42	0.47 969	9.97 738	4	**40**
21	9.49 806	38	9.52 073	42	0.47 927	9.97 734	5	39
22	9.49 844	38	9.52 115	42	0.47 885	9.97 729	4	38
23	9.49 882	38	9.52 157	43	0.47 843	9.97 725	4	37
24	9.49 920	38	9.52 200	42	0.47 800	9.97 721	4	36
25	9.49 958	38	9.52 242	42	0.47 758	9.97 717	4	**35**
26	9.49 996	38	9.52 284	42	0.47 716	9.97 713	5	34
27	9.50 034	38	9.52 326	42	0.47 674	9.97 708	4	33
28	9.50 072	38	9.52 368	42	0.47 632	9.97 704	4	32
29	9.50 110	38	9.52 410	42	0.47 590	9.97 700	4	31
30	9.50 148	37	9.52 452	42	0.47 548	9.97 696	5	**30**
31	9.50 185	38	9.52 494	42	0.47 506	9.97 691	4	29
32	9.50 223	38	9.52 536	42	0.47 464	9.97 687	4	28
33	9.50 261	37	9.52 578	42	0.47 422	9.97 683	4	27
34	9.50 298	38	9.52 620	41	0.47 380	9.97 679	5	26
35	9.50 336	38	9.52 661	42	0.47 339	9.97 674	4	**25**
36	9.50 374	37	9.52 703	42	0.47 297	9.97 670	4	24
37	9.50 411	38	9.52 745	42	0.47 255	9.97 666	4	23
38	9.50 449	37	9.52 787	42	0.47 213	9.97 662	5	22
39	9.50 486	37	9.52 829	41	0.47 171	9.97 657	4	21
40	9.50 523	38	9.52 870	42	0.47 130	9.97 653	4	**20**
41	9.50 561	37	9.52 912	41	0.47 088	9.97 649	4	19
42	9.50 598	37	9.52 953	42	0.47 047	9.97 645	5	18
43	9.50 635	38	9.52 995	42	0.47 005	9.97 640	4	17
44	9.50 673	37	9.53 037	41	0.46 963	9.97 636	4	16
45	9.50 710	37	9.53 078	42	0.46 922	9.97 632	4	**15**
46	9.50 747	37	9.53 120	41	0.46 880	9.97 628	5	14
47	9.50 784	37	9.53 161	41	0.46 839	9.97 623	4	13
48	9.50 821	37	9.53 202	42	0.46 798	9.97 619	4	12
49	9.50 858	38	9.53 244	41	0.46 756	9.97 615	5	11
50	9.50 896	37	9.53 285	42	0.46 715	9.97 610	4	**10**
51	9.50 933	37	9.53 327	41	0.46 673	9.97 606	4	9
52	9.50 970	37	9.53 368	41	0.46 632	9.97 602	5	8
53	9.51 007	36	9.53 409	41	0.46 591	9.97 597	4	7
54	9.51 043	37	9.53 450	42	0.46 550	9.97 593	4	6
55	9.51 080	37	9.53 492	41	0.46 508	9.97 589	5	**5**
56	9.51 117	37	9.53 533	41	0.46 467	9.97 584	4	4
57	9.51 154	37	9.53 574	41	0.46 426	9.97 580	4	3
58	9.51 191	36	9.53 615	41	0.46 385	9.97 576	5	2
59	9.51 227	37	9.53 656	41	0.46 344	9.97 571	4	1
60	9.51 264		9.53 697		0.46 303	9.97 567		**0**
′	L Cos	d	L Ctn	cd	L Tan	L Sin	d	′

Prop. Parts

	43	42	41	39	38	37	36	5	4
1	4.3	4.2	4.1	3.9	3.8	3.7	3.6	0.5	0.4
2	8.6	8.4	8.2	7.8	7.6	7.4	7.2	1.0	0.8
3	12.9	12.6	12.3	11.7	11.4	11.1	10.8	1.5	1.2
4	17.2	16.8	16.4	15.6	15.2	14.8	14.4	2.0	1.6
5	21.5	21.0	20.5	19.5	19.0	18.5	18.0	2.5	2.0
6	25.8	25.2	24.6	23.4	22.8	22.2	21.6	3.0	2.4
7	30.1	29.4	28.7	27.3	26.6	25.9	25.2	3.5	2.8
8	34.4	33.6	32.8	31.2	30.4	29.6	28.8	4.0	3.2
9	38.7	37.8	36.9	35.1	34.2	33.3	32.4	4.5	3.6

71° — Common Logarithms of Trigonometric Functions — 71°

19° — Common Logarithms of Trigonometric Functions — 19°

′	L Sin	d	L Tan	cd	L Ctn	L Cos	d	′
0	9.51 264	37	9.53 697	41	0.46 303	9.97 567	4	**60**
1	9.51 301	37	9.53 738	41	0.46 262	9.97 563	5	59
2	9.51 338	36	9.53 779	41	0.46 221	9.97 558	4	58
3	9.51 374	37	9.53 820	41	0.46 180	9.97 554	4	57
4	9.51 411	36	9.53 861	41	0.46 139	9.97 550	5	56
5	9.51 447	37	9.53 902	41	0.46 098	9.97 545	4	**55**
6	9.51 484	36	9.53 943	41	0.46 057	9.97 541	5	54
7	9.51 520	37	9.53 984	41	0.46 016	9.97 536	4	53
8	9.51 557	36	9.54 025	40	0.45 975	9.97 532	4	52
9	9.51 593	36	9.54 065	41	0.45 935	9.97 528	5	51
10	9.51 629	37	9.54 106	41	0.45 894	9.97 523	4	**50**
11	9.51 666	36	9.54 147	40	0.45 853	9.97 519	4	49
12	9.51 702	36	9.54 187	41	0.45 813	9.97 515	5	48
13	9.51 738	36	9.54 228	41	0.45 772	9.97 510	4	47
14	9.51 774	37	9.54 269	40	0.45 731	9.97 506	5	46
15	9.51 811	36	9.54 309	41	0.45 691	9.97 501	4	**45**
16	9.51 847	36	9.54 350	40	0.45 650	9.97 497	5	44
17	9.51 883	36	9.54 390	41	0.45 610	9.97 492	4	43
18	9.51 919	36	9.54 431	40	0.45 569	9.97 488	4	42
19	9.51 955	36	9.54 471	41	0.45 529	9.97 484	5	41
20	9.51 991	36	9.54 512	40	0.45 488	9.97 479	4	**40**
21	9.52 027	36	9.54 552	41	0.45 448	9.97 475	5	39
22	9.52 063	36	9.54 593	40	0.45 407	9.97 470	4	38
23	9.52 099	36	9.54 633	40	0.45 367	9.97 466	5	37
24	9.52 135	36	9.54 673	41	0.45 327	9.97 461	4	36
25	9.52 171	36	9.54 714	40	0.45 286	9.97 457	4	**35**
26	9.52 207	35	9.54 754	40	0.45 246	9.97 453	5	34
27	9.52 242	36	9.54 794	41	0.45 206	9.97 448	4	33
28	9.52 278	36	9.54 835	40	0.45 165	9.97 444	5	32
29	9.52 314	36	9.54 875	40	0.45 125	9.97 439	4	31
30	9.52 350	35	9.54 915	40	0.45 085	9.97 435	5	**30**
31	9.52 385	36	9.54 955	40	0.45 045	9.97 430	4	29
32	9.52 421	35	9.54 995	40	0.45 005	9.97 426	5	28
33	9.52 456	36	9.55 035	40	0.44 965	9.97 421	4	27
34	9.52 492	35	9.55 075	40	0.44 925	9.97 417	5	26
35	9.52 527	36	9.55 115	40	0.44 885	9.97 412	4	**25**
36	9.52 563	35	9.55 155	40	0.44 845	9.97 408	5	24
37	9.52 598	36	9.55 195	40	0.44 805	9.97 403	4	23
38	9.52 634	35	9.55 235	40	0.44 765	9.97 399	5	22
39	9.52 669	36	9.55 275	40	0.44 725	9.97 394	4	21
40	9.52 705	35	9.55 315	40	0.44 685	9.97 390	5	**20**
41	9.52 740	35	9.55 355	40	0.44 645	9.97 385	4	19
42	9.52 775	36	9.55 395	39	0.44 605	9.97 381	5	18
43	9.52 811	35	9.55 434	40	0.44 566	9.97 376	4	17
44	9.52 846	35	9.55 474	40	0.44 526	9.97 372	5	16
45	9.52 881	35	9.55 514	40	0.44 486	9.97 367	4	**15**
46	9.52 916	35	9.55 554	39	0.44 446	9.97 363	5	14
47	9.52 951	35	9.55 593	40	0.44 407	9.97 358	5	13
48	9.52 986	35	9.55 633	40	0.44 367	9.97 353	4	12
49	9.53 021	35	9.55 673	39	0.44 327	9.97 349	5	11
50	9.53 056	36	9.55 712	40	0.44 288	9.97 344	4	**10**
51	9.53 092	34	9.55 752	39	0.44 248	9.97 340	5	9
52	9.53 126	35	9.55 791	40	0.44 209	9.97 335	4	8
53	9.53 161	35	9.55 831	39	0.44 169	9.97 331	5	7
54	9.53 196	35	9.55 870	40	0.44 130	9.97 326	4	6
55	9.53 231	35	9.55 910	39	0.44 090	9.97 322	5	**5**
56	9.53 266	35	9.55 949	40	0.44 051	9.97 317	5	4
57	9.53 301	35	9.55 989	39	0.44 011	9.97 312	4	3
58	9.53 336	34	9.56 028	39	0.43 972	9.97 308	5	2
59	9.53 370	35	9.56 067	40	0.43 933	9.97 303	4	1
60	9.53 405		9.56 107		0.43 893	9.97 299		**0**
′	L Cos	d	L Ctn	cd	L Tan	L Sin	d	′

Prop. Parts

	41	40	39	37	36	35	34	5	4
1	4.1	4.0	3.9	3.7	3.6	3.5	3.4	0.5	0.4
2	8.2	8.0	7.8	7.4	7.2	7.0	6.8	1.0	0.8
3	12.3	12.0	11.7	11.1	10.8	10.5	10.2	1.5	1.2
4	16.4	16.0	15.6	14.8	14.4	14.0	13.6	2.0	1.6
5	20.5	20.0	19.5	18.5	18.0	17.5	17.0	2.5	2.0
6	24.6	24.0	23.4	22.2	21.6	21.0	20.4	3.0	2.4
7	28.7	28.0	27.3	25.9	25.2	24.5	23.8	3.5	2.8
8	32.8	32.0	31.2	29.6	28.8	28.0	27.2	4.0	3.2
9	36.9	36.0	35.1	33.3	32.4	31.5	30.6	4.5	3.6

Prop. Parts

70° — Common Logarithms of Trigonometric Functions — 70°

20° — Common Logarithms of Trigonometric Functions — 20°

′	L Sin	d	L Tan	cd	L Ctn	L Cos	d	′
0	9.53 405	35	9.56 107	39	0.43 893	9.97 299	5	**60**
1	9.53 440	35	9.56 146	39	0.43 854	9.97 294	5	59
2	9.53 475	34	9.56 185	39	0.43 815	9.97 289	4	58
3	9.53 509	35	9.56 224	40	0.43 776	9.97 285	5	57
4	9.53 544	34	9.56 264	39	0.43 736	9.97 280	4	56
5	9.53 578	35	9.56 303	39	0.43 697	9.97 276	5	**55**
6	9.53 613	34	9.56 342	39	0.43 658	9.97 271	5	54
7	9.53 647	35	9.56 381	39	0.43 619	9.97 266	4	53
8	9.53 682	34	9.56 420	39	0.43 580	9.97 262	5	52
9	9.53 716	35	9.56 459	39	0.43 541	9.97 257	5	51
10	9.53 751	34	9.56 498	39	0.43 502	9.97 252	4	**50**
11	9.53 785	34	9.56 537	39	0.43 463	9.97 248	5	49
12	9.53 819	35	9.56 576	39	0.43 424	9.97 243	5	48
13	9.53 854	34	9.56 615	39	0.43 385	9.97 238	4	47
14	9.53 888	34	9.56 654	39	0.43 346	9.97 234	5	46
15	9.53 922	35	9.56 693	39	0.43 307	9.97 229	5	**45**
16	9.53 957	34	9.56 732	39	0.43 268	9.97 224	4	44
17	9.53 991	34	9.56 771	39	0.43 229	9.97 220	5	43
18	9.54 025	34	9.56 810	39	0.43 190	9.97 215	5	42
19	9.54 059	34	9.56 849	38	0.43 151	9.97 210	4	41
20	9.54 093	34	9.56 887	39	0.43 113	9.97 206	5	**40**
21	9.54 127	34	9.56 926	39	0.43 074	9.97 201	5	39
22	9.54 161	34	9.56 965	39	0.43 035	9.97 196	4	38
23	9.54 195	34	9.57 004	38	0.42 996	9.97 192	5	37
24	9.54 229	34	9.57 042	39	0.42 958	9.97 187	5	36
25	9.54 263	34	9.57 081	39	0.42 919	9.97 182	4	**35**
26	9.54 297	34	9.57 120	38	0.42 880	9.97 178	5	34
27	9.54 331	34	9.57 158	39	0.42 842	9.97 173	5	33
28	9.54 365	34	9.57 197	38	0.42 803	9.97 168	5	32
29	9.54 399	34	9.57 235	39	0.42 765	9.97 163	4	31
30	9.54 433	33	9.57 274	38	0.42 726	9.97 159	5	**30**
31	9.54 466	34	9.57 312	39	0.42 688	9.97 154	5	29
32	9.54 500	34	9.57 351	38	0.42 649	9.97 149	4	28
33	9.54 534	33	9.57 389	39	0.42 611	9.97 145	5	27
34	9.54 567	34	9.57 428	38	0.42 572	9.97 140	5	26
35	9.54 601	34	9.57 466	38	0.42 534	9.97 135	5	**25**
36	9.54 635	33	9.57 504	39	0.42 496	9.97 130	4	24
37	9.54 668	34	9.57 543	38	0.42 457	9.97 126	5	23
38	9.54 702	33	9.57 581	38	0.42 419	9.97 121	5	22
39	9.54 735	34	9.57 619	39	0.42 381	9.97 116	5	21
40	9.54 769	33	9.57 658	38	0.42 342	9.97 111	4	**20**
41	9.54 802	34	9.57 696	38	0.42 304	9.97 107	5	19
42	9.54 836	33	9.57 734	38	0.42 266	9.97 102	5	18
43	9.54 869	34	9.57 772	38	0.42 228	9.97 097	5	17
44	9.54 903	33	9.57 810	39	0.42 190	9.97 092	5	16
45	9.54 936	33	9.57 849	38	0.42 151	9.97 087	4	**15**
46	9.54 969	34	9.57 887	38	0.42 113	9.97 083	5	14
47	9.55 003	33	9.57 925	38	0.42 075	9.97 078	5	13
48	9.55 036	33	9.57 963	38	0.42 037	9.97 073	5	12
49	9.55 069	33	9.58 001	38	0.41 999	9.97 068	5	11
50	9.55 102	34	9.58 039	38	0.41 961	9.97 063	4	**10**
51	9.55 136	33	9.58 077	38	0.41 923	9.97 059	5	9
52	9.55 169	33	9.58 115	38	0.41 885	9.97 054	5	8
53	9.55 202	33	9.58 153	38	0.41 847	9.97 049	5	7
54	9.55 235	33	9.58 191	38	0.41 809	9.97 044	5	6
55	9.55 268	33	9.58 229	38	0.41 771	9.97 039	4	**5**
56	9.55 301	33	9.58 267	37	0.41 733	9.97 035	5	4
57	9.55 334	33	9.58 304	38	0.41 696	9.97 030	5	3
58	9.55 367	33	9.58 342	38	0.41 658	9.97 025	5	2
59	9.55 400	33	9.58 380	38	0.41 620	9.97 020	5	1
60	9.55 433		9.58 418		0.41 582	9.97 015		**0**
′	L Cos	d	L Ctn	cd	L Tan	L Sin	d	′

Prop. Parts

	40	**39**	**38**	**37**	**35**	**34**	**33**	**5**	**4**
1	4.0	3.9	3.8	3.7	3.5	3.4	3.3	0.5	0.4
2	8.0	7.8	7.6	7.4	7.0	6.8	6.6	1.0	0.8
3	12.0	11.7	11.4	11.1	10.5	10.2	9.9	1.5	1.2
4	16.0	15.6	15.2	14.8	14.0	13.6	13.2	2.0	1.6
5	20.0	19.5	19.0	18.5	17.5	17.0	16.5	2.5	2.0
6	24.0	23.4	22.8	22.2	21.0	20.4	19.8	3.0	2.4
7	28.0	27.3	26.6	25.9	24.5	23.8	23.1	3.5	2.8
8	32.0	31.2	30.4	29.6	28.0	27.2	26.4	4.0	3.2
9	36.0	35.1	34.2	33.3	31.5	30.6	29.7	4.5	3.6

69° — Common Logarithms of Trigonometric Functions — 69°

21° — Common Logarithms of Trigonometric Functions — 21°

′	L Sin	d	L Tan	cd	L Ctn	L Cos	d	′
0	9.55 433	33	9.58 418	37	0.41 582	9.97 015	5	**60**
1	9.55 466	33	9.58 455	38	0.41 545	9.97 010	5	59
2	9.55 499	33	9.58 493	38	0.41 507	9.97 005	4	58
3	9.55 532	32	9.58 531	38	0.41 469	9.97 001	5	57
4	9.55 564	33	9.58 569	37	0.41 431	9.96 996	5	56
5	9.55 597	33	9.58 606	38	0.41 394	9.96 991	5	**55**
6	9.55 630	33	9.58 644	37	0.41 356	9.96 986	5	54
7	9.55 663	32	9.58 681	38	0.41 319	9.96 981	5	53
8	9.55 695	33	9.58 719	38	0.41 281	9.96 976	5	52
9	9.55 728	33	9.58 757	37	0.41 243	9.96 971	5	51
10	9.55 761	32	9.58 794	38	0.41 206	9.96 966	4	**50**
11	9.55 793	33	9.58 832	37	0.41 168	9.96 962	5	49
12	9.55 826	32	9.58 869	38	0.41 131	9.96 957	5	48
13	9.55 858	33	9.58 907	37	0.41 093	9.96 952	5	47
14	9.55 891	32	9.58 944	37	0.41 056	9.96 947	5	46
15	9.55 923	33	9.58 981	38	0.41 019	9.96 942	5	**45**
16	9.55 956	32	9.59 019	37	0.40 981	9.96 937	5	44
17	9.55 988	33	9.59 056	38	0.40 944	9.96 932	5	43
18	9.56 021	32	9.59 094	37	0.40 906	9.96 927	5	42
19	9.56 053	32	9.59 131	37	0.40 869	9.96 922	5	41
20	9.56 085	33	9.59 168	37	0.40 832	9.96 917	5	**40**
21	9.56 118	32	9.59 205	38	0.40 795	9.96 912	5	39
22	9.56 150	32	9.59 243	37	0.40 757	9.96 907	4	38
23	9.56 182	33	9.59 280	37	0.40 720	9.96 903	5	37
24	9.56 215	32	9.59 317	37	0.40 683	9.96 898	5	36
25	9.56 247	32	9.59 354	37	0.40 646	9.96 893	5	**35**
26	9.56 279	32	9.59 391	38	0.40 609	9.96 888	5	34
27	9.56 311	32	9.59 429	37	0.40 571	9.96 883	5	33
28	9.56 343	32	9.59 466	37	0.40 534	9.96 878	5	32
29	9.56 375	33	9.59 503	37	0.40 497	9.96 873	5	31
30	9.56 408	32	9.59 540	37	0.40 460	9.96 868	5	**30**
31	9.56 440	32	9.59 577	37	0.40 423	9.96 863	5	29
32	9.56 472	32	9.59 614	37	0.40 386	9.96 858	5	28
33	9.56 504	32	9.59 651	37	0.40 349	9.96 853	5	27
34	9.56 536	32	9.59 688	37	0.40 312	9.96 848	5	26
35	9.56 568	31	9.59 725	37	0.40 275	9.96 843	5	**25**
36	9.56 599	32	9.59 762	37	0.40 238	9.96 838	5	24
37	9.56 631	32	9.59 799	36	0.40 201	9.96 833	5	23
38	9.56 663	32	9.59 835	37	0.40 165	9.96 828	5	22
39	9.56 695	32	9.59 872	37	0.40 128	9.96 823	5	21
40	9.56 727	32	9.59 909	37	0.40 091	9.96 818	5	**20**
41	9.56 759	31	9.59 946	37	0.40 054	9.96 813	5	19
42	9.56 790	32	9.59 983	36	0.40 017	9.96 808	5	18
43	9.56 822	32	9.60 019	37	0.39 981	9.96 803	5	17
44	9.56 854	32	9.60 056	37	0.39 944	9.96 798	5	16
45	9.56 886	31	9.60 093	37	0.39 907	9.96 793	5	**15**
46	9.56 917	32	9.60 130	36	0.39 870	9.96 788	5	14
47	9.56 949	31	9.60 166	37	0.39 834	9.96 783	5	13
48	9.56 980	32	9.60 203	37	0.39 797	9.96 778	6	12
49	9.57 012	32	9.60 240	36	0.39 760	9.96 772	5	11
50	9.57 044	31	9.60 276	37	0.39 724	9.96 767	5	**10**
51	9.57 075	32	9.60 313	36	0.39 687	9.96 762	5	9
52	9.57 107	31	9.60 349	37	0.39 651	9.96 757	5	8
53	9.57 138	31	9.60 386	36	0.39 614	9.96 752	5	7
54	9.57 169	32	9.60 422	37	0.39 578	9.96 747	5	6
55	9.57 201	31	9.60 459	36	0.39 541	9.96 742	5	**5**
56	9.57 232	32	9.60 495	37	0.39 505	9.96 737	5	4
57	9.57 264	31	9.60 532	36	0.39 468	9.96 732	5	3
58	9.57 295	31	9.60 568	37	0.39 432	9.96 727	5	2
59	9.57 326	32	9.60 605	36	0.39 395	9.96 722	5	1
60	9.57 358		9.60 641		0.39 359	9.96 717		**0**
′	L Cos	d	L Ctn	cd	L Tan	L Sin	d	′

Prop. Parts

	38	37	36	33	32	31	6	5	4
1	3.8	3.7	3.6	3.3	3.2	3.1	0.6	0.5	0.4
2	7.6	7.4	7.2	6.6	6.4	6.2	1.2	1.0	0.8
3	11.4	11.1	10.8	9.9	9.6	9.3	1.8	1.5	1.2
4	15.2	14.8	14.4	13.2	12.8	12.4	2.4	2.0	1.6
5	19.0	18.5	18.0	16.5	16.0	15.5	3.0	2.5	2.0
6	22.8	22.2	21.6	19.8	19.2	18.6	3.6	3.0	2.4
7	26.6	25.9	25.2	23.1	22.4	21.7	4.2	3.5	2.8
8	30.4	29.6	28.8	26.4	25.6	24.8	4.8	4.0	3.2
9	34.2	33.3	32.4	29.7	28.8	27.9	5.4	4.5	3.6

68° — Common Logarithms of Trigonometric Functions — 68°

22° — Common Logarithms of Trigonometric Functions — 22°

′	L Sin	d	L Tan	cd	L Ctn	L Cos	d	′
0	9.57 358	31	9.60 641	36	0.39 359	9.96 717	6	**60**
1	9.57 389	31	9.60 677	37	0.39 323	9.96 711	5	59
2	9.57 420	31	9.60 714	36	0.39 286	9.96 706	5	58
3	9.57 451	31	9.60 750	36	0.39 250	9.96 701	5	57
4	9.57 482	32	9.60 786	37	0.39 214	9.96 696	5	56
5	9.57 514	31	9.60 823	36	0.39 177	9.96 691	5	**55**
6	9.57 545	31	9.60 859	36	0.39 141	9.96 686	5	54
7	9.57 576	31	9.60 895	36	0.39 105	9.96 681	5	53
8	9.57 607	31	9.60 931	36	0.39 069	9.96 676	6	52
9	9.57 638	31	9.60 967	37	0.39 033	9.96 670	5	51
10	9.57 669	31	9.61 004	36	0.38 996	9.96 665	5	**50**
11	9.57 700	31	9.61 040	36	0.38 960	9.96 660	5	49
12	9.57 731	31	9.61 076	36	0.38 924	9.96 655	5	48
13	9.57 762	31	9.61 112	36	0.38 888	9.96 650	5	47
14	9.57 793	31	9.61 148	36	0.38 852	9.96 645	5	46
15	9.57 824	31	9.61 184	36	0.38 816	9.96 640	6	**45**
16	9.57 855	30	9.61 220	36	0.38 780	9.96 634	5	44
17	9.57 885	31	9.61 256	36	0.38 744	9.96 629	5	43
18	9.57 916	31	9.61 292	36	0.38 708	9.96 624	5	42
19	9.57 947	31	9.61 328	36	0.38 672	9.96 619	5	41
20	9.57 978	30	9.61 364	36	0.38 636	9.96 614	6	**40**
21	9.58 008	31	9.61 400	36	0.38 600	9.96 608	5	39
22	9.58 039	31	9.61 436	36	0.38 564	9.96 603	5	38
23	9.58 070	31	9.61 472	36	0.38 528	9.96 598	5	37
24	9.58 101	30	9.61 508	36	0.38 492	9.96 593	5	36
25	9.58 131	31	9.61 544	35	0.38 456	9.96 588	6	**35**
26	9.58 162	30	9.61 579	36	0.38 421	9.96 582	5	34
27	9.58 192	31	9.61 615	36	0.38 385	9.96 577	5	33
28	9.58 223	30	9.61 651	36	0.38 349	9.96 572	5	32
29	9.58 253	31	9.61 687	35	0.38 313	9.96 567	5	31
30	9.58 284	30	9.61 722	36	0.38 278	9.96 562	6	**30**
31	9.58 314	31	9.61 758	36	0.38 242	9.96 556	5	29
32	9.58 345	30	9.61 794	36	0.38 206	9.96 551	5	28
33	9.58 375	31	9.61 830	35	0.38 170	9.96 546	5	27
34	9.58 406	30	9.61 865	36	0.38 135	9.96 541	6	26
35	9.58 436	31	9.61 901	35	0.38 099	9.96 535	5	**25**
36	9.58 467	30	9.61 936	36	0.38 064	9.96 530	5	24
37	9.58 497	30	9.61 972	36	0.38 028	9.96 525	5	23
38	9.58 527	30	9.62 008	35	0.37 992	9.96 520	6	22
39	9.58 557	31	9.62 043	36	0.37 957	9.96 514	5	21
40	9.58 588	30	9.62 079	35	0.37 921	9.96 509	5	**20**
41	9.58 618	30	9.62 114	36	0.37 886	9.96 504	6	19
42	9.58 648	30	9.62 150	35	0.37 850	9.96 498	5	18
43	9.58 678	31	9.62 185	36	0.37 815	9.96 493	5	17
44	9.58 709	30	9.62 221	35	0.37 779	9.96 488	5	16
45	9.58 739	30	9.62 256	36	0.37 744	9.96 483	6	**15**
46	9.58 769	30	9.62 292	35	0.37 708	9.96 477	5	14
47	9.58 799	30	9.62 327	35	0.37 673	9.96 472	5	13
48	9.58 829	30	9.62 362	36	0.37 638	9.96 467	6	12
49	9.58 859	30	9.62 398	35	0.37 602	9.96 461	5	11
50	9.58 889	30	9.62 433	35	0.37 567	9.96 456	5	**10**
51	9.58 919	30	9.62 468	36	0.37 532	9.96 451	6	9
52	9.58 949	30	9.62 504	35	0.37 496	9.96 445	5	8
53	9.58 979	30	9.62 539	35	0.37 461	9.96 440	5	7
54	9.59 009	30	9.62 574	35	0.37 426	9.96 435	6	6
55	9.59 039	30	9.62 609	36	0.37 391	9.96 429	5	**5**
56	9.59 069	29	9.62 645	35	0.37 355	9.96 424	5	4
57	9.59 098	30	9.62 680	35	0.37 320	9.96 419	6	3
58	9.59 128	30	9.62 715	35	0.37 285	9.96 413	5	2
59	9.59 158	30	9.62 750	35	0.37 250	9.96 408	5	1
60	9.59 188		9.62 785		0.37 215	9.96 403		**0**
′	L Cos	d	L Ctn	cd	L Tan	L Sin	d	′

Prop. Parts

	37	36
1	3.7	3.6
2	7.4	7.2
3	11.1	10.8
4	14.8	14.4
5	18.5	18.0
6	22.2	21.6
7	25.9	25.2
8	29.6	28.8
9	33.3	32.4

	35	32
1	3.5	3.2
2	7.0	6.4
3	10.5	9.6
4	14.0	12.8
5	17.5	16.0
6	21.0	19.2
7	24.5	22.4
8	28.0	25.6
9	31.5	28.8

	31	30
1	3.1	3.0
2	6.2	6.0
3	9.3	9.0
4	12.4	12.0
5	15.5	15.0
6	18.6	18.0
7	21.7	21.0
8	24.8	24.0
9	27.9	27.0

	29
1	2.9
2	5.8
3	8.7
4	11.6
5	14.5
6	17.4
7	20.3
8	23.2
9	26.1

	6	5
1	0.6	0.5
2	1.2	1.0
3	1.8	1.5
4	2.4	2.0
5	3.0	2.5
6	3.6	3.0
7	4.2	3.5
8	4.8	4.0
9	5.4	4.5

67° — Common Logarithms of Trigonometric Functions — 67°

23° — Common Logarithms of Trigonometric Functions — 23°

′	L Sin	d	L Tan	cd	L Ctn	L Cos	d	′
0	9.59 188	30	9.62 785	35	0.37 215	9.96 403	6	**60**
1	9.59 218	29	9.62 820	35	0.37 180	9.96 397	5	59
2	9.59 247	30	9.62 855	35	0.37 145	9.96 392	5	58
3	9.59 277	30	9.62 890	36	0.37 110	9.96 387	6	57
4	9.59 307	29	9.62 926	35	0.37 074	9.96 381	5	56
5	9.59 336	30	9.62 961	35	0.37 039	9.96 376	6	**55**
6	9.59 366	30	9.62 996	35	0.37 004	9.96 370	5	54
7	9.59 396	29	9.63 031	35	0.36 969	9.96 365	5	53
8	9.59 425	30	9.63 066	35	0.36 934	9.96 360	6	52
9	9.59 455	29	9.63 101	34	0.36 899	9.96 354	5	51
10	9.59 484	30	9.63 135	35	0.36 865	9.96 349	6	**50**
11	9.59 514	29	9.63 170	35	0.36 830	9.96 343	5	49
12	9.59 543	30	9.63 205	35	0.36 795	9.96 338	5	48
13	9.59 573	29	9.63 240	35	0.36 760	9.96 333	6	47
14	9.59 602	30	9.63 275	35	0.36 725	9.96 327	5	46
15	9.59 632	29	9.63 310	35	0.36 690	9.96 322	6	**45**
16	9.59 661	29	9.63 345	34	0.36 655	9.96 316	5	44
17	9.59 690	30	9.63 379	35	0.36 621	9.96 311	6	43
18	9.59 720	29	9.63 414	35	0.36 586	9.96 305	5	42
19	9.59 749	29	9.63 449	35	0.36 551	9.96 300	6	41
20	9.59 778	30	9.63 484	35	0.36 516	9.96 294	5	**40**
21	9.59 808	29	9.63 519	34	0.36 481	9.96 289	5	39
22	9.59 837	29	9.63 553	35	0.36 447	9.96 284	6	38
23	9.59 866	29	9.63 588	35	0.36 412	9.96 278	5	37
24	9.59 895	29	9.63 623	34	0.36 377	9.96 273	6	36
25	9.59 924	30	9.63 657	35	0.36 343	9.96 267	5	**35**
26	9.59 954	29	9.63 692	34	0.36 308	9.96 262	6	34
27	9.59 983	29	9.63 726	35	0.36 274	9.96 256	5	33
28	9.60 012	29	9.63 761	35	0.36 239	9.96 251	6	32
29	9.60 041	29	9.63 796	34	0.36 204	9.96 245	5	31
30	9.60 070	29	9.63 830	35	0.36 170	9.96 240	6	**30**
31	9.60 099	29	9.63 865	34	0.36 135	9.96 234	5	29
32	9.60 128	29	9.63 899	35	0.36 101	9.96 229	6	28
33	9.60 157	29	9.63 934	34	0.36 066	9.96 223	5	27
34	9.60 186	29	9.63 968	35	0.36 032	9.96 218	6	26
35	9.60 215	29	9.64 003	34	0.35 997	9.96 212	5	**25**
36	9.60 244	29	9.64 037	35	0.35 963	9.96 207	6	24
37	9.60 273	29	9.64 072	34	0.35 928	9.96 201	5	23
38	9.60 302	29	9.64 106	34	0.35 894	9.96 196	6	22
39	9.60 331	28	9.64 140	35	0.35 860	9.96 190	5	21
40	9.60 359	29	9.64 175	34	0.35 825	9.96 185	6	**20**
41	9.60 388	29	9.64 209	34	0.35 791	9.96 179	5	19
42	9.60 417	29	9.64 243	35	0.35 757	9.96 174	6	18
43	9.60 446	28	9.64 278	34	0.35 722	9.96 168	6	17
44	9.60 474	29	9.64 312	34	0.35 688	9.96 162	5	16
45	9.60 503	29	9.64 346	35	0.35 654	9.96 157	6	**15**
46	9.60 532	29	9.64 381	34	0.35 619	9.96 151	5	14
47	9.60 561	28	9.64 415	34	0.35 585	9.96 146	6	13
48	9.60 589	29	9.64 449	34	0.35 551	9.96 140	5	12
49	9.60 618	28	9.64 483	34	0.35 517	9.96 135	6	11
50	9.60 646	29	9.64 517	35	0.35 483	9.96 129	6	**10**
51	9.60 675	29	9.64 552	34	0.35 448	9.96 123	5	9
52	9.60 704	28	9.64 586	34	0.35 414	9.96 118	6	8
53	9.60 732	29	9.64 620	34	0.35 380	9.96 112	5	7
54	9.60 761	28	9.64 654	34	0.35 346	9.96 107	6	6
55	9.60 789	29	9.64 688	34	0.35 312	9.96 101	6	**5**
56	9.60 818	28	9.64 722	34	0.35 278	9.96 095	5	4
57	9.60 846	29	9.64 756	34	0.35 244	9.96 090	6	3
58	9.60 875	28	9.64 790	34	0.35 210	9.96 084	5	2
59	9.60 903	28	9.64 824	34	0.35 176	9.96 079	6	1
60	9.60 931		9.64 858		0.35 142	9.96 073		**0**
′	L Cos	d	L Ctn	cd	L Tan	L Sin	d	′

Prop. Parts

	36	35
1	3.6	3.5
2	7.2	7.0
3	10.8	10.5
4	14.4	14.0
5	18.0	17.5
6	21.6	21.0
7	25.2	24.5
8	28.8	28.0
9	32.4	31.5

	34	30
1	3.4	3.0
2	6.8	6.0
3	10.2	9.0
4	13.6	12.0
5	17.0	15.0
6	20.4	18.0
7	23.8	21.0
8	27.2	24.0
9	30.6	27.0

	29	28
1	2.9	2.8
2	5.8	5.6
3	8.7	8.4
4	11.6	11.2
5	14.5	14.0
6	17.4	16.8
7	20.3	19.6
8	23.2	22.4
9	26.1	25.2

	6	5
1	0.6	0.5
2	1.2	1.0
3	1.8	1.5
4	2.4	2.0
5	3.0	2.5
6	3.6	3.0
7	4.2	3.5
8	4.8	4.0
9	5.4	4.5

Prop. Parts

66° — Common Logarithms of Trigonometric Functions — 66°

24° — Common Logarithms of Trigonometric Functions — 24°

′	L Sin	d	L Tan	cd	L Ctn	L Cos	d	′
0	9.60 931	29	9.64 858	34	0.35 142	9.96 073	6	**60**
1	9.60 960	28	9.64 892	34	0.35 108	9.96 067	5	59
2	9.60 988	28	9.64 926	34	0.35 074	9.96 062	6	58
3	9.61 016	29	9.64 960	34	0.35 040	9.96 056	6	57
4	9.61 045	28	9.64 994	34	0.35 006	9.96 050	5	56
5	9.61 073	28	9.65 028	34	0.34 972	9.96 045	6	**55**
6	9.61 101	28	9.65 062	34	0.34 938	9.96 039	5	54
7	9.61 129	29	9.65 096	34	0.34 904	9.96 034	6	53
8	9.61 158	28	9.65 130	34	0.34 870	9.96 028	6	52
9	9.61 186	28	9.65 164	33	0.34 836	9.96 022	5	51
10	9.61 214	28	9.65 197	34	0.34 803	9.96 017	6	**50**
11	9.61 242	28	9.65 231	34	0.34 769	9.96 011	6	49
12	9.61 270	28	9.65 265	34	0.34 735	9.96 005	5	48
13	9.61 298	28	9.65 299	34	0.34 701	9.96 000	6	47
14	9.61 326	28	9.65 333	33	0.34 667	9.95 994	6	46
15	9.61 354	28	9.65 366	34	0.34 634	9.95 988	6	**45**
16	9.61 382	29	9.65 400	34	0.34 600	9.95 982	5	44
17	9.61 411	27	9.65 434	33	0.34 566	9.95 977	6	43
18	9.61 438	28	9.65 467	34	0.34 533	9.95 971	6	42
19	9.61 466	28	9.65 501	34	0.34 499	9.95 965	5	41
20	9.61 494	28	9.65 535	33	0.34 465	9.95 960	6	**40**
21	9.61 522	28	9.65 568	34	0.34 432	9.95 954	6	39
22	9.61 550	28	9.65 602	34	0.34 398	9.95 948	6	38
23	9.61 578	28	9.65 636	33	0.34 364	9.95 942	5	37
24	9.61 606	28	9.65 669	34	0.34 331	9.95 937	6	36
25	9.61 634	28	9.65 703	33	0.34 297	9.95 931	6	**35**
26	9.61 662	27	9.65 736	34	0.34 264	9.95 925	5	34
27	9.61 689	28	9.65 770	33	0.34 230	9.95 920	6	33
28	9.61 717	28	9.65 803	34	0.34 197	9.95 914	6	32
29	9.61 745	28	9.65 837	33	0.34 163	9.95 908	6	31
30	9.61 773	27	9.65 870	34	0.34 130	9.95 902	5	**30**
31	9.61 800	28	9.65 904	33	0.34 096	9.95 897	6	29
32	9.61 828	28	9.65 937	34	0.34 063	9.95 891	6	28
33	9.61 856	27	9.65 971	33	0.34 029	9.95 885	6	27
34	9.61 883	28	9.66 004	34	0.33 996	9.95 879	6	26
35	9.61 911	28	9.66 038	33	0.33 962	9.95 873	5	**25**
36	9.61 939	27	9.66 071	33	0.33 929	9.95 868	6	24
37	9.61 966	28	9.66 104	34	0.33 896	9.95 862	6	23
38	9.61 994	27	9.66 138	33	0.33 862	9.95 856	6	22
39	9.62 021	28	9.66 171	33	0.33 829	9.95 850	6	21
40	9.62 049	27	9.66 204	34	0.33 796	9.95 844	5	**20**
41	9.62 076	28	9.66 238	33	0.33 762	9.95 839	6	19
42	9.62 104	27	9.66 271	33	0.33 729	9.95 833	6	18
43	9.62 131	28	9.66 304	33	0.33 696	9.95 827	6	17
44	9.62 159	27	9.66 337	34	0.33 663	9.95 821	6	16
45	9.62 186	28	9.66 371	33	0.33 629	9.95 815	5	**15**
46	9.62 214	27	9.66 404	33	0.33 596	9.95 810	6	14
47	9.62 241	27	9.66 437	33	0.33 563	9.95 804	6	13
48	9.62 268	28	9.66 470	33	0.33 530	9.95 798	6	12
49	9.62 296	27	9.66 503	34	0.33 497	9.95 792	6	11
50	9.62 323	27	9.66 537	33	0.33 463	9.95 786	6	**10**
51	9.62 350	27	9.66 570	33	0.33 430	9.95 780	5	9
52	9.62 377	28	9.66 603	33	0.33 397	9.95 775	6	8
53	9.62 405	27	9.66 636	33	0.33 364	9.95 769	6	7
54	9.62 432	27	9.66 669	33	0.33 331	9.95 763	6	6
55	9.62 459	27	9.66 702	33	0.33 298	9.95 757	6	**5**
56	9.62 486	27	9.66 735	33	0.33 265	9.95 751	6	4
57	9.62 513	28	9.66 768	33	0.33 232	9.95 745	6	3
58	9.62 541	27	9.66 801	33	0.33 199	9.95 739	6	2
59	9.62 568	27	9.66 834	33	0.33 166	9.95 733	5	1
60	9.62 595		9.66 867		0.33 133	9.95 728		**0**
′	L Cos	d	L Ctn	cd	L Tan	L Sin	d	′

Prop. Parts

	34	33	29	28	27	6	5
1	3.4	3.3	2.9	2.8	2.7	0.6	0.5
2	6.8	6.6	5.8	5.6	5.4	1.2	1.0
3	10.2	9.9	8.7	8.4	8.1	1.8	1.5
4	13.6	13.2	11.6	11.2	10.8	2.4	2.0
5	17.0	16.5	14.5	14.0	13.5	3.0	2.5
6	20.4	19.8	17.4	16.8	16.2	3.6	3.0
7	23.8	23.1	20.3	19.6	18.9	4.2	3.5
8	27.2	26.4	23.2	22.4	21.6	4.8	4.0
9	30.6	29.7	26.1	25.2	24.3	5.4	4.5

65° — Common Logarithms of Trigonometric Functions — 65°

25° — Common Logarithms of Trigonometric Functions — 25°

′	L Sin	d	L Tan	cd	L Ctn	L Cos	d	′
0	9.62 595	27	9.66 867	33	0.33 133	9.95 728	6	**60**
1	9.62 622	27	9.66 900	33	0.33 100	9.95 722	6	59
2	9.62 649	27	9.66 933	33	0.33 067	9.95 716	6	58
3	9.62 676	27	9.66 966	33	0.33 034	9.95 710	6	57
4	9.62 703	27	9.66 999	33	0.33 001	9.95 704	6	56
5	9.62 730	27	9.67 032	33	0.32 968	9.95 698	6	**55**
6	9.62 757	27	9.67 065	33	0.32 935	9.95 692	6	54
7	9.62 784	27	9.67 098	33	0.32 902	9.95 686	6	53
8	9.62 811	27	9.67 131	32	0.32 869	9.95 680	6	52
9	9.62 838	27	9.67 163	33	0.32 837	9.95 674	6	51
10	9.62 865	27	9.67 196	33	0.32 804	9.95 668	5	**50**
11	9.62 892	26	9.67 229	33	0.32 771	9.95 663	6	49
12	9.62 918	27	9.67 262	33	0.32 738	9.95 657	6	48
13	9.62 945	27	9.67 295	32	0.32 705	9.95 651	6	47
14	9.62 972	27	9.67 327	33	0.32 673	9.95 645	6	46
15	9.62 999	27	9.67 360	33	0.32 640	9.95 639	6	**45**
16	9.63 026	26	9.67 393	33	0.32 607	9.95 633	6	44
17	9.63 052	27	9.67 426	32	0.32 574	9.95 627	6	43
18	9.63 079	27	9.67 458	33	0.32 542	9.95 621	6	42
19	9.63 106	27	9.67 491	33	0.32 509	9.95 615	6	41
20	9.63 133	26	9.67 524	32	0.32 476	9.95 609	6	**40**
21	9.63 159	27	9.67 556	33	0.32 444	9.95 603	6	39
22	9.63 186	27	9.67 589	33	0.32 411	9.95 597	6	38
23	9.63 213	26	9.67 622	32	0.32 378	9.95 591	6	37
24	9.63 239	27	9.67 654	33	0.32 346	9.95 585	6	36
25	9.63 266	26	9.67 687	32	0.32 313	9.95 579	6	**35**
26	9.63 292	27	9.67 719	33	0.32 281	9.95 573	6	34
27	9.63 319	26	9.67 752	33	0.32 248	9.95 567	6	33
28	9.63 345	27	9.67 785	32	0.32 215	9.95 561	6	32
29	9.63 372	26	9.67 817	33	0.32 183	9.95 555	6	31
30	9.63 398	27	9.67 850	32	0.32 150	9.95 549	6	**30**
31	9.63 425	26	9.67 882	33	0.32 118	9.95 543	6	29
32	9.63 451	27	9.67 915	32	0.32 085	9.95 537	6	28
33	9.63 478	26	9.67 947	33	0.32 053	9.95 531	6	27
34	9.63 504	27	9.67 980	32	0.32 020	9.95 525	6	26
35	9.63 531	26	9.68 012	32	0.31 988	9.95 519	6	**25**
36	9.63 557	26	9.68 044	33	0.31 956	9.95 513	6	24
37	9.63 583	27	9.68 077	32	0.31 923	9.95 507	7	23
38	9.63 610	26	9.68 109	33	0.31 891	9.95 500	6	22
39	9.63 636	26	9.68 142	32	0.31 858	9.95 494	6	21
40	9.63 662	27	9.68 174	32	0.31 826	9.95 488	6	**20**
41	9.63 689	26	9.68 206	33	0.31 794	9.95 482	6	19
42	9.63 715	26	9.68 239	32	0.31 761	9.95 476	6	18
43	9.63 741	26	9.68 271	32	0.31 729	9.95 470	6	17
44	9.63 767	27	9.68 303	33	0.31 697	9.95 464	6	16
45	9.63 794	26	9.68 336	32	0.31 664	9.95 458	6	**15**
46	9.63 820	26	9.68 368	32	0.31 632	9.95 452	6	14
47	9.63 846	26	9.68 400	32	0.31 600	9.95 446	6	13
48	9.63 872	26	9.68 432	33	0.31 568	9.95 440	6	12
49	9.63 898	26	9.68 465	32	0.31 535	9.95 434	7	11
50	9.63 924	26	9.68 497	32	0.31 503	9.95 427	6	**10**
51	9.63 950	26	9.68 529	32	0.31 471	9.95 421	6	9
52	9.63 976	26	9.68 561	32	0.31 439	9.95 415	6	8
53	9.64 002	26	9.68 593	33	0.31 407	9.95 409	6	7
54	9.64 028	26	9.68 626	32	0.31 374	9.95 403	6	6
55	9.64 054	26	9.68 658	32	0.31 342	9.95 397	6	**5**
56	9.64 080	26	9.68 690	32	0.31 310	9.95 391	7	4
57	9.64 106	26	9.68 722	32	0.31 278	9.95 384	6	3
58	9.64 132	26	9.68 754	32	0.31 246	9.95 378	6	2
59	9.64 158	26	9.68 786	32	0.31 214	9.95 372	6	1
60	9.64 184		9.68 818		0.31 182	9.95 366		**0**
′	L Cos	d	L Ctn	cd	L Tan	L Sin	d	′

Prop. Parts

	33	32
1	3.3	3.2
2	6.6	6.4
3	9.9	9.6
4	13.2	12.8
5	16.5	16.0
6	19.8	19.2
7	23.1	22.4
8	26.4	25.6
9	29.7	28.8

	27	26
1	2.7	2.6
2	5.4	5.2
3	8.1	7.8
4	10.8	10.4
5	13.5	13.0
6	16.2	15.6
7	18.9	18.2
8	21.6	20.8
9	24.3	23.4

	7	6
1	0.7	0.6
2	1.4	1.2
3	2.1	1.8
4	2.8	2.4
5	3.5	3.0
6	4.2	3.6
7	4.9	4.2
8	5.6	4.8
9	6.3	5.4

	5
1	0.5
2	1.0
3	1.5
4	2.0
5	2.5
6	3.0
7	3.5
8	4.0
9	4.5

Prop. Parts

26° — Common Logarithms of Trigonometric Functions — 26°

′	L Sin	d	L Tan	cd	L Ctn	L Cos	d	′
0	9.64 184	26	9.68 818	32	0.31 182	9.95 366	6	**60**
1	9.64 210	26	9.68 850	32	0.31 150	9.95 360	6	59
2	9.64 236	26	9.68 882	32	0.31 118	9.95 354	6	58
3	9.64 262	26	9.68 914	32	0.31 086	9.95 348	7	57
4	9.64 288	25	9.68 946	32	0.31 054	9.95 341	6	56
5	9.64 313	26	9.68 978	32	0.31 022	9.95 335	6	**55**
6	9.64 339	26	9.69 010	32	0.30 990	9.95 329	6	54
7	9.64 365	26	9.69 042	32	0.30 958	9.95 323	6	53
8	9.64 391	26	9.69 074	32	0.30 926	9.95 317	7	52
9	9.64 417	25	9.69 106	32	0.30 894	9.95 310	6	51
10	9.64 442	26	9.69 138	32	0.30 862	9.95 304	6	**50**
11	9.64 468	26	9.69 170	32	0.30 830	9.95 298	6	49
12	9.64 494	25	9.69 202	32	0.30 798	9.95 292	6	48
13	9.64 519	26	9.69 234	32	0.30 766	9.95 286	7	47
14	9.64 545	26	9.69 266	32	0.30 734	9.95 279	6	46
15	9.64 571	25	9.69 298	31	0.30 702	9.95 273	6	**45**
16	9.64 596	26	9.69 329	32	0.30 671	9.95 267	6	44
17	9.64 622	25	9.69 361	32	0.30 639	9.95 261	7	43
18	9.64 647	26	9.69 393	32	0.30 607	9.95 254	6	42
19	9.64 673	25	9.69 425	32	0.30 575	9.95 248	6	41
20	9.64 698	26	9.69 457	31	0.30 543	9.95 242	6	**40**
21	9.64 724	25	9.69 488	32	0.30 512	9.95 236	7	39
22	9.64 749	26	9.69 520	32	0.30 480	9.95 229	6	38
23	9.64 775	25	9.69 552	32	0.30 448	9.95 223	6	37
24	9.64 800	26	9.69 584	31	0.30 416	9.95 217	6	36
25	9.64 826	25	9.69 615	32	0.30 385	9.95 211	7	**35**
26	9.64 851	26	9.69 647	32	0.30 353	9.95 204	6	34
27	9.64 877	25	9.69 679	31	0.30 321	9.95 198	6	33
28	9.64 902	25	9.69 710	32	0.30 290	9.95 192	7	32
29	9.64 927	26	9.69 742	32	0.30 258	9.95 185	6	31
30	9.64 953	25	9.69 774	31	0.30 226	9.95 179	6	**30**
31	9.64 978	25	9.69 805	32	0.30 195	9.95 173	6	29
32	9.65 003	26	9.69 837	31	0.30 163	9.95 167	7	28
33	9.65 029	25	9.69 868	32	0.30 132	9.95 160	6	27
34	9.65 054	25	9.69 900	32	0.30 100	9.95 154	6	26
35	9.65 079	25	9.69 932	31	0.30 068	9.95 148	7	**25**
36	9.65 104	26	9.69 963	32	0.30 037	9.95 141	6	24
37	9.65 130	25	9.69 995	31	0.30 005	9.95 135	6	23
38	9.65 155	25	9.70 026	32	0.29 974	9.95 129	7	22
39	9.65 180	25	9.70 058	31	0.29 942	9.95 122	6	21
40	9.65 205	25	9.70 089	32	0.29 911	9.95 116	6	**20**
41	9.65 230	25	9.70 121	31	0.29 879	9.95 110	7	19
42	9.65 255	26	9.70 152	32	0.29 848	9.95 103	6	18
43	9.65 281	25	9.70 184	31	0.29 816	9.95 097	7	17
44	9.65 306	25	9.70 215	32	0.29 785	9.95 090	6	16
45	9.65 331	25	9.70 247	31	0.29 753	9.95 084	6	**15**
46	9.65 356	25	9.70 278	31	0.29 722	9.95 078	7	14
47	9.65 381	25	9.70 309	32	0.29 691	9.95 071	6	13
48	9.65 406	25	9.70 341	31	0.29 659	9.95 065	6	12
49	9.65 431	25	9.70 372	32	0.29 628	9.95 059	7	11
50	9.65 456	25	9.70 404	31	0.29 596	9.95 052	6	**10**
51	9.65 481	25	9.70 435	31	0.29 565	9.95 046	7	9
52	9.65 506	25	9.70 466	32	0.29 534	9.95 039	6	8
53	9.65 531	25	9.70 498	31	0.29 502	9.95 033	6	7
54	9.65 556	24	9.70 529	31	0.29 471	9.95 027	7	6
55	9.65 580	25	9.70 560	32	0.29 440	9.95 020	6	**5**
56	9.65 605	25	9.70 592	31	0.29 408	9.95 014	7	4
57	9.65 630	25	9.70 623	31	0.29 377	9.95 007	6	3
58	9.65 655	25	9.70 654	31	0.29 346	9.95 001	6	2
59	9.65 680	25	9.70 685	32	0.29 315	9.94 995	7	1
60	9.65 705		9.70 717		0.29 283	9.94 988		**0**
′	L Cos	d	L Ctn	cd	L Tan	L Sin	d	′

Prop. Parts

	32	31
1	3.2	3.1
2	6.4	6.2
3	9.6	9.3
4	12.8	12.4
5	16.0	15.5
6	19.2	18.6
7	22.4	21.7
8	25.6	24.8
9	28.8	27.9

	26	25
1	2.6	2.5
2	5.2	5.0
3	7.8	7.5
4	10.4	10.0
5	13.0	12.5
6	15.6	15.0
7	18.2	17.5
8	20.8	20.0
9	23.4	22.5

	24
1	2.4
2	4.8
3	7.2
4	9.6
5	12.0
6	14.4
7	16.8
8	19.2
9	21.6

	7	6
1	0.7	0.6
2	1.4	1.2
3	2.1	1.8
4	2.8	2.4
5	3.5	3.0
6	4.2	3.6
7	4.9	4.2
8	5.6	4.8
9	6.3	5 4

Prop. Parts

63° — Common Logarithms of Trigonometric Functions — 63°

27° — Common Logarithms of Trigonometric Functions — 27°

′	L Sin	d	L Tan	cd	L Ctn	L Cos	d	′
0	9.65 705	24	9.70 717	31	0.29 283	9.94 988	6	60
1	9.65 729	25	9.70 748	31	0.29 252	9.94 982	7	59
2	9.65 754	25	9.70 779	31	0.29 221	9.94 975	6	58
3	9.65 779	25	9.70 810	31	0.29 190	9.94 969	7	57
4	9.65 804	24	9.70 841	32	0.29 159	9.94 962	6	56
5	9.65 828	25	9.70 873	31	0.29 127	9.94 956	7	55
6	9.65 853	25	9.70 904	31	0.29 096	9.94 949	6	54
7	9.65 878	24	9.70 935	31	0.29 065	9.94 943	7	53
8	9.65 902	25	9.70 966	31	0.29 034	9.94 936	6	52
9	9.65 927	25	9.70 997	31	0.29 003	9.94 930	7	51
10	9.65 952	24	9.71 028	31	0.28 972	9.94 923	6	50
11	9.65 976	25	9.71 059	31	0.28 941	9.94 917	6	49
12	9.66 001	24	9.71 090	31	0.28 910	9.94 911	7	48
13	9.66 025	25	9.71 121	32	0.28 879	9.94 904	6	47
14	9.66 050	25	9.71 153	31	0.28 847	9.94 898	7	46
15	9.66 075	24	9.71 184	31	0.28 816	9.94 891	6	45
16	9.66 099	25	9.71 215	31	0.28 785	9.94 885	7	44
17	9.66 124	24	9.71 246	31	0.28 754	9.94 878	7	43
18	9.66 148	25	9.71 277	31	0.28 723	9.94 871	6	42
19	9.66 173	24	9.71 308	31	0.28 692	9.94 865	7	41
20	9.66 197	24	9.71 339	31	0.28 661	9.94 858	6	40
21	9.66 221	25	9.71 370	31	0.28 630	9.94 852	7	39
22	9.66 246	24	9.71 401	30	0.28 599	9.94 845	6	38
23	9.66 270	25	9.71 431	31	0.28 569	9.94 839	7	37
24	9.66 295	24	9.71 462	31	0.28 538	9.94 832	6	36
25	9.66 319	24	9.71 493	31	0.28 507	9.94 826	7	35
26	9.66 343	25	9.71 524	31	0.28 476	9.94 819	6	34
27	9.66 368	24	9.71 555	31	0.28 445	9.94 813	7	33
28	9.66 392	24	9.71 586	31	0.28 414	9.94 806	7	32
29	9.66 416	25	9.71 617	31	0.28 383	9.94 799	6	31
30	9.66 441	24	9.71 648	31	0.28 352	9.94 793	7	30
31	9.66 465	24	9.71 679	30	0.28 321	9.94 786	6	29
32	9.66 489	24	9.71 709	31	0.28 291	9.94 780	7	28
33	9.66 513	24	9.71 740	31	0.28 260	9.94 773	6	27
34	9.66 537	25	9.71 771	31	0.28 229	9.94 767	7	26
35	9.66 562	24	9.71 802	31	0.28 198	9.94 760	7	25
36	9.66 586	24	9.71 833	30	0.28 167	9.94 753	6	24
37	9.66 610	24	9.71 863	31	0.28 137	9.94 747	7	23
38	9.66 634	24	9.71 894	31	0.28 106	9.94 740	6	22
39	9.66 658	24	9.71 925	30	0.28 075	9.94 734	7	21
40	9.66 682	24	9.71 955	31	0.28 045	9.94 727	7	20
41	9.66 706	25	9.71 986	31	0.28 014	9.94 720	6	19
42	9.66 731	24	9.72 017	31	0.27 983	9.94 714	7	18
43	9.66 755	24	9.72 048	30	0.27 952	9.94 707	7	17
44	9.66 779	24	9.72 078	31	0.27 922	9.94 700	6	16
45	9.66 803	24	9.72 109	31	0.27 891	9.94 694	7	15
46	9.66 827	24	9.72 140	30	0.27 860	9.94 687	7	14
47	9.66 851	24	9.72 170	31	0.27 830	9.94 680	6	13
48	9.66 875	24	9.72 201	30	0.27 799	9.94 674	7	12
49	9.66 899	23	9.72 231	31	0.27 769	9.94 667	7	11
50	9.66 922	24	9.72 262	31	0.27 738	9.94 660	6	10
51	9.66 946	24	9.72 293	30	0.27 707	9.94 654	7	9
52	9.66 970	24	9.72 323	31	0.27 677	9.94 647	7	8
53	9.66 994	24	9.72 354	30	0.27 646	9.94 640	6	7
54	9.67 018	24	9.72 384	31	0.27 616	9.94 634	7	6
55	9.67 042	24	9.72 415	30	0.27 585	9.94 627	7	5
56	9.67 066	24	9.72 445	31	0.27 555	9.94 620	6	4
57	9.67 090	23	9.72 476	30	0.27 524	9.94 614	7	3
58	9.67 113	24	9.72 506	31	0.27 494	9.94 607	7	2
59	9.67 137	24	9.72 537	30	0.27 463	9.94 600	7	1
60	9.67 161		9.72 567		0.27 433	9.94 593		0
′	L Cos	d	L Ctn	cd	L Tan	L Sin	d	′

Prop. Parts

	32	31
1	3.2	3.1
2	6.4	6.2
3	9.6	9.3
4	12.8	12.4
5	16.0	15.5
6	19.2	18.6
7	22.4	21.7
8	25.6	24.8
9	28.8	27.9

	30	25
1	3.0	2.5
2	6.0	5.0
3	9.0	7.5
4	12.0	10.0
5	15.0	12.5
6	18.0	15.0
7	21.0	17.5
8	24.0	20.0
9	27.0	22.5

	24	23
1	2.4	2.3
2	4.8	4.6
3	7.2	6.9
4	9.6	9.2
5	12.0	11.5
6	14.4	13.8
7	16.8	16.1
8	19.2	18.4
9	21.6	20.7

	7	6
1	0.7	0.6
2	1.4	1.2
3	2.1	1.8
4	2.8	2.4
5	3.5	3.0
6	4.2	3.6
7	4.9	4.2
8	5.6	4.8
9	6.3	5.4

Prop. Parts

62° — Common Logarithms of Trigonometric Functions — 62°

28° — Common Logarithms of Trigonometric Functions — 28°

′	L Sin	d	L Tan	cd	L Ctn	L Cos	d	′
0	9.67 161	24	9.72 567	31	0.27 433	9.94 593	6	**60**
1	9.67 185	23	9.72 598	30	0.27 402	9.94 587	7	59
2	9.67 208	24	9.72 628	31	0.27 372	9.94 580	7	58
3	9.67 232	24	9.72 659	30	0.27 341	9.94 573	6	57
4	9.67 256	24	9.72 689	31	0.27 311	9.94 567	7	56
5	9.67 280	23	9.72 720	30	0.27 280	9.94 560	7	**55**
6	9.67 303	24	9.72 750	30	0.27 250	9.94 553	7	54
7	9.67 327	23	9.72 780	31	0.27 220	9.94 546	6	53
8	9.67 350	24	9.72 811	30	0.27 189	9.94 540	7	52
9	9.67 374	24	9.72 841	31	0.27 159	9.94 533	7	51
10	9.67 398	23	9.72 872	30	0.27 128	9.94 526	7	**50**
11	9.67 421	24	9.72 902	30	0.27 098	9.94 519	6	49
12	9.67 445	23	9.72 932	31	0.27 068	9.94 513	7	48
13	9.67 468	24	9.72 963	30	0.27 037	9.94 506	7	47
14	9.67 492	23	9.72 993	30	0.27 007	9.94 499	7	46
15	9.67 515	24	9.73 023	31	0.26 977	9.94 492	7	**45**
16	9.67 539	23	9.73 054	30	0.26 946	9.94 485	6	44
17	9.67 562	24	9.73 084	30	0.26 916	9.94 479	7	43
18	9.67 586	23	9.73 114	30	0.26 886	9.94 472	7	42
19	9.67 609	24	9.73 144	31	0.26 856	9.94 465	7	41
20	9.67 633	23	9.73 175	30	0.26 825	9.94 458	7	**40**
21	9.67 656	24	9.73 205	30	0.26 795	9.94 451	6	39
22	9.67 680	23	9.73 235	30	0.26 765	9.94 445	7	38
23	9.67 703	23	9.73 265	30	0.26 735	9.94 438	7	37
24	9.67 726	24	9.73 295	31	0.26 705	9.94 431	7	36
25	9.67 750	23	9.73 326	30	0.26 674	9.94 424	7	**35**
26	9.67 773	23	9.73 356	30	0.26 644	9.94 417	7	34
27	9.67 796	24	9.73 386	30	0.26 614	9.94 410	6	33
28	9.67 820	23	9.73 416	30	0.26 584	9.94 404	7	32
29	9.67 843	23	9.73 446	30	0.26 554	9.94 397	7	31
30	9.67 866	24	9.73 476	31	0.26 524	9.94 390	7	**30**
31	9.67 890	23	9.73 507	30	0.26 493	9.94 383	7	29
32	9.67 913	23	9.73 537	30	0.26 463	9.94 376	7	28
33	9.67 936	23	9.73 567	30	0.26 433	9.94 369	7	27
34	9.67 959	23	9.73 597	30	0.26 403	9.94 362	7	26
35	9.67 982	24	9.73 627	30	0.26 373	9.94 355	6	**25**
36	9.68 006	23	9.73 657	30	0.26 343	9.94 349	7	24
37	9.68 029	23	9.73 687	30	0.26 313	9.94 342	7	23
38	9.68 052	23	9.73 717	30	0.26 283	9.94 335	7	22
39	9.68 075	23	9.73 747	30	0.26 253	9.94 328	7	21
40	9.68 098	23	9.73 777	30	0.26 223	9.94 321	7	**20**
41	9.68 121	23	9.73 807	30	0.26 193	9.94 314	7	19
42	9.68 144	23	9.73 837	30	0.26 163	9.94 307	7	18
43	9.68 167	23	9.73 867	30	0.26 133	9.94 300	7	17
44	9.68 190	23	9.73 897	30	0.26 103	9.94 293	7	16
45	9.68 213	24	9.73 927	30	0.26 073	9.94 286	7	**15**
46	9.68 237	23	9.73 957	30	0.26 043	9.94 279	6	14
47	9.68 260	23	9.73 987	30	0.26 013	9.94 273	7	13
48	9.68 283	22	9.74 017	30	0.25 983	9.94 266	7	12
49	9.68 305	23	9.74 047	30	0.25 953	9.94 259	7	11
50	9.68 328	23	9.74 077	30	0.25 923	9.94 252	7	**10**
51	9.68 351	23	9.74 107	30	0.25 893	9.94 245	7	9
52	9.68 374	23	9.74 137	29	0.25 863	9.94 238	7	8
53	9.68 397	23	9.74 166	30	0.25 834	9.94 231	7	7
54	9.68 420	23	9.74 196	30	0.25 804	9.94 224	7	6
55	9.68 443	23	9.74 226	30	0.25 774	9.94 217	7	**5**
56	9.68 466	23	9.74 256	30	0.25 744	9.94 210	7	4
57	9.68 489	23	9.74 286	30	0.25 714	9.94 203	7	3
58	9.68 512	22	9.74 316	29	0.25 684	9.94 196	7	2
59	9.68 534	23	9.74 345	30	0.25 655	9.94 189	7	1
60	9.68 557		9.74 375		0.25 625	9.94 182		**0**
′	L Cos	d	L Ctn	cd	L Tan	L Sin	d	′

Prop. Parts

	31	30	29	24	23	22	7	6
1	3.1	3.0	2.9	2.4	2.3	2.2	0 7	0.6
2	6.2	6.0	5.8	4.8	4.6	4.4	1.4	1.2
3	9.3	9.0	8.7	7.2	6.9	6.6	2.1	1.8
4	12.4	12.0	11.6	9.6	9.2	8.8	2.8	2.4
5	15.5	15.0	14.5	12.0	11.5	11.0	3.5	3.0
6	18.6	18.0	17.4	14.4	13.8	13.2	4.2	3.6
7	21.7	21.0	20.3	16.8	16.1	15.4	4.9	4.2
8	24.8	24.0	23.2	19.2	18.4	17.6	5.6	4.8
9	27.9	27.0	26.1	21.6	20.7	19.8	6.3	5.4

61° — Common Logarithms of Trigonometric Functions — 61°

29° — Common Logarithms of Trigonometric Functions — 29°

′	L Sin	d	L Tan	cd	L Ctn	L Cos	d	′
0	9.68 557	23	9.74 375	30	0.25 625	9.94 182	7	**60**
1	9.68 580	23	9.74 405	30	0.25 595	9.94 175	7	59
2	9.68 603	22	9.74 435	30	0.25 565	9.94 168	7	58
3	9.68 625	23	9.74 465	29	0.25 535	9.94 161	7	57
4	9.68 648	23	9.74 494	30	0.25 506	9.94 154	7	56
5	9.68 671	23	9.74 524	30	0.25 476	9.94 147	7	**55**
6	9.68 694	22	9.74 554	29	0.25 446	9.94 140	7	54
7	9.68 716	23	9.74 583	30	0.25 417	9.94 133	7	53
8	9.68 739	23	9.74 613	30	0.25 387	9.94 126	7	52
9	9.68 762	22	9.74 643	30	0.25 357	9.94 119	7	51
10	9.68 784	23	9.74 673	29	0.25 327	9.94 112	7	**50**
11	9.68 807	22	9.74 702	30	0.25 298	9.94 105	7	49
12	9.68 829	23	9.74 732	30	0.25 268	9.94 098	8	48
13	9.68 852	23	9.74 762	29	0.25 238	9.94 090	7	47
14	9.68 875	22	9.74 791	30	0.25 209	9.94 083	7	46
15	9.68 897	23	9.74 821	30	0.25 179	9.94 076	7	**45**
16	9.68 920	22	9.74 851	29	0.25 149	9.94 069	7	44
17	9.68 942	23	9.74 880	30	0.25 120	9.94 062	7	43
18	9.68 965	22	9.74 910	29	0.25 090	9.94 055	7	42
19	9.68 987	23	9.74 939	30	0.25 061	9.94 048	7	41
20	9.69 010	22	9.74 969	29	0.25 031	9.94 041	7	**40**
21	9.69 032	23	9.74 998	30	0.25 002	9.94 034	7	39
22	9.69 055	22	9.75 028	30	0.24 972	9.94 027	7	38
23	9.69 077	23	9.75 058	29	0.24 942	9.94 020	8	37
24	9.69 100	22	9.75 087	30	0.24 913	9.94 012	7	36
25	9.69 122	22	9.75 117	29	0.24 883	9.94 005	7	**35**
26	9.69 144	23	9.75 146	30	0.24 854	9.93 998	7	34
27	9.69 167	22	9.75 176	29	0.24 824	9.93 991	7	33
28	9.69 189	23	9.75 205	30	0.24 795	9.93 984	7	32
29	9.69 212	22	9.75 235	29	0.24 765	9.93 977	7	31
30	9.69 234	22	9.75 264	30	0.24 736	9.93 970	7	**30**
31	9.69 256	23	9.75 294	29	0.24 706	9.93 963	8	29
32	9.69 279	22	9.75 323	30	0.24 677	9.93 955	7	28
33	9.69 301	22	9.75 353	29	0.24 647	9.93 948	7	27
34	9.69 323	22	9.75 382	29	0.24 618	9.93 941	7	26
35	9.69 345	23	9.75 411	30	0.24 589	9.93 934	7	**25**
36	9.69 368	22	9.75 441	29	0.24 559	9.93 927	7	24
37	9.69 390	22	9.75 470	30	0.24 530	9.93 920	8	23
38	9.69 412	22	9.75 500	29	0.24 500	9.93 912	7	22
39	9.69 434	22	9.75 529	29	0.24 471	9.93 905	7	21
40	9.69 456	23	9.75 558	30	0.24 442	9.93 898	7	**20**
41	9.69 479	22	9.75 588	29	0.24 412	9.93 891	7	19
42	9.69 501	22	9.75 617	30	0.24 383	9.93 884	8	18
43	9.69 523	22	9.75 647	29	0.24 353	9.93 876	7	17
44	9.69 545	22	9.75 676	29	0.24 324	9.93 869	7	16
45	9.69 567	22	9.75 705	30	0.24 295	9.93 862	7	**15**
46	9.69 589	22	9.75 735	29	0.24 265	9.93 855	8	14
47	9.69 611	22	9.75 764	29	0.24 236	9.93 847	7	13
48	9.69 633	22	9.75 793	29	0.24 207	9.93 840	7	12
49	9.69 655	22	9.75 822	30	0.24 178	9.93 833	7	11
50	9.69 677	22	9.75 852	29	0.24 148	9.93 826	7	**10**
51	9.69 699	22	9.75 881	29	0.24 119	9.93 819	8	9
52	9.69 721	22	9.75 910	29	0.24 090	9.93 811	7	8
53	9.69 743	22	9.75 939	30	0.24 061	9.93 804	7	7
54	9.69 765	22	9.75 969	29	0.24 031	9.93 797	8	6
55	9.69 787	22	9.75 998	29	0.24 002	9.93 789	7	**5**
56	9.69 809	22	9.76 027	29	0.23 973	9.93 782	7	4
57	9.69 831	22	9.76 056	30	0.23 944	9.93 775	7	3
58	9.69 853	22	9.76 086	29	0.23 914	9.93 768	8	2
59	9.69 875	22	9.76 115	29	0.23 885	9.93 760	7	1
60	9.69 897		9.76 144		0.23 856	9.93 753		**0**
′	L Cos	d	L Ctn	cd	L Tan	L Sin	d	′

Prop. Parts

	30	29	23	22	8	7
1	3.0	2.9	2.3	2.2	0.8	0.7
2	6.0	5.8	4.6	4.4	1.6	1.4
3	9.0	8.7	6.9	6.6	2 4	2.1
4	12.0	11.6	9.2	8.8	3.2	2.8
5	15.0	14.5	11.5	11.0	4.0	3.5
6	18.0	17.4	13.8	13.2	4.8	4.2
7	21.0	20.3	16.1	15.4	5.6	4.9
8	24.0	23.2	18.4	17.6	6.4	5.6
9	27.0	26.1	20.7	19.8	7.2	6.3

60° — Common Logarithms of Trigonometric Functions — 60°

30° — Common Logarithms of Trigonometric Functions — 30°

′	L Sin	d	L Tan	cd	L Ctn	L Cos	d	′
0	9.69 897	22	9.76 144	29	0.23 856	9.93 753	7	60
1	9.69 919	22	9.76 173	29	0.23 827	9.93 746	8	59
2	9.69 941	22	9.76 202	29	0.23 798	9.93 738	7	58
3	9.69 963	21	9.76 231	30	0.23 769	9.93 731	7	57
4	9.69 984	22	9.76 261	29	0.23 739	9.93 724	7	56
5	9.70 006	22	9.76 290	29	0.23 710	9.93 717	8	55
6	9.70 028	22	9.76 319	29	0.23 681	9.93 709	7	54
7	9.70 050	22	9.76 348	29	0.23 652	9.93 702	7	53
8	9.70 072	21	9.76 377	29	0.23 623	9.93 695	8	52
9	9.70 093	22	9.76 406	29	0.23 594	9.93 687	7	51
10	9.70 115	22	9.76 435	29	0.23 565	9.93 680	7	50
11	9.70 137	22	9.76 464	29	0.23 536	9.93 673	8	49
12	9.70 159	21	9.76 493	29	0.23 507	9.93 665	7	48
13	9.70 180	22	9.76 522	29	0.23 478	9.93 658	8	47
14	9.70 202	22	9.76 551	29	0.23 449	9.93 650	7	46
15	9.70 224	21	9.76 580	29	0.23 420	9.93 643	7	45
16	9.70 245	22	9.76 609	30	0.23 391	9.93 636	8	44
17	9.70 267	21	9.76 639	29	0.23 361	9.93 628	7	43
18	9.70 288	22	9.76 668	29	0.23 332	9.93 621	7	42
19	9.70 310	22	9.76 697	28	0.23 303	9.93 614	8	41
20	9.70 332	21	9.76 725	29	0.23 275	9.93 606	7	40
21	9.70 353	22	9.76 754	29	0.23 246	9.93 599	8	39
22	9.70 375	21	9.76 783	29	0.23 217	9.93 591	7	38
23	9.70 396	22	9.76 812	29	0.23 188	9.93 584	7	37
24	9.70 418	21	9.76 841	29	0.23 159	9.93 577	8	36
25	9.70 439	22	9.76 870	29	0.23 130	9.93 569	7	35
26	9.70 461	21	9.76 899	29	0.23 101	9.93 562	8	34
27	9.70 482	22	9.76 928	29	0.23 072	9.93 554	7	33
28	9.70 504	21	9.76 957	29	0.23 043	9.93 547	8	32
29	9.70 525	22	9.76 986	29	0.23 014	9.93 539	7	31
30	9.70 547	21	9.77 015	29	0.22 985	9.93 532	7	30
31	9.70 568	22	9.77 044	29	0.22 956	9.93 525	8	29
32	9.70 590	21	9.77 073	28	0.22 927	9.93 517	7	28
33	9.70 611	22	9.77 101	29	0.22 899	9.93 510	8	27
34	9.70 633	21	9.77 130	29	0.22 870	9.93 502	7	26
35	9.70 654	21	9.77 159	29	0.22 841	9.93 495	8	25
36	9.70 675	22	9.77 188	29	0.22 812	9.93 487	7	24
37	9.70 697	21	9.77 217	29	0.22 783	9.93 480	8	23
38	9.70 718	21	9.77 246	28	0.22 754	9.93 472	7	22
39	9.70 739	22	9.77 274	29	0.22 726	9.93 465	8	21
40	9.70 761	21	9.77 303	29	0.22 697	9.93 457	7	20
41	9.70 782	21	9.77 332	29	0.22 668	9.93 450	8	19
42	9.70 803	21	9.77 361	29	0.22 639	9.93 442	7	18
43	9.70 824	22	9.77 390	28	0.22 610	9.93 435	8	17
44	9.70 846	21	9.77 418	29	0.22 582	9.93 427	7	16
45	9.70 867	21	9.77 447	29	0.22 553	9.93 420	8	15
46	9.70 888	21	9.77 476	29	0.22 524	9.93 412	7	14
47	9.70 909	22	9.77 505	28	0.22 495	9.93 405	8	13
48	9.70 931	21	9.77 533	29	0.22 467	9.93 397	7	12
49	9.70 952	21	9.77 562	29	0.22 438	9.93 390	8	11
50	9.70 973	21	9.77 591	28	0.22 409	9.93 382	7	10
51	9.70 994	21	9.77 619	29	0.22 381	9.93 375	8	9
52	9.71 015	21	9.77 648	29	0.22 352	9.93 367	7	8
53	9.71 036	22	9.77 677	29	0.22 323	9.93 360	8	7
54	9.71 058	21	9.77 706	28	0.22 294	9.93 352	8	6
55	9.71 079	21	9.77 734	29	0.22 266	9.93 344	7	5
56	9.71 100	21	9.77 763	28	0.22 237	9.93 337	8	4
57	9.71 121	21	9.77 791	29	0.22 209	9.93 329	7	3
58	9.71 142	21	9.77 820	29	0.22 180	9.93 322	8	2
59	9.71 163	21	9.77 849	28	0.22 151	9.93 314	7	1
60	9.71 184		9.77 877		0.22 123	9.93 307		0
′	L Cos	d	L Ctn	cd	L Tan	L Sin	d	′

Prop. Parts

	30	29
1	3.0	2.9
2	6.0	5.8
3	9.0	8.7
4	12.0	11.6
5	15.0	14.5
6	18.0	17.4
7	21.0	20.3
8	24.0	23.2
9	27.0	26.1

	28
1	2.8
2	5.6
3	8.4
4	11.2
5	14.0
6	16.8
7	19.6
8	22.4
9	25.2

	22	21
1	2.2	2.1
2	4.4	4.2
3	6.6	6.3
4	8.8	8.4
5	11.0	10.5
6	13.2	12.6
7	15.4	14.7
8	17.6	16.8
9	19.8	18.9

	8	7
1	0.8	0.7
2	1.6	1.4
3	2.4	2.1
4	3.2	2.8
5	4.0	3.5
6	4.8	4.2
7	5.6	4.9
8	6.4	5.6
9	7.2	6.3

Prop. Parts

59° — Common Logarithms of Trigonometric Functions — 59°

31° — Common Logarithms of Trigonometric Functions — 31°

′	L Sin	d	L Tan	cd	L Ctn	L Cos	d	′
0	9.71 184	21	9.77 877	29	0.22 123	9.93 307	8	**60**
1	9.71 205	21	9.77 906	29	0.22 094	9.93 299	8	59
2	9.71 226	21	9.77 935	28	0.22 065	9.93 291	7	58
3	9.71 247	21	9.77 963	29	0.22 037	9.93 284	8	57
4	9.71 268	21	9.77 992	28	0.22 008	9.93 276	7	56
5	9.71 289	21	9.78 020	29	0.21 980	9.93 269	8	**55**
6	9.71 310	21	9.78 049	28	0.21 951	9.93 261	8	54
7	9.71 331	21	9.78 077	29	0.21 923	9.93 253	7	53
8	9.71 352	21	9.78 106	29	0.21 894	9.93 246	8	52
9	9.71 373	20	9.78 135	28	0.21 865	9.93 238	8	51
10	9.71 393	21	9.78 163	29	0.21 837	9.93 230	7	**50**
11	9.71 414	21	9.78 192	28	0.21 808	9.93 223	8	49
12	9.71 435	21	9.78 220	29	0.21 780	9.93 215	8	48
13	9.71 456	21	9.78 249	28	0.21 751	9.93 207	7	47
14	9.71 477	21	9.78 277	29	0.21 723	9.93 200	8	46
15	9.71 498	21	9.78 306	28	0.21 694	9.93 192	8	**45**
16	9.71 519	20	9.78 334	29	0.21 666	9.93 184	7	44
17	9.71 539	21	9.78 363	28	0.21 637	9.93 177	8	43
18	9.71 560	21	9.78 391	28	0.21 609	9.93 169	8	42
19	9.71 581	21	9.78 419	29	0.21 581	9.93 161	7	41
20	9.71 602	20	9.78 448	28	0.21 552	9.93 154	8	**40**
21	9.71 622	21	9.78 476	29	0.21 524	9.93 146	8	39
22	9.71 643	21	9.78 505	28	0.21 495	9.93 138	7	38
23	9.71 664	21	9.78 533	29	0.21 467	9.93 131	8	37
24	9.71 685	20	9.78 562	28	0.21 438	9.93 123	8	36
25	9.71 705	21	9.78 590	28	0.21 410	9.93 115	7	**35**
26	9.71 726	21	9.78 618	29	0.21 382	9.93 108	8	34
27	9.71 747	20	9.78 647	28	0.21 353	9.93 100	8	33
28	9.71 767	21	9.78 675	29	0.21 325	9.93 092	8	32
29	9.71 788	21	9.78 704	28	0.21 296	9.93 084	7	31
30	9.71 809	20	9.78 732	28	0.21 268	9.93 077	8	**30**
31	9.71 829	21	9.78 760	29	0.21 240	9.93 069	8	29
32	9.71 850	20	9.78 789	28	0.21 211	9.93 061	8	28
33	9.71 870	21	9.78 817	28	0.21 183	9.93 053	7	27
34	9.71 891	20	9.78 845	29	0.21 155	9.93 046	8	26
35	9.71 911	21	9.78 874	28	0.21 126	9.93 038	8	**25**
36	9.71 932	20	9.78 902	28	0.21 098	9.93 030	8	24
37	9.71 952	21	9.78 930	29	0.21 070	9.93 022	8	23
38	9.71 973	21	9.78 959	28	0.21 041	9.93 014	7	22
39	9.71 994	20	9.78 987	28	0.21 013	9.93 007	8	21
40	9.72 014	20	9.79 015	28	0.20 985	9.92 999	8	**20**
41	9.72 034	21	9.79 043	29	0.20 957	9.92 991	8	19
42	9.72 055	20	9.79 072	28	0.20 928	9.92 983	7	18
43	9.72 075	21	9.79 100	28	0.20 900	9.92 976	8	17
44	9.72 096	20	9.79 128	28	0.20 872	9.92 968	8	16
45	9.72 116	21	9.79 156	29	0.20 844	9.92 960	8	**15**
46	9.72 137	20	9.79 185	28	0.20 815	9.92 952	8	14
47	9.72 157	20	9.79 213	28	0.20 787	9.92 944	8	13
48	9.72 177	21	9.79 241	28	0.20 759	9.92 936	7	12
49	9.72 198	20	9.79 269	28	0.20 731	9.92 929	8	11
50	9.72 218	20	9.79 297	29	0.20 703	9.92 921	8	**10**
51	9.72 238	21	9.79 326	28	0.20 674	9.92 913	8	9
52	9.72 259	20	9.79 354	28	0.20 646	9.92 905	8	8
53	9.72 279	20	9.79 382	28	0.20 618	9.92 897	8	7
54	9.72 299	21	9.79 410	28	0.20 590	9.92 889	8	6
55	9.72 320	20	9.79 438	28	0.20 562	9.92 881	7	**5**
56	9.72 340	20	9.79 466	29	0.20 534	9.92 874	8	4
57	9.72 360	21	9.79 495	28	0.20 505	9.92 866	8	3
58	9.72 381	20	9.79 523	28	0.20 477	9.92 858	8	2
59	9.72 401	20	9.79 551	28	0.20 449	9.92 850	8	1
60	9.72 421		9.79 579		0.20 421	9.92 842		**0**
′	L Cos	d	L Ctn	cd	L Tan	L Sin	d	′

Prop. Parts

	29	28
1	2.9	2.8
2	5.8	5.6
3	8.7	8.4
4	11.6	11.2
5	14.5	14.0
6	17.4	16.8
7	20.3	19.6
8	23.2	22.4
9	26.1	25.2

	21	20
1	2.1	2.0
2	4.2	4.0
3	6.3	6.0
4	8.4	8.0
5	10.5	10.0
6	12.6	12.0
7	14.7	14.0
8	16.8	16.0
9	18.9	18.0

	8	7
1	0.8	0.7
2	1.6	1.4
3	2.4	2.1
4	3.2	2.8
5	4.0	3.5
6	4.8	4.2
7	5.6	4.9
8	6.4	5.6
9	7.2	6.3

Prop. Parts

58° — Common Logarithms of Trigonometric Functions — 58°

32° — Common Logarithms of Trigonometric Functions — 32°

′	L Sin	d	L Tan	cd	L Ctn	L Cos	d	′
0	9.72 421	20	9.79 579	28	0.20 421	9.92 842	8	**60**
1	9.72 441	20	9.79 607	28	0.20 393	9.92 834	8	59
2	9.72 461	21	9.79 635	28	0.20 365	9.92 826	8	58
3	9.72 482	20	9.79 663	28	0.20 337	9.92 818	8	57
4	9.72 502	20	9.79 691	28	0.20 309	9.92 810	7	56
5	9.72 522	20	9.79 719	28	0.20 281	9.92 803	8	**55**
6	9.72 542	20	9.79 747	29	0.20 253	9.92 795	8	54
7	9.72 562	20	9.79 776	28	0.20 224	9.92 787	8	53
8	9.72 582	20	9.79 804	28	0.20 196	9.92 779	8	52
9	9.72 602	20	9.79 832	28	0.20 168	9.92 771	8	51
10	9.72 622	21	9.79 860	28	0.20 140	9.92 763	8	**50**
11	9.72 643	20	9.79 888	28	0.20 112	9.92 755	8	49
12	9.72 663	20	9.79 916	28	0.20 084	9.92 747	8	48
13	9.72 683	20	9.79 944	28	0.20 056	9.92 739	8	47
14	9.72 703	20	9.79 972	28	0.20 028	9.92 731	8	46
15	9.72 723	20	9.80 000	28	0.20 000	9.92 723	8	**45**
16	9.72 743	20	9.80 028	28	0.19 972	9.92 715	8	44
17	9.72 763	20	9.80 056	28	0.19 944	9.92 707	8	43
18	9.72 783	20	9.80 084	28	0.19 916	9.92 699	8	42
19	9.72 803	20	9.80 112	28	0.19 888	9.92 691	8	41
20	9.72 823	20	9.80 140	28	0.19 860	9.92 683	8	**40**
21	9.72 843	20	9.80 168	27	0.19 832	9.92 675	8	39
22	9.72 863	20	9.80 195	28	0.19 805	9.92 667	8	38
23	9.72 883	19	9.80 223	28	0.19 777	9.92 659	8	37
24	9.72 902	20	9.80 251	28	0.19 749	9.92 651	8	36
25	9.72 922	20	9.80 279	28	0.19 721	9.92 643	8	**35**
26	9.72 942	20	9.80 307	28	0.19 693	9.92 635	8	34
27	9.72 962	20	9.80 335	28	0.19 665	9.92 627	8	33
28	9.72 982	20	9.80 363	28	0.19 637	9.92 619	8	32
29	9.73 002	20	9.80 391	28	0.19 609	9.92 611	8	31
30	9.73 022	19	9.80 419	28	0.19 581	9.92 603	8	**30**
31	9.73 041	20	9.80 447	27	0.19 553	9.92 595	8	29
32	9.73 061	20	9.80 474	28	0.19 526	9.92 587	8	28
33	9.73 081	20	9.80 502	28	0.19 498	9.92 579	8	27
34	9.73 101	20	9.80 530	28	0.19 470	9.92 571	8	26
35	9.73 121	19	9.80 558	28	0.19 442	9.92 563	8	**25**
36	9.73 140	20	9.80 586	28	0.19 414	9.92 555	9	24
37	9.73 160	20	9.80 614	28	0.19 386	9.92 546	8	23
38	9.73 180	20	9.80 642	27	0.19 358	9.92 538	8	22
39	9.73 200	19	9.80 669	28	0.19 331	9.92 530	8	21
40	9.73 219	20	9.80 697	28	0.19 303	9.92 522	8	**20**
41	9.73 239	20	9.80 725	28	0.19 275	9.92 514	8	19
42	9.73 259	19	9.80 753	28	0.19 247	9.92 506	8	18
43	9.73 278	20	9.80 781	27	0.19 219	9.92 498	8	17
44	9.73 298	20	9.80 808	28	0.19 192	9.92 490	8	16
45	9.73 318	19	9.80 836	28	0.19 164	9.92 482	9	**15**
46	9.73 337	20	9.80 864	28	0.19 136	9.92 473	8	14
47	9.73 357	20	9.80 892	27	0.19 108	9.92 465	8	13
48	9.73 377	19	9.80 919	28	0.19 081	9.92 457	8	12
49	9.73 396	20	9.80 947	28	0.19 053	9.92 449	8	11
50	9.73 416	19	9.80 975	28	0.19 025	9.92 441	8	**10**
51	9.73 435	20	9.81 003	27	0.18 997	9.92 433	8	9
52	9.73 455	19	9.81 030	28	0.18 970	9.92 425	9	8
53	9.73 474	20	9.81 058	28	0.18 942	9.92 416	8	7
54	9.73 494	19	9.81 086	27	0.18 914	9.92 408	8	6
55	9.73 513	20	9.81 113	28	0.18 887	9.92 400	8	**5**
56	9.73 533	19	9.81 141	28	0.18 859	9.92 392	8	4
57	9.73 552	20	9.81 169	27	0.18 831	9.92 384	8	3
58	9.73 572	19	9.81 196	28	0.18 804	9.92 376	9	2
59	9.73 591	20	9.81 224	28	0.18 776	9.92 367	8	1
60	9.73 611		9.81 252		0.18 748	9.92 359		**0**
′	L Cos	d	L Ctn	cd	L Tan	L Sin	d	′

Prop. Parts

	29	28
1	2.9	2.8
2	5.8	5.6
3	8.7	8.4
4	11.6	11.2
5	14.5	14.0
6	17.4	16.8
7	20.3	19.6
8	23.2	22.4
9	26.1	25.2

	27	21
1	2.7	2.1
2	5.4	4.2
3	8.1	6.3
4	10.8	8.4
5	13.5	10.5
6	16.2	12.6
7	18.9	14.7
8	21.6	16.8
9	24.3	18.9

	20	19
1	2.0	1.9
2	4.0	3.8
3	6.0	5.7
4	8.0	7.6
5	10.0	9.5
6	12.0	11.4
7	14.0	13.3
8	16.0	15.2
9	18.0	17.1

	9	8
1	0.9	0.8
2	1.8	1.6
3	2.7	2.4
4	3.6	3.2
5	4.5	4.0
6	5.4	4.8
7	6.3	5.6
8	7.2	6.4
9	8.1	7.2

	7
1	0.7
2	1.4
3	2.1
4	2.8
5	3.5
6	4.2
7	4.9
8	5.6
9	6.3

Prop. Parts

57° — Common Logarithms of Trigonometric Functions — 57°

33° — Common Logarithms of Trigonometric Functions — 33°

′	L Sin	d	L Tan	cd	L Ctn	L Cos	d	′
0	9.73 611	19	9.81 252	27	0.18 748	9.92 359	8	**60**
1	9.73 630	20	9.81 279	28	0.18 721	9.92 351	8	59
2	9.73 650	19	9.81 307	28	0.18 693	9.92 343	8	58
3	9.73 669	20	9.81 335	27	0.18 665	9.92 335	9	57
4	9.73 689	19	9.81 362	28	0.18 638	9.92 326	8	56
5	9.73 708	19	9.81 390	28	0.18 610	9.92 318	8	**55**
6	9.73 727	20	9.81 418	27	0.18 582	9.92 310	8	54
7	9.73 747	19	9.81 445	28	0.18 555	9.92 302	9	53
8	9.73 766	19	9.81 473	27	0.18 527	9.92 293	8	52
9	9.73 785	20	9.81 500	28	0.18 500	9.92 285	8	51
10	9.73 805	19	9.81 528	28	0.18 472	9.92 277	8	**50**
11	9.73 824	19	9.81 556	27	0.18 444	9.92 269	9	49
12	9.73 843	20	9.81 583	28	0.18 417	9.92 260	8	48
13	9.73 863	19	9.81 611	27	0.18 389	9.92 252	8	47
14	9.73 882	19	9.81 638	28	0.18 362	9.92 244	9	46
15	9.73 901	20	9.81 666	27	0.18 334	9.92 235	8	**45**
16	9.73 921	19	9.81 693	28	0.18 307	9.92 227	8	44
17	9.73 940	19	9.81 721	27	0.18 279	9.92 219	8	43
18	9.73 959	19	9.81 748	28	0.18 252	9.92 211	9	42
19	9.73 978	19	9.81 776	27	0.18 224	9.92 202	8	41
20	9.73 997	20	9.81 803	28	0.18 197	9.92 194	8	**40**
21	9.74 017	19	9.81 831	27	0.18 169	9.92 186	9	39
22	9.74 036	19	9.81 858	28	0.18 142	9.92 177	8	38
23	9.74 055	19	9.81 886	27	0.18 114	9.92 169	8	37
24	9.74 074	19	9.81 913	28	0.18 087	9.92 161	9	36
25	9.74 093	20	9.81 941	27	0.18 059	9.92 152	8	**35**
26	9.74 113	19	9.81 968	28	0.18 032	9.92 144	8	34
27	9.74 132	19	9.81 996	27	0.18 004	9.92 136	9	33
28	9.74 151	19	9.82 023	28	0.17 977	9.92 127	8	32
29	9.74 170	19	9.82 051	27	0.17 949	9.92 119	8	31
30	9.74 189	19	9.82 078	28	0.17 922	9.92 111	9	**30**
31	9.74 208	19	9.82 106	27	0.17 894	9.92 102	8	29
32	9.74 227	19	9.82 133	28	0.17 867	9.92 094	8	28
33	9.74 246	19	9.82 161	27	0.17 839	9.92 086	9	27
34	9.74 265	19	9.82 188	27	0.17 812	9.92 077	8	26
35	9.74 284	19	9.82 215	28	0.17 785	9.92 069	9	**25**
36	9.74 303	19	9.82 243	27	0.17 757	9.92 060	8	24
37	9.74 322	19	9.82 270	28	0.17 730	9.92 052	8	23
38	9.74 341	19	9.82 298	27	0.17 702	9.92 044	9	22
39	9.74 360	19	9.82 325	27	0.17 675	9.92 035	8	21
40	9.74 379	19	9.82 352	28	0.17 648	9.92 027	9	**20**
41	9.74 398	19	9.82 380	27	0.17 620	9.92 018	8	19
42	9.74 417	19	9.82 407	28	0.17 593	9.92 010	8	18
43	9.74 436	19	9.82 435	27	0.17 565	9.92 002	9	17
44	9.74 455	19	9.82 462	27	0.17 538	9.91 993	8	16
45	9.74 474	19	9.82 489	28	0.17 511	9.91 985	9	**15**
46	9.74 493	19	9.82 517	27	0.17 483	9.91 976	8	14
47	9.74 512	19	9.82 544	27	0.17 456	9.91 968	9	13
48	9.74 531	18	9.82 571	28	0.17 429	9.91 959	8	12
49	9.74 549	19	9.82 599	27	0.17 401	9.91 951	9	11
50	9.74 568	19	9.82 626	27	0.17 374	9.91 942	8	**10**
51	9.74 587	19	9.82 653	28	0.17 347	9.91 934	9	9
52	9.74 606	19	9.82 681	27	0.17 319	9.91 925	8	8
53	9.74 625	19	9.82 708	27	0.17 292	9.91 917	9	7
54	9.74 644	18	9.82 735	27	0.17 265	9.91 908	8	6
55	9.74 662	19	9.82 762	28	0.17 238	9.91 900	9	**5**
56	9.74 681	19	9.82 790	27	0.17 210	9.91 891	8	4
57	9.74 700	19	9.82 817	27	0.17 183	9.91 883	9	3
58	9.74 719	18	9.82 844	27	0.17 156	9.91 874	8	2
59	9.74 737	19	9.82 871	28	0.17 129	9.91 866	9	1
60	9.74 756		9.82 899		0.17 101	9.91 857		**0**
′	L Cos	d	L Ctn	cd	L Tan	L Sin	d	′

Prop. Parts

	28	27
1	2.8	2.7
2	5.6	5.4
3	8.4	8.1
4	11.2	10.8
5	14.0	13.5
6	16.8	16.2
7	19.6	18.9
8	22.4	21.6
9	25.2	24.3

	20	19
1	2.0	1.9
2	4.0	3.8
3	6.0	5.7
4	8.0	7.6
5	10.0	9.5
6	12.0	11.4
7	14.0	13.3
8	16.0	15.2
9	18.0	17.1

	18
1	1.8
2	3.6
3	5.4
4	7.2
5	9.0
6	10.8
7	12.6
8	14.4
9	16.2

	9	8
1	0.9	0.8
2	1.8	1.6
3	2.7	2.4
4	3.6	3.2
5	4.5	4.0
6	5.4	4.8
7	6.3	5.6
8	7.2	6.4
9	8.1	7.2

Prop. Parts

56° — Common Logarithms of Trigonometric Functions — 56°

34° — Common Logarithms of Trigonometric Functions — 34°

′	L Sin	d	L Tan	cd	L Ctn	L Cos	d	′
0	9.74 756	19	9.82 899	27	0.17 101	9.91 857	8	**60**
1	9.74 775	19	9.82 926	27	0.17 074	9.91 849	9	59
2	9.74 794	18	9.82 953	27	0.17 047	9.91 840	8	58
3	9.74 812	19	9.82 980	28	0.17 020	9.91 832	9	57
4	9.74 831	19	9.83 008	27	0.16 992	9.91 823	8	56
5	9.74 850	18	9.83 035	27	0.16 965	9.91 815	9	**55**
6	9.74 868	19	9.83 062	27	0.16 938	9.91 806	8	54
7	9.74 887	19	9.83 089	28	0.16 911	9.91 798	9	53
8	9.74 906	18	9.83 117	27	0.16 883	9.91 789	8	52
9	9.74 924	19	9.83 144	27	0.16 856	9.91 781	9	51
10	9.74 943	18	9.83 171	27	0.16 829	9.91 772	9	**50**
11	9.74 961	19	9.83 198	27	0.16 802	9.91 763	8	49
12	9.74 980	19	9.83 225	27	0.16 775	9.91 755	9	48
13	9.74 999	18	9.83 252	28	0.16 748	9.91 746	8	47
14	9.75 017	19	9.83 280	27	0.16 720	9.91 738	9	46
15	9.75 036	18	9.83 307	27	0.16 693	9.91 729	9	**45**
16	9.75 054	19	9.83 334	27	0.16 666	9.91 720	8	44
17	9.75 073	18	9.83 361	27	0.16 639	9.91 712	9	43
18	9.75 091	19	9.83 388	27	0.16 612	9.91 703	8	42
19	9.75 110	18	9.83 415	27	0.16 585	9.91 695	9	41
20	9.75 128	19	9.83 442	28	0.16 558	9.91 686	9	**40**
21	9.75 147	18	9.83 470	27	0.16 530	9.91 677	8	39
22	9.75 165	19	9.83 497	27	0.16 503	9.91 669	9	38
23	9.75 184	18	9.83 524	27	0.16 476	9.91 660	9	37
24	9.75 202	19	9.83 551	27	0.16 449	9.91 651	8	36
25	9.75 221	18	9.83 578	27	0.16 422	9.91 643	9	**35**
26	9.75 239	19	9.83 605	27	0.16 395	9.91 634	9	34
27	9.75 258	18	9.83 632	27	0.16 368	9.91 625	8	33
28	9.75 276	18	9.83 659	27	0.16 341	9.91 617	9	32
29	9.75 294	19	9.83 686	27	0.16 314	9.91 608	9	31
30	9.75 313	18	9.83 713	27	0.16 287	9.91 599	8	**30**
31	9.75 331	19	9.83 740	28	0.16 260	9.91 591	9	29
32	9.75 350	18	9.83 768	27	0.16 232	9.91 582	9	28
33	9.75 368	18	9.83 795	27	0.16 205	9.91 573	8	27
34	9.75 386	19	9.83 822	27	0.16 178	9.91 565	9	26
35	9.75 405	18	9.83 849	27	0.16 151	9.91 556	9	**25**
36	9.75 423	18	9.83 876	27	0.16 124	9.91 547	9	24
37	9.75 441	18	9.83 903	27	0.16 097	9.91 538	8	23
38	9.75 459	19	9.83 930	27	0.16 070	9.91 530	9	22
39	9.75 478	18	9.83 957	27	0.16 043	9.91 521	9	21
40	9.75 496	18	9.83 984	27	0.16 016	9.91 512	8	**20**
41	9.75 514	19	9.84 011	27	0.15 989	9.91 504	9	19
42	9.75 533	18	9.84 038	27	0.15 962	9.91 495	9	18
43	9.75 551	18	9.84 065	27	0.15 935	9.91 486	9	17
44	9.75 569	18	9.84 092	27	0.15 908	9.91 477	8	16
45	9.75 587	18	9.84 119	27	0.15 881	9.91 469	9	**15**
46	9.75 605	19	9.84 146	27	0.15 854	9.91 460	9	14
47	9.75 624	18	9.84 173	27	0.15 827	9.91 451	9	13
48	9.75 642	18	9.84 200	27	0.15 800	9.91 442	9	12
49	9.75 660	18	9.84 227	27	0.15 773	9.91 433	8	11
50	9.75 678	18	9.84 254	26	0.15 746	9.91 425	9	**10**
51	9.75 696	18	9.84 280	27	0.15 720	9.91 416	9	9
52	9.75 714	19	9.84 307	27	0.15 693	9.91 407	9	8
53	9.75 733	18	9.84 334	27	0.15 666	9.91 398	9	7
54	9.75 751	18	9.84 361	27	0.15 639	9.91 389	8	6
55	9.75 769	18	9.84 388	27	0.15 612	9.91 381	9	**5**
56	9.75 787	18	9.84 415	27	0.15 585	9.91 372	9	4
57	9.75 805	18	9.84 442	27	0.15 558	9.91 363	9	3
58	9.75 823	18	9.84 469	27	0.15 531	9.91 354	9	2
59	9.75 841	18	9.84 496	27	0.15 504	9.91 345	9	1
60	9.75 859		9.84 523		0.15 477	9.91 336		**0**
′	L Cos	d	L Ctn	cd	L Tan	L Sin	d	′

Prop. Parts

	28	27
1	2.8	2.7
2	5.6	5.4
3	8.4	8.1
4	11.2	10.8
5	14.0	13.5
6	16.8	16.2
7	19.6	18.9
8	22.4	21.6
9	25.2	24.3

	26
1	2.6
2	5.2
3	7.8
4	10.4
5	13.0
6	15.6
7	18.2
8	20.8
9	23.4

	19	18
1	1.9	1.8
2	3.8	3.6
3	5.7	5.4
4	7.6	7.2
5	9.5	9.0
6	11.4	10.8
7	13.3	12.6
8	15.2	14.4
9	17.1	16.2

	9	8
1	0.9	0.8
2	1.8	1.6
3	2.7	2.4
4	3.6	3.2
5	4.5	4.0
6	5.4	4.8
7	6.3	5.6
8	7.2	6.4
9	8.1	7.2

Prop. Parts

55° — Common Logarithms of Trigonometric Functions — 55°

35° — Common Logarithms of Trigonometric Functions — 35°

′	L Sin	d	L Tan	cd	L Ctn	L Cos	d	′
0	9.75 859	18	9.84 523	27	0.15 477	9.91 336	8	**60**
1	9.75 877	18	9.84 550	26	0.15 450	9.91 328	9	59
2	9.75 895	18	9.84 576	27	0.15 424	9.91 319	9	58
3	9.75 913	18	9.84 603	27	0.15 397	9.91 310	9	57
4	9.75 931	18	9.84 630	27	0.15 370	9.91 301	9	56
5	9.75 949	18	9.84 657	27	0.15 343	9.91 292	9	**55**
6	9.75 967	18	9.84 684	27	0.15 316	9.91 283	9	54
7	9.75 985	18	9.84 711	27	0.15 289	9.91 274	8	53
8	9.76 003	18	9.84 738	26	0.15 262	9.91 266	9	52
9	9.76 021	18	9.84 764	27	0.15 236	9.91 257	9	51
10	9.76 039	18	9.84 791	27	0.15 209	9.91 248	9	**50**
11	9.76 057	18	9.84 818	27	0.15 182	9.91 239	9	49
12	9.76 075	18	9.84 845	27	0.15 155	9.91 230	9	48
13	9.76 093	18	9.84 872	27	0.15 128	9.91 221	9	47
14	9.76 111	18	9.84 899	26	0.15 101	9.91 212	9	46
15	9.76 129	17	9.84 925	27	0.15 075	9.91 203	9	**45**
16	9.76 146	18	9.84 952	27	0.15 048	9.91 194	9	44
17	9.76 164	18	9.84 979	27	0.15 021	9.91 185	9	43
18	9.76 182	18	9.85 006	27	0.14 994	9.91 176	9	42
19	9.76 200	18	9.85 033	26	0.14 967	9.91 167	9	41
20	9.76 218	18	9.85 059	27	0.14 941	9.91 158	9	**40**
21	9.76 236	17	9.85 086	27	0.14 914	9.91 149	8	39
22	9.76 253	18	9.85 113	27	0.14 887	9.91 141	9	38
23	9.76 271	18	9.85 140	26	0.14 860	9.91 132	9	37
24	9.76 289	18	9.85 166	27	0.14 834	9.91 123	9	36
25	9.76 307	17	9.85 193	27	0.14 807	9.91 114	9	**35**
26	9.76 324	18	9.85 220	27	0.14 780	9.91 105	9	34
27	9.76 342	18	9.85 247	26	0.14 753	9.91 096	9	33
28	9.76 360	18	9.85 273	27	0.14 727	9.91 087	9	32
29	9.76 378	17	9.85 300	27	0.14 700	9.91 078	9	31
30	9.76 395	18	9.85 327	27	0.14 673	9.91 069	9	**30**
31	9.76 413	18	9.85 354	26	0.14 646	9.91 060	9	29
32	9.76 431	17	9.85 380	27	0.14 620	9.91 051	9	28
33	9.76 448	18	9.85 407	27	0.14 593	9.91 042	9	27
34	9.76 466	18	9.85 434	26	0.14 566	9.91 033	10	26
35	9.76 484	17	9.85 460	27	0.14 540	9.91 023	9	**25**
36	9.76 501	18	9.85 487	27	0.14 513	9.91 014	9	24
37	9.76 519	18	9.85 514	26	0.14 486	9.91 005	9	23
38	9.76 537	17	9.85 540	27	0.14 460	9.90 996	9	22
39	9.76 554	18	9.85 567	27	0.14 433	9.90 987	9	21
40	9.76 572	18	9.85 594	26	0.14 406	9.90 978	9	**20**
41	9.76 590	17	9.85 620	27	0.14 380	9.90 969	9	19
42	9.76 607	18	9.85 647	27	0.14 353	9.90 960	9	18
43	9.76 625	17	9.85 674	26	0.14 326	9.90 951	9	17
44	9.76 642	18	9.85 700	27	0.14 300	9.90 942	9	16
45	9.76 660	17	9.85 727	27	0.14 273	9.90 933	9	**15**
46	9.76 677	18	9.85 754	26	0.14 246	9.90 924	9	14
47	9.76 695	17	9.85 780	27	0.14 220	9.90 915	9	13
48	9.76 712	18	9.85 807	27	0.14 193	9.90 906	10	12
49	9.76 730	17	9.85 834	26	0.14 166	9.90 896	9	11
50	9.76 747	18	9.85 860	27	0.14 140	9.90 887	9	**10**
51	9.76 765	17	9.85 887	26	0.14 113	9.90 878	9	9
52	9.76 782	18	9.85 913	27	0.14 087	9.90 869	9	8
53	9.76 800	17	9.85 940	27	0.14 060	9.90 860	9	7
54	9.76 817	18	9.85 967	26	0.14 033	9.90 851	9	6
55	9.76 835	17	9.85 993	27	0.14 007	9.90 842	10	**5**
56	9.76 852	18	9.86 020	26	0.13 980	9.90 832	9	4
57	9.76 870	17	9.86 046	27	0.13 954	9.90 823	9	3
58	9.76 887	17	9.86 073	27	0.13 927	9.90 814	9	2
59	9.76 904	18	9.86 100	26	0.13 900	9.90 805	9	1
60	9.76 922		9.86 126		0.13 874	9.90 796		**0**
′	L Cos	d	L Ctn	cd	L Tan	L Sin	d	′

Prop. Parts

	27	26
1	2.7	2.6
2	5.4	5.2
3	8.1	7.8
4	10.8	10.4
5	13.5	13.0
6	16.2	15.6
7	18.9	18.2
8	21.6	20.8
9	24.3	23.4

	18	17
1	1.8	1.7
2	3.6	3.4
3	5.4	5.1
4	7.2	6.8
5	9.0	8.5
6	10.8	10.2
7	12.6	11.9
8	14.4	13.6
9	16.2	15.3

	10	9
1	1.0	0.9
2	2.0	1.8
3	3.0	2.7
4	4.0	3.6
5	5.0	4.5
6	6.0	5.4
7	7.0	6.3
8	8.0	7.2
9	9.0	8.1

	8
1	0.8
2	1.6
3	2.4
4	3.2
5	4.0
6	4.8
7	5.6
8	6.4
9	7.2

Prop. Parts

54° — Common Logarithms of Trigonometric Functions — 54°

36° — Common Logarithms of Trigonometric Functions — 36°

′	L Sin	d	L Tan	cd	L Ctn	L Cos	d	′
0	9.76 922	17	9.86 126	27	0.13 874	9.90 796	9	**60**
1	9.76 939	18	9.86 153	26	0.13 847	9.90 787	10	59
2	9.76 957	17	9.86 179	27	0.13 821	9.90 777	9	58
3	9.76 974	17	9.86 206	26	0.13 794	9.90 768	9	57
4	9.76 991	18	9.86 232	27	0.13 768	9.90 759	9	56
5	9.77 009	17	9.86 259	26	0.13 741	9.90 750	9	**55**
6	9.77 026	17	9.86 285	27	0.13 715	9.90 741	10	54
7	9.77 043	18	9.86 312	26	0.13 688	9.90 731	9	53
8	9.77 061	17	9.86 338	27	0.13 662	9.90 722	9	52
9	9.77 078	17	9.86 365	27	0.13 635	9.90 713	9	51
10	9.77 095	17	9.86 392	26	0.13 608	9.90 704	10	**50**
11	9.77 112	18	9.86 418	27	0.13 582	9.90 694	9	49
12	9.77 130	17	9.86 445	26	0.13 555	9.90 685	9	48
13	9.77 147	17	9.86 471	27	0.13 529	9.90 676	9	47
14	9.77 164	17	9.86 498	26	0.13 502	9.90 667	10	46
15	9.77 181	18	9.86 524	27	0.13 476	9.90 657	9	**45**
16	9.77 199	17	9.86 551	26	0.13 449	9.90 648	9	44
17	9.77 216	17	9.86 577	26	0.13 423	9.90 639	9	43
18	9.77 233	17	9.86 603	27	0.13 397	9.90 630	10	42
19	9.77 250	18	9.86 630	26	0.13 370	9.90 620	9	41
20	9.77 268	17	9.86 656	27	0.13 344	9.90 611	9	**40**
21	9.77 285	17	9.86 683	26	0.13 317	9.90 602	10	39
22	9.77 302	17	9.86 709	27	0.13 291	9.90 592	9	38
23	9.77 319	17	9.86 736	26	0.13 264	9.90 583	9	37
24	9.77 336	17	9.86 762	27	0.13 238	9.90 574	9	36
25	9.77 353	17	9.86 789	26	0.13 211	9.90 565	10	**35**
26	9.77 370	17	9.86 815	27	0.13 185	9.90 555	9	34
27	9.77 387	18	9.86 842	26	0.13 158	9.90 546	9	33
28	9.77 405	17	9.86 868	26	0.13 132	9.90 537	10	32
29	9.77 422	17	9.86 894	27	0.13 106	9.90 527	9	31
30	9.77 439	17	9.86 921	26	0.13 079	9.90 518	9	**30**
31	9.77 456	17	9.86 947	27	0.13 053	9.90 509	10	29
32	9.77 473	17	9.86 974	26	0.13 026	9.90 499	9	28
33	9.77 490	17	9.87 000	27	0.13 000	9.90 490	10	27
34	9.77 507	17	9.87 027	26	0.12 973	9.90 480	9	26
35	9.77 524	17	9.87 053	26	0.12 947	9.90 471	9	**25**
36	9.77 541	17	9.87 079	27	0.12 921	9.90 462	10	24
37	9.77 558	17	9.87 106	26	0.12 894	9.90 452	9	23
38	9.77 575	17	9.87 132	26	0.12 868	9.90 443	9	22
39	9.77 592	17	9.87 158	27	0.12 842	9.90 434	10	21
40	9.77 609	17	9.87 185	26	0.12 815	9.90 424	9	**20**
41	9.77 626	17	9.87 211	27	0.12 789	9.90 415	10	19
42	9.77 643	17	9.87 238	26	0.12 762	9.90 405	9	18
43	9.77 660	17	9.87 264	26	0.12 736	9.90 396	10	17
44	9.77 677	17	9.87 290	27	0.12 710	9.90 386	9	16
45	9.77 694	17	9.87 317	26	0.12 683	9.90 377	9	**15**
46	9.77 711	17	9.87 343	26	0.12 657	9.90 368	10	14
47	9.77 728	16	9.87 369	27	0.12 631	9.90 358	9	13
48	9.77 744	17	9.87 396	26	0.12 604	9.90 349	10	12
49	9.77 761	17	9.87 422	26	0.12 578	9.90 339	9	11
50	9.77 778	17	9.87 448	27	0.12 552	9.90 330	10	**10**
51	9.77 795	17	9.87 475	26	0.12 525	9.90 320	9	9
52	9.77 812	17	9.87 501	26	0.12 499	9.90 311	10	8
53	9.77 829	17	9.87 527	27	0.12 473	9.90 301	9	7
54	9.77 846	16	9.87 554	26	0.12 446	9.90 292	10	6
55	9.77 862	17	9.87 580	26	0.12 420	9.90 282	9	**5**
56	9.77 879	17	9.87 606	27	0.12 394	9.90 273	10	4
57	9.77 896	17	9.87 633	26	0.12 367	9.90 263	9	3
58	9.77 913	17	9.87 659	26	0.12 341	9.90 254	10	2
59	9.77 930	16	9.87 685	26	0.12 315	9.90 244	9	1
60	9.77 946		9.87 711		0.12 289	9.90 235		**0**
′	L Cos	d	L Ctn	cd	L Tan	L Sin	d	′

Prop. Parts

	27	26
1	2.7	2.6
2	5.4	5.2
3	8.1	7.8
4	10.8	10.4
5	13.5	13.0
6	16.2	15.6
7	18.9	18.2
8	21.6	20.8
9	24.3	23.4

	18	17
1	1.8	1.7
2	3.6	3.4
3	5.4	5.1
4	7.2	6.8
5	9.0	8.5
6	10.8	10.2
7	12.6	11.9
8	14.4	13.6
9	16.2	15.3

	16
1	1.6
2	3.2
3	4.8
4	6.4
5	8.0
6	9.6
7	11.2
8	12.8
9	14.4

	10	9
1	1.0	0.9
2	2.0	1.8
3	3.0	2.7
4	4.0	3.6
5	5.0	4.5
6	6.0	5.4
7	7.0	6.3
8	8.0	7.2
9	9.0	8.1

Prop. Parts

53° — Common Logarithms of Trigonometric Functions — 53°

37° — Common Logarithms of Trigonometric Functions — 37°

′	L Sin	d	L Tan	cd	L Ctn	L Cos	d	′
0	9.77 946	17	9.87 711	27	0.12 289	9.90 235	10	**60**
1	9.77 963	17	9.87 738	26	0.12 262	9.90 225	9	59
2	9.77 980	17	9.87 764	26	0.12 236	9.90 216	10	58
3	9.77 997	16	9.87 790	27	0.12 210	9.90 206	9	57
4	9.78 013	17	9.87 817	26	0.12 183	9.90 197	10	56
5	9.78 030	17	9.87 843	26	0.12 157	9.90 187	9	**55**
6	9.78 047	16	9.87 869	26	0.12 131	9.90 178	10	54
7	9.78 063	17	9.87 895	27	0.12 105	9.90 168	9	53
8	9.78 080	17	9.87 922	26	0.12 078	9.90 159	10	52
9	9.78 097	16	9.87 948	26	0.12 052	9.90 149	10	51
10	9.78 113	17	9.87 974	26	0.12 026	9.90 139	9	**50**
11	9.78 130	17	9.88 000	27	0.12 000	9.90 130	10	49
12	9.78 147	16	9.88 027	26	0.11 973	9.90 120	9	48
13	9.78 163	17	9.88 053	26	0.11 947	9.90 111	10	47
14	9.78 180	17	9.88 079	26	0.11 921	9.90 101	10	46
15	9.78 197	16	9.88 105	26	0.11 895	9.90 091	9	**45**
16	9.78 213	17	9.88 131	27	0.11 869	9.90 082	10	44
17	9.78 230	16	9.88 158	26	0.11 842	9.90 072	9	43
18	9.78 246	17	9.88 184	26	0.11 816	9.90 063	10	42
19	9.78 263	17	9.88 210	26	0.11 790	9.90 053	10	41
20	9.78 280	16	9.88 236	26	0.11 764	9.90 043	9	**40**
21	9.78 296	17	9.88 262	27	0.11 738	9.90 034	10	39
22	9.78 313	16	9.88 289	26	0.11 711	9.90 024	10	38
23	9.78 329	17	9.88 315	26	0.11 685	9.90 014	9	37
24	9.78 346	16	9.88 341	26	0.11 659	9.90 005	10	36
25	9.78 362	17	9.88 367	26	0.11 633	9.89 995	10	**35**
26	9.78 379	16	9.88 393	27	0.11 607	9.89 985	9	34
27	9.78 395	17	9.88 420	26	0.11 580	9.89 976	10	33
28	9.78 412	16	9.88 446	26	0.11 554	9.89 966	10	32
29	9.78 428	17	9.88 472	26	0.11 528	9.89 956	9	31
30	9.78 445	16	9.88 498	26	0.11 502	9.89 947	10	**30**
31	9.78 461	17	9.88 524	26	0.11 476	9.89 937	10	29
32	9.78 478	16	9.88 550	27	0.11 450	9.89 927	9	28
33	9.78 494	16	9.88 577	26	0.11 423	9.89 918	10	27
34	9.78 510	17	9.88 603	26	0.11 397	9.89 908	10	26
35	9.78 527	16	9.88 629	26	0.11 371	9.89 898	10	**25**
36	9.78 543	17	9.88 655	26	0.11 345	9.89 888	9	24
37	9.78 560	16	9.88 681	26	0.11 319	9.89 879	10	23
38	9.78 576	16	9.88 707	26	0.11 293	9.89 869	10	22
39	9.78 592	17	9.88 733	26	0.11 267	9.89 859	10	21
40	9.78 609	16	9.88 759	27	0.11 241	9.89 849	9	**20**
41	9.78 625	17	9.88 786	26	0.11 214	9.89 840	10	19
42	9.78 642	16	9.88 812	26	0.11 188	9.89 830	10	18
43	9.78 658	16	9.88 838	26	0.11 162	9.89 820	10	17
44	9.78 674	17	9.88 864	26	0.11 136	9.89 810	9	16
45	9.78 691	16	9.88 890	26	0.11 110	9.89 801	10	**15**
46	9.78 707	16	9.88 916	26	0.11 084	9.89 791	10	14
47	9.78 723	16	9.88 942	26	0.11 058	9.89 781	10	13
48	9.78 739	17	9.88 968	26	0.11 032	9.89 771	10	12
49	9.78 756	16	9.88 994	26	0.11 006	9.89 761	9	11
50	9.78 772	16	9.89 020	26	0.10 980	9.89 752	10	**10**
51	9.78 788	17	9.89 046	27	0.10 954	9.89 742	10	9
52	9.78 805	16	9.89 073	26	0.10 927	9.89 732	10	8
53	9.78 821	16	9.89 099	26	0.10 901	9.89 722	10	7
54	9.78 837	16	9.89 125	26	0.10 875	9.89 712	10	6
55	9.78 853	16	9.89 151	26	0.10 849	9.89 702	9	**5**
56	9.78 869	17	9.89 177	26	0.10 823	9.89 693	10	4
57	9.78 886	16	9.89 203	26	0.10 797	9.89 683	10	3
58	9.78 902	16	9.89 229	26	0.10 771	9.89 673	10	2
59	9.78 918	16	9.89 255	26	0.10 745	9.89 663	10	1
60	9.78 934		9.89 281		0.10 719	9.89 653		**0**
′	L Cos	d	L Ctn	cd	L Tan	L Sin	d	′

Prop. Parts

	27	26
1	2.7	2.6
2	5.4	5.2
3	8.1	7.8
4	10.8	10.4
5	13.5	13.0
6	16.2	15.6
7	18.9	18.2
8	21.6	20.8
9	24.3	23.4

	17	16
1	1.7	1.6
2	3.4	3.2
3	5.1	4.8
4	6.8	6.4
5	8.5	8.0
6	10.2	9.6
7	11.9	11.2
8	13.6	12.8
9	15.3	14.4

	10	9
1	1.0	0.9
2	2.0	1.8
3	3.0	2.7
4	4.0	3.6
5	5.0	4.5
6	6.0	5.4
7	7.0	6.3
8	8.0	7.2
9	9.0	8.1

Prop. Parts

52° — Common Logarithms of Trigonometric Functions — 52°

38° — Common Logarithms of Trigonometric Functions — 38°

′	L Sin	d	L Tan	cd	L Ctn	L Cos	d	′
0	9.78 934	16	9.89 281	26	0.10 719	9.89 653	10	**60**
1	9.78 950	17	9.89 307	26	0.10 693	9.89 643	10	59
2	9.78 967	16	9.89 333	26	0.10 667	9.89 633	9	58
3	9.78 983	16	9.89 359	26	0.10 641	9.89 624	10	57
4	9.78 999	16	9.89 385	26	0.10 615	9.89 614	10	56
5	9.79 015	16	9.89 411	26	0.10 589	9.89 604	10	**55**
6	9.79 031	16	9.89 437	26	0.10 563	9.89 594	10	54
7	9.79 047	16	9.89 463	26	0.10 537	9.89 584	10	53
8	9.79 063	16	9.89 489	26	0.10 511	9.89 574	10	52
9	9.79 079	16	9.89 515	26	0.10 485	9.89 564	10	51
10	9.79 095	16	9.89 541	26	0.10 459	9.89 554	10	**50**
11	9.79 111	17	9.89 567	26	0.10 433	9.89 544	10	49
12	9.79 128	16	9.89 593	26	0.10 407	9.89 534	10	48
13	9.79 144	16	9.89 619	26	0.10 381	9.89 524	10	47
14	9.79 160	16	9.89 645	26	0.10 355	9.89 514	10	46
15	9.79 176	16	9.89 671	26	0.10 329	9.89 504	9	**45**
16	9.79 192	16	9.89 697	26	0.10 303	9.89 495	10	44
17	9.79 208	16	9.89 723	26	0.10 277	9.89 485	10	43
18	9.79 224	16	9.89 749	26	0.10 251	9.89 475	10	42
19	9.79 240	16	9.89 775	26	0.10 225	9.89 465	10	41
20	9.79 256	16	9.89 801	26	0.10 199	9.89 455	10	**40**
21	9.79 272	16	9.89 827	26	0.10 173	9.89 445	10	39
22	9.79 288	16	9.89 853	26	0.10 147	9.89 435	10	38
23	9.79 304	15	9.89 879	26	0.10 121	9.89 425	10	37
24	9.79 319	16	9.89 905	26	0.10 095	9.89 415	10	36
25	9.79 335	16	9.89 931	26	0.10 069	9.89 405	10	**35**
26	9.79 351	16	9.89 957	26	0.10 043	9.89 395	10	34
27	9.79 367	16	9.89 983	26	0.10 017	9.89 385	10	33
28	9.79 383	16	9.90 009	26	0.09 991	9.89 375	11	32
29	9.79 399	16	9.90 035	26	0.09 965	9.89 364	10	31
30	9.79 415	16	9.90 061	25	0.09 939	9.89 354	10	**30**
31	9.79 431	16	9.90 086	26	0.09 914	9.89 344	10	29
32	9.79 447	16	9.90 112	26	0.09 888	9.89 334	10	28
33	9.79 463	15	9.90 138	26	0.09 862	9.89 324	10	27
34	9.79 478	16	9.90 164	26	0.09 836	9.89 314	10	26
35	9.79 494	16	9.90 190	26	0.09 810	9.89 304	10	**25**
36	9.79 510	16	9.90 216	26	0.09 784	9.89 294	10	24
37	9.79 526	16	9.90 242	26	0.09 758	9.89 284	10	23
38	9.79 542	16	9.90 268	26	0.09 732	9.89 274	10	22
39	9.79 558	15	9.90 294	26	0.09 706	9.89 264	10	21
40	9.79 573	16	9.90 320	26	0.09 680	9.89 254	10	**20**
41	9.79 589	16	9.90 346	25	0.09 654	9.89 244	11	19
42	9.79 605	16	9.90 371	26	0.09 629	9.89 233	10	18
43	9.79 621	15	9.90 397	26	0.09 603	9.89 223	10	17
44	9.79 636	16	9.90 423	26	0.09 577	9.89 213	10	16
45	9.79 652	16	9.90 449	26	0.09 551	9.89 203	10	**15**
46	9.79 668	16	9.90 475	26	0.09 525	9.89 193	10	14
47	9.79 684	15	9.90 501	26	0.09 499	9.89 183	10	13
48	9.79 699	16	9.90 527	26	0.09 473	9.89 173	11	12
49	9.79 715	16	9.90 553	25	0.09 447	9.89 162	10	11
50	9.79 731	15	9.90 578	26	0.09 422	9.89 152	10	**10**
51	9.79 746	16	9.90 604	26	0.09 396	9.89 142	10	9
52	9.79 762	16	9.90 630	26	0.09 370	9.89 132	10	8
53	9.79 778	15	9.90 656	26	0.09 344	9.89 122	10	7
54	9.79 793	16	9.90 682	26	0.09 318	9.89 112	11	6
55	9.79 809	16	9.90 708	26	0.09 292	9.89 101	10	**5**
56	9.79 825	15	9.90 734	25	0.09 266	9.89 091	10	4
57	9.79 840	16	9.90 759	26	0.09 241	9.89 081	10	3
58	9.79 856	16	9.90 785	26	0.09 215	9.89 071	11	2
59	9.79 872	15	9.90 811	26	0.09 189	9.89 060	10	1
60	9.79 887		9.90 837		0.09 163	9.89 050		**0**
′	L Cos	d	L Ctn	cd	L Tan	L Sin	d	′

Prop. Parts

	26	25
1	2.6	2.5
2	5.2	5.0
3	7.8	7.5
4	10.4	10.0
5	13.0	12.5
6	15.6	15.0
7	18.2	17.5
8	20.8	20.0
9	23.4	22.5

	17	16
1	1.7	1.6
2	3.4	3.2
3	5.1	4.8
4	6.8	6.4
5	8.5	8.0
6	10.2	9.6
7	11.9	11.2
8	13.6	12.8
9	15.3	14.4

	15
1	1.5
2	3.0
3	4.5
4	6.0
5	7.5
6	9.0
7	10.5
8	12.0
9	13.5

	11	10
1	1.1	1.0
2	2.2	2.0
3	3.3	3.0
4	4.4	4.0
5	5.5	5.0
6	6.6	6.0
7	7.7	7.0
8	8.8	8.0
9	9.9	9.0

	9
1	0.9
2	1.8
3	2.7
4	3.6
5	4.5
6	5.4
7	6.3
8	7.2
9	8.1

51° — Common Logarithms of Trigonometric Functions — 51°

39° — Common Logarithms of Trigonometric Functions — 39°

'	L Sin	d	L Tan	cd	L Ctn	L Cos	d	'
0	9.79 887	16	9.90 837	26	0.09 163	9.89 050	10	**60**
1	9.79 903	15	9.90 863	26	0.09 137	9.89 040	10	59
2	9.79 918	16	9.90 889	25	0.09 111	9.89 030	10	58
3	9.79 934	16	9.90 914	26	0.09 086	9.89 020	11	57
4	9.79 950	15	9.90 940	26	0.09 060	9.89 009	10	56
5	9.79 965	16	9.90 966	26	0.09 034	9.88 999	10	**55**
6	9.79 981	15	9.90 992	26	0.09 008	9.88 989	11	54
7	9.79 996	16	9.91 018	25	0.08 982	9.88 978	10	53
8	9.80 012	15	9.91 043	26	0.08 957	9.88 968	10	52
9	9.80 027	16	9.91 069	26	0.08 931	9.88 958	10	51
10	9.80 043	15	9.91 095	26	0.08 905	9.88 948	11	**50**
11	9.80 058	16	9.91 121	26	0.08 879	9.88 937	10	49
12	9.80 074	15	9.91 147	25	0.08 853	9.88 927	10	48
13	9.80 089	16	9.91 172	26	0.08 828	9.88 917	11	47
14	9.80 105	15	9.91 198	26	0.08 802	9.88 906	10	46
15	9.80 120	16	9.91 224	26	0.08 776	9.88 896	10	**45**
16	9.80 136	15	9.91 250	26	0.08 750	9.88 886	11	44
17	9.80 151	15	9.91 276	25	0.08 724	9.88 875	10	43
18	9.80 166	16	9.91 301	26	0.08 699	9.88 865	10	42
19	9.80 182	15	9.91 327	26	0.08 673	9.88 855	11	41
20	9.80 197	16	9.91 353	26	0.08 647	9.88 844	10	**40**
21	9.80 213	15	9.91 379	25	0.08 621	9.88 834	10	39
22	9.80 228	16	9.91 404	26	0.08 596	9.88 824	11	38
23	9.80 244	15	9.91 430	26	0.08 570	9.88 813	10	37
24	9.80 259	15	9.91 456	26	0.08 544	9.88 803	10	36
25	9.80 274	16	9.91 482	25	0.08 518	9.88 793	11	**35**
26	9.80 290	15	9.91 507	26	0.08 493	9.88 782	10	34
27	9.80 305	15	9.91 533	26	0.08 467	9.88 772	11	33
28	9.80 320	16	9.91 559	26	0.08 441	9.88 761	10	32
29	9.80 336	15	9.91 585	25	0.08 415	9.88 751	10	31
30	9.80 351	15	9.91 610	26	0.08 390	9.88 741	11	**30**
31	9.80 366	16	9.91 636	26	0.08 364	9.88 730	10	29
32	9.80 382	15	9.91 662	26	0.08 338	9.88 720	11	28
33	9.80 397	15	9.91 688	25	0.08 312	9.88 709	10	27
34	9.80 412	16	9.91 713	26	0.08 287	9.88 699	11	26
35	9.80 428	15	9.91 739	26	0.08 261	9.88 688	10	**25**
36	9.80 443	15	9.91 765	26	0.08 235	9.88 678	10	24
37	9.80 458	15	9.91 791	25	0.08 209	9.88 668	11	23
38	9.80 473	16	9.91 816	26	0.08 184	9.88 657	10	22
39	9.80 489	15	9.91 842	26	0.08 158	9.88 647	11	21
40	9.80 504	15	9.91 868	25	0.08 132	9.88 636	10	**20**
41	9.80 519	15	9.91 893	26	0.08 107	9.88 626	11	19
42	9.80 534	16	9.91 919	26	0.08 081	9.88 615	10	18
43	9.80 550	15	9.91 945	26	0.08 055	9.88 605	11	17
44	9.80 565	15	9.91 971	25	0.08 029	9.88 594	10	16
45	9.80 580	15	9.91 996	26	0.08 004	9.88 584	11	**15**
46	9.80 595	15	9.92 022	26	0.07 978	9.88 573	10	14
47	9.80 610	15	9.92 048	25	0.07 952	9.88 563	11	13
48	9.80 625	16	9.92 073	26	0.07 927	9.88 552	10	12
49	9.80 641	15	9.92 099	26	0.07 901	9.88 542	11	11
50	9.80 656	15	9.92 125	25	0.07 875	9.88 531	10	**10**
51	9.80 671	15	9.92 150	26	0.07 850	9.88 521	11	9
52	9.80 686	15	9.92 176	26	0.07 824	9.88 510	11	8
53	9.80 701	15	9.92 202	25	0.07 798	9.88 499	10	7
54	9.80 716	15	9.92 227	26	0.07 773	9.88 489	11	6
55	9.80 731	15	9.92 253	26	0.07 747	9.88 478	10	**5**
56	9.80 746	16	9.92 279	25	0.07 721	9.88 468	11	4
57	9.80 762	15	9.92 304	26	0.07 696	9.88 457	10	3
58	9.80 777	15	9.92 330	26	0.07 670	9.88 447	11	2
59	9.80 792	15	9.92 356	25	0.07 644	9.88 436	11	1
60	9.80 807		9.92 381		0.07 619	9.88 425		**0**
'	L Cos	d	L Ctn	cd	L Tan	L Sin	d	'

Prop. Parts

	26	25
1	2.6	2.5
2	5.2	5.0
3	7.8	7.5
4	10.4	10.0
5	13.0	12.5
6	15.6	15.0
7	18.2	17.5
8	20.8	20.0
9	23.4	22.5

	16	15
1	1.6	1.5
2	3.2	3.0
3	4.8	4.5
4	6.4	6.0
5	8.0	7.5
6	9.6	9.0
7	11.2	10.5
8	12.8	12.0
9	14.4	13.5

	11	10
1	1.1	1.0
2	2.2	2.0
3	3.3	3.0
4	4.4	4.0
5	5.5	5.0
6	6.6	6.0
7	7.7	7.0
8	8.8	8.0
9	9.9	9.0

Prop. Parts

50° — Common Logarithms of Trigonometric Functions — 50°

40° — Common Logarithms of Trigonometric Functions — 40°

′	L Sin	d	L Tan	cd	L Ctn	L Cos	d	′
0	9.80 807	15	9.92 381	26	0.07 619	9.88 425	10	**60**
1	9.80 822	15	9.92 407	26	0.07 593	9.88 415	11	59
2	9.80 837	15	9.92 433	25	0.07 567	9.88 404	10	58
3	9.80 852	15	9.92 458	26	0.07 542	9.88 394	11	57
4	9.80 867	15	9.92 484	26	0.07 516	9.88 383	11	56
5	9.80 882	15	9.92 510	25	0.07 490	9.88 372	10	**55**
6	9.80 897	15	9.92 535	26	0.07 465	9.88 362	11	54
7	9.80 912	15	9.92 561	26	0.07 439	9.88 351	11	53
8	9.80 927	15	9.92 587	25	0.07 413	9.88 340	10	52
9	9.80 942	15	9.92 612	26	0.07 388	9.88 330	11	51
10	9.80 957	15	9.92 638	25	0.07 362	9.88 319	11	**50**
11	9.80 972	15	9.92 663	26	0.07 337	9.88 308	10	49
12	9.80 987	15	9.92 689	26	0.07 311	9.88 298	11	48
13	9.81 002	15	9.92 715	25	0.07 285	9.88 287	11	47
14	9.81 017	15	9.92 740	26	0.07 260	9.88 276	10	46
15	9.81 032	15	9.92 766	26	0.07 234	9.88 266	11	**45**
16	9.81 047	14	9.92 792	25	0.07 208	9.88 255	11	44
17	9.81 061	15	9.92 817	26	0.07 183	9.88 244	10	43
18	9.81 076	15	9.92 843	25	0.07 157	9.88 234	11	42
19	9.81 091	15	9.92 868	26	0.07 132	9.88 223	11	41
20	9.81 106	15	9.92 894	26	0.07 106	9.88 212	11	**40**
21	9.81 121	15	9.92 920	25	0.07 080	9.88 201	10	39
22	9.81 136	15	9.92 945	26	0.07 055	9.88 191	11	38
23	9.81 151	15	9.92 971	25	0.07 029	9.88 180	11	37
24	9.81 166	14	9.92 996	26	0.07 004	9.88 169	11	36
25	9.81 180	15	9.93 022	26	0.06 978	9.88 158	10	**35**
26	9.81 195	15	9.93 048	25	0.06 952	9.88 148	11	34
27	9.81 210	15	9.93 073	26	0.06 927	9.88 137	11	33
28	9.81 225	15	9.93 099	25	0.06 901	9.88 126	11	32
29	9.81 240	14	9.93 124	26	0.06 876	9.88 115	10	31
30	9.81 254	15	9.93 150	25	0.06 850	9.88 105	11	**30**
31	9.81 269	15	9.93 175	26	0.06 825	9.88 094	11	29
32	9.81 284	15	9.93 201	26	0.06 799	9.88 083	11	28
33	9.81 299	15	9.93 227	25	0.06 773	9.88 072	11	27
34	9.81 314	14	9.93 252	26	0.06 748	9.88 061	10	26
35	9.81 328	15	9.93 278	25	0.06 722	9.88 051	11	**25**
36	9.81 343	15	9.93 303	26	0.06 697	9.88 040	11	24
37	9.81 358	14	9.93 329	25	0.06 671	9.88 029	11	23
38	9.81 372	15	9.93 354	26	0.06 646	9.88 018	11	22
39	9.81 387	15	9.93 380	26	0.06 620	9.88 007	11	21
40	9.81 402	15	9.93 406	25	0.06 594	9.87 996	11	**20**
41	9.81 417	14	9.93 431	26	0.06 569	9.87 985	10	19
42	9.81 431	15	9.93 457	25	0.06 543	9.87 975	11	18
43	9.81 446	15	9.93 482	26	0.06 518	9.87 964	11	17
44	9.81 461	14	9.93 508	25	0.06 492	9.87 953	11	16
45	9.81 475	15	9.93 533	26	0.06 467	9.87 942	11	**15**
46	9.81 490	15	9.93 559	25	0.06 441	9.87 931	11	14
47	9.81 505	14	9.93 584	26	0.06 416	9.87 920	11	13
48	9.81 519	15	9.93 610	26	0.06 390	9.87 909	11	12
49	9.81 534	15	9.93 636	25	0.06 364	9.87 898	11	11
50	9.81 549	14	9.93 661	26	0.06 339	9.87 887	10	**10**
51	9.81 563	15	9.93 687	25	0.06 313	9.87 877	11	9
52	9.81 578	14	9.93 712	26	0.06 288	9.87 866	11	8
53	9.81 592	15	9.93 738	25	0.06 262	9.87 855	11	7
54	9.81 607	15	9.93 763	26	0.06 237	9.87 844	11	6
55	9.81 622	14	9.93 789	25	0.06 211	9.87 833	11	**5**
56	9.81 636	15	9.93 814	26	0.06 186	9.87 822	11	4
57	9.81 651	14	9.93 840	25	0.06 160	9.87 811	11	3
58	9.81 665	15	9.93 865	26	0.06 135	9.87 800	11	2
59	9.81 680	14	9.93 891	25	0.06 109	9.87 789	11	1
60	9.81 694		9.93 916		0.06 084	9.87 778		**0**
′	L Cos	d	L Ctn	cd	L Tan	L Sin	d	′

Prop. Parts

	26	25
1	2.6	2.5
2	5.2	5.0
3	7.8	7.5
4	10.4	10.0
5	13.0	12.5
6	15.6	15.0
7	18.2	17.5
8	20.8	20.0
9	23.4	22.5

	15	14
1	1.5	1.4
2	3.0	2.8
3	4.5	4.2
4	6.0	5.6
5	7.5	7.0
6	9.0	8.4
7	10.5	9.8
8	12.0	11.2
9	13.5	12.6

	11	10
1	1.1	1.0
2	2.2	2.0
3	3.3	3.0
4	4.4	4.0
5	5.5	5.0
6	6.6	6.0
7	7.7	7.0
8	8.8	8.0
9	9.9	9.0

Prop. Parts

49° — Common Logarithms of Trigonometric Functions — 49°

41° — Common Logarithms of Trigonometric Functions — 41°

′	L Sin	d	L Tan	cd	L Ctn	L Cos	d	′
0	9.81 694	15	9.93 916	26	0.06 084	9.87 778	11	**60**
1	9.81 709	14	9.93 942	25	0.06 058	9.87 767	11	59
2	9.81 723	15	9.93 967	26	0.06 033	9.87 756	11	58
3	9.81 738	14	9.93 993	25	0.06 007	9.87 745	11	57
4	9.81 752	15	9.94 018	26	0.05 982	9.87 734	11	56
5	9.81 767	14	9.94 044	25	0.05 956	9.87 723	11	**55**
6	9.81 781	15	9.94 069	26	0.05 931	9.87 712	11	54
7	9.81 796	14	9.94 095	25	0.05 905	9.87 701	11	53
8	9.81 810	15	9.94 120	26	0.05 880	9.87 690	11	52
9	9.81 825	14	9.94 146	25	0.05 854	9.87 679	11	51
10	9.81 839	15	9.94 171	26	0.05 829	9.87 668	11	**50**
11	9.81 854	14	9.94 197	25	0.05 803	9.87 657	11	49
12	9.81 868	14	9.94 222	26	0.05 778	9.87 646	11	48
13	9.81 882	15	9.94 248	25	0.05 752	9.87 635	11	47
14	9.81 897	14	9.94 273	26	0.05 727	9.87 624	11	46
15	9.81 911	15	9.94 299	25	0.05 701	9.87 613	12	**45**
16	9.81 926	14	9.94 324	26	0.05 676	9.87 601	11	44
17	9.81 940	15	9.94 350	25	0.05 650	9.87 590	11	43
18	9.81 955	14	9.94 375	26	0.05 625	9.87 579	11	42
19	9.81 969	14	9.94 401	25	0.05 599	9.87 568	11	41
20	9.81 983	15	9.94 426	26	0.05 574	9.87 557	11	**40**
21	9.81 998	14	9.94 452	25	0.05 548	9.87 546	11	39
22	9.82 012	14	9.94 477	26	0.05 523	9.87 535	11	38
23	9.82 026	15	9.94 503	25	0.05 497	9.87 524	11	37
24	9.82 041	14	9.94 528	26	0.05 472	9.87 513	12	36
25	9.82 055	14	9.94 554	25	0.05 446	9.87 501	11	**35**
26	9.82 069	15	9.94 579	25	0.05 421	9.87 490	11	34
27	9.82 084	14	9.94 604	26	0.05 396	9.87 479	11	33
28	9.82 098	14	9.94 630	25	0.05 370	9.87 468	11	32
29	9.82 112	14	9.94 655	26	0.05 345	9.87 457	11	31
30	9.82 126	15	9.94 681	25	0.05 319	9.87 446	12	**30**
31	9.82 141	14	9.94 706	26	0.05 294	9.87 434	11	29
32	9.82 155	14	9.94 732	25	0.05 268	9.87 423	11	28
33	9.82 169	15	9.94 757	26	0.05 243	9.87 412	11	27
34	9.82 184	14	9.94 783	25	0.05 217	9.87 401	11	26
35	9.82 198	14	9.94 808	26	0.05 192	9.87 390	12	**25**
36	9.82 212	14	9.94 834	25	0.05 166	9.87 378	11	24
37	9.82 226	14	9.94 859	25	0.05 141	9.87 367	11	23
38	9.82 240	15	9.94 884	26	0.05 116	9.87 356	11	22
39	9.82 255	14	9.94 910	25	0.05 090	9.87 345	11	21
40	9.82 269	14	9.94 935	26	0.05 065	9.87 334	12	**20**
41	9.82 283	14	9.94 961	25	0.05 039	9.87 322	11	19
42	9.82 297	14	9.94 986	26	0.05 014	9.87 311	11	18
43	9.82 311	15	9.95 012	25	0.04 988	9.87 300	12	17
44	9.82 326	14	9.95 037	25	0.04 963	9.87 288	11	16
45	9.82 340	14	9.95 062	26	0.04 938	9.87 277	11	**15**
46	9.82 354	14	9.95 088	25	0.04 912	9.87 266	11	14
47	9.82 368	14	9.95 113	26	0.04 887	9.87 255	12	13
48	9.82 382	14	9.95 139	25	0.04 861	9.87 243	11	12
49	9.82 396	14	9.95 164	26	0.04 836	9.87 232	11	11
50	9.82 410	14	9.95 190	25	0.04 810	9.87 221	12	**10**
51	9.82 424	15	9.95 215	25	0.04 785	9.87 209	11	9
52	9.82 439	14	9.95 240	26	0.04 760	9.87 198	11	8
53	9.82 453	14	9.95 266	25	0.04 734	9.87 187	12	7
54	9.82 467	14	9.95 291	26	0.04 709	9.87 175	11	6
55	9.82 481	14	9.95 317	25	0.04 683	9.87 164	11	**5**
56	9.82 495	14	9.95 342	26	0.04 658	9.87 153	12	4
57	9.82 509	14	9.95 368	25	0.04 632	9.87 141	11	3
58	9.82 523	14	9.95 393	25	0.04 607	9.87 130	11	2
59	9.82 537	14	9.95 418	26	0.04 582	9.87 119	12	1
60	9.82 551		9.95 444		0.04 556	9.87 107		**0**
′	L Cos	d	L Ctn	cd	L Tan	L Sin	d	′

Prop. Parts

	26	**25**
1	2.6	2.5
2	5.2	5.0
3	7.8	7.5
4	10.4	10.0
5	13.0	12.5
6	15.6	15.0
7	18.2	17.5
8	20.8	20.0
9	23.4	22.5

	15	**14**
1	1.5	1.4
2	3.0	2.8
3	4.5	4.2
4	6.0	5.6
5	7.5	7.0
6	9.0	8.4
7	10.5	9.8
8	12.0	11.2
9	13.5	12.6

	12	**11**
1	1.2	1.1
2	2.4	2.2
3	3.6	3.3
4	4.8	4.4
5	6.0	5.5
6	7.2	6.6
7	8.4	7.7
8	9.6	8.8
9	10.8	9.9

Prop. Parts

48° — Common Logarithms of Trigonometric Functions — 48°

42° — Common Logarithms of Trigonometric Functions — 42°

′	L Sin	d	L Tan	cd	L Ctn	L Cos	d	′
0	9.82 551	14	9.95 444	25	0.04 556	9.87 107	11	**60**
1	9.82 565	14	9.95 469	26	0.04 531	9.87 096	11	59
2	9.82 579	14	9.95 495	25	0.04 505	9.87 085	12	58
3	9.82 593	14	9.95 520	25	0.04 480	9.87 073	11	57
4	9.82 607	14	9.95 545	26	0.04 455	9.87 062	12	56
5	9.82 621	14	9.95 571	25	0.04 429	9.87 050	11	**55**
6	9.82 635	14	9.95 596	26	0.04 404	9.87 039	11	54
7	9.82 649	14	9.95 622	25	0.04 378	9.87 028	12	53
8	9.82 663	14	9.95 647	25	0.04 353	9.87 016	11	52
9	9.82 677	14	9.95 672	26	0.04 328	9.87 005	12	51
10	9.82 691	14	9.95 698	25	0.04 302	9.86 993	11	**50**
11	9.82 705	14	9.95 723	25	0.04 277	9.86 982	12	49
12	9.82 719	14	9.95 748	26	0.04 252	9.86 970	11	48
13	9.82 733	14	9.95 774	25	0.04 226	9.86 959	12	47
14	9.82 747	14	9.95 799	26	0.04 201	9.86 947	11	46
15	9.82 761	14	9.95 825	25	0.04 175	9.86 936	12	**45**
16	9.82 775	13	9.95 850	25	0.04 150	9.86 924	11	44
17	9.82 788	14	9.95 875	26	0.04 125	9.86 913	11	43
18	9.82 802	14	9.95 901	25	0.04 099	9.86 902	12	42
19	9.82 816	14	9.95 926	26	0.04 074	9.86 890	11	41
20	9.82 830	14	9.95 952	25	0.04 048	9.86 879	12	**40**
21	9.82 844	14	9.95 977	25	0.04 023	9.86 867	12	39
22	9.82 858	14	9.96 002	26	0.03 998	9.86 855	11	38
23	9.82 872	13	9.96 028	25	0.03 972	9.86 844	12	37
24	9.82 885	14	9.96 053	25	0.03 947	9.86 832	11	36
25	9.82 899	14	9.96 078	26	0.03 922	9.86 821	12	**35**
26	9.82 913	14	9.96 104	25	0.03 896	9.86 809	11	34
27	9.82 927	14	9.96 129	26	0.03 871	9.86 798	12	33
28	9.82 941	14	9.96 155	25	0.03 845	9.86 786	11	32
29	9.82 955	13	9.96 180	25	0.03 820	9.86 775	12	31
30	9.82 968	14	9.96 205	26	0.03 795	9.86 763	11	**30**
31	9.82 982	14	9.96 231	25	0.03 769	9.86 752	12	29
32	9.82 996	14	9.96 256	25	0.03 744	9.86 740	12	28
33	9.83 010	13	9.96 281	26	0.03 719	9.86 728	11	27
34	9.83 023	14	9.96 307	25	0.03 693	9.86 717	12	26
35	9.83 037	14	9.96 332	25	0.03 668	9.86 705	11	**25**
36	9.83 051	14	9.96 357	26	0.03 643	9.86 694	12	24
37	9.83 065	13	9.96 383	25	0.03 617	9.86 682	12	23
38	9.83 078	14	9.96 408	25	0.03 592	9.86 670	11	22
39	9.83 092	14	9.96 433	26	0.03 567	9.86 659	12	21
40	9.83 106	14	9.96 459	25	0.03 541	9.86 647	12	**20**
41	9.83 120	13	9.96 484	26	0.03 516	9.86 635	11	19
42	9.83 133	14	9.96 510	25	0.03 490	9.86 624	12	18
43	9.83 147	14	9.96 535	25	0.03 465	9.86 612	12	17
44	9.83 161	13	9.96 560	26	0.03 440	9.86 600	11	16
45	9.83 174	14	9.96 586	25	0.03 414	9.86 589	12	**15**
46	9.83 188	14	9.96 611	25	0.03 389	9.86 577	12	14
47	9.83 202	13	9.96 636	26	0.03 364	9.86 565	11	13
48	9.83 215	14	9.96 662	25	0.03 338	9.86 554	12	12
49	9.83 229	13	9.96 687	25	0.03 313	9.86 542	12	11
50	9.83 242	14	9.96 712	26	0.03 288	9.86 530	12	**10**
51	9.83 256	14	9.96 738	25	0.03 262	9.86 518	11	9
52	9.83 270	13	9.96 763	25	0.03 237	9.86 507	12	8
53	9.83 283	14	9.96 788	26	0.03 212	9.86 495	12	7
54	9.83 297	13	9.96 814	25	0.03 186	9.86 483	11	6
55	9.83 310	14	9.96 839	25	0.03 161	9.86 472	12	**5**
56	9.83 324	14	9.96 864	26	0.03 136	9.86 460	12	4
57	9.83 338	13	9.96 890	25	0.03 110	9.86 448	12	3
58	9.83 351	14	9.96 915	25	0.03 085	9.86 436	11	2
59	9.83 365	13	9.96 940	26	0.03 060	9.86 425	12	1
60	9.83 378		9.96 966		0.03 034	9.86 413		**0**
′	L Cos	d	L Ctn	cd	L Tan	L Sin	d	′

Prop. Parts

	26	25
1	2.6	2.5
2	5.2	5.0
3	7.8	7.5
4	10.4	10.0
5	13.0	12.5
6	15.6	15.0
7	18.2	17.5
8	20.8	20.0
9	23.4	22.5

	14	13
1	1.4	1.3
2	2.8	2.6
3	4.2	3.9
4	5.6	5.2
5	7.0	6.5
6	8.4	7.8
7	9.8	9.1
8	11.2	10.4
9	12.6	11.7

	12	11
1	1.2	1.1
2	2.4	2.2
3	3.6	3.3
4	4.8	4.4
5	6.0	5.5
6	7.2	6.6
7	8.4	7.7
8	9.6	8.8
9	10.8	9.9

Prop. Parts

47° — Common Logarithms of Trigonometric Functions — 47°

43° — Common Logarithms of Trigonometric Functions — 43°

′	L Sin	d	L Tan	cd	L Ctn	L Cos	d	′
0	9.83 378	14	9.96 966	25	0.03 034	9.86 413	12	**60**
1	9.83 392	13	9.96 991	25	0.03 009	9.86 401	12	59
2	9.83 405	14	9.97 016	26	0.02 984	9.86 389	12	58
3	9.83 419	13	9.97 042	25	0.02 958	9.86 377	11	57
4	9.83 432	14	9.97 067	25	0.02 933	9.86 366	12	56
5	9.83 446	13	9.97 092	26	0.02 908	9.86 354	12	**55**
6	9.83 459	14	9.97 118	25	0.02 882	9.86 342	12	54
7	9.83 473	13	9.97 143	25	0.02 857	9.86 330	12	53
8	9.83 486	14	9.97 168	25	0.02 832	9.86 318	12	52
9	9.83 500	13	9.97 193	26	0.02 807	9.86 306	11	51
10	9.83 513	14	9.97 219	25	0.02 781	9.86 295	12	**50**
11	9.83 527	13	9.97 244	25	0.02 756	9.86 283	12	49
12	9.83 540	14	9.97 269	26	0.02 731	9.86 271	12	48
13	9.83 554	13	9.97 295	25	0.02 705	9.86 259	12	47
14	9.83 567	14	9.97 320	25	0.02 680	9.86 247	12	46
15	9.83 581	13	9.97 345	26	0.02 655	9.86 235	12	**45**
16	9.83 594	14	9.97 371	25	0.02 629	9.86 223	12	44
17	9.83 608	13	9.97 396	25	0.02 604	9.86 211	11	43
18	9.83 621	13	9.97 421	26	0.02 579	9.86 200	12	42
19	9.83 634	14	9.97 447	25	0.02 553	9.86 188	12	41
20	9.83 648	13	9.97 472	25	0.02 528	9.86 176	12	**40**
21	9.83 661	13	9.97 497	26	0.02 503	9.86 164	12	39
22	9.83 674	14	9.97 523	25	0.02 477	9.86 152	12	38
23	9.83 688	13	9.97 548	25	0.02 452	9.86 140	12	37
24	9.83 701	14	9.97 573	25	0.02 427	9.86 128	12	36
25	9.83 715	13	9.97 598	26	0.02 402	9.86 116	12	**35**
26	9.83 728	13	9.97 624	25	0.02 376	9.86 104	12	34
27	9.83 741	14	9.97 649	25	0.02 351	9.86 092	12	33
28	9.83 755	13	9.97 674	26	0.02 326	9.86 080	12	32
29	9.83 768	13	9.97 700	25	0.02 300	9.86 068	12	31
30	9.83 781	14	9.97 725	25	0.02 275	9.86 056	12	**30**
31	9.83 795	13	9.97 750	26	0.02 250	9.86 044	12	29
32	9.83 808	13	9.97 776	25	0.02 224	9.86 032	12	28
33	9.83 821	13	9.97 801	25	0.02 199	9.86 020	12	27
34	9.83 834	14	9.97 826	25	0.02 174	9.86 008	12	26
35	9.83 848	13	9.97 851	26	0.02 149	9.85 996	12	**25**
36	9.83 861	13	9.97 877	25	0.02 123	9.85 984	12	24
37	9.83 874	13	9.97 902	25	0.02 098	9.85 972	12	23
38	9.83 887	14	9.97 927	26	0.02 073	9.85 960	12	22
39	9.83 901	13	9.97 953	25	0.02 047	9.85 948	12	21
40	9.83 914	13	9.97 978	25	0.02 022	9.85 936	12	**20**
41	9.83 927	13	9.98 003	26	0.01 997	9.85 924	12	19
42	9.83 940	14	9.98 029	25	0.01 971	9.85 912	12	18
43	9.83 954	13	9.98 054	25	0.01 946	9.85 900	12	17
44	9.83 967	13	9.98 079	25	0.01 921	9.85 888	12	16
45	9.83 980	13	9.98 104	26	0.01 896	9.85 876	12	**15**
46	9.83 993	13	9.98 130	25	0.01 870	9.85 864	13	14
47	9.84 006	14	9.98 155	25	0.01 845	9.85 851	12	13
48	9.84 020	13	9.98 180	26	0.01 820	9.85 839	12	12
49	9.84 033	13	9.98 206	25	0.01 794	9.85 827	12	11
50	9.84 046	13	9.98 231	25	0.01 769	9.85 815	12	**10**
51	9.84 059	13	9.98 256	25	0.01 744	9.85 803	12	9
52	9.84 072	13	9.98 281	26	0.01 719	9.85 791	12	8
53	9.84 085	13	9.98 307	25	0.01 693	9.85 779	13	7
54	9.84 098	14	9.98 332	25	0.01 668	9.85 766	12	6
55	9.84 112	13	9.98 357	26	0.01 643	9.85 754	12	**5**
56	9.84 125	13	9.98 383	25	0.01 617	9.85 742	12	4
57	9.84 138	13	9.98 408	25	0.01 592	9.85 730	12	3
58	9.84 151	13	9.98 433	25	0.01 567	9.85 718	12	2
59	9.84 164	13	9.98 458	26	0.01 542	9.85 706	13	1
60	9.84 177		9.98 484		0.01 516	9.85 693		**0**
′	L Cos	d	L Ctn	cd	L Tan	L Sin	d	′

Prop. Parts

	26	**25**
1	2.6	2.5
2	5.2	5.0
3	7.8	7.5
4	10.4	10.0
5	13.0	12.5
6	15.6	15.0
7	18.2	17.5
8	20.8	20.0
9	23.4	22.5

	14	**13**
1	1.4	1.3
2	2.8	2.6
3	4.2	3.9
4	5.6	5.2
5	7.0	6.5
6	8.4	7.8
7	9.8	9.1
8	11.2	10.4
9	12.6	11.7

	12	**11**
1	1.2	1.1
2	2.4	2.2
3	3.6	3.3
4	4.8	4.4
5	6.0	5.5
6	7.2	6.6
7	8.4	7.7
8	9.6	8.8
9	10.8	9.9

46° — Common Logarithms of Trigonometric Functions — 46°

44° — Common Logarithms of Trigonometric Functions — 44°

′	L Sin	d	L Tan	cd	L Ctn	L Cos	d	′
0	9.84 177	13	9.98 484	25	0.01 516	9.85 693	12	**60**
1	9.84 190	13	9.98 509	25	0.01 491	9.85 681	12	59
2	9.84 203	13	9.98 534	26	0.01 466	9.85 669	12	58
3	9.84 216	13	9.98 560	25	0.01 440	9.85 657	12	57
4	9.84 229	13	9.98 585	25	0.01 415	9.85 645	13	56
5	9.84 242	13	9.98 610	25	0.01 390	9.85 632	12	**55**
6	9.84 255	14	9.98 635	26	0.01 365	9.85 620	12	54
7	9.84 269	13	9.98 661	25	0.01 339	9.85 608	12	53
8	9.84 282	13	9.98 686	25	0.01 314	9.85 596	13	52
9	9.84 295	13	9.98 711	26	0.01 289	9.85 583	12	51
10	9.84 308	13	9.98 737	25	0.01 263	9.85 571	12	**50**
11	9.84 321	13	9.98 762	25	0.01 238	9.85 559	12	49
12	9.84 334	13	9.98 787	25	0.01 213	9.85 547	13	48
13	9.84 347	13	9.98 812	26	0.01 188	9.85 534	12	47
14	9.84 360	13	9.98 838	25	0.01 162	9.85 522	12	46
15	9.84 373	12	9.98 863	25	0.01 137	9.85 510	13	**45**
16	9.84 385	13	9.98 888	25	0.01 112	9.85 497	12	44
17	9.84 398	13	9.98 913	26	0.01 087	9.85 485	12	43
18	9.84 411	13	9.98 939	25	0.01 061	9.85 473	13	42
19	9.84 424	13	9.98 964	25	0.01 036	9.85 460	12	41
20	9.84 437	13	9.98 989	26	0.01 011	9.85 448	12	**40**
21	9.84 450	13	9.99 015	25	0.00 985	9.85 436	13	39
22	9.84 463	13	9.99 040	25	0.00 960	9.85 423	12	38
23	9.84 476	13	9.99 065	25	0.00 935	9.85 411	12	37
24	9.84 489	13	9.99 090	26	0.00 910	9.85 399	13	36
25	9.84 502	13	9.99 116	25	0.00 884	9.85 386	12	**35**
26	9.84 515	13	9.99 141	25	0.00 859	9.85 374	13	34
27	9.84 528	12	9.99 166	25	0.00 834	9.85 361	12	33
28	9.84 540	13	9.99 191	26	0.00 809	9.85 349	12	32
29	9.84 553	13	9.99 217	25	0.00 783	9.85 337	13	31
30	9.84 566	13	9.99 242	25	0.00 758	9.85 324	12	**30**
31	9.84 579	13	9.99 267	26	0.00 733	9.85 312	13	29
32	9.84 592	13	9.99 293	25	0.00 707	9.85 299	12	28
33	9.84 605	13	9.99 318	25	0.00 682	9.85 287	13	27
34	9.84 618	12	9.99 343	25	0.00 657	9.85 274	12	26
35	9.84 630	13	9.99 368	26	0.00 632	9.85 262	12	**25**
36	9.84 643	13	9.99 394	25	0.00 606	9.85 250	13	24
37	9.84 656	13	9.99 419	25	0.00 581	9.85 237	12	23
38	9.84 669	13	9.99 444	25	0.00 556	9.85 225	13	22
39	9.84 682	12	9.99 469	26	0.00 531	9.85 212	12	21
40	9.84 694	13	9.99 495	25	0.00 505	9.85 200	13	**20**
41	9.84 707	13	9.99 520	25	0.00 480	9.85 187	12	19
42	9.84 720	13	9.99 545	25	0.00 455	9.85 175	13	18
43	9.84 733	12	9.99 570	26	0.00 430	9.85 162	12	17
44	9.84 745	13	9.99 596	25	0.00 404	9.85 150	13	16
45	9.84 758	13	9.99 621	25	0.00 379	9.85 137	12	**15**
46	9.84 771	13	9.99 646	26	0.00 354	9.85 125	13	14
47	9.84 784	12	9.99 672	25	0.00 328	9.85 112	12	13
48	9.84 796	13	9.99 697	25	0.00 303	9.85 100	13	12
49	9.84 809	13	9.99 722	25	0.00 278	9.85 087	13	11
50	9.84 822	13	9.99 747	26	0.00 253	9.85 074	12	**10**
51	9.84 835	12	9.99 773	25	0.00 227	9.85 062	13	9
52	9.84 847	13	9.99 798	25	0.00 202	9.85 049	12	8
53	9.84 860	13	9.99 823	25	0.00 177	9.85 037	13	7
54	9.84 873	12	9.99 848	26	0.00 152	9.85 024	12	6
55	9.84 885	13	9.99 874	25	0.00 126	9.85 012	13	**5**
56	9.84 898	13	9.99 899	25	0.00 101	9.84 999	13	4
57	9.84 911	12	9.99 924	25	0.00 076	9.84 986	12	3
58	9.84 923	13	9.99 949	26	0.00 051	9.84 974	13	2
59	9.84 936	13	9.99 975	25	0.00 025	9.84 961	12	1
60	9.84 949		0.00 000		0.00 000	9.84 949		**0**
′	L Cos	d	L Ctn	cd	L Tan	L Sin	d	′

Prop. Parts

	26	25
1	2.6	2.5
2	5.2	5.0
3	7.8	7.5
4	10.4	10.0
5	13.0	12.5
6	15.6	15.0
7	18.2	17.5
8	20.8	20.0
9	23.4	22.5

	14
1	1.4
2	2.8
3	4.2
4	5.6
5	7.0
6	8.4
7	9.8
8	11.2
9	12.6

	13	12
1	1.3	1.2
2	2.6	2.4
3	3.9	3.6
4	5.2	4.8
5	6.5	6.0
6	7.8	7.2
7	9.1	8.4
8	10.4	9.6
9	11.7	10.8

Prop. Parts

45° — Common Logarithms of Trigonometric Functions — 45°

1 — Powers, Roots, Reciprocals — 50

N	N^2	$\sqrt{N}$	$\sqrt{10N}$	N^3	$\sqrt[3]{N}$	$\sqrt[3]{10N}$	$\sqrt[3]{100N}$	$1000/N$
1	1	1.00 000	3.16 228	1	1.00 000	2.15 443	4.64 159	1000.00
2	4	1.41 421	4.47 214	8	1.25 992	2.71 442	5.84 804	500.00 0
3	9	1.73 205	5.47 723	27	1.44 225	3.10 723	6.69 433	333.33 3
4	16	2.00 000	6.32 456	64	1.58 740	3.41 995	7.36 806	250.00 0
5	25	2.23 607	7.07 107	125	1.70 998	3.68 403	7.93 701	200.00 0
6	36	2.44 949	7.74 597	216	1.81 712	3.91 487	8.43 433	166.66 7
7	49	2.64 575	8.36 660	343	1.91 293	4.12 129	8.87 904	142.85 7
8	64	2.82 843	8.94 427	512	2.00 000	4.30 887	9.28 318	125.00 0
9	81	3.00 000	9.48 683	729	2.08 008	4.48 140	9.65 489	111.11 1
10	100	3.16 228	10.00 00	1 000	2.15 443	4.64 159	10.00 00	100.00 0
11	121	3.31 662	10.48 81	1 331	2.22 398	4.79 142	10.32 28	90.90 91
12	144	3.46 410	10.95 45	1 728	2.28 943	4.93 242	10.62 66	83.33 33
13	169	3.60 555	11.40 18	2 197	2.35 133	5.06 580	10.91 39	76.92 31
14	196	3.74 166	11.83 22	2 744	2.41 014	5.19 249	11.18 69	71.42 86
15	225	3.87 298	12.24 74	3 375	2.46 621	5.31 329	11.44 71	66.66 67
16	256	4.00 000	12.64 91	4 096	2.51 984	5.42 884	11.69 61	62.50 00
17	289	4.12 311	13.03 84	4 913	2.57 128	5.53 966	11.93 48	58.82 35
18	324	4.24 264	13.41 64	5 832	2.62 074	5.64 622	12.16 44	55.55 56
19	361	4.35 890	13.78 40	6 859	2.66 840	5.74 890	12.38 56	52.63 16
20	400	4.47 214	14.14 21	8 000	2.71 442	5.84 804	12.59 92	50.00 00
21	441	4.58 258	14.49 14	9 261	2.75 892	5.94 392	12.80 58	47.61 90
22	484	4.69 042	14.83 24	10 648	2.80 204	6.03 681	13.00 59	45.45 45
23	529	4.79 583	15.16 58	12 167	2.84 387	6.12 693	13.20 01	43.47 83
24	576	4.89 898	15.49 19	13 824	2.88 450	6.21 446	13.38 87	41.66 67
25	625	5.00 000	15.81 14	15 625	2.92 402	6.29 961	13.57 21	40.00 00
26	676	5.09 902	16.12 45	17 576	2.96 250	6.38 250	13.75 07	38.46 15
27	729	5.19 615	16.43 17	19 683	3.00 000	6.46 330	13.92 48	37.03 70
28	784	5.29 150	16.73 32	21 952	3.03 659	6.54 213	14.09 46	35.71 43
29	841	5.38 516	17.02 94	24 389	3.07 232	6.61 911	14.26 04	34.48 28
30	900	5.47 723	17.32 05	27 000	3.10 723	6.69 433	14.42 25	33.33 33
31	961	5.56 776	17.60 68	29 791	3.14 138	6.76 790	14.58 10	32.25 81
32	1 024	5.65 685	17.88 85	32 768	3.17 480	6.83 990	14.73 61	31.25 00
33	1 089	5.74 456	18.16 59	35 937	3.20 753	6.91 042	14.88 81	30.30 30
34	1 156	5.83 095	18.43 91	39 304	3.23 961	6.97 953	15.03 69	29.41 18
35	1 225	5.91 608	18.70 83	42 875	3.27 107	7.04 730	15.18 29	28.57 14
36	1 296	6.00 000	18.97 37	46 656	3.30 193	7.11 379	15.32 62	27.77 78
37	1 369	6.08 276	19.23 54	50 653	3.33 222	7.17 905	15.46 68	27.02 70
38	1 444	6.16 441	19.49 36	54 872	3.36 198	7.24 316	15.60 49	26.31 58
39	1 521	6.24 500	19.74 84	59 319	3.39 121	7.30 614	15.74 06	25.64 10
40	1 600	6.32 456	20.00 00	64 000	3.41 995	7.36 806	15.87 40	25.00 00
41	1 681	6.40 312	20.24 85	68 921	3.44 822	7.42 896	16.00 52	24.39 02
42	1 764	6.48 074	20.49 39	74 088	3.47 603	7.48 887	16.13 43	23.80 95
43	1 849	6.55 744	20.73 64	79 507	3.50 340	7.54 784	16.26 13	23.25 58
44	1 936	6.63 325	20.97 62	85 184	3.53 035	7.60 590	16.38 64	22.72 73
45	2 025	6.70 820	21.21 32	91 125	3.55 689	7.66 309	16.50 96	22.22 22
46	2 116	6.78 233	21.44 76	97 336	3.58 305	7.71 944	16.63 10	21.73 91
47	2 209	6.85 565	21.67 95	103 823	3.60 883	7.77 498	16.75 07	21.27 66
48	2 304	6.92 820	21.90 89	110 592	3.63 424	7.82 974	16.86 87	20.83 33
49	2 401	7.00 000	22.13 59	117 649	3.65 931	7.88 374	16.98 50	20.40 82
50	2 500	7.07 107	22.36 07	125 000	3.68 403	7.93 701	17.09 98	20.00 00
N	N^2	$\sqrt{N}$	$\sqrt{10N}$	N^3	$\sqrt[3]{N}$	$\sqrt[3]{10N}$	$\sqrt[3]{100N}$	$1000/N$

1 — Powers, Roots, Reciprocals — 50

50 — Powers, Roots, Reciprocals — 100

N	N^2	$\sqrt{N}$	$\sqrt{10N}$	N^3	$\sqrt[3]{N}$	$\sqrt[3]{10N}$	$\sqrt[3]{100N}$	$1000/N$
50	2 500	7.07 107	22.36 07	125 000	3.68 403	7.93 701	17.09 98	20.00 00
51	2 601	7.14 143	22.58 32	132 651	3.70 843	7.98 957	17.21 30	19.60 78
52	2 704	7.21 110	22.80 35	140 608	3.73 251	8.04 145	17.32 48	19.23 08
53	2 809	7.28 011	23.02 17	148 877	3.75 629	8.09 267	17.43 51	18.86 79
54	2 916	7.34 847	23.23 79	157 464	3.77 976	8.14 325	17.54 41	18.51 85
55	3 025	7.41 620	23.45 21	166 375	3.80 295	8.19 321	17.65 17	18.18 18
56	3 136	7.48 331	23.66 43	175 616	3.82 586	8.24 257	17.75 81	17.85 71
57	3 249	7.54 983	23.87 47	185 193	3.84 850	8.29 134	17.86 32	17.54 39
58	3 364	7.61 577	24.08 32	195 112	3.87 088	8.33 955	17.96 70	17.24 14
59	3 481	7.68 115	24.28 99	205 379	3.89 300	8.38 721	18.06 97	16.94 92
60	3 600	7.74 597	24.49 49	216 000	3.91 487	8.43 433	18.17 12	16.66 67
61	3 721	7.81 025	24.69 82	226 981	3.93 650	8.48 093	18.27 16	16.39 34
62	3 844	7.87 401	24.89 98	238 328	3.95 789	8.52 702	18.37 09	16.12 90
63	3 969	7.93 725	25.09 98	250 047	3.97 906	8.57 262	18.46 91	15.87 30
64	4 096	8.00 000	25.29 82	262 144	4.00 000	8.61 774	18.56 64	15.62 50
65	4 225	8.06 226	25.49 51	274 625	4.02 073	8.66 239	18.66 26	15.38 46
66	4 356	8.12 404	25.69 05	287 496	4.04 124	8.70 659	18.75 78	15.15 15
67	4 489	8.18 535	25.88 44	300 763	4.06 155	8.75 034	18.85 20	14.92 54
68	4 624	8.24 621	26.07 68	314 432	4.08 166	8.79 366	18.94 54	14.70 59
69	4 761	8.30 662	26.26 79	328 509	4.10 157	8.83 656	19.03 78	14.49 28
70	4 900	8.36 660	26.45 75	343 000	4.12 129	8.87 904	19.12 93	14.28 57
71	5 041	8.42 615	26.64 58	357 911	4.14 082	8.92 112	19.22 00	14.08 45
72	5 184	8.48 528	26.83 28	373 248	4.16 017	8.96 281	19.30 98	13.88 89
73	5 329	8.54 400	27.01 85	389 017	4.17 934	9.00 411	19.39 88	13.69 86
74	5 476	8.60 233	27.20 29	405 224	4.19 834	9.04 504	19.48 70	13.51 35
75	5 625	8.66 025	27.38 61	421 875	4.21 716	9.08 560	19.57 43	13.33 33
76	5 776	8.71 780	27.56 81	438 976	4.23 582	9.12 581	19.66 10	13.15 79
77	5 929	8.77 496	27.74 89	456 533	4.25 432	9.16 566	19.74 68	12.98 70
78	6 084	8.83 176	27.92 85	474 552	4.27 266	9.20 516	19.83 19	12.82 05
79	6 241	8.88 819	28.10 69	493 039	4.29 084	9.24 434	19.91 63	12.65 82
80	6 400	8.94 427	28.28 43	512 000	4.30 887	9.28 318	20.00 00	12.50 00
81	6 561	9.00 000	28.46 05	531 441	4.32 675	9.32 170	20.08 30	12.34 57
82	6 724	9.05 539	28.63 56	551 368	4.34 448	9.35 990	20.16 53	12.19 51
83	6 889	9.11 043	28.80 97	571 787	4.36 207	9.39 780	20.24 69	12.04 82
84	7 056	9.16 515	28.98 28	592 704	4.37 952	9.43 539	20.32 79	11.90 48
85	7 225	9.21 954	29.15 48	614 125	4.39 683	9.47 268	20.40 83	11.76 47
86	7 396	9.27 362	29.32 58	636 056	4.41 400	9.50 969	20.48 80	11.62 79
87	7 569	9.32 738	29.49 58	658 503	4.43 105	9.54 640	20.56 71	11.49 43
88	7 744	9.38 083	29.66 48	681 472	4.44 796	9.58 284	20.64 56	11.36 36
89	7 921	9.43 398	29.83 29	704 969	4.46 475	9.61 900	20.72 35	11.23 60
90	8 100	9.48 683	30.00 00	729 000	4.48 140	9.65 489	20.80 08	11.11 11
91	8 281	9.53 939	30.16 62	753 571	4.49 794	9.69 052	20.87 76	10.98 90
92	8 464	9.59 166	30.33 15	778 688	4.51 436	9.72 589	20.95 38	10.86 96
93	8 649	9.64 365	30.49 59	804 357	4.53 065	9.76 100	21.02 94	10.75 27
94	8 836	9.69 536	30.65 94	830 584	4.54 684	9.79 586	21.10 45	10.63 83
95	9 025	9.74 679	30.82 21	857 375	4.56 290	9.83 048	21.17 91	10.52 63
96	9 216	9.79 796	30.98 39	884 736	4.57 886	9.86 485	21.25 32	10.41 67
97	9 409	9.84 886	31.14 48	912 673	4.59 470	9.89 898	21.32 67	10.30 93
98	9 604	9.89 949	31.30 50	941 192	4.61 044	9.93 288	21.39 97	10.20 41
99	9 801	9.94 987	31.46 43	970 299	4.62 607	9.96 655	21.47 23	10.10 10
100	10 000	10.00 000	31.62 28	1 000 000	4.64 159	10.00 000	21.54 43	10.00 00
N	N^2	$\sqrt{N}$	$\sqrt{10N}$	N^3	$\sqrt[3]{N}$	$\sqrt[3]{10N}$	$\sqrt[3]{100N}$	$1000/N$

50 — Powers, Roots, Reciprocals — 100

100 — Powers, Roots, Reciprocals — 150

N	N^2	$\sqrt{N}$	$\sqrt{10N}$	N^3	$\sqrt[3]{N}$	$\sqrt[3]{10N}$	$\sqrt[3]{100N}$	$1000/N$
100	10 000	10.00 00	31.62 28	1 000 000	4.64 159	10.00 00	21.54 43	10.00 000
101	10 201	10.04 99	31.78 05	1 030 301	4.65 701	10.03 32	21.61 59	9.90 099
102	10 404	10.09 95	31.93 74	1 061 208	4.67 233	10.06 62	21.68 70	9.80 392
103	10 609	10.14 89	32.09 36	1 092 727	4.68 755	10.09 90	21.75 77	9.70 874
104	10 816	10.19 80	32.24 90	1 124 864	4.70 267	10.13 16	21.82 79	9.61 538
105	11 025	10.24 70	32.40 37	1 157 625	4.71 769	10.16 40	21.89 76	9.52 381
106	11 236	10.29 56	32.55 76	1 191 016	4.73 262	10.19 61	21.96 69	9.43 396
107	11 449	10.34 41	32.71 09	1 225 043	4.74 746	10.22 81	22.03 58	9.34 579
108	11 664	10.39 23	32.86 34	1 259 712	4.76 220	10.25 99	22.10 42	9.25 926
109	11 881	10.44 03	33.01 51	1 295 029	4.77 686	10.29 14	22.17 22	9.17 431
110	12 100	10.48 81	33.16 62	1 331 000	4.79 142	10.32 28	22.23 98	9.09 091
111	12 321	10.53 57	33.31 67	1 367 631	4.80 590	10.35 40	22.30 70	9.00 901
112	12 544	10.58 30	33.46 64	1 404 928	4.82 028	10.38 50	22.37 38	8.92 857
113	12 769	10.63 01	33.61 55	1 442 897	4.83 459	10.41 58	22.44 02	8.84 956
114	12 996	10.67 71	33.76 39	1 481 544	4.84 881	10.44 64	22.50 62	8.77 193
115	13 225	10.72 38	33.91 16	1 520 875	4.86 294	10.47 69	22.57 18	8.69 565
116	13 456	10.77 03	34.05 88	1 560 896	4.87 700	10.50 72	22.63 70	8.62 069
117	13 689	10.81 67	34.20 53	1 601 613	4.89 097	10.53 73	22.70 19	8.54 701
118	13 924	10.86 28	34.35 11	1 643 032	4.90 487	10.56 72	22.76 64	8.47 458
119	14 161	10.90 87	34.49 64	1 685 159	4.91 868	10.59 70	22.83 05	8.40 336
120	14 400	10.95 45	34.64 10	1 728 000	4.93 242	10.62 66	22.89 43	8.33 333
121	14 641	11.00 00	34.78 51	1 771 561	4.94 609	10.65 60	22.95 77	8.26 446
122	14 884	11.04 54	34.92 85	1 815 848	4.95 968	10.68 53	23.02 08	8.19 672
123	15 129	11.09 05	35.07 14	1 860 867	4.97 319	10.71 44	23.08 35	8.13 008
124	15 376	11.13 55	35.21 36	1 906 624	4.98 663	10.74 34	23.14 59	8.06 452
125	15 625	11.18 03	35.35 53	1 953 125	5.00 000	10.77 22	23.20 79	8.00 000
126	15 876	11.22 50	35.49 65	2 000 376	5.01 330	10.80 08	23.26 97	7.93 651
127	16 129	11.26 94	35.63 71	2 048 383	5.02 653	10.82 93	23.33 11	7.87 402
128	16 384	11.31 37	35.77 71	2 097 152	5.03 968	10.85 77	23.39 21	7.81 250
129	16 641	11.35 78	35.91 66	2 146 689	5.05 277	10.88 59	23.45 29	7.75 194
130	16 900	11.40 18	36.05 55	2 197 000	5.06 580	10.91 39	23.51 33	7.69 231
131	17 161	11.44 55	36.19 39	2 248 091	5.07 875	10.94 18	23.57 35	7.63 359
132	17 424	11.48 91	36.33 18	2 299 968	5.09 164	10.96 96	23.63 33	7.57 576
133	17 689	11.53 26	36.46 92	2 352 637	5.10 447	10.99 72	23.69 28	7.51 880
134	17 956	11.57 58	36.60 60	2 406 104	5.11 723	11.02 47	23.75 21	7.46 269
135	18 225	11.61 90	36.74 23	2 460 375	5.12 993	11.05 21	23.81 10	7.40 741
136	18 496	11.66 19	36.87 82	2 515 456	5.14 256	11.07 93	23.86 97	7.35 294
137	18 769	11.70 47	37.01 35	2 571 353	5.15 514	11.10 64	23.92 80	7.29 927
138	19 044	11.74 73	37.14 84	2 628 072	5.16 765	11.13 34	23.98 61	7.24 638
139	19 321	11.78 98	37.28 27	2 685 619	5.18 010	11.16 02	24.04 39	7.19 424
140	19 600	11.83 22	37.41 66	2 744 000	5.19 249	11.18 69	24.10 14	7.14 286
141	19 881	11.87 43	37.55 00	2 803 221	5.20 483	11.21 35	24.15 87	7.09 220
142	20 164	11.91 64	37.68 29	2 863 288	5.21 710	11.23 99	24.21 56	7.04 225
143	20 449	11.95 83	37.81 53	2 924 207	5.22 932	11.26 62	24.27 24	6.99 301
144	20 736	12.00 00	37.94 73	2 985 984	5.24 148	11.29 24	24.32 88	6.94 444
145	21 025	12.04 16	38.07 89	3 048 625	5.25 359	11.31 85	24.38 50	6.89 655
146	21 316	12.08 30	38.20 99	3 112 136	5.26 564	11.34 45	24.44 09	6.84 932
147	21 609	12.12 44	38.34 06	3 176 523	5.27 763	11.37 03	24.49 66	6.80 272
148	21 904	12.16 55	38.47 08	3 241 792	5.28 957	11.39 60	24.55 20	6.75 676
149	22 201	12.20 66	38.60 05	3 307 949	5.30 146	11.42 16	24.60 72	6.71 141
150	22 500	12.24 74	38.72 98	3 375 000	5.31 329	11.44 71	24.66 21	6.66 667
N	N^2	$\sqrt{N}$	$\sqrt{10N}$	N^3	$\sqrt[3]{N}$	$\sqrt[3]{10N}$	$\sqrt[3]{100N}$	$1000/N$

150 — Powers, Roots, Reciprocals — 200

N	N^2	$\sqrt{N}$	$\sqrt{10N}$	N^3	$\sqrt[3]{N}$	$\sqrt[3]{10N}$	$\sqrt[3]{100N}$	$1000/N$
150	22 500	12.24 74	38.72 98	3 375 000	5.31 329	11.44 71	24.66 21	6.66 667
151	22 801	12.28 82	38.85 87	3 442 951	5.32 507	11.47 25	24.71 68	6.62 252
152	23 104	12.32 88	38.98 72	3 511 808	5.33 680	11.49 78	24.77 12	6.57 895
153	23 409	12.36 93	39.11 52	3 581 577	5.34 848	11.52 30	24.82 55	6.53 595
154	23 716	12.40 97	39.24 28	3 652 264	5.36 011	11.54 80	24.87 94	6.49 351
155	24 025	12.44 99	39.37 00	3 723 875	5.37 169	11.57 29	24.93 32	6.45 161
156	24 336	12.49 00	39.49 68	3 796 416	5.38 321	11.59 78	24.98 67	6.41 026
157	24 649	12.53 00	39.62 32	3 869 893	5.39 469	11.62 25	25.03 99	6.36 943
158	24 964	12.56 98	39.74 92	3 944 312	5.40 612	11.64 71	25.09 30	6.32 911
159	25 281	12.60 95	39.87 48	4 019 679	5.41 750	11.67 17	25.14 58	6.28 931
160	25 600	12.64 91	40.00 00	4 096 000	5.42 884	11.69 61	25.19 84	6.25 000
161	25 921	12.68 86	40.12 48	4 173 281	5.44 012	11.72 04	25.25 08	6.21 118
162	26 244	12.72 79	40.24 92	4 251 528	5.45 136	11.74 46	25.30 30	6.17 284
163	26 569	12.76 71	40.37 33	4 330 747	5.46 256	11.76 87	25.35 49	6.13 497
164	26 896	12.80 62	40.49 69	4 410 944	5.47 370	11.79 27	25.40 67	6.09 756
165	27 225	12.84 52	40.62 02	4 492 125	5.48 481	11.81 67	25.45 82	6.06 061
166	27 556	12.88 41	40.74 31	4.574 296	5.49 586	11.84 05	25.50 95	6.02 410
167	27 889	12.92 28	40.86 56	4 657 463	5.50 688	11.86 42	25.56 07	5.98 802
168	28 224	12.96 15	40.98 78	4 741 632	5.51 785	11.88 78	25.61 16	5.95 238
169	28 561	13.00 00	41.10 96	4 826 809	5.52 877	11.91 14	25.66 23	5.91 716
170	28 900	13.03 84	41.23 11	4 913 000	5.53 966	11.93 48	25.71 28	5.88 235
171	29 241	13.07 67	41.35 21	5 000 211	5.55 050	11.95 82	25.76 31	5.84 795
172	29 584	13.11 49	41.47 29	5 088 448	5.56 130	11.98 15	25.81 33	5.81 395
173	29 929	13.15 29	41.59 33	5 177 717	5.57 205	12.00 46	25.86 32	5.78 035
174	30 276	13.19 09	41.71 33	5 268 024	5.58 277	12.02 77	25.91 29	5.74 713
175	30 625	13.22 88	41.83 30	5 359 375	5.59 344	12.05 07	25.96 25	5.71 429
176	30 976	13.26 65	41.95 24	5 451 776	5.60 408	12.07 36	26.01 18	5.68 182
177	31 329	13.30 41	42.07 14	5 545 233	5.61 467	12.09 64	26.06 10	5.64 972
178	31 684	13.34 17	42.19 00	5 639 752	5.62 523	12.11 92	26.11 00	5.61 798
179	32 041	13.37 91	42.30 84	5 735 339	5.63 574	12.14 18	26.15 88	5.58 659
180	32 400	13.41 64	42.42 64	5 832 000	5.64 622	12.16 44	26.20 74	5.55 556
181	32 761	13.45 36	42.54 41	5 929 741	5.65 665	12.18 69	26.25 59	5.52 486
182	33 124	13.49 07	42.66 15	6 028 568	5.66 705	12.20 93	26.30 41	5.49 451
183	33 489	13.52 77	42.77 85	6 128 487	5.67 741	12.23 16	26.35 22	5.46 448
184	33 856	13.56 47	42.89 52	6 229 504	5.68 773	12.25 39	26.40 01	5.43 478
185	34 225	13.60 15	43.01 16	6 331 625	5.69 802	12.27 60	26.44 79	5.40 541
186	34 596	13.63 82	43.12 77	6 434 856	5.70 827	12.29 81	26.49 54	5.37 634
187	34 969	13.67 48	43.24 35	6 539 203	5.71 848	12.32 01	26.54 28	5.34 759
188	35 344	13.71 13	43.35 90	6 644 672	5.72 865	12.34 20	26.59 01	5.31 915
189	35 721	13.74 77	43.47 41	6 751 269	5.73 879	12.36 39	26.63 71	5.29 101
190	36 100	13.78 40	43.58 90	6 859 000	5.74 890	12.38 56	26.68 40	5.26 316
191	36 481	13.82 03	43.70 35	6 967 871	5.75 897	12.40 73	26.73 07	5.23 560
192	36 864	13.85 64	43.81 78	7 077 888	5.76 900	12.42 89	26.77 73	5.20 833
193	37 249	13.89 24	43.93 18	7 189 057	5.77 900	12.45 05	26.82 37	5.18 135
194	37 636	13.92 84	44.04 54	7 301 384	5.78 896	12.47 19	26.87 00	5.15 464
195	38 025	13.96 42	44.15 88	7 414 875	5.79 889	12.49 33	26.91 61	5.12 821
196	38 416	14.00 00	44.27 19	7 529 536	5.80 879	12.51 46	26.96 20	5.10 204
197	38 809	14.03 57	44.38 47	7 645 373	5.81 865	12.53 59	27.00 78	5.07 614
198	39 204	14.07 12	44.49 72	7 762 392	5.82 848	12.55 71	27.05 34	5.05 051
199	39 601	14.10 67	44.60 94	7 880 599	5.83 827	12.57 82	27.09 89	5.02 513
200	40 000	14.14 21	44.72 14	8 000 000	5.84 804	12.59 92	27.14 42	5.00 000
N	N^2	$\sqrt{N}$	$\sqrt{10N}$	N^3	$\sqrt[3]{N}$	$\sqrt[3]{10N}$	$\sqrt[3]{100N}$	$1000/N$

150 — Powers, Roots, Reciprocals — 200

200 — Powers, Roots, Reciprocals — 250

N	N^2	$\sqrt{N}$	$\sqrt{10N}$	N^3	$\sqrt[3]{N}$	$\sqrt[3]{10N}$	$\sqrt[3]{100N}$	$1000/N$
200	40 000	14.14 21	44.72 14	8 000 000	5.84 804	12.59 92	27.14 42	5.00 000
201	40 401	14.17 74	44.83 30	8 120 601	5.85 777	12.62 02	27.18 93	4.97 512
202	40 804	14.21 27	44.94 44	8 242 408	5.86 746	12.64 11	27.23 44	4.95 050
203	41 209	14.24 78	45.05 55	8 365 427	5.87 713	12.66 19	27.27 92	4.92 611
204	41 616	14.28 29	45.16 64	8 489 664	5.88 677	12.68 27	27.32 39	4.90 196
205	42 025	14.31 78	45.27 69	8 615 125	5.89 637	12.70 33	27.36 85	4.87 805
206	42 436	14.35 27	45.38 72	8 741 816	5.90 594	12.72 40	27.41 29	4.85 437
207	42 849	14.38 75	45.49 73	8 869 743	5.91 548	12.74 45	27.45 72	4.83 092
208	43 264	14.42 22	45.60 70	8 998 912	5.92 499	12.76 50	27.50 14	4.80 769
209	43 681	14.45 68	45.71 65	9 129 329	5.93 447	12.78 54	27.54 54	4.78 469
210	44 100	14.49 14	45.82 58	9 261 000	5.94 392	12.80 58	27.58 92	4.76 190
211	44 521	14.52 58	45.93 47	9 393 931	5.95 334	12.82 61	27.63 30	4.73 934
212	44 944	14.56 02	46.04 35	9 528 128	5.96 273	12.84 63	27.67 66	4.71 698
213	45 369	14.59 45	46.15 19	9 663 597	5.97 209	12.86 65	27.72 00	4.69 484
214	45 796	14.62 87	46.26 01	9 800 344	5.98 142	12.88 66	27.76 33	4.67 290
215	46 225	14.66 29	46.36 81	9 938 375	5.99 073	12.90 66	27.80 65	4.65 116
216	46 656	14.69 69	46.47 58	10 077 696	6.00 000	12.92 66	27.84 95	4.62 963
217	47 089	14.73 09	46.58 33	10 218 313	6.00 925	12.94 65	27.89 24	4.60 829
218	47 524	14.76 48	46.69 05	10 360 232	6.01 846	12.96 64	27.93 52	4.58 716
219	47 961	14.79 86	46.79 74	10 503 459	6.02 765	12.98 62	27.97 79	4.56 621
220	48 400	14.83 24	46.90 42	10 648 000	6.03 681	13.00 59	28.02 04	4.54 545
221	48 841	14.86 61	47.01 06	10 793 861	6.04 594	13.02 56	28.06 28	4.52 489
222	49 284	14.89 97	47.11 69	10 941 048	6.05 505	13.04 52	28.10 50	4.50 450
223	49 729	14.93 32	47.22 29	11 089 567	6.06 413	13.06 48	28.14 72	4.48 430
224	50 176	14.96 66	47.32 86	11 239 424	6.07 318	13.08 43	28.18 92	4.46 429
225	50 625	15.00 00	47.43 42	11 390 625	6.08 220	13.10 37	28.23 11	4.44 444
226	51 076	15.03 33	47.53 95	11 543 176	6.09 120	13.12 31	28.27 28	4.42 478
227	51 529	15.06 65	47.64 45	11 697 083	6.10 017	13.14 24	28.31 45	4.40 529
228	51 984	15.09 97	47.74 93	11 852 352	6.10 911	13.16 17	28.35 60	4.38 596
229	52 441	15.13 27	47.85 39	12 008 989	6.11 803	13.18 09	28.39 74	4.36 681
230	52 900	15.16 58	47.95 83	12 167 000	6.12 693	13.20 01	28.43 87	4.34 783
231	53 361	15.19 87	48.06 25	12 326 391	6.13 579	13.21 92	28.47 98	4.32 900
232	53 824	15.23 15	48.16 64	12 487 168	6.14 463	13.23 82	28.52 09	4.31 034
233	54 289	15.26 43	48.27 01	12 649 337	6.15 345	13.25 72	28.56 18	4.29 185
234	54 756	15.29 71	48.37 35	12 812 904	6.16 224	13.27 61	28.60 26	4.27 350
235	55 225	15.32 97	48.47 68	12 977 875	6.17 101	13.29 50	28.64 33	4.25 532
236	55 696	15.36 23	48.57 98	13 144 256	6.17 975	13.31 39	28.68 38	4.23 729
237	56 169	15.39 48	48.68 26	13 312 053	6.18 846	13.33 26	28.72 43	4.21 941
238	56 644	15.42 72	48.78 52	13 481 272	6.19 715	13.35 14	28.76 46	4.20 168
239	57 121	15.45 96	48.88 76	13 651 919	6.20 582	13.37 00	28.80 49	4.18 410
240	57 600	15.49 19	48.98 98	13 824 000	6.21 447	13.38 87	28.84 50	4.16 667
241	58 081	15.52 42	49.09 18	13 997 521	6.22 308	13.40 72	28.88 50	4.14 938
242	58 564	15.55 63	49.19 35	14 172 488	6.23 168	13.42 57	28.92 49	4.13 223
243	59 049	15.58 85	49.29 50	14 348 907	6.24 025	13.44 42	28.96 47	4.11 523
244	59 536	15.62 05	49.39 64	14 526 784	6.24 880	13.46 26	29.00 44	4.09 836
245	60 025	15.65 25	49.49 75	14 706 125	6.25 732	13.48 10	29.04 39	4.08 163
246	60 516	15.68 44	49.59 84	14 886 936	6.26 583	13.49 93	29.08 34	4.06 504
247	61 009	15.71 62	49.69 91	15 069 223	6.27 431	13.51 76	29.12 27	4.04 858
248	61 504	15.74 80	49.79 96	15 252 992	6.28 276	13.53 58	29.16 20	4.03 226
249	62 001	15.77 97	49.89 99	15 438 249	6.29 119	13.55 40	29.20 11	4.01 606
250	62 500	15.81 14	50.00 00	15 625 000	6.29 961	13.57 21	29.24 02	4.00 000
N	N^2	$\sqrt{N}$	$\sqrt{10N}$	N^3	$\sqrt[3]{N}$	$\sqrt[3]{10N}$	$\sqrt[3]{100N}$	$1000/N$

250 — Powers, Roots, Reciprocals — 300

N	N^2	$\sqrt{N}$	$\sqrt{10N}$	N^3	$\sqrt[3]{N}$	$\sqrt[3]{10N}$	$\sqrt[3]{100N}$	$1000/N$
250	62 500	15.81 14	50.00 00	15 625 000	6.29 961	13.57 21	29.24 02	4.00 000
251	63 001	15.84 30	50.09 99	15 813 251	6.30 799	13.59 02	29.27 91	3.98 406
252	63 504	15.87 45	50.19 96	16 003 008	6.31 636	13.60 82	29.31 79	3.96 825
253	64 009	15.90 60	50.29 91	16 194 277	6.32 470	13.62 62	29.35 67	3.95 257
254	64 516	15.93 74	50.39 84	16 387 064	6.33 303	13.64 41	29.39 53	3.93 701
255	65 025	15.96 87	50.49 75	16 581 375	6.34 133	13.66 20	29.43 38	3.92 157
256	65 536	16.00 00	50.59 64	16 777 216	6.34 960	13.67 98	29.47 23	3.90 625
257	66 049	16.03 12	50.69 52	16 974 593	6.35 786	13.69 76	29.51 06	3.89 105
258	66 564	16.06 24	50.79 37	17 173 512	6.36 610	13.71 53	29.54 88	3.87 597
259	67 081	16.09 35	50.89 20	17 373 979	6.37 431	13.73 30	29.58 69	3.86 100
260	67 600	16.12 45	50.99 02	17 576 000	6.38 250	13.75 07	29.62 50	3.84 615
261	68 121	16.15 55	51.08 82	17 779 581	6.39 068	13.76 83	29.66 29	3.83 142
262	68 644	16.18 64	51.18 59	17 984 728	6.39 883	13.78 59	29.70 07	3.81 679
263	69 169	16.21 73	51.28 35	18 191 447	6.40 696	13.80 34	29.73 85	3.80 228
264	69 696	16.24 81	51.38 09	18 399 744	6.41 507	13.82 08	29.77 61	3.78 788
265	70 225	16.27 88	51.47 82	18 609 625	6.42 316	13.83 83	29.81 37	3.77 358
266	70 756	16.30 95	51.57 52	18 821 096	6.43 123	13.85 57	29.85 11	3.75 940
267	71 289	16.34 01	51.67 20	19 034 163	6.43 928	13.87 30	29.88 85	3.74 532
268	71 824	16.37 07	51.76 87	19 248 832	6.44 731	13.89 03	29.92 57	3.73 134
269	72 361	16.40 12	51.86 52	19 465 109	6.45 531	13.90 76	29.96 29	3.71 747
270	72 900	16.43 17	51.96 15	19 683 000	6.46 330	13.92 48	30.00 00	3.70 370
271	73 441	16.46 21	52.05 77	19 902 511	6.47 127	13.94 19	30.03 70	3.69 004
272	73 984	16.49 24	52.15 36	20 123 648	6.47 922	13.95 91	30.07 39	3.67 647
273	74 529	16.52 27	52.24 94	20 346 417	6.48 715	13.97 61	30.11 07	3.66 300
274	75 076	16.55 29	52.34 50	20 570 824	6.49 507	13.99 32	30.14 74	3.64 964
275	75 625	16.58 31	52.44 04	20 796 875	6.50 296	14.01 02	30.18 41	3.63 636
276	76 176	16.61 32	52.53 57	21 024 576	6.51 083	14.02 72	30.22 06	3.62 319
277	76 729	16.64 33	52.63 08	21 253 933	6.51 868	14.04 41	30.25 70	3.61 011
278	77 284	16.67 33	52.72 57	21 484 952	6.52 652	14.06 10	30.29 34	3.59 712
279	77 841	16.70 33	52.82 05	21 717 639	6.53 434	14.07 78	30.32 97	3.58 423
280	78 400	16.73 32	52.91 50	21 952 000	6.54 213	14.09 46	30.36 59	3.57 143
281	78 961	16.76 31	53.00 94	22 188 041	6.54 991	14.11 14	30.40 20	3.55 872
282	79 524	16.79 29	53.10 37	22 425 768	6.55 767	14.12 81	30.43 80	3.54 610
283	80 089	16.82 26	53.19 77	22 665 187	6.56 541	14.14 48	30.47 40	3.53 357
284	80 656	16.85 23	53.29 17	22 906 304	6.57 314	14.16 14	30.50 98	3.52 113
285	81 225	16.88 19	53.38 54	23 149 125	6.58 084	14.17 80	30.54 56	3.50 877
286	81 796	16.91 15	53.47 90	23 393 656	6.58 853	14.19 46	30.58 13	3.49 650
287	82 369	16.94 11	53.57 24	23 639 903	6.59 620	14.21 11	30.61 69	3.48 432
288	82 944	16.97 06	53.66 56	23 887 872	6.60 385	14.22 76	30.65 24	3.47 222
289	83 521	17.00 00	53.75 87	24 137 569	6.61 149	14.24 40	30.68 78	3.46 021
290	84 100	17.02 94	53.85 16	24 389 000	6.61 911	14.26 04	30.72 32	3.44 828
291	84 681	17.05 87	53.94 44	24 642 171	6.62 671	14.27 68	30.75 84	3.43 643
292	85 264	17.08 80	54.03 70	24 897 088	6.63 429	14.29 31	30.79 36	3.42 466
293	85 849	17.11 72	54.12 95	25 153 757	6.64 185	14.30 94	30.82 87	3.41 297
294	86 436	17.14 64	54.22 18	25 412 184	6.64 940	14.32 57	30.86 38	3.40 136
295	87 025	17.17 56	54.31 39	25 672 375	6.65 693	14.34 19	30.89 87	3.38 983
296	87 616	17.20 47	54.40 59	25 934 336	6.66 444	14.35 81	30.93 36	3.37 838
297	88 209	17.23 37	54.49 77	26 198 073	6.67 194	14.37 43	30.96 84	3.36 700
298	88 804	17.26 27	54.58 94	26 463 592	6.67 942	14.39 04	31.00 31	3.35 570
299	89 401	17.29 16	54.68 09	26 730 899	6.68 688	14.40 65	31.03 78	3.34 448
300	90 000	17.32 05	54.77 23	27 000 000	6.69 433	14.42 25	31.07 23	3.33 333
N	N^2	$\sqrt{N}$	$\sqrt{10N}$	N^3	$\sqrt[3]{N}$	$\sqrt[3]{10N}$	$\sqrt[3]{100N}$	$1000/N$

300 — Powers, Roots, Reciprocals — 350

N	N^2	$\sqrt{N}$	$\sqrt{10N}$	N^3	$\sqrt[3]{N}$	$\sqrt[3]{10N}$	$\sqrt[3]{100N}$	$1000/N$
300	90 000	17.32 05	54.77 23	27 000 000	6.69 433	14.42 25	31.07 23	3.33 333
301	90 601	17.34 94	54.86 35	27 270 901	6.70 176	14.43 85	31.10 68	3.32 226
302	91 204	17.37 81	54.95 45	27 543 608	6.70 917	14.45 45	31.14 12	3.31 126
303	91 809	17.40 69	55.04 54	27 818 127	6.71 657	14.47 04	31.17 56	3.30 033
304	92 416	17.43 56	55.13 62	28 094 464	6.72 395	14.48 63	31.20 98	3.28 947
305	93 025	17.46 42	55.22 68	28 372 625	6.73 132	14.50 22	31.24 40	3.27 869
306	93 636	17.49 29	55.31 73	28 652 616	6.73 866	14.51 80	31.27 81	3.26 797
307	94 249	17.52 14	55.40 76	28 934 443	6.74 600	14.53 38	31.31 21	3.25 733
308	94 864	17.54 99	55.49 77	29 218 112	6.75 331	14.54 96	31.34 61	3.24 675
309	95 481	17.57 84	55.58 78	29 503 629	6.76 061	14.56 53	31.38 00	3.23 625
310	96 100	17.60 68	55.67 76	29 791 000	6.76 790	14.58 10	31.41 38	3.22 581
311	96 721	17.63 52	55.76 74	30 080 231	6.77 517	14.59 67	31.44 75	3.21 543
312	97 344	17.66 35	55.85 70	30 371 328	6.78 242	14.61 23	31.48 12	3.20 513
313	97 969	17.69 18	55.94 64	30 664 297	6.78 966	14.62 79	31.51 48	3.19 489
314	98 596	17.72 00	56.03 57	30 959 144	6.79 688	14.64 34	31.54 83	3.18 471
315	99 225	17.74 82	56.12 49	31 255 875	6.80 409	14.65 90	31.58 18	3.17 460
316	99 856	17.77 64	56.21 39	31 554 496	6.81 128	14.67 45	31.61 52	3.16 456
317	100 489	17.80 45	56.30 28	31 855 013	6.81 846	14.68 99	31.64 85	3.15 457
318	101 124	17.83 26	56.39 15	32 157 432	6.82 562	14.70 54	31.68 17	3.14 465
319	101 761	17.86 06	56.48 01	32 461 759	6.83 277	14.72 08	31.71 49	3.13 480
320	102 400	17.88 85	56.56 85	32 768 000	6.83 990	14.73 61	31.74 80	3.12 500
321	103 041	17.91 65	56.65 69	33 076 161	6.84 702	14.75 15	31.78 11	3.11 526
322	103 684	17.94 44	56.74 50	33 386 248	6.85 412	14.76 68	31.81 40	3.10 559
323	104 329	17.97 22	56.83 31	33 698 267	6.86 121	14.78 20	31.84 69	3.09 598
324	104 976	18.00 00	55.92 10	34 012 224	6.86 829	14.79 73	31.87 98	3.08 642
325	105 625	18.02 78	57.00 88	34 328 125	6.87 534	14.81 25	31.91 25	3.07 692
326	106 276	18.05 55	57.09 64	34 645 976	6.88 239	14.82 77	31.94 52	3.06 748
327	106 929	18.08 31	57.18 39	34 965 783	6.88 942	14.84 28	31.97 78	3.05 810
328	107 584	18.11 08	57.27 13	35 287 552	6.89 643	14.85 79	32.01 04	3.04 878
329	108 241	18.13 84	57.35 85	35 611 289	6.90 344	14.87 30	32.04 29	3.03 951
330	108 900	18.16 59	57.44 56	35 937 000	6.91 042	14.88 81	32.07 53	3.03 030
331	109 561	18.19 34	57.53 26	36 264 691	6.91 740	14.90 31	32.10 77	3.02 115
332	110 224	18.22 09	57.61 94	36 594 368	6.92 436	14.91 81	32.14 00	3.01 205
333	110 889	18.24 83	57.70 62	36 926 037	6.93 130	14.93 30	32.17 22	3.00 300
334	111 556	18.27 57	57.79 27	37 259 704	6.93 823	14.94 80	32.20 44	2.99 401
335	112 225	18.30 30	57.87 92	37 595 375	6.94 515	14.96 29	32.23 65	2.98 507
336	112 896	18.33 03	57.96 55	37 933 056	6.95 205	14.97 77	32.26 86	2.97 619
337	113 569	18.35 76	58.05 17	38 272 753	6.95 894	14.99 26	32.30 06	2.96 736
338	114 244	18.38 48	58.13 78	38 614 472	6.96 582	15.00 74	32.33 25	2.95 858
339	114 921	18.41 20	58.22 37	38 958 219	6.97 268	15.02 22	32.36 43	2.94 985
340	115 600	18 43 91	58.30 95	39 304 000	6.97 953	15.03 69	32.39 61	2.94 118
341	116 281	18.46 62	58.39 52	39 651 821	6.98 637	15.05 17	32.42 78	2.93 255
342	116 964	18.49 32	58.48 08	40 001 688	6.99 319	15.06 64	32.45 95	2.92 398
343	117 649	18.52 03	58.56 62	40 353 607	7.00 000	15.08 10	32.49 11	2.91 545
344	118 336	18.54 72	58.65 15	40 707 584	7.00 680	15.09 57	32.52 27	2.90 698
345	119 025	18.57 42	58.73 67	41 063 625	7.01 358	15.11 03	32.55 42	2.89 855
346	119 716	18.60 11	58.82 18	41 421 736	7.02 035	15.12 49	32.58 56	2.89 017
347	120 409	18.62 79	58.90 67	41 781 923	7.02 711	15.13 94	32.61 69	2.88 184
348	121 104	18.65 48	58.99 15	42 144 192	7.03 385	15.15 40	32.64 82	2.87 356
349	121 801	18.68 15	59.07 62	42 508 549	7.04 058	15.16 85	32.67 95	2.86 533
350	122 500	18.70 83	59.16 08	42 875 000	7.04 730	15.18 29	32.71 07	2.85 714
N	N^2	$\sqrt{N}$	$\sqrt{10N}$	N^3	$\sqrt[3]{N}$	$\sqrt[3]{10N}$	$\sqrt[3]{100N}$	$1000/N$

300 — Powers, Roots, Reciprocals — 350

350 — Powers, Roots, Reciprocals — 400

N	N^2	$\sqrt{N}$	$\sqrt{10N}$	N^3	$\sqrt[3]{N}$	$\sqrt[3]{10N}$	$\sqrt[3]{100N}$	$1000/N$
350	122 500	18.70 83	59.16 08	42 875 000	7.04 730	15.18 29	32.71 07	2.85 714
351	123 201	18.73 50	59.24 53	43 243 551	7.05 400	15.19 74	32.74 18	2.84 900
352	123 904	18.76 17	59.32 96	43 614 208	7.06 070	15.21 18	32.77 29	2.84 091
353	124 609	18.78 83	59.41 38	43 986 977	7.06 738	15.22 62	32.80 39	2.83 286
354	125 316	18.81 49	59.49 79	44 361 864	7.07 404	15.24 06	32.83 48	2.82 486
355	126 025	18.84 14	59.58 19	44 738 875	7.08 070	15.25 49	32.86 57	2.81 690
356	126 736	18.86 80	59.66 57	45 118 016	7.08 734	15.26 92	32.89 65	2.80 899
357	127 449	18.89 44	59.74 95	45 499 293	7.09 397	15.28 35	32.92 73	2.80 112
358	128 164	18.92 09	59.83 31	45 882 712	7.10 059	15.29 78	32.95 80	2.79 330
359	128 881	18.94 73	59.91 66	46 268 279	7.10 719	15.31 20	32.98 87	2.78 552
360	129 600	18.97 37	60.00 00	46 656 000	7.11 379	15.32 62	33.01 93	2.77 778
361	130 321	19.00 00	60.08 33	47 045 881	7.12 037	15.34 04	33.04 98	2.77 008
362	131 044	19.02 63	60.16 64	47 437 928	7.12 694	15.35 45	33.08 03	2.76 243
363	131 769	19.05 26	60.24 95	47 832 147	7.13 349	15.36 86	33.11 07	2.75 482
364	132 496	19.07 88	60.33 24	48 228 544	7.14 004	15.38 27	33.14 11	2.74 725
365	133 225	19.10 50	60.41 52	48 627 125	7.14 657	15.39 68	33.17 14	2.73 973
366	133 956	19.13 11	60.49 79	49 027 896	7.15 309	15.41 09	33.20 17	2.73 224
367	134 689	19.15 72	60.58 05	49 430 863	7.15 960	15.42 49	33.23 19	2.72 480
368	135 424	19.18 33	60.66 30	49 836 032	7.16 610	15.43 89	33.26 21	2.71 739
369	136 161	19.20 94	60.74 54	50 243 409	7.17 258	15.45 29	33.29 22	2.71 003
370	136 900	19.23 54	60.82 76	50 653 000	7.17 905	15.46 68	33.32 22	2.70 270
371	137 641	19.26 14	60.90 98	51 064 811	7.18 552	15.48 07	33.35 22	2.69 542
372	138 384	19.28 73	60.99 18	51 478 848	7.19 197	15.49 46	33.38 22	2.68 817
373	139 129	19.31 32	61.07 37	51 895 117	7.19 840	15.50 85	33.41 20	2.68 097
374	139 876	19.33 91	61.15 55	52 313 624	7.20 483	15.52 23	33.44 19	2.67 380
375	140 625	19.36 49	61.23 72	52 734 375	7.21 125	15.53 62	33.47 16	2.66 667
376	141 376	19.39 07	61.31 88	53 157 376	7.21 765	15.55 00	33.50 14	2.65 957
377	142 129	19.41 65	61.40 03	53 582 633	7.22 405	15.56 37	33.53 10	2.65 252
378	142 884	19.44 22	61.48 17	54 010 152	7.23 043	15.57 75	33.56 07	2.64 550
379	143 641	19.46 79	61.56 30	54 439 939	7.23 680	15.59 12	33.59 02	2.63 852
380	144 400	19.49 36	61.64 41	54 872 000	7.24 316	15.60 49	33.61 98	2.63 158
381	145 161	19.51 92	61.72 52	55 306 341	7.24 950	15.61 86	33.64 92	2.62 467
382	145 924	19.54 48	61.80 61	55 742 968	7.25 584	15.63 22	33.67 86	2.61 780
383	146 689	19.57 04	61.88 70	56 181 887	7.26 217	15.64 59	33.70 80	2.61 097
384	147 456	19.59 59	61.96 77	56 623 104	7.26 848	15.65 95	33.73 73	2.60 417
385	148 225	19.62 14	62.04 84	57 066 625	7.27 479	15.67 31	33.76 66	2.59 740
386	148 996	19.64 69	62.12 89	57 512 456	7.28 108	15.68 66	33.79 58	2.59 067
387	149 769	19.67 23	62.20 93	57 960 603	7.28 736	15.70 01	33.82 49	2.58 398
388	150 544	19.69 77	62.28 96	58 411 072	7.29 363	15.71 37	33.85 40	2.57 732
389	151 321	19.72 31	62.36 99	58 863 869	7.29 989	15.72 71	33.88 31	2.57 069
390	152 100	19.74 84	62.45 00	59 319 000	7.30 614	15.74 06	33.91 21	2.56 410
391	152 881	19.77 37	62.53 00	59 776 471	7.31 238	15.75 41	33.94 11	2.55 754
392	153 664	19.79 90	62.60 99	60 236 288	7.31 861	15.76 75	33.97 00	2.55 102
393	154 449	19.82 42	62.68 97	60 698 457	7.32 483	15.78 09	33.99 88	2.54 453
394	155 236	19.84 94	62.76 94	61 162 984	7.33 104	15.79 42	34.02 77	2.53 807
395	156 025	19.87 46	62.84 90	61 629 875	7.33 723	15.80 76	34.05 64	2.53 165
396	156 816	19.89 97	62.92 85	62 099 136	7.34 342	15.82 09	34.08 51	2.52 525
397	157 609	19.92 49	63.00 79	62 570 773	7.34 960	15.83 42	34.11 38	2.51 889
398	158 404	19.94 99	63.08 72	63 044 792	7.35 576	15.84 75	34.14 24	2.51 256
399	159 201	19.97 50	63.16 64	63 521 199	7.36 192	15.86 08	34.17 10	2.50 627
400	160 000	20.00 00	63.24 56	64 000 000	7.36 806	15.87 40	34.19 95	2.50 000
N	N^2	$\sqrt{N}$	$\sqrt{10N}$	N^3	$\sqrt[3]{N}$	$\sqrt[3]{10N}$	$\sqrt[3]{100N}$	$1000/N$

400 — Powers, Roots, Reciprocals — 450

N	N^2	$\sqrt{N}$	$\sqrt{10N}$	N^3	$\sqrt[3]{N}$	$\sqrt[3]{10N}$	$\sqrt[3]{100N}$	$1000/N$
400	160 000	20.00 00	63.24 56	64 000 000	7.36 806	15.87 40	34.19 95	2.50 000
401	160 801	20.02 50	63.32 46	64 481 201	7.37 420	15.88 72	34.22 80	2.49 377
402	161 604	20.04 99	63.40 35	64 964 808	7.38 032	15.90 04	34.25 64	2.48 756
403	162 409	20.07 49	63.48 23	65 450 827	7.38 644	15.91 36	34.28 48	2.48 139
404	163 216	20.09 98	63.56 10	65 939 264	7.39 254	15.92 67	34.31 31	2.47 525
405	164 025	20.12 46	63.63 96	66 430 125	7.39 864	15.93 99	34.34 14	2.46 914
406	164 836	20.14 94	63.71 81	66 923 416	7.40 472	15.95 30	34.36 97	2.46 305
407	165 649	20.17 42	63.79 66	67 419 143	7.41 080	15.96 61	34.39 79	2.45 700
408	166 464	20.19 90	63.87 49	67 917 312	7.41 686	15.97 91	34.42 60	2.45 098
409	167 281	20.22 37	63.95 31	68 417 929	7.42 291	15.99 22	34.45 41	2.44 499
410	168 100	20.24 85	64.03 12	68 921 000	7.42 896	16.00 52	34.48 22	2.43 902
411	168 921	20.27 31	64.10 93	69 426 531	7.43 499	16.01 82	34.51 02	2.43 309
412	169 744	20.29 78	64.18 72	69 934 528	7.44 102	16.03 12	34.53 82	2.42 718
413	170 569	20.32 24	64.26 51	70 444 997	7.44 703	16.04 41	34.56 61	2.42 131
414	171 396	20.34 70	64.34 28	70 957 944	7.45 304	16.05 71	34.59 39	2.41 546
415	172 225	20.37 15	64.42 05	71 473 375	7.45 904	16.07 00	34.62 18	2.40 964
416	173 056	20.39 61	64.49 81	71 991 296	7.46 502	16.08 29	34.64 96	2.40 385
417	173 889	20.42 06	64.57 55	72 511 713	7.47 100	16.09 58	34.67 73	2.39 808
418	174 724	20.44 50	64.65 29	73 034 632	7.47 697	16.10 86	34.70 50	2.39 234
419	175 561	20.46 95	64.73 02	73 560 059	7.48 292	16.12 15	34.73 27	2.38 663
420	176 400	20.49 39	64.80 74	74 088 000	7.48 887	16.13 43	34.76 03	2.38 095
421	177 241	20.51 83	64.88 45	74 618 461	7.49 481	16.14 71	34.78 78	2.37 530
422	178 084	20.54 26	64.96 15	75 151 448	7.50 074	16.15 99	34.81 54	2.36 967
423	178 929	20.56 70	65.03 85	75 686 967	7.50 666	16.17 26	34.84 28	2.36 407
424	179 776	20.59 13	65.11 53	76 225 024	7.51 257	16.18 53	34.87 03	2.35 849
425	180 625	20.61 55	65.19 20	76 765 625	7.51 847	16.19 81	34.89 77	2.35 294
426	181 476	20.63 98	65.26 87	77 308 776	7.52 437	16.21 08	34.92 50	2.34 742
427	182 329	20.66 40	65.34 52	77 854 483	7.53 025	16.22 34	34.95 23	2.34 192
428	183 184	20.68 82	65.42 17	78 402 752	7.53 612	16.23 61	34.97 96	2.33 645
429	184 041	20.71 23	65.49 81	78 953 589	7.54 199	16.24 87	35.00 68	2.33 100
430	184 900	20.73 64	65.57 44	79 507 000	7.54 784	16.26 13	35.03 40	2.32 558
431	185 761	20.76 05	65.65 06	80 062 991	7.55 369	16.27 39	35.06 11	2.32 019
432	186 624	20.78 46	65.72 67	80 621 568	7.55 953	16.28 65	35.08 82	2.31 481
433	187 489	20.80 87	65.80 27	81 182 737	7.56 535	16.29 91	35.11 53	2.30 947
434	188 356	20.83 27	65.87 87	81 746 504	7.57 117	16.31 16	35.14 23	2.30 415
435	189 225	20.85 67	65.95 45	82 312 875	7.57 698	16.32 41	35.16 92	2.29 885
436	190 096	20.88 06	66.03 03	82 881 856	7.58 279	16.33 66	35.19 62	2.29 358
437	190 969	20.90 45	66.10 60	83 453 453	7.58 858	16.34 91	35.22 31	2.28 833
438	191 844	20.92 84	66.18 16	84 027 672	7.59 436	16.36 16	35.24 99	2.28 311
439	192 721	20.95 23	66.25 71	84 604 519	7.60 014	16.37 40	35.27 67	2.27 790
440	193 600	20.97 62	66.33 25	85 184 000	7.60 590	16.38 64	35.30 35	2.27 273
441	194 481	21.00 00	66.40 78	85 766 121	7.61 166	16.39 88	35.33 02	2.26 757
442	195 364	21.02 38	66.48 31	86 350 888	7.61 741	16.41 12	35.35 69	2.26 244
443	196 249	21.04 76	66.55 82	86 938 307	7.62 315	16.42 36	35.38 35	2.25 734
444	197 136	21.07 13	66.63 33	87 528 384	7.62 888	16.43 59	35.41 01	2.25 225
445	198 025	21.09 50	66.70 83	88 121 125	7.63 461	16.44 83	35.43 67	2.24 719
446	198 916	21.11 87	66.78 32	88 716 536	7.64 032	16.46 06	35.46 32	2.24 215
447	199 809	21.14 24	66.85 81	89 314 623	7.64 603	16.47 29	35.48 97	2.23 714
448	200 704	21.16 60	66.93 28	89 915 392	7.65 172	16.48 51	35.51 62	2.23 214
449	201 601	21.18 96	67.00 75	90 518 849	7.65 741	16.49 74	35.54 26	2.22 717
450	202 500	21.21 32	67.08 20	91 125 000	7.66 309	16.50 96	35.56 89	2.22 222
N	N^2	$\sqrt{N}$	$\sqrt{10N}$	N^3	$\sqrt[3]{N}$	$\sqrt[3]{10N}$	$\sqrt[3]{100N}$	$1000/N$

450 — Powers, Roots, Reciprocals — 500

N	N^2	$\sqrt{N}$	$\sqrt{10N}$	N^3	$\sqrt[3]{N}$	$\sqrt[3]{10N}$	$\sqrt[3]{100N}$	$1000/N$
450	202 500	21.21 32	67.08 20	91 125 000	7.66 309	16.50 96	35.56 89	2.22 222
451	203 401	21.23 68	67.15 65	91 733 851	7.66 877	16.52 19	35.59 53	2.21 729
452	204 304	21.26 03	67.23 09	92 345 408	7.67 443	16.53 41	35.62 15	2.21 239
453	205 209	21.28 38	67.30 53	92 959 677	7.68 009	16.54 62	35.64 78	2.20 751
454	206 116	21.30 73	67.37 95	93 576 664	7.68 573	16.55 84	35.67 40	2.20 264
455	207 025	21.33 07	67.45 37	94 196 375	7.69 137	16.57 06	35.70 02	2.19 780
456	207 936	21.35 42	67.52 78	94 818 816	7.69 700	16.58 27	35.72 63	2.19 298
457	208 849	21.37 76	67.60 18	95 443 993	7.70 262	16.59 48	35.75 24	2.18 818
458	209 764	21.40 09	67.67 57	96 071 912	7.70 824	16.60 69	35.77 85	2.18 341
459	210 681	21.42 43	67.74 95	96 702 579	7.71 384	16.61 90	35.80 45	2.17 865
460	211 600	21.44 76	67.82 33	97 336 000	7.71 944	16.63 10	35.83 05	2.17 391
461	212 521	21.47 09	67.89 70	97 972 181	7.72 503	16.64 31	35.85 64	2.16 920
462	213 444	21.49 42	67.97 06	98 611 128	7.73 061	16.65 51	35.88 23	2.16 450
463	214 369	21.51 74	68.04 41	99 252 847	7.73 619	16.66 71	35.90 82	2.15 983
464	215 296	21.54 07	68.11 75	99 897 344	7.74 175	16.67 91	35.93 40	2.15 517
465	216 225	21.56 39	68.19 09	100 544 625	7.74 731	16.69 11	35.95 98	2.15 054
466	217 156	21.58 70	68.26 42	101 194 696	7.75 286	16.70 30	35.98 56	2.14 592
467	218 089	21.61 02	68.33 74	101 847 563	7.75 840	16.71 50	36.01 13	2.14 133
468	219 024	21.63 33	68.41 05	102 503 232	7.76 394	16.72 69	36.03 70	2.13 675
469	219 961	21.65 64	68.48 36	103 161 709	7.76 946	16.73 88	36.06 26	2.13 220
470	220 900	21.67 95	68.55 65	103 823 000	7.77 498	16.75 07	36.08 83	2.12 766
471	221 841	21.70 25	68.62 94	104 487 111	7.78 049	16.76 26	36.11 38	2.12 314
472	222 784	21.72 56	68.70 23	105 154 048	7.78 599	16.77 44	36.13 94	2.11 864
473	223 729	21.74 86	68.77 50	105 823 817	7.79 149	16.78 63	36.16 49	2.11 416
474	224 676	21.77 15	68.84 77	106 496 424	7.79 697	16.79 81	36.19 03	2.10 970
475	225 625	21.79 45	68.92 02	107 171 875	7.80 245	16.80 99	36.21 58	2.10 526
476	226 576	21.81 74	68.99 28	107 850 176	7.80 793	16.82 17	36.24 12	2.10 084
477	227 529	21.84 03	69.06 52	108 531 333	7.81 339	16.83 34	36.26 65	2.09 644
478	228 484	21.86 32	69.13 75	109 215 352	7.81 885	16.84 52	36.29 19	2.09 205
479	229 441	21.88 61	69.20 98	109 902 239	7.82 429	16.85 69	36.31 72	2.08 768
480	230 400	21.90 89	69.28 20	110 592 000	7.82 974	16.86 87	36.34 24	2.08 333
481	231 361	21.93 17	69.35 42	111 284 641	7.83 517	16.88 04	36.36 76	2.07 900
482	232 324	21.95 45	69.42 62	111 980 168	7.84 059	16.89 20	36.39 28	2.07 469
483	233 289	21.97 73	69.49 82	112 678 587	7.84 601	16.90 37	36.41 80	2.07 039
484	234 256	22.00 00	69.57 01	113 379 904	7.85 142	16.91 54	36.44 31	2.06 612
485	235 225	22.02 27	69.64 19	114 084 125	7.85 683	16.92 70	36.46 82	2.06 186
486	236 196	22.04 54	69.71 37	114 791 256	7.86 222	16.93 86	36.49 32	2.05 761
487	237 169	22.06 81	69.78 54	115 501 303	7.86 761	16.95 03	36.51 82	2.05 339
488	238 144	22.09 07	69.85 70	116 214 272	7.87 299	16.96 19	36.54 32	2.04 918
489	239 121	22.11 33	69.92 85	116 930 169	7.87 837	16.97 34	36.56 81	2.04 499
490	240 100	22.13 59	70.00 00	117 649 000	7.88 374	16.98 50	36.59 31	2.04 082
491	241 081	22.15 85	70.07 14	118 370 771	7.88 909	16.99 65	36.61 79	2.03 666
492	242 064	22.18 11	70.14 27	119 095 488	7.89 445	17.00 81	36.64 28	2.03 252
493	243 049	22.20 36	70.21 40	119 823 157	7.89 979	17.01 96	36.66 76	2.02 840
494	244 036	22.22 61	70.28 51	120 553 784	7.90 513	17.03 11	36.69 24	2.02 429
495	245 025	22.24 86	70.35 62	121 287 375	7.91 046	17.04 26	36.71 71	2.02 020
496	246 016	22.27 11	70.42 73	122 023 936	7.91 578	17.05 40	36.74 18	2.01 613
497	247 009	22.29 35	70.49 82	122 763 473	7.92 110	17.06 55	36.76 65	2.01 207
498	248 004	22.31 59	70.56 91	123 505 992	7.92 641	17.07 69	36.79 11	2.00 803
499	249 001	22.33 83	70.63 99	124 251 499	7.93 171	17.08 84	36.81 57	2.00 401
500	250 000	22.36 07	70.71 07	125 000 000	7.93 701	17.09 98	36.84 03	2.00 000
N	N^2	$\sqrt{N}$	$\sqrt{10N}$	N^3	$\sqrt[3]{N}$	$\sqrt[3]{10N}$	$\sqrt[3]{100N}$	$1000/N$

450 — Powers, Roots, Reciprocals — 500

500 — Powers, Roots, Reciprocals — 550

N	N^2	$\sqrt{N}$	$\sqrt{10N}$	N^3	$\sqrt[3]{N}$	$\sqrt[3]{10N}$	$\sqrt[3]{100N}$	$1000/N$
500	250 000	22.36 07	70.71 07	125 000 000	7.93 701	17.09 98	36.84 03	2.00 000
501	251 001	22.38 30	70.78 14	125 751 501	7.94 229	17.11 12	36.86 49	1.99 601
502	252 004	22.40 54	70.85 20	126 506 008	7.94 757	17.12 25	36.88 94	1.99 203
503	253 009	22.42 77	70.92 25	127 263 527	7.95 285	17.13 39	36.91 38	1.98 807
504	254 016	22.44 99	70.99 30	128 024 064	7.95 811	17.14 52	36.93 83	1.98 413
505	255 025	22.47 22	71.06 34	128 787 625	7.96 337	17.15 66	36.96 27	1.98 020
506	256 036	22.49 44	71.13 37	129 554 216	7.96 863	17.16 79	36.98 71	1.97 628
507	257 049	22.51 67	71.20 39	130 323 843	7.97 387	17.17 92	37.01 14	1.97 239
508	258 064	22.53 89	71.27 41	131 096 512	7.97 911	17.19 05	37.03 58	1.96 850
509	259 081	22.56 10	71.34 42	131 872 229	7.98 434	17.20 17	37.06 00	1.96 464
510	260 100	22.58 32	71.41 43	132 651 000	7.98 957	17.21 30	37.08 43	1.96 078
511	261 121	22.60 53	71.48 43	133 432 831	7.99 479	17.22 42	37.10 85	1.95 695
512	262 144	22.62 74	71.55 42	134 217 728	8.00 000	17.23 55	37.13 27	1.95 312
513	263 169	22.64 95	71.62 40	135 005 697	8.00 520	17.24 67	37.15 69	1.94 932
514	264 196	22.67 16	71.69 38	135 796 744	8.01 040	17.25 79	37.18 10	1.94 553
515	265 225	22.69 36	71.76 35	136 590 875	8.01 559	17.26 91	37.20 51	1.94 175
516	266 256	22.71 56	71.83 31	137 388 096	8.02 078	17.28 02	37.22 92	1.93 798
517	267 289	22.73 76	71.90 27	138 188 413	8.02 596	17.29 14	37.25 32	1.93 424
518	268 324	22.75 96	71.97 22	138 991 832	8.03 113	17.30 25	37.27 72	1.93 050
519	269 361	22.78 16	72.04 17	139 798 359	8.03 629	17.31 37	37.30 12	1.92 678
520	270 400	22.80 35	72.11 10	140 608 000	8.04 145	17.32 48	37.32 51	1.92 308
521	271 441	22.82 54	72.18 03	141 420 761	8.04 660	17.33 59	37.34 90	1.91 939
522	272 484	22.84 73	72.24 96	142 236 648	8.05 175	17.34 70	37.37 29	1.91 571
523	273 529	22.86 92	72.31 87	143 055 667	8.05 689	17.35 80	37.39 68	1.91 205
524	274 576	22.89 10	72.38 78	143 877 824	8.06 202	17.36 91	37.42 06	1.90 840
525	275 625	22.91 29	72.45 69	144 703 125	8.06 714	17.38 01	37.44 44	1.90 476
526	276 676	22.93 47	72.52 59	145 531 576	8.07 226	17.39 12	37.46 81	1.90 114
527	277 729	22.95 65	72.59 48	146 363 183	8.07 737	17.40 22	37.49 18	1.89 753
528	278 784	22.97 83	72.66 36	147 197 952	8.08 248	17.41 32	37.51 55	1.89 394
529	279 841	23.00 00	72.73 24	148 035 889	8.08 758	17.42 42	37.53 92	1.89 036
530	280 900	23.02 17	72.80 11	148 877 000	8.09 267	17.43 51	37.56 29	1.88 679
531	281 961	23.04 34	72.86 97	149 721 291	8.09 776	17.44 61	37.58 65	1.88 324
532	283 024	23.06 51	72.93 83	150 568 768	8.10 284	17.45 70	37.61 01	1.87 970
533	284 089	23.08 68	73.00 68	151 419 437	8.10 791	17.46 80	37.63 36	1.87 617
534	285 156	23.10 84	73.07 53	152 273 304	8.11 298	17.47 89	37.65 71	1.87 266
535	286 225	23.13 01	73.14 37	153 130 375	8.11 804	17.48 98	37.68 06	1.86 916
536	287 296	23.15 17	73.21 20	153 990 656	8.12 310	17.50 07	37.70 41	1.86 567
537	288 369	23.17 33	73.28 03	154 854 153	8.12 814	17.51 16	37.72 75	1.86 220
538	289 444	23.19 48	73.34 85	155 720 872	8.13 319	17.52 24	37.75 09	1.85 874
539	290 521	23.21 64	73.41 66	156 590 819	8.13 822	17.53 33	37.77 43	1.85 529
540	291 600	23.23 79	73.48 47	157 464 000	8.14 325	17.54 41	37.79 76	1.85 185
541	292 681	23.25 94	73.55 27	158 340 421	8.14 828	17.55 49	37.82 09	1.84 843
542	293 764	23.28 09	73.62 06	159 220 088	8.15 329	17.56 57	37.84 42	1.84 502
543	294 849	23.30 24	73.68 85	160 103 007	8.15 831	17.57 65	37.86 75	1.84 162
544	295 936	23.32 38	73.75 64	160 989 184	8.16 331	17.58 73	37.89 07	1.83 824
545	297 025	23.34 52	73.82 41	161 878 625	8.16 831	17.59 81	37.91 39	1.83 486
546	298 116	23.36 66	73.89 18	162 771 336	8.17 330	17.60 88	37.93 71	1.83 150
547	299 209	23.38 80	73.95 94	163 667 323	8.17 829	17.61 96	37.96 03	1.82 815
548	300 304	23.40 94	74.02 70	164 566 592	8.18 327	17.63 03	37.98 34	1.82 482
549	301 401	23.43 07	74.09 45	165 469 149	8.18 824	17.64 10	38.00 65	1.82 149
550	302 500	23.45 21	74.16 20	166 375 000	8.19 321	17.65 17	38.02 95	1.81 818
N	N^2	$\sqrt{N}$	$\sqrt{10N}$	N^3	$\sqrt[3]{N}$	$\sqrt[3]{10N}$	$\sqrt[3]{100N}$	$1000/N$

550 — Powers, Roots, Reciprocals — 600

N	N^2	$\sqrt{N}$	$\sqrt{10N}$	N^3	$\sqrt[3]{N}$	$\sqrt[3]{10N}$	$\sqrt[3]{100N}$	$1000/N$
550	302 500	23.45 21	74.16 20	166 375 000	8.19 321	17.65 17	38.02 95	1.81 818
551	303 601	23.47 34	74.22 94	167 284 151	8.19 818	17.66 24	38.05 26	1.81 488
552	304 704	23.49 47	74.29 67	168 196 608	8.20 313	17.67 31	38.07 56	1.81 159
553	305 809	23.51 60	74.36 40	169 112 377	8.20 808	17.68 38	38.09 85	1.80 832
554	306 916	23.53 72	74.43 12	170 031 464	8.21 303	17.69 44	38.12 15	1.80 505
555	308 025	23.55 84	74.49 83	170 953 875	8.21 797	17.70 51	38.14 44	1.80 180
556	309 136	23.57 97	74.56 54	171 879 616	8.22 290	17.71 57	38.16 73	1.79 856
557	310 249	23.60 08	74.63 24	172 808 693	8.22 783	17.72 63	38.19 02	1.79 533
558	311 364	23.62 20	74.69 94	173 741 112	8.23 275	17.73 69	38.21 30	1.79 211
559	312 481	23.64 32	74.76 63	174 676 879	8.23 766	17.74 75	38.23 58	1.78 891
560	313 600	23.66 43	74.83 31	175 616 000	8.24 257	17.75 81	38.25 86	1.78 571
561	314 721	23.68 54	74.89 99	176 558 481	8.24 747	17.76 86	38.28 14	1.78 253
562	315 844	23.70 65	74.96 67	177 504 328	8.25 237	17.77 92	38.30 41	1.77 936
563	316 969	23.72 76	75.03 33	178 453 547	8.25 726	17.78 97	38.32 68	1.77 620
564	318 096	23.74 87	75.09 99	179 406 144	8.26 215	17.80 03	38.34 95	1.77 305
565	319 225	23.76 97	75.16 65	180 362 125	8.26 703	17.81 08	38.37 22	1.76 991
566	320 356	23.79 08	75.23 30	181 321 496	8.27 190	17.82 13	38.39 48	1.76 678
567	321 489	23.81 18	75.29 94	182 284 263	8.27 677	17.83 18	38.41 74	1.76 367
568	322 624	23.83 28	75.36 58	183 250 432	8.28 164	17.84 22	38.43 99	1.76 056
569	323 761	23.85 37	75.43 21	184 220 009	8.28 649	17.85 27	38.46 25	1.75 747
570	324 900	23.87 47	75.49 83	185 193 000	8.29 134	17.86 32	38.48 50	1.75 439
571	326 041	23.89 56	75.56 45	186 169 411	8.29 619	17.87 36	38.50 75	1.75 131
572	327 184	23.91 65	75.63 07	187 149 248	8.30 103	17.88 40	38.53 00	1.74 825
573	328 329	23.93 74	75.69 68	188 132 517	8.30 587	17.89 44	38.55 24	1.74 520
574	329 476	23.95 83	75.76 28	189 119 224	8.31 069	17.90 48	38.57 48	1.74 216
575	330 625	23.97 92	75.82 88	190 109 375	8.31 552	17.91 52	38.59 72	1.73 913
576	331 776	24.00 00	75.89 47	191 102 976	8.32 034	17.92 56	38.61 96	1.73 611
577	332 929	24.02 08	75.96 05	192 100 033	8.32 515	17.93 60	38.64 19	1.73 310
578	334 084	24.04 16	76.02 63	193 100 552	8.32 995	17.94 63	38.66 42	1.73 010
579	335 241	24.06 24	76.09 20	194 104 539	8.33 476	17.95 67	38.68 65	1.72 712
580	336 400	24.08 32	76.15 77	195 112 000	8.33 955	17.96 70	38.70 88	1.72 414
581	337 561	24.10 39	76.22 34	196 122 941	8.34 434	17.97 73	38.73 10	1.72 117
582	338 724	24.12 47	76.28 89	197 137 368	8.34 913	17.98 76	38.75 32	1.71 821
583	339 889	24.14 54	76.35 44	198 155 287	8.35 390	17.99 79	38.77 54	1.71 527
584	341 056	24.16 61	76.41 99	199 176 704	8.35 868	18.00 82	38.79 75	1.71 233
585	342 225	24.18 68	76.48 53	200 201 625	8.36 345	18.01 85	38.81 97	1.70 940
586	343 396	24.20 74	76.55 06	201 230 056	8.36 821	18.02 88	38.84 18	1.70 648
587	344 569	24.22 81	76.61 59	202 262 003	8.37 297	18.03 90	38.86 39	1.70 358
588	345 744	24.24 87	76.68 12	203 297 472	8.37 772	18.04 92	38.88 59	1.70 068
589	346 921	24.26 93	76.74 63	204 336 469	8.38 247	18.05 95	38.90 80	1.69 779
590	348 100	24.28 99	76.81 15	205 379 000	8.38 721	18.06 97	38.93 00	1.69 492
591	349 281	24.31 05	76.87 65	206 425 071	8.39 194	18.07 99	38.95 19	1.69 205
592	350 464	24.33 11	76.94 15	207 474 688	8.39 667	18.09 01	38.97 39	1.68 919
593	351 649	24.35 16	77.00 65	208 527 857	8.40 140	18.10 03	38.99 58	1.68 634
594	352 836	24.37 21	77.07 14	209 584 584	8.40 612	18.11 04	39.01 77	1.68 350
595	354 025	24.39 26	77.13 62	210 644 875	8.41 083	18.12 06	39.03 96	1.68 067
596	355 216	24.41 31	77.20 10	211 708 736	8.41 554	18.13 07	39.06 15	1.67 785
597	356 409	24.43 36	77.26 58	212 776 173	8.42 025	18.14 09	39.08 33	1.67 504
598	357 604	24.45 40	77.33 05	213 847 192	8.42 494	18.15 10	39.10 51	1.67 224
599	358 801	24.47 45	77.39 51	214 921 799	8.42 964	18.16 11	39.12 69	1.66 945
600	360 000	24.49 49	77.45 97	216 000 000	8.43 433	18.17 12	39.14 87	1.66 667
N	N^2	$\sqrt{N}$	$\sqrt{10N}$	N^3	$\sqrt[3]{N}$	$\sqrt[3]{10N}$	$\sqrt[3]{100N}$	$1000/N$

550 — Powers, Roots, Reciprocals — 600

600 — Powers, Roots, Reciprocals — 650

N	N^2	$\sqrt{N}$	$\sqrt{10N}$	N^3	$\sqrt[3]{N}$	$\sqrt[3]{10N}$	$\sqrt[3]{100N}$	$1000/N$
600	360 000	24.49 49	77.45 97	216 000 000	8.43 433	18.17 12	39.14 87	1.66 667
601	361 201	24.51 53	77.52 42	217 081 801	8.43 901	18.18 13	39.17 04	1.66 389
602	362 404	24.53 57	77.58 87	218 167 208	8.44 369	18.19 14	39.19 21	1.66 113
603	363 609	24.55 61	77.65 31	219 256 227	8.44 836	18.20 14	39.21 38	1.65 837
604	364 816	24.57 64	77.71 74	220 348 864	8.45 303	18.21 15	39.23 55	1.65 563
605	366 025	24.59 67	77.78 17	221 445 125	8.45 769	18.22 15	39.25 71	1.65 289
606	367 236	24.61 71	77.84 60	222 545 016	8.46 235	18.23 16	39.27 87	1.65 017
607	368 449	24.63 74	77.91 02	223 648 543	8.46 700	18.24 16	39.30 03	1.64 745
608	369 664	24.65 77	77.97 44	224 755 712	8.47 165	18.25 16	39.32 19	1.64 474
609	370 881	24.67 79	78.03 85	225 866 529	8.47 629	18.26 16	39.34 34	1.64 204
610	372 100	24.69 82	78.10 25	226 981 000	8.48 093	18.27 16	39.36 50	1.63 934
611	373 321	24.71 84	78.16 65	228 099 131	8.48 556	18.28 16	39.38 65	1.63 666
612	374 544	24.73 86	78.23 04	229 220 928	8.49 018	18.29 15	39.40 79	1.63 399
613	375 769	24.75 88	78.29 43	230 346 397	8.49 481	18.30 15	39.42 94	1.63 132
614	376 996	24.77 90	78.35 82	231 475 544	8.49 942	18.31 15	39.45 08	1.62 866
615	378 225	24.79 92	78.42 19	232 608 375	8.50 404	18.32 14	39.47 22	1.62 602
616	379 456	24.81 93	78.48 57	233 744 896	8.50 864	18.33 13	39.49 36	1.62 338
617	380 689	24.83 95	78.54 93	234 885 113	8.51 324	18.34 12	39.51 50	1.62 075
618	381 924	24.85 96	78.61 30	236 029 032	8.51 784	18.35 11	39.53 63	1.61 812
619	383 161	24.87 97	78.67 66	237 176 659	8.52 243	18.36 10	39.55 76	1.61 551
620	384 400	24.89 98	78.74 01	238 328 000	8.52 702	18.37 09	39.57 89	1.61 290
621	385 641	24.91 99	78.80 36	239 483 061	8.53 160	18.38 08	39.60 02	1.61 031
622	386 884	24.93 99	78.86 70	240 641 848	8.53 618	18.39 06	39.62 14	1.60 772
623	388 129	24.96 00	78.93 03	241 804 367	8.54 075	18.40 05	39.64 27	1.60 514
624	389 376	24.98 00	78.99 37	242 970 624	8.54 532	18.41 03	39.66 38	1.60 256
625	390 625	25.00 00	79.05 69	244 140 625	8.54 988	18.42 02	39.68 50	1.60 000
626	391 876	25.02 00	79.12 02	245 314 376	8.55 444	18.43 00	39.70 62	1.59 744
627	393 129	25.04 00	79.18 33	246 491 883	8.55 899	18.43 98	39.72 73	1.59 490
628	394 384	25.05 99	79.24 65	247 673 152	8.56 354	18.44 96	39.74 84	1.59 236
629	395 641	25.07 99	79.30 95	248 858 189	8.56 808	18.45 94	39.76 95	1.58 983
630	396 900	25.09 98	79.37 25	250 047 000	8.57 262	18.46 91	39.79 06	1.58 730
631	398 161	25.11 97	79.43 55	251 239 591	8.57 715	18.47 89	39.81 16	1.58 479
632	399 424	25.13 96	79.49 84	252 435 968	8.58 168	18.48 87	39.83 26	1.58 228
633	400 689	25.15 95	79.56 13	253 636 137	8.58 620	18.49 84	39.85 36	1.57 978
634	401 956	25.17 94	79.62 41	254 840 104	8.59 072	18.50 82	39.87 46	1.57 729
635	403 225	25.19 92	79.68 69	256 047 875	8.59 524	18.51 79	39.89 56	1.57 480
636	404 496	25.21 90	79.74 96	257 259 456	8.59 975	18.52 76	39.91 65	1.57 233
637	405 769	25.23 89	79.81 23	258 474 853	8.60 425	18.53 73	39.93 74	1.56 986
638	407 044	25.25 87	79.87 49	259 694 072	8.60 875	18.54 70	39.95 83	1.56 740
639	408 321	25.27 84	79.93 75	260 917 119	8.61 325	18.55 67	39.97 92	1.56 495
640	409 600	25.29 82	80.00 00	262 144 000	8.61 774	18.56 64	40.00 00	1.56 250
641	410 881	25.31 80	80.06 25	263 374 721	8.62 222	18.57 60	40.02 08	1.56 006
642	412 164	25.33 77	80.12 49	264 609 288	8.62 671	18.58 57	40.04 16	1.55 763
643	413 449	25.35 74	80.18 73	265 847 707	8.63 118	18.59 53	40.06 24	1.55 521
644	414 736	25.37 72	80.24 96	267 089 984	8.63 566	18.60 50	40.08 32	1.55 280
645	416 025	25.39 69	80.31 19	268 336 125	8.64 012	18.61 46	40.10 39	1.55 039
646	417 316	25.41 65	80.37 41	269 586 136	8.64 459	18.62 42	40.12 46	1.54 799
647	418 609	25.43 62	80.43 63	270 840 023	8.64 904	18.63 38	40.14 53	1.54 560
648	419 904	25.45 58	80.49 84	272 097 792	8.65 350	18.64 34	40.16 60	1.54 321
649	421 201	25.47 55	80.56 05	273 359 449	8.65 795	18.65 30	40.18 66	1.54 083
650	422 500	25.49 51	80.62 26	274 625 000	8.66 239	18.66 26	40.20 73	1.53 846
N	N^2	$\sqrt{N}$	$\sqrt{10N}$	N^3	$\sqrt[3]{N}$	$\sqrt[3]{10N}$	$\sqrt[3]{100N}$	$1000/N$

650 — Powers, Roots, Reciprocals — 700

N	N^2	$\sqrt{N}$	$\sqrt{10N}$	N^3	$\sqrt[3]{N}$	$\sqrt[3]{10N}$	$\sqrt[3]{100N}$	$1000/N$
650	422 500	25.49 51	80.62 26	274 625 000	8.66 239	18.66 26	40.20 73	1.53 846
651	423 801	25.51 47	80.68 46	275 894 451	8.66 683	18.67 21	40.22 79	1.53 610
652	425 104	25.53 43	80.74 65	277 167 808	8.67 127	18.68 17	40.24 85	1.53 374
653	426 409	25.55 39	80.80 84	278 445 077	8.67 570	18.69 12	40.26 90	1.53 139
654	427 716	25.57 34	80.87 03	279 726 264	8.68 012	18.70 08	40.28 96	1.52 905
655	429 025	25.59 30	80.93 21	281 011 375	8.68 455	18.71 03	40.31 01	1.52 672
656	430 336	25.61 25	80.99 38	282 300 416	8.68 896	18.71 98	40.33 06	1.52 439
657	431 649	25.63 20	81.05 55	283 593 393	8.69 338	18.72 93	40.35 11	1.52 207
658	432 964	25.65 15	81.11 72	284 890 312	8.69 778	18.73 88	40.37 15	1.51 976
659	434 281	25.67 10	81.17 88	286 191 179	8.70 219	18.74 83	40.39 20	1.51 745
660	435 600	25.69 05	81.24 04	287 496 000	8.70 659	18.75 78	40.41 24	1.51 515
661	436 921	25.70 99	81.30 19	288 804 781	8.71 098	18.76 72	40.43 28	1.51 286
662	438 244	25.72 94	81.36 34	290 117 528	8.71 537	18.77 67	40.45 32	1.51 057
663	439 569	25.74 88	81.42 48	291 434 247	8.71 976	18.78 62	40.47 35	1.50 830
664	440 896	25.76 82	81.48 62	292 754 944	8.72 414	18.79 56	40.49 39	1.50 602
665	442 225	25.78 76	81.54 75	294 079 625	8.72 852	18.80 50	40.51 42	1.50 376
666	443 556	25.80 70	81.60 88	295 408 296	8.73 289	18.81 44	40.53 45	1.50 150
667	444 889	25.82 63	81.67 01	296 740 963	8.73 726	18.82 39	40.55 48	1.49 925
668	446 224	25.84 57	81.73 13	298 077 632	8.74 162	18.83 33	40.57 50	1.49 701
669	447 561	25.86 50	81.79 24	299 418 309	8.74 598	18.84 27	40.59 53	1.49 477
670	448 900	25.88 44	81.85 35	300 763 000	8.75 034	18.85 20	40.61 55	1.49 254
671	450 241	25.90 37	81.91 46	302 111 711	8.75 469	18.86 14	40.63 57	1.49 031
672	451 584	25.92 30	81.97 56	303 464 448	8.75 904	18.87 08	40.65 59	1.48 810
673	452 929	25.94 22	82.03 66	304 821 217	8.76 338	18.88 01	40.67 60	1.48 588
674	454 276	25.96 15	82.09 75	306 182 024	8.76 772	18.88 95	40.69 61	1.48 368
675	455 625	25.98 08	82.15 84	307 546 875	8.77 205	18.89 88	40.71 63	1.48 148
676	456 976	26.00 00	82.21 92	308 915 776	8.77 638	18.90 81	40.73 64	1.47 929
677	458 329	26.01 92	82.28 00	310 288 733	8.78 071	18.91 75	40.75 64	1.47 710
678	459 684	26.03 84	82.34 08	311 665 752	8.78 503	18.92 68	40.77 65	1.47 493
679	461 041	26.05 76	82.40 15	313 046 839	8.78 935	18.93 61	40.79 65	1.47 275
680	462 400	26.07 68	82.46 21	314 432 000	8.79 366	18.94 54	40.81 66	1.47 059
681	463 761	26.09 60	82.52 27	315 821 241	8.79 797	18.95 46	40.83 65	1.46 843
682	465 124	26.11 51	82.58 33	317 214 568	8.80 227	18.96 39	40.85 65	1.46 628
683	466 489	26.13 43	82.64 38	318 611 987	8.80 657	18.97 32	40.87 65	1.46 413
684	467 856	26.15 34	82.70 43	320 013 504	8.81 087	18.98 24	40.89 64	1.46 199
685	469 225	26.17 25	82.76 47	321 419 125	8.81 516	18.99 17	40.91 63	1.45 985
686	470 596	26.19 16	82.82 51	322 828 856	8.81 945	19.00 09	40.93 62	1.45 773
687	471 969	26.21 07	82.88 55	324 242 703	8.82 373	19.01 02	40.95 61	1.45 560
688	473 344	26.22 98	82.94 58	325 660 672	8.82 801	19.01 94	40.97 60	1.45 349
689	474 721	26.24 88	83.00 60	327 082 769	8.83 228	19.02 86	40.99 58	1.45 138
690	476 100	26.26 79	83.06 62	328 509 000	8.83 656	19.03 78	41.01 57	1.44 928
691	477 481	26.28 69	83.12 64	329 939 371	8.84 082	19.04 70	41.03 55	1.44 718
692	478 864	26.30 59	83.18 65	331 373 888	8.84 509	19.05 62	41.05 52	1.44 509
693	480 249	26.32 49	83.24 66	332 812 557	8.84 934	19.06 53	41.07 50	1.44 300
694	481 636	26.34 39	83.30 67	334 255 384	8.85 360	19.07 45	41.09 48	1.44 092
695	483 025	26.36 29	83.36 67	335 702 375	8.85 785	19.08 37	41.11 45	1.43 885
696	484 416	26.38 18	83.42 66	337 153 536	8.86 210	19.09 28	41.13 42	1.43 678
697	485 809	26.40 08	83.48 65	338 608 873	8.86 634	19.10 19	41.15 39	1.43 472
698	487 204	26.41 97	83.54 64	340 068 392	8.87 058	19.11 11	41.17 36	1.43 266
699	488 601	26.43 86	83.60 62	341 532 099	8.87 481	19.12 02	41.19 32	1.43 062
700	490 000	26.45 75	83.66 60	343 000 000	8.87 904	19.12 93	41.21 29	1.42 857
N	N^2	$\sqrt{N}$	$\sqrt{10N}$	N^3	$\sqrt[3]{N}$	$\sqrt[3]{10N}$	$\sqrt[3]{100N}$	$1000/N$

700 — Powers, Roots, Reciprocals — 750

N	N^2	$\sqrt{N}$	$\sqrt{10N}$	N^3	$\sqrt[3]{N}$	$\sqrt[3]{10N}$	$\sqrt[3]{100N}$	$1000/N$
700	490 000	26.45 75	83.66 60	343 000 000	8.87 904	19.12 93	41.21 29	1.42 857
701	491 401	26.47 64	83.72 57	344 472 101	8.88 327	19.13 84	41.23 25	1.42 653
702	492 804	26.49 53	83.78 54	345 948 408	8.88 749	19.14 75	41.25 21	1.42 450
703	494 209	26.51 41	83.84 51	347 428 927	8.89 171	19.15 66	41.27 16	1.42 248
704	495 616	26.53 30	83.90 47	348 913 664	8.89 592	19.16 57	41.29 12	1.42 045
705	497 025	26.55 18	83.96 43	350 402 625	8.90 013	19.17 47	41.31 07	1.41 844
706	498 436	26.57 07	84.02 38	351 895 816	8.90 434	19.18 38	41.33 03	1.41 643
707	499 849	26.58 95	84.08 33	353 393 243	8.90 854	19.19 29	41.34 98	1.41 443
708	501 264	26.60 83	84.14 27	354 894 912	8.91 274	19.20 19	41.36 93	1.41 243
709	502 681	26.62 71	84.20 21	356 400 829	8.91 693	19.21 09	41.38 87	1.41 044
710	504 100	26.64 58	84.26 15	357 911 000	8.92 112	19.22 00	41.40 82	1.40 845
711	505 521	26.66 46	84.32 08	359 425 431	8.92 531	19.22 90	41.42 76	1.40 647
712	506 944	26.68 33	84.38 01	360 944 128	8.92 949	19.23 80	41.44 70	1.40 449
713	508 369	26.70 21	84.43 93	362 467 097	8.93 367	19.24 70	41.46 64	1.40 252
714	509 796	26.72 08	84.49 85	363 994 344	8.93 784	19.25 60	41.48 58	1.40 056
715	511 225	26.73 95	84.55 77	365 525 875	8.94 201	19.26 50	41.50 52	1.39 860
716	512 656	26.75 82	84.61 68	367 061 696	8.94 618	19.27 40	41.52 45	1.39 665
717	514 089	26.77 69	84.67 59	368 601 813	8.95 034	19.28 29	41.54 38	1.39 470
718	515 524	26.79 55	84.73 49	370 146 232	8.95 450	19.29 19	41.56 31	1.39 276
719	516 961	26.81 42	84.79 39	371 694 959	8.95 866	19.30 08	41.58 24	1.39 082
720	518 400	26.83 28	84.85 28	373 248 000	8.96 281	19.30 98	41.60 17	1.38 889
721	519 841	26.85 14	84.91 17	374 805 361	8.96 696	19.31 87	41.62 09	1.38 696
722	521 284	26.87 01	84.97 06	376 367 048	8.97 110	19.32 77	41.64 02	1.38 504
723	522 729	26.88 87	85.02 94	377 933 067	8.97 524	19.33 66	41.65 94	1.38 313
724	524 176	26.90 72	85.08 82	379 503 424	8.97 938	19.34 55	41.67 86	1.38 122
725	525 625	26.92 58	85.14 69	381 078 125	8.98 351	19.35 44	41.69 78	1.37 931
726	527 076	26.94 44	85.20 56	382 657 176	8.98 764	19.36 33	41.71 69	1.37 741
727	528 529	26.96 29	85.26 43	384 240 583	8.99 176	19.37 22	41.73 61	1.37 552
728	529 984	26.98 15	85.32 29	385 828 352	8.99 588	19.38 10	41.75 52	1.37 363
729	531 441	27.00 00	85.38 15	387 420 489	9.00 000	19.38 99	41.77 43	1.37 174
730	532 900	27.01 85	85.44 00	389 017 000	9.00 411	19.39 88	41.79 34	1.36 986
731	534 361	27.03 70	85.49 85	390 617 891	9.00 822	19.40 76	41.81 25	1.36 799
732	535 824	27.05 55	85.55 70	392 223 168	9.01 233	19.41 65	41.83 15	1.36 612
733	537 289	27.07 40	85.61 54	393 832 837	9.01 643	19.42 53	41.85 06	1.36 426
734	538 756	27.09 24	85.67 38	395 446 904	9.02 053	19.43 41	41.86 96	1.36 240
735	540 225	27.11 09	85.73 21	397 065 375	9.02 462	19.44 30	41.88 86	1.36 054
736	541 696	27.12 93	85.79 04	398 688 256	9.02 871	19.45 18	41.90 76	1.35 870
737	543 169	27.14 77	85.84 87	400 315 553	9.03 280	19.46 06	41.92 66	1.35 685
738	544 644	27.16 62	85.90 69	401 947 272	9.03 689	19.46 94	41.94 55	1.35 501
739	546 121	27.18 46	85.96 51	403 583 419	9.04 097	19.47 82	41.96 44	1.35 318
740	547 600	27.20 29	86.02 33	405 224 000	9.04 504	19.48 70	41.98 34	1.35 135
741	549 081	27.22 13	86.08 14	406 869 021	9.04 911	19.49 57	42.00 23	1.34 953
742	550 564	27.23 97	86.13 94	408 518 488	9.05 318	19.50 45	42.02 12	1.34 771
743	552 049	27.25 80	86.19 74	410 172 407	9.05 725	19.51 32	42.04 00	1.34 590
744	553 536	27.27 64	86.25 54	411 830 784	9.06 131	19.52 20	42.05 89	1.34 409
745	555 025	27.29 47	86.31 34	413 493 625	9.06 537	19.53 07	42.07 77	1.34 228
746	556 516	27.31 30	86.37 13	415 160 936	9.06 942	19.53 95	42.09 65	1.34 048
747	558 009	27.33 13	86.42 92	416 832 723	9.07 347	19.54 82	42.11 53	1.33 869
748	559 504	27.34 96	86.48 70	418 508 992	9.07 752	19.55 69	42.13 41	1.33 690
749	561 001	27.36 79	86.54 48	420 189 749	9.08 156	19.56 56	42.15 29	1.33 511
750	562 500	27.38 61	86.60 25	421 875 000	9.08 560	19.57 43	42.17 16	1.33 333
N	N^2	$\sqrt{N}$	$\sqrt{10N}$	N^3	$\sqrt[3]{N}$	$\sqrt[3]{10N}$	$\sqrt[3]{100N}$	$1000/N$

700 — Powers, Roots, Reciprocals — 750

750 — Powers, Roots, Reciprocals — 800

N	N^2	$\sqrt{N}$	$\sqrt{10N}$	N^3	$\sqrt[3]{N}$	$\sqrt[3]{10N}$	$\sqrt[3]{100N}$	$1000/N$
750	562 500	27.38 61	86.60 25	421 875 000	9.08 560	19.57 43	42.17 16	1.33 333
751	564 001	27.40 44	86.66 03	423 564 751	9.08 964	19.58 30	42.19 04	1.33 156
752	565 504	27.42 26	86.71 79	425 259 008	9.09 367	19.59 17	42.20 91	1.32 979
753	567 009	27.44 08	86.77 56	426 957 777	9.09 770	19.60 04	42.22 78	1.32 802
754	568 516	27.45 91	86.83 32	428 661 064	9.10 173	19.60 91	42.24 65	1.32 626
755	570 025	27.47 73	86.89 07	430 368 875	9.10 575	19.61 77	42.26 51	1.32 450
756	571 536	27.49 55	86.94 83	432 081 216	9.10 977	19.62 64	42.28 38	1.32 275
757	573 049	27.51 36	87.00 57	433 798 093	9.11 378	19.63 50	42.30 24	1.32 100
758	574 564	27.53 18	87.06 32	435 519 512	9.11 779	19.64 37	42.32 10	1.31 926
759	576 081	27.55 00	87.12 06	437 245 479	9.12 180	19.65 23	42.33 96	1.31 752
760	577 600	27.56 81	87.17 80	438 976 000	9.12 581	19.66 10	42.35 82	1.31 579
761	579 121	27.58 62	87.23 53	440 711 081	9.12 981	19.66 96	42.37 68	1.31 406
762	580 644	27.60 43	87.29 26	442 450 728	9.13 380	19.67 82	42.39 54	1.31 234
763	582 169	27.62 25	87.34 99	444 194 947	9.13 780	19.68 68	42.41 39	1.31 062
764	583 696	27.64 05	87.40 71	445 943 744	9.14 179	19.69 54	42.43 24	1.30 890
765	585 225	27.65 86	87.46 43	447 697 125	9.14 577	19.70 40	42.45 09	1.30 719
766	586 756	27.67 67	87.52 14	449 455 096	9.14 976	19.71 26	42.46 94	1.30 548
767	588 289	27.69 48	87.57 85	451 217 663	9.15 374	19.72 11	42.48 79	1.30 378
768	589 824	27.71 28	87.63 56	452 984 832	9.15 771	19.72 97	42.50 63	1.30 208
769	591 361	27.73 08	87.69 26	454 756 609	9.16 169	19.73 83	42.52 48	1.30 039
770	592 900	27.74 89	87.74 96	456 533 000	9.16 566	19.74 68	42.54 32	1.29 870
771	594 441	27.76 69	87.80 66	458 314 011	9.16 962	19.75 54	42.56 16	1.29 702
772	595 984	27.78 49	87.86 35	460 099 648	9.17 359	19.76 39	42.58 00	1.29 534
773	597 529	27.80 29	87.92 04	461 889 917	9.17 754	19.77 24	42.59 84	1.29 366
774	599 076	27.82 09	87.97 73	463 684 824	9.18 150	19.78 09	42.61 67	1.29 199
775	600 625	27.83 88	88.03 41	465 484 375	9.18 545	19.78 95	42.63 51	1.29 032
776	602 176	27.85 68	88.09 09	467 288 576	9.18 940	19.79 80	42.65 34	1.28 866
777	603 729	27.87 47	88.14 76	469 097 433	9.19 335	19.80 65	42.67 17	1.28 700
778	605 284	27.89 27	88.20 43	470 910 952	9.19 729	19.81 50	42.69 00	1.28 535
779	606 841	27.91 06	88.26 10	472 729 139	9.20 123	19.82 34	42.70 83	1.28 370
780	608 400	27.92 85	88.31 76	474 552 000	9.20 516	19.83 19	42.72 66	1.28 205
781	609 961	27.94 64	88.37 42	476 379 541	9.20 910	19.84 04	42.74 48	1.28 041
782	611 524	27.96 43	88.43 08	478 211 768	9.21 303	19.84 89	42.76 31	1.27 877
783	613 089	27.98 21	88.48 73	480 048 687	9.21 695	19.85 73	42.78 13	1.27 714
784	614 656	28.00 00	88.54 38	481 890 304	9.22 087	19.86 58	42.79 95	1.27 551
785	616 225	28.01 79	88.60 02	483 736 625	9.22 479	19.87 42	42.81 77	1.27 389
786	617 796	28.03 57	88.65 66	485 587 656	9.22 871	19.88 26	42.83 59	1.27 226
787	619 369	28.05 35	88.71 30	487 443 403	9.23 262	19.89 11	42.85 40	1.27 065
788	620 944	28.07 13	88.76 94	489 303 872	9.23 653	19.89 95	42.87 22	1.26 904
789	622 521	28.08 91	88.82 57	491 169 069	9.24 043	19.90 79	42.89 03	1.26 743
790	624 100	28.10 69	88.88 19	493 039 000	9.24 434	19.91 63	42.90 84	1.26 582
791	625 681	28.12 47	88.93 82	494 913 671	9.24 823	19.92 47	42.92 65	1.26 422
792	627 264	28.14 25	88.99 44	496 793 088	9.25 213	19.93 31	42.94 46	1.26 263
793	628 849	28.16 03	89.05 05	498 677 257	9.25 602	19.94 15	42.96 27	1.26 103
794	630 436	28.17 80	89.10 67	500 566 184	9.25 991	19.94 99	42.98 07	1.25 945
795	632 025	28.19 57	89.16 28	502 459 875	9.26 380	19.95 82	42.99 87	1.25 786
796	633 616	28.21 35	89.21 88	504 358 336	9.26 768	19.96 66	43.01 68	1.25 628
797	635 209	28.23 12	89.27 49	506 261 573	9.27 156	19.97 50	43.03 48	1.25 471
798	636 804	28.24 89	89.33 08	508 169 592	9.27 544	19.98 33	43.05 28	1.25 313
799	638 401	28.26 66	89.38 68	510 082 399	9.27 931	19.99 17	43.07 07	1.25 156
800	640 000	28.28 43	89.44 27	512 000 000	9.28 318	20.00 00	43.08 87	1.25 000
N	N^2	$\sqrt{N}$	$\sqrt{10N}$	N^3	$\sqrt[3]{N}$	$\sqrt[3]{10N}$	$\sqrt[3]{100N}$	$1000/N$

750 — Powers, Roots, Reciprocals — 800

800 — Powers, Roots, Reciprocals — 850

N	N^2	$\sqrt{N}$	$\sqrt{10N}$	N^3	$\sqrt[3]{N}$	$\sqrt[3]{10N}$	$\sqrt[3]{100N}$	$1000/N$
800	640 000	28.28 43	89.44 27	512 000 000	9.28 318	20.00 00	43.08 87	1.25 000
801	641 601	28.30 19	89.49 86	513 922 401	9.28 704	20.00 83	43.10 66	1.24 844
802	643 204	28.31 96	89.55 45	515 849 608	9.29 091	20.01 67	43.12 46	1.24 688
803	644 809	28.33 73	89.61 03	517 781 627	9.29 477	20.02 50	43.14 25	1.24 533
804	646 416	28.35 49	89.66 60	519 718 464	9.29 862	20.03 33	43.16 04	1.24 378
805	648 025	28.37 25	89.72 18	521 660 125	9.30 248	20.04 16	43.17 83	1.24 224
806	649 636	28.39 01	89.77 75	523 606 616	9.30 633	20.04 99	43.19 61	1.24 069
807	651 249	28.40 77	89.83 32	525 557 943	9.31 018	20.05 82	43.21 40	1.23 916
808	652 864	28.42 53	89.88 88	527 514 112	9.31 402	20.06 64	43.23 18	1.23 762
809	654 481	28.44 29	89.94 44	529 475 129	9.31 786	20.07 47	43.24 97	1.23 609
810	656 100	28.46 05	90.00 00	531 441 000	9.32 170	20.08 30	43.26 75	1.23 457
811	657 721	28.47 81	90.05 55	533 411 731	9.32 553	20.09 12	43.28 53	1.23 305
812	659 344	28.49 56	90.11 10	535 387 328	9.32 936	20.09 95	43.30 31	1.23 153
813	660 969	28.51 32	90.16 65	537 367 797	9.33 319	20.10 78	43.32 08	1.23 001
814	662 596	28.53 07	90.22 19	539 353 144	9.33 702	20.11 60	43.33 86	1.22 850
815	664 225	28.54 82	90.27 74	541 343 375	9.34 084	20.12 42	43.35 63	1.22 699
816	665 856	28.56 57	90.33 27	543 338 496	9.34 466	20.13 25	43.37 41	1.22 549
817	667 489	28.58 32	90.38 81	545 338 513	9.34 847	20.14 07	43.39 18	1.22 399
818	669 124	28.60 07	90.44 34	547 343 432	9.35 229	20.14 89	43.40 95	1.22 249
819	670 761	28.61 82	90.49 86	549 353 259	9.35 610	20.15 71	43.42 71	1.22 100
820	672 400	28.63 56	90.55 39	551 368 000	9.35 990	20.16 53	43.44 48	1.21 951
821	674 041	28.65 31	90.60 91	553 387 661	9.36 370	20.17 35	43.46 25	1.21 803
822	675 684	28.67 05	90.66 42	555 412 248	9.36 751	20.18 17	43.48 01	1.21 655
823	677 329	28.68 80	90.71 93	557 441 767	9.37 130	20.18 99	43.49 77	1.21 507
824	678 976	28.70 54	90.77 44	559 476 224	9.37 510	20.19 80	43.51 53	1.21 359
825	680 625	28.72 28	90.82 95	561 515 625	9.37 889	20.20 62	43.53 29	1.21 212
826	682 276	28.74 02	90.88 45	563 559 976	9.38 268	20.21 44	43.55 05	1.21 065
827	683 929	28.75 76	90.93 95	565 609 283	9.38 646	20.22 25	43.56 81	1.20 919
828	685 584	28.77 50	90.99 45	567 663 552	9.39 024	20.23 07	43.58 56	1.20 773
829	687 241	28.79 24	91.04 94	569 722 789	9.39 402	20.23 88	43.60 32	1.20 627
830	688 900	28.80 97	91.10 43	571 787 000	9.39 780	20.24 69	43.62 07	1.20 482
831	690 561	28.82 71	91.15 92	573 856 191	9.40 157	20.25 51	43.63 82	1.20 337
832	692 224	28.84 44	91.21 40	575 930 368	9.40 534	20.26 32	43.65 57	1.20 192
833	693 889	28.86 17	91.26 88	578 009 537	9.40 911	20.27 13	43.67 32	1.20 048
834	695 556	28.87 91	91.32 36	580 093 704	9.41 287	20.27 94	43.69 07	1.19 904
835	697 225	28.89 64	91.37 83	582 182 875	9.41 663	20.28 75	43.70 81	1.19 760
836	698 896	28.91 37	91.43 30	584 277 056	9.42 039	20.29 56	43.72 56	1.19 617
837	700 569	28.93 10	91.48 77	586 376 253	9.42 414	20.30 37	43.74 30	1.19 474
838	702 244	28.94 82	91.54 23	588 480 472	9.42 789	20.31 18	43.76 04	1.19 332
839	703 921	28.96 55	91.59 69	590 589 719	9.43 164	20.31 99	43.77 78	1.19 190
840	705 600	28.98 28	91.65 15	592 704 000	9.43 539	20.32 79	43.79 52	1.19 048
841	707 281	29.00 00	91.70 61	594 823 321	9.43 913	20.33 60	43.81 26	1.18 906
842	708 964	29.01 72	91.76 06	596 947 688	9.44 287	20.34 40	43.82 99	1.18 765
843	710 649	29.03 45	91.81 50	599 077 107	9.44 661	20.35 21	43.84 73	1.18 624
844	712 336	29.05 17	91.86 95	601 211 584	9.45 034	20.36 01	43.86 46	1.18 483
845	714 025	29.06 89	91.92 39	603 351 125	9.45 407	20.36 82	43.88 19	1.18 343
846	715 716	29.08 61	91.97 83	605 495 736	9.45 780	20.37 62	43.89 92	1.18 203
847	717 409	29.10 33	92.03 26	607 645 423	9.46 152	20.38 42	43.91 65	1.18 064
848	719 104	29.12 04	92.08 69	609 800 192	9.46 525	20.39 23	43.93 38	1.17 925
849	720 801	29.13 76	92.14 12	611 960 049	9.46 897	20.40 03	43.95 10	1.17 786
850	722 500	29.15 48	92.19 54	614 125 000	9.47 268	20.40 83	43.96 83	1.17 647
N	N^2	$\sqrt{N}$	$\sqrt{10N}$	N^3	$\sqrt[3]{N}$	$\sqrt[3]{10N}$	$\sqrt[3]{100N}$	$1000/N$

850 — Powers, Roots, Reciprocals — 900

N	N^2	$\sqrt{N}$	$\sqrt{10N}$	N^3	$\sqrt[3]{N}$	$\sqrt[3]{10N}$	$\sqrt[3]{100N}$	$1000/N$
850	722 500	29.15 48	92.19 54	614 125 000	9.47 268	20.40 83	43.96 83	1.17 647
851	724 201	29.17 19	92.24 97	616 295 051	9.47 640	20.41 63	43.98 55	1.17 509
852	725 904	29.18 90	92.30 38	618 470 208	9.48 011	20.42 43	44.00 28	1.17 371
853	727 609	29.20 62	92.35 80	620 650 477	9.48 381	20.43 23	44.02 00	1.17 233
854	729 316	29.22 33	92.41 21	622 835 864	9.48 752	20.44 02	44.03 72	1.17 096
855	731 025	29.24 04	92.46 62	625 026 375	9.49 122	20.44 82	44.05 43	1.16 959
856	732 736	29.25 75	92.52 03	627 222 016	9.49 492	20.45 62	44.07 15	1.16 822
857	734 449	29.27 46	92.57 43	629 422 793	9.49 861	20.46 41	44.08 87	1.16 686
858	736 164	29.29 16	92.62 83	631 628 712	9.50 231	20.47 21	44.10 58	1.16 550
859	737 881	29.30 87	92.68 23	633 839 779	9.50 600	20.48 01	44.12 29	1.16 414
860	739 600	29.32 58	92.73 62	636 056 000	9.50 969	20.48 80	44.14 00	1.16 279
861	741 321	29.34 28	92.79 01	638 277 381	9.51 337	20.49 59	44.15 71	1.16 144
862	743 044	29.35 98	92.84 40	640 503 928	9.51 705	20.50 39	44.17 42	1.16 009
863	744 769	29.37 69	92.89 78	642 735 647	9.52 073	20.51 18	44.19 13	1.15 875
864	746 496	29.39 39	92.95 16	644 972 544	9.52 441	20.51 97	44.20 84	1.15 741
865	748 225	29.41 09	93.00 54	647 214 625	9.52 808	20.52 76	44.22 54	1.15 607
866	749 956	29.42 79	93.05 91	649 461 896	9.53 175	20.53 55	44.24 25	1.15 473
867	751 689	29.44 49	93.11 28	651 714 363	9.53 542	20.54 34	44.25 95	1.15 340
868	753 424	29.46 18	93.16 65	653 972 032	9.53 908	20.55 13	44.27 65	1.15 207
869	755 161	29.47 88	93.22 02	656 234 909	9.54 274	20.55 92	44.29 35	1.15 075
870	756 900	29.49 58	93.27 38	658 503 000	9.54 640	20.56 71	44.31 05	1.14 943
871	758 641	29.51 27	93.32 74	660 776 311	9.55 006	20.57 50	44.32 74	1.14 811
872	760 384	29.52 96	93.38 09	663 054 848	9.55 371	20.58 28	44.34 44	1.14 679
873	762 129	29.54 66	93.43 45	665 338 617	9.55 736	20.59 07	44.36 13	1.14 548
874	763 876	29.56 35	93.48 80	667 627 624	9.56 101	20.59 86	44.37 83	1.14 416
875	765 625	29.58 04	93.54 14	669 921 875	9.56 466	20.60 64	44.39 52	1.14 286
876	767 376	29.59 73	93.59 49	672 221 376	9.56 830	20.61 43	44.41 21	1.14 155
877	769 129	29.61 42	93.64 83	674 526 133	9.57 194	20.62 21	44.42 90	1.14 025
878	770 884	29.63 11	93.70 17	676 836 152	9.57 557	20.62 99	44.44 59	1.13 895
879	772 641	29.64 79	93.75 50	679 151 439	9.57 921	20.63 78	44.46 27	1.13 766
880	774 400	29.66 48	93.80 83	681 472 000	9.58 284	20.64 56	44.47 96	1.13 636
881	776 161	29.68 16	93.86 16	683 797 841	9.58 647	20.65 34	44.49 64	1.13 507
882	777 924	29.69 85	93.91 49	686 128 968	9.59 009	20.66 12	44.51 33	1.13 379
883	779 689	29.71 53	93.96 81	688 465 387	9.59 372	20.66 90	44.53 01	1.13 250
884	781 456	29.73 21	94.02 13	690 807 104	9.59 734	20.67 68	44.54 69	1.13 122
885	783 225	29.74 89	94.07 44	693 154 125	9.60 095	20.68 46	44.56 37	1.12 994
886	784 996	29.76 58	94.12 76	695 506 456	9.60 457	20.69 24	44.58 05	1.12 867
887	786 769	29.78 25	94.18 07	697 864 103	9.60 818	20.70 02	44.59 72	1.12 740
888	788 544	29.79 93	94.23 38	700 227 072	9.61 179	20.70 80	44.61 40	1.12 613
889	790 321	29.81 61	94.28 68	702 595 369	9.61 540	20.71 57	44.63 07	1.12 486
890	792 100	29.83 29	94.33 98	704 969 000	9.61 900	20.72 35	44.64 75	1.12 360
891	793 881	29.84 96	94.39 28	707 347 971	9.62 260	20.73 13	44.66 42	1.12 233
892	795 664	29.86 64	94.44 58	709 732 288	9.62 620	20.73 90	44.68 09	1.12 108
893	797 449	29.88 31	94.49 87	712 121 957	9.62 980	20.74 68	44.69 76	1.11 982
894	799 236	29.89 98	94.55 16	714 516 984	9.63 339	20.75 45	44.71 42	1.11 857
895	801 025	29.91 66	94.60 44	716 917 375	9.63 698	20.76 22	44.73 09	1.11 732
896	802 816	29.93 33	94.65 73	719 323 136	9.64 057	20.77 00	44.74 76	1.11 607
897	804 609	29.95 00	94.71 01	721 734 273	9.64 415	20.77 77	44.76 42	1.11 483
898	806 404	29.96 66	94.76 29	724 150 792	9.64 774	20.78 54	44.78 08	1.11 359
899	808 201	29.98 33	94.81 56	726 572 699	9.65 132	20.79 31	44.79 74	1.11 235
900	810 000	30.00 00	94.86 83	729 000 000	9.65 489	20.80 08	44.81 40	1.11 111
N	N^2	$\sqrt{N}$	$\sqrt{10N}$	N^3	$\sqrt[3]{N}$	$\sqrt[3]{10N}$	$\sqrt[3]{100N}$	$1000/N$

900 — Powers, Roots, Reciprocals — 950

N	N^2	$\sqrt{N}$	$\sqrt{10N}$	N^3	$\sqrt[3]{N}$	$\sqrt[3]{10N}$	$\sqrt[3]{100N}$	$1000/N$
900	810 000	30.00 00	94.86 83	729 000 000	9.65 489	20.80 08	44.81 40	1.11 111
901	811 801	30.01 67	94.92 10	731 432 701	9.65 847	20.80 85	44.83 06	1.10 988
902	813 604	30.03 33	94.97 37	733 870 808	9.66 204	20.81 62	44.84 72	1.10 865
903	815 409	30.05 00	95.02 63	736 314 327	9.66 561	20.82 39	44.86 38	1.10 742
904	817 216	30.06 66	95.07 89	738 763 264	9.66 918	20.83 16	44.88 03	1.10 619
905	819 025	30.08 32	95.13 15	741 217 625	9.67 274	20.83 93	44.89 69	1.10 497
906	820 836	30.09 98	95.18 40	743 677 416	9.67 630	20.84 70	44.91 34	1.10 375
907	822 649	30.11 64	95.23 65	746 142 643	9.67 986	20.85 46	44.92 99	1.10 254
908	824 464	30.13 30	95.28 90	748 613 312	9.68 342	20.86 23	44.94 64	1.10 132
909	826 281	30.14 96	95.34 15	751 089 429	9.68 697	20.86 99	44.96 29	1.10 011
910	828 100	30.16 62	95.39 39	753 571 000	9.69 052	20.87 76	44.97 94	1.09 890
911	829 921	30.18 28	95.44 63	756 058 031	9.69 407	20.88 52	44.99 59	1.09 769
912	831 744	30.19 93	95.49 87	758 550 528	9.69 762	20.89 29	45.01 23	1.09 649
913	833 569	30.21 59	95.55 10	761 048 497	9.70 116	20.90 05	45.02 88	1.09 529
914	835 396	30.23 24	95.60 33	763 551 944	9.70 470	20.90 81	45.04 52	1.09 409
915	837 225	30.24 90	95.65 56	766 060 875	9.70 824	20.91 58	45.06 16	1.09 290
916	839 056	30.26 55	95.70 79	768 575 296	9.71 177	20.92 34	45.07 81	1.09 170
917	840 889	30.28 20	95.76 01	771 095 213	9.71 531	20.93 10	45.09 45	1.09 051
918	842 724	30.29 85	95.81 23	773 620 632	9.71 884	20.93 86	45.11 08	1.08 932
919	844 561	30.31 50	95.86 45	776 151 559	9.72 236	20.94 62	45.12 72	1.08 814
920	846 400	30.33 15	95.91 66	778 688 000	9.72 589	20.95 38	45.14 36	1.08 696
921	848 241	30.34 80	95.96 87	781 229 961	9.72 941	20.96 14	45.15 99	1.08 578
922	850 084	30.36 45	96.02 08	783 777 448	9.73 293	20.96 90	45.17 63	1.08 460
923	851 929	30.38 09	96.07 29	786 330 467	9.73 645	20.97 65	45.19 26	1.08 342
924	853 776	30.39 74	96.12 49	788 889 024	9.73 996	20.98 41	45.20 89	1.08 225
925	855 625	30.41 38	96.17 69	791 453 125	9.74 348	20.99 17	45.22 52	1.08 108
926	857 476	30.43 02	96.22 89	794 022 776	9.74 699	20.99 92	45.24 15	1.07 991
927	859 329	30.44 67	96.28 08	796 597 983	9.75 049	21.00 68	45.25 78	1.07 875
928	861 184	30.46 31	96.33 28	799 178 752	9.75 400	21.01 44	45.27 40	1.07 759
929	863 041	30.47 95	96.38 46	801 765 089	9.75 750	21.02 19	45.29 03	1.07 643
930	864 900	30.49 59	96.43 65	804 357 000	9.76 100	21.02 94	45.30 65	1.07 527
931	866 761	30.51 23	96.48 83	806 954 491	9.76 450	21.03 70	45.32 28	1.07 411
932	868 624	30.52 87	96.54 01	809 557 568	9.76 799	21.04 45	45.33 90	1.07 296
933	870 489	30.54 50	96.59 19	812 166 237	9.77 148	21.05 20	45.35 52	1.07 181
934	872 356	30.56 14	96.64 37	814 780 504	9.77 497	21.05 95	45.37 14	1.07 066
935	874 225	30.57 78	96.69 54	817 400 375	9.77 846	21.06 71	45.38 76	1.06 952
936	876 096	30.59 41	96.74 71	820 025 856	9.78 195	21.07 46	45.40 38	1.06 838
937	877 969	30.61 05	96.79 88	822 656 953	9.78 543	21.08 21	45.41 99	1.06 724
938	879 844	30.62 68	96.85 04	825 293 672	9.78 891	21.08 96	45.43 61	1.06 610
939	881 721	30.64 31	96.90 20	827 936 019	9.79 239	21.09 71	45.45 22	1.06 496
940	883 600	30.65 94	96.95 36	830 584 000	9.79 586	21.10 45	45.46 84	1.06 383
941	885 481	30.67 57	97.00 52	833 237 621	9.79 933	21.11 20	45.48 45	1.06 270
942	887 364	30.69 20	97.05 67	835 896 888	9.80 280	21.11 95	45.50 06	1.06 157
943	889 249	30.70 83	97.10 82	838 561 807	9.80 627	21.12 70	45.51 67	1.06 045
944	891 136	30.72 46	97.15 97	841 232 384	9.80 974	21.13 44	45.53 28	1.05 932
945	893 025	30.74 09	97.21 11	843 908 625	9.81 320	21.14 19	45.54 88	1.05 820
946	894 916	30.75 71	97.26 25	846 590 536	9.81 666	21.14 94	45.56 49	1.05 708
947	896 809	30.77 34	97.31 39	849 278 123	9.82 012	21.15 68	45.58 09	1.05 597
948	898 704	30.78 96	97.36 53	851 971 392	9.82 357	21.16 42	45.59 70	1.05 485
949	900 601	30.80 58	97.41 66	854 670 349	9.82 703	21.17 17	45.61 30	1.05 374
950	902 500	30.82 21	97.46 79	857 375 000	9.83 048	21.17 91	45.62 90	1.05 263
N	N^2	$\sqrt{N}$	$\sqrt{10N}$	N^3	$\sqrt[3]{N}$	$\sqrt[3]{10N}$	$\sqrt[3]{100N}$	$1000/N$

950 — Powers, Roots, Reciprocals — 1000

N	N^2	$\sqrt{N}$	$\sqrt{10N}$	N^3	$\sqrt[3]{N}$	$\sqrt[3]{10N}$	$\sqrt[3]{100N}$	$1000/N$
950	902 500	30.82 21	97.46 79	857 375 000	9.83 048	21.17 91	45.62 90	1.05 263
951	904 401	30.83 83	97.51 92	860 085 351	9.83 392	21.18 65	45.64 50	1.05 152
952	906 304	30.85 45	97.57 05	862 801 408	9.83 737	21.19 40	45.66 10	1.05 042
953	908 209	30.87 07	97.62 17	865 523 177	9.84 081	21.20 14	45.67 70	1.04 932
954	910 116	30.88 69	97.67 29	868 250 664	9.84 425	21.20 88	45.69 30	1.04 822
955	912 025	30.90 31	97.72 41	870 983 875	9.84 769	21.21 62	45.70 89	1.04 712
956	913 936	30.91 92	97.77 53	873 722 816	9.85 113	21.22 36	45.72 49	1.04 603
957	915 849	30.93 54	97.82 64	876 467 493	9.85 456	21.23 10	45.74 08	1.04 493
958	917 764	30.95 16	97.87 75	879 217 912	9.85 799	21.23 84	45.75 67	1.04 384
959	919 681	30.96 77	97.92 85	881 974 079	9.86 142	21.24 58	45.77 27	1.04 275
960	921 600	30.98 39	97.97 96	884 736 000	9.86 485	21.25 32	45.78 86	1.04 167
961	923 521	31.00 00	98.03 06	887 503 681	9.86 827	21.26 05	45.80 45	1.04 058
962	925 444	31.01 61	98.08 16	890 277 128	9.87 169	21.26 79	45.82 04	1.03 950
963	927 369	31.03 22	98.13 26	893 056 347	9.87 511	21.27 53	45.83 62	1.03 842
964	929 296	31.04 83	98.18 35	895 841 344	9.87 853	21.28 26	45.85 21	1.03 734
965	931 225	31.06 44	98.23 44	898 632 125	9.88 195	21.29 00	45.86 79	1.03 627
966	933 156	31.08 05	98.28 53	901 428 696	9.88 536	21.29 74	45.88 38	1.03 520
967	935 089	31.09 66	98.33 62	904 231 063	9.88 877	21.30 47	45.89 96	1.03 413
968	937 024	31.11 27	98.38 70	907 039 232	9.89 217	21.31 20	45.91 54	1.03 306
969	938 961	31.12 88	98.43 78	909 853 209	9.89 558	21.31 94	45.93 12	1.03 199
970	940 900	31.14 48	98.48 86	912 673 000	9.89 898	21.32 67	45.94 70	1.03 093
971	942 841	31.16 09	98.53 93	915 498 611	9.90 238	21.33 40	45.96 28	1.02 987
972	944 784	31.17 69	98.59 01	918 330 048	9.90 578	21.34 14	45.97 86	1.02 881
973	946 729	31.19 29	98.64 08	921 167 317	9.90 918	21.34 87	45.99 43	1.02 775
974	948 676	31.20 90	98.69 14	924 010 424	9.91 257	21.35 60	46.01 01	1.02 669
975	950 625	31.22 50	98.74 21	926 859 375	9.91 596	21.36 33	46.02 58	1.02 564
976	952 576	31.24 10	98.79 27	929 714 176	9.91 935	21.37 06	46.04 16	1.02 459
977	954 529	31.25 70	98.84 33	932 574 833	9.92 274	21.37 79	46.05 73	1.02 354
978	956 484	31.27 30	98.89 39	935 441 352	9.92 612	21.38 52	46.07 30	1.02 249
979	958 441	31.28 90	98.94 44	938 313 739	9.92 950	21.39 25	46.08 87	1.02 145
980	960 400	31.30 50	98.99 49	941 192 000	9.93 288	21.39 97	46.10 44	1.02 041
981	962 361	31.32 09	99.04 54	944 076 141	9.93 626	21.40 70	46.12 00	1.01 937
982	964 324	31.33 69	99.09 59	946 966 168	9.93 964	21.41 43	46.13 57	1.01 833
983	966 289	31.35 28	99.14 64	949 862 087	9.94 301	21.42 16	46.15 14	1.01 729
984	968 256	31.36 88	99.19 68	952 763 904	9.94 638	21.42 88	46.16 70	1.01 626
985	970 225	31.38 47	99.24 72	955 671 625	9.94 975	21.43 61	46.18 26	1.01 523
986	972 196	31.40 06	99.29 75	958 585 256	9.95 311	21.44 33	46.19 83	1.01 420
987	974 169	31.41 66	99.34 79	961 504 803	9.95 648	21.45 06	46.21 39	1.01 317
988	976 144	31.43 25	99.39 82	964 430 272	9.95 984	21.45 78	46.22 95	1.01 215
989	978 121	31.44 84	99.44 85	967 361 669	9.96 320	21.46 51	46.24 51	1.01 112
990	980 100	31.46 43	99.49 87	970 299 000	9.96 655	21.47 23	46.26 07	1.01 010
991	982 081	31.48 02	99.54 90	973 242 271	9.96 991	21.47 95	46.27 62	1.00 908
992	984 064	31.49 60	99.59 92	976 191 488	9.97 326	21.48 67	46.29 18	1.00 806
993	986 049	31.51 19	99.64 94	979 146 657	9.97 661	21.49 40	46.30 73	1.00 705
994	988 036	31.52 78	99.69 95	982 107 784	9.97 996	21.50 12	46.32 29	1.00 604
995	990 025	31.54 36	99.74 97	985 074 875	9.98 331	21.50 84	46.33 84	1.00 503
996	992 016	31.55 95	99.79 98	988 047 936	9.98 665	21.51 56	46.35 39	1.00 402
997	994 009	31.57 53	99.84 99	991 026 973	9.98 999	21.52 28	46.36 94	1.00 301
998	996 004	31.59 11	99.89 99	994 011 992	9.99 333	21.53 00	46.38 49	1.00 200
999	998 001	31.60 70	99.95 00	997 002 999	9.99 667	21.53 72	46.40 04	1.00 100
1000	1000 000	31.62 28	100.00 00	1000 000 000	10.00 000	21.54 43	46.41 59	1.00 000
N	N^2	$\sqrt{N}$	$\sqrt{10N}$	N^3	$\sqrt[3]{N}$	$\sqrt[3]{10N}$	$\sqrt[3]{100N}$	$1000/N$

10.0 — Four-Place Common Logarithms of Numbers — 54.9

N	0	1	2	3	4	5	6	7	8	9
10	0000	0043	0086	0128	0170	0212	0253	0294	0334	0374
11	0414	0453	0492	0531	0569	0607	0645	0682	0719	0755
12	0792	0828	0864	0899	0934	0969	1004	1038	1072	1106
13	1139	1173	1206	1239	1271	1303	1335	1367	1399	1430
14	1461	1492	1523	1553	1584	1614	1644	1673	1703	1732
15	1761	1790	1818	1847	1875	1903	1931	1959	1987	2014
16	2041	2068	2095	2122	2148	2175	2201	2227	2253	2279
17	2304	2330	2355	2380	2405	2430	2455	2480	2504	2529
18	2553	2577	2601	2625	2648	2672	2695	2718	2742	2765
19	2788	2810	2833	2856	2878	2900	2923	2945	2967	2989
20	3010	3032	3054	3075	3096	3118	3139	3160	3181	3201
21	3222	3243	3263	3284	3304	3324	3345	3365	3385	3404
22	3424	3444	3464	3483	3502	3522	3541	3560	3579	3598
23	3617	3636	3655	3674	3692	3711	3729	3747	3766	3784
24	3802	3820	3838	3856	3874	3892	3909	3927	3945	3962
25	3979	3997	4014	4031	4048	4065	4082	4099	4116	4133
26	4150	4166	4183	4200	4216	4232	4249	4265	4281	4298
27	4314	4330	4346	4362	4378	4393	4409	4425	4440	4456
28	4472	4487	4502	4518	4533	4548	4564	4579	4594	4609
29	4624	4639	4654	4669	4683	4698	4713	4728	4742	4757
30	4771	4786	4800	4814	4829	4843	4857	4871	4886	4900
31	4914	4928	4942	4955	4969	4983	4997	5011	5024	5038
32	5051	5065	5079	5092	5105	5119	5132	5145	5159	5172
33	5185	5198	5211	5224	5237	5250	5263	5276	5289	5302
34	5315	5328	5340	5353	5366	5378	5391	5403	5416	5428
35	5441	5453	5465	5478	5490	5502	5514	5527	5539	5551
36	5563	5575	5587	5599	5611	5623	5635	5647	5658	5670
37	5682	5694	5705	5717	5729	5740	5752	5763	5775	5786
38	5798	5809	5821	5832	5843	5855	5866	5877	5888	5899
39	5911	5922	5933	5944	5955	5966	5977	5988	5999	6010
40	6021	6031	6042	6053	6064	6075	6085	6096	6107	6117
41	6128	6138	6149	6160	6170	6180	6191	6201	6212	6222
42	6232	6243	6253	6263	6274	6284	6294	6304	6314	6325
43	6335	6345	6355	6365	6375	6385	6395	6405	6415	6425
44	6435	6444	6454	6464	6474	6484	6493	6503	6513	6522
45	6532	6542	6551	6561	6571	6580	6590	6599	6609	6618
46	6628	6637	6646	6656	6665	6675	6684	6693	6702	6712
47	6721	6730	6739	6749	6758	6767	6776	6785	6794	6803
48	6812	6821	6830	6839	6848	6857	6866	6875	6884	6893
49	6902	6911	6920	6928	6937	6946	6955	6964	6972	6981
50	6990	6998	7007	7016	7024	7033	7042	7050	7059	7067
51	7076	7084	7093	7101	7110	7118	7126	7135	7143	7152
52	7160	7168	7177	7185	7193	7202	7210	7218	7226	7235
53	7243	7251	7259	7267	7275	7284	7292	7300	7308	7316
54	7324	7332	7340	7348	7356	7364	7372	7380	7388	7396
N	0	1	2	3	4	5	6	7	8	9

10.0 — Four-Place Common Logarithms of Numbers — 54.9

55.0 — Four-Place Common Logarithms of Numbers — 99.9

N	0	1	2	3	4	5	6	7	8	9
55	7404	7412	7419	7427	7435	7443	7451	7459	7466	7474
56	7482	7490	7497	7505	7513	7520	7528	7536	7543	7551
57	7559	7566	7574	7582	7589	7597	7604	7612	7619	7627
58	7634	7642	7649	7657	7664	7672	7679	7686	7694	7701
59	7709	7716	7723	7731	7738	7745	7752	7760	7767	7774
60	7782	7789	7796	7803	7810	7818	7825	7832	7839	7846
61	7853	7860	7868	7875	7882	7889	7896	7903	7910	7917
62	7924	7931	7938	7945	7952	7959	7966	7973	7980	7987
63	7993	8000	8007	8014	8021	8028	8035	8041	8048	8055
64	8062	8069	8075	8082	8089	8096	8102	8109	8116	8122
65	8129	8136	8142	8149	8156	8162	8169	8176	8182	8189
66	8195	8202	8209	8215	8222	8228	8235	8241	8248	8254
67	8261	8267	8274	8280	8287	8293	8299	8306	8312	8319
68	8325	8331	8338	8344	8351	8357	8363	8370	8376	8382
69	8388	8395	8401	8407	8414	8420	8426	8432	8439	8445
70	8451	8457	8463	8470	8476	8482	8488	8494	8500	8506
71	8513	8519	8525	8531	8537	8543	8549	8555	8561	8567
72	8573	8579	8585	8591	8597	8603	8609	8615	8621	8627
73	8633	8639	8645	8651	8657	8663	8669	8675	8681	8686
74	8692	8698	8704	8710	8716	8722	8727	8733	8739	8745
75	8751	8756	8762	8768	8774	8779	8785	8791	8797	8802
76	8808	8814	8820	8825	8831	8837	8842	8848	8854	8859
77	8865	8871	8876	8882	8887	8893	8899	8904	8910	8915
78	8921	8927	8932	8938	8943	8949	8954	8960	8965	8971
79	8976	8982	8987	8993	8998	9004	9009	9015	9020	9025
80	9031	9036	9042	9047	9053	9058	9063	9069	9074	9079
81	9085	9090	9096	9101	9106	9112	9117	9122	9128	9133
82	9138	9143	9149	9154	9159	9165	9170	9175	9180	9186
83	9191	9196	9201	9206	9212	9217	9222	9227	9232	9238
84	9243	9248	9253	9258	9263	9269	9274	9279	9284	9289
85	9294	9299	9304	9309	9315	9320	9325	9330	9335	9340
86	9345	9350	9355	9360	9365	9370	9375	9380	9385	9390
87	9395	9400	9405	9410	9415	9420	9425	9430	9435	9440
88	9445	9450	9455	9460	9465	9469	9474	9479	9484	9489
89	9494	9499	9504	9509	9513	9518	9523	9528	9533	9538
90	9542	9547	9552	9557	9562	9566	9571	9576	9581	9586
91	9590	9595	9600	9605	9609	9614	9619	9624	9628	9633
92	9638	9643	9647	9652	9657	9661	9666	9671	9675	9680
93	9685	9689	9694	9699	9703	9708	9713	9717	9722	9727
94	9731	9736	9741	9745	9750	9754	9759	9763	9768	9773
95	9777	9782	9786	9791	9795	9800	9805	9809	9814	9818
96	9823	9827	9832	9836	9841	9845	9850	9854	9859	9863
97	9868	9872	9877	9881	9886	9890	9894	9899	9903	9908
98	9912	9917	9921	9926	9930	9934	9939	9943	9948	9952
99	9956	9961	9965	9969	9974	9978	9983	9987	9991	9996
N	0	1	2	3	4	5	6	7	8	9

55.0 — Four-Place Common Logarithms of Numbers — 99.9

Natural Trigonometric Functions for Decimal Fractions of a Degree

Deg.	Sin	Tan	Ctn	Cos	Deg.
0–	.00000	.00000	—	1.00000	90–
.1	.00175	.00175	572.96	1.00000	.9
.2	.00349	.00349	286.48	0.99999	.8
.3	.00524	.00524	190.98	.99999	.7
.4	.00698	.00698	143.24	.99998	.6
.5	.00873	.00873	114.59	.99996	.5
.6	.01047	.01047	95.489	.99995	.4
.7	.01222	.01222	81.847	.99993	.3
.8	.01396	.01396	71.615	.99990	.2
.9	.01571	.01571	63.657	.99988	.1
1–	.01745	.01746	57.290	.99985	89–
.1	.01920	.01920	52.081	.99982	.9
.2	.02094	.02095	47.740	.99978	.8
.3	.02269	.02269	44.066	.99974	.7
.4	.02443	.02444	40.917	.99970	.6
.5	.02618	.02619	38.188	.99966	.5
.6	.02792	.02793	35.801	.99961	.4
.7	.02967	.02968	33.694	.99956	.3
.8	.03141	.03143	31.821	.99951	.2
.9	.03316	.03317	30.145	.99945	.1
2–	.03490	.03492	28.636	.99939	88–
.1	.03664	.03667	27.271	.99933	.9
.2	.03839	.03842	26.031	.99926	.8
.3	.04013	.04016	24.898	.99919	.7
.4	.04188	.04191	23.859	.99912	.6
.5	.04362	.04366	22.904	.99905	.5
.6	.04536	.04541	22.022	.99897	.4
.7	.04711	.04716	21.205	.99889	.3
.8	.04885	.04891	20.446	.99881	.2
.9	.05059	.05066	19.740	.99872	.1
3–	.05234	.05241	19.081	.99863	87–
.1	.05408	.05416	18.464	.99854	.9
.2	.05582	.05591	17.886	.99844	.8
.3	.05756	.05766	17.343	.99834	.7
.4	.05931	.05941	16.832	.99824	.6
.5	.06105	.06116	16.350	.99813	.5
.6	.06279	.06291	15.895	.99803	.4
.7	.06453	.06467	15.464	.99792	.3
.8	.06627	.06642	15.056	.99780	.2
.9	.06802	.06817	14.669	.99768	.1
4–	.06976	.06993	14.301	.99756	86–
.1	.07150	.07168	13.951	.99744	.9
.2	.07324	.07344	13.617	.99731	.8
.3	.07498	.07519	13.300	.99719	.7
.4	.07672	.07695	12.996	.99705	.6
.5	.07846	.07870	12.706	.99692	.5
.6	.08020	.08046	12.429	.99678	.4
.7	.08194	.08221	12.163	.99664	.3
.8	.08368	.08397	11.909	.99649	.2
.9	.08542	.08573	11.664	.99635	.1
5–	.08716	.08749	11.430	.99619	85–
.1	.08889	.08925	11.205	.99604	.9
.2	.09063	.09101	10.988	.99588	.8
.3	.09237	.09277	10.780	.99572	.7
.4	.09411	.09453	10.579	.99556	.6
.5	.09585	.09629	10.385	.99540	.5
.6	.09758	.09805	10.199	.99523	.4
.7	.09932	.09981	10.019	.99506	.3
.8	.10106	.10158	9.8448	.99488	.2
.9	.10279	.10334	9.6768	.99470	.1
6–	.10453	.10510	9.5144	.99452	84–
Deg.	Cos	Ctn	Tan	Sin	Deg.

Deg.	Sin	Tan	Ctn	Cos	Deg.
6–	.10453	.10510	9.5144	.99452	84–
.1	.10626	.10687	9.3572	.99434	.9
.2	.10800	.10863	9.2052	.99415	.8
.3	.10973	.11040	9.0579	.99396	.7
.4	.11147	.11217	8.9152	.99377	.6
.5	.11320	.11394	8.7769	.99357	.5
.6	.11494	.11570	8.6427	.99337	.4
.7	.11667	.11747	8.5126	.99317	.3
.8	.11840	.11924	8.3863	.99297	.2
.9	.12014	.12101	8.2636	.99276	.1
7–	.12187	.12278	8.1443	.99255	83–
.1	.12360	.12456	8.0285	.99233	.9
.2	.12533	.12633	7.9158	.99211	.8
.3	.12706	.12810	7.8062	.99189	.7
.4	.12880	.12988	7.6996	.99167	.6
.5	.13053	.13165	7.5958	.99144	.5
.6	.13226	.13343	7.4947	.99122	.4
.7	.13399	.13521	7.3962	.99098	.3
.8	.13572	.13698	7.3002	.99075	.2
.9	.13744	.13876	7.2066	.99051	.1
8–	.13917	.14054	7.1154	.99027	82–
.1	.14090	.14232	7.0264	.99002	.9
.2	.14263	.14410	6.9395	.98978	.8
.3	.14436	.14588	6.8548	.98953	.7
.4	.14608	.14767	6.7720	.98927	.6
.5	.14781	.14945	6.6912	.98902	.5
.6	.14954	.15124	6.6122	.98876	.4
.7	.15126	.15302	6.5350	.98849	.3
.8	.15299	.15481	6.4596	.98823	.2
.9	.15471	.15660	6.3859	.98796	.1
9–	.15643	.15838	6.3138	.98769	81–
.1	.15816	.16017	6.2432	.98741	.9
.2	.15988	.16196	6.1742	.98714	.8
.3	.16160	.16376	6.1066	.98686	.7
.4	.16333	.16555	6.0405	.98657	.6
.5	.16505	.16734	5.9758	.98629	.5
.6	.16677	.16914	5.9124	.98600	.4
.7	.16849	.17093	5.8502	.98570	.3
.8	.17021	.17273	5.7894	.98541	.2
.9	.17193	.17453	5.7297	.98511	.1
10–	.17365	.17633	5.6713	.98481	80–
.1	.17537	.17813	5.6140	.98450	.9
.2	.17708	.17993	5.5578	.98420	.8
.3	.17880	.18173	5.5026	.98389	.7
.4	.18052	.18353	5.4486	.98357	.6
.5	.18224	.18534	5.3955	.98325	.5
.6	.18395	.18714	5.3435	.98294	.4
.7	.18567	.18895	5.2924	.98261	.3
.8	.18738	.19076	5.2422	.98229	.2
.9	.18910	.19257	5.1929	.98196	.1
11–	.19081	.19438	5.1446	.98163	79–
.1	.19252	.19619	5.0970	.98129	.9
.2	.19423	.19801	5.0504	.98096	.8
.3	.19595	.19982	5.0045	.98061	.7
.4	.19766	.20164	4.9594	.98027	.6
.5	.19937	.20345	4.9152	.97992	.5
.6	.20108	.20527	4.8716	.97958	.4
.7	.20279	.20709	4.8288	.97922	.3
.8	.20450	.20891	4.7867	.97887	.2
.9	.20620	.21073	4.7453	.97851	.1
12–	.20791	.21256	4.7046	.97815	78–
Deg.	Cos	Ctn	Tan	Sin	Deg.

Natural Trigonometric Functions for Decimal Fractions of a Degree

Natural Trigonometric Functions for Decimal Fractions of a Degree

Deg.	Sin	Tan	Ctn	Cos	Deg.
12–	.20791	.21256	4.7046	.97815	**78–**
.1	.20962	.21438	4.6646	.97778	.9
.2	.21132	.21621	4.6252	.97742	.8
.3	.21303	.21804	4.5864	.97705	.7
.4	.21474	.21986	4.5483	.97667	.6
.5	.21644	.22169	4.5107	.97630	.5
.6	.21814	.22353	4.4737	.97592	.4
.7	.21985	.22536	4.4373	.97553	.3
.8	.22155	.22719	4.4015	.97515	.2
.9	.22325	.22903	4.3662	.97476	.1
13–	.22495	.23087	4.3315	.97437	**77–**
.1	.22665	.23271	4.2972	.97398	.9
.2	.22835	.23455	4.2635	.97358	.8
.3	.23005	.23639	4.2303	.97318	.7
.4	.23175	.23823	4.1976	.97278	.6
.5	.23345	.24008	4.1653	.97237	.5
.6	.23514	.24193	4.1335	.97196	.4
.7	.23684	.24377	4.1022	.97155	.3
.8	.23853	.24562	4.0713	.97113	.2
.9	.24023	.24747	4.0408	.97072	.1
14–	.24192	.24933	4.0108	.97030	**76–**
.1	.24362	.25118	3.9812	.96987	.9
.2	.24531	.25304	3.9520	.96945	.8
.3	.24700	.25490	3.9232	.96902	.7
.4	.24869	.25676	3.8947	.96858	.6
.5	.25038	.25862	3.8667	.96815	.5
.6	.25207	.26048	3.8391	.96771	.4
.7	.25376	.26235	3.8118	.96727	.3
.8	.25545	.26421	3.7848	.96682	.2
.9	.25713	.26608	3.7583	.96638	.1
15–	.25882	.26795	3.7321	.96593	**75–**
.1	.26050	.26982	3.7062	.96547	.9
.2	.26219	.27169	3.6806	.96502	.8
.3	.26387	.27357	3.6554	.96456	.7
.4	.26556	.27545	3.6305	.96410	.6
.5	.26724	.27732	3.6059	.96363	.5
.6	.26892	.27921	3.5816	.96316	.4
.7	.27060	.28109	3.5576	.96269	.3
.8	.27228	.28297	3.5339	.96222	.2
.9	.27396	.28486	3.5105	.96174	.1
16–	.27564	.28675	3.4874	.96126	**74–**
.1	.27731	.28864	3.4646	.96078	.9
.2	.27899	.29053	3.4420	.96029	.8
.3	.28067	.29242	3.4197	.95981	.7
.4	.28234	.29432	3.3977	.95931	.6
.5	.28402	.29621	3.3759	.95882	.5
.6	.28569	.29811	3.3544	.95832	.4
.7	.28736	.30001	3.3332	.95782	.3
.8	.28903	.30192	3.3122	.95732	.2
.9	.29070	.30382	3.2914	.95681	.1
17–	.29237	.30573	3.2709	.95630	**73–**
.1	.29404	.30764	3.2506	.95579	.9
.2	.29571	.30955	3.2305	.95528	.8
.3	.29737	.31147	3.2106	.95476	.7
.4	.29904	.31338	3.1910	.95424	.6
17.5	.30071	.31530	3.1716	.95372	**72.5**
Deg.	**Cos**	**Ctn**	**Tan**	**Sin**	**Deg.**

Deg.	Sin	Tan	Ctn	Cos	Deg.
17.5	.30071	.31530	3.1716	.95372	**72.5**
.6	.30237	.31722	3.1524	.95319	.4
.7	.30403	.31914	3.1334	.95266	.3
.8	.30570	.32106	3.1146	.95213	.2
.9	.30736	.32299	3.0961	.95159	.1
18–	.30902	.32492	3.0777	.95106	**72–**
.1	.31068	.32685	3.0595	.95052	.9
.2	.31233	.32878	3.0415	.94997	.8
.3	.31399	.33072	3.0237	.94943	.7
.4	.31565	.33266	3.0061	.94888	.6
.5	.31730	.33460	2.9887	.94832	.5
.6	.31896	.33654	2.9714	.94777	.4
.7	.32061	.33848	2.9544	.94721	.3
.8	.32227	.34043	2.9375	.94665	.2
.9	.32392	.34238	2.9208	.94609	.1
19–	.32557	.34433	2.9042	.94552	**71–**
.1	.32722	.34628	2.8878	.94495	.9
.2	.32887	.34824	2.8716	.94438	.8
.3	.33051	.35020	2.8556	.94380	.7
.4	.33216	.35216	2.8397	.94322	.6
.5	.33381	.35412	2.8239	.94264	.5
.6	.33545	.35608	2.8083	.94206	.4
.7	.33710	.35805	2.7929	.94147	.3
.8	.33874	.36002	2.7776	.94088	.2
.9	.34038	.36199	2.7625	.94029	.1
20–	.34202	.36397	2.7475	.93969	**70–**
.1	.34366	.36595	2.7326	.93909	.9
.2	.34530	.36793	2.7179	.93849	.8
.3	.34694	.36991	2.7034	.93789	.7
.4	.34857	.37190	2.6889	.93728	.6
.5	.35021	.37388	2.6746	.93667	.5
.6	.35184	.37588	2.6605	.93606	.4
.7	.35347	.37787	2.6464	.93544	.3
.8	.35511	.37986	2.6325	.93483	.2
.9	.35674	.38186	2.6187	.93420	.1
21–	.35837	.38386	2.6051	.93358	**69–**
.1	.36000	.38587	2.5916	.93295	.9
.2	.36162	.38787	2.5782	.93232	.8
.3	.36325	.38988	2.5649	.93169	.7
.4	.36488	.39190	2.5517	.93106	.6
.5	.36650	.39391	2.5386	.93042	.5
.6	.36812	.39593	2.5257	.92978	.4
.7	.36975	.39795	2.5129	.92913	.3
.8	.37137	.39997	2.5002	.92849	.2
.9	.37299	.40200	2.4876	.92784	.1
22–	.37461	.40403	2.4751	.92718	**68–**
.1	.37622	.40606	2.4627	.92653	.9
.2	.37784	.40809	2.4504	.92587	.8
.3	.37946	.41013	2.4383	.92521	.7
.4	.38107	.41217	2.4262	.92455	.6
.5	.38268	.41421	2.4142	.92388	.5
.6	.38430	.41626	2.4023	.92321	.4
.7	.38591	.41831	2.3906	.92254	.3
.8	.38752	.42036	2.3789	.92186	.2
.9	.38912	.42242	2.3673	.92119	.1
23–	.39073	.42447	2.3559	.92050	**67–**
Deg.	**Cos**	**Ctn**	**Tan**	**Sin**	**Deg.**

Natural Trigonometric Functions for Decimal Fractions of a Degree

Natural Trigonometric Functions for Decimal Fractions of a Degree

Deg.	Sin	Tan	Ctn	Cos	Deg.
23–	.39073	.42447	2.3559	.92050	**67–**
.1	.39234	.42654	2.3445	.91982	.9
.2	.39394	.42860	2.3332	.91914	.8
.3	.39555	.43067	2.3220	.91845	.7
.4	.39715	.43274	2.3109	.91775	.6
.5	.39875	.43481	2.2998	.91706	.5
.6	.40035	.43689	2.2889	.91636	.4
.7	.40195	.43897	2.2781	.91566	.3
.8	.40355	.44105	2.2673	.91496	.2
.9	.40514	.44314	2.2566	.91425	.1
24–	.40674	.44523	2.2460	.91355	**66–**
.1	.40833	.44732	2.2355	.91283	.9
.2	.40992	.44942	2.2251	.91212	.8
.3	.41151	.45152	2.2148	.91140	.7
.4	.41310	.45362	2.2045	.91068	.6
.5	.41469	.45573	2.1943	.90996	.5
.6	.41628	.45784	2.1842	.90924	.4
.7	.41787	.45995	2.1742	.90851	.3
.8	.41945	.46206	2.1642	.90778	.2
.9	.42104	.46418	2.1543	.90704	.1
25–	.42262	.46631	2.1445	.90631	**65–**
.1	.42420	.46843	2.1348	.90557	.9
.2	.42578	.47056	2.1251	.90483	.8
.3	.42736	.47270	2.1155	.90408	.7
.4	.42894	.47483	2.1060	.90334	.6
.5	.43051	.47698	2.0965	.90259	.5
.6	.43209	.47912	2.0872	.90183	.4
.7	.43366	.48127	2.0778	.90108	.3
.8	.43523	.48342	2.0686	.90032	.2
.9	.43680	.48557	2.0594	.89956	.1
26–	.43837	.48773	2.0503	.89879	**64–**
.1	.43994	.48989	2.0413	.89803	.9
.2	.44151	.49206	2.0323	.89726	.8
.3	.44307	.49423	2.0233	.89649	.7
.4	.44464	.49640	2.0145	.89571	.6
.5	.44620	.49858	2.0057	.89493	.5
.6	.44776	.50076	1.9970	.89415	.4
.7	.44932	.50295	1.9883	.89337	.3
.8	.45088	.50514	1.9797	.89259	.2
.9	.45243	.50733	1.9711	.89180	.1
27–	.45399	.50953	1.9626	.89101	**63–**
.1	.45554	.51173	1.9542	.89021	.9
.2	.45710	.51393	1.9458	.88942	.8
.3	.45865	.51614	1.9375	.88862	.7
.4	.46020	.51835	1.9292	.88782	.6
.5	.46175	.52057	1.9210	.88701	.5
.6	.46330	.52279	1.9128	.88620	.4
.7	.46484	.52501	1.9047	.88539	.3
.8	.46639	.52724	1.8967	.88458	.2
.9	.46793	.52947	1.8887	.88377	.1
28–	.46947	.53171	1.8807	.88295	**62–**
.1	.47101	.53395	1.8728	.88213	.9
.2	.47255	.53620	1.8650	.88130	.8
.3	.47409	.53844	1.8572	.88048	.7
.4	.47562	.54070	1.8495	.87965	.6
28.5	.47716	.54296	1.8418	.87882	**61.5**
Deg.	**Cos**	**Ctn**	**Tan**	**Sin**	**Deg.**

Deg.	Sin	Tan	Ctn	Cos	Deg.
28.5	.47716	.54296	1.8418	.87882	**61.5**
.6	.47869	.54522	1.8341	.87798	.4
.7	.48022	.54748	1.8265	.87715	.3
.8	.48175	.54975	1.8190	.87631	.2
.9	.48328	.55203	1.8115	.87546	.1
29–	.48481	.55431	1.8040	.87462	**61–**
.1	.48634	.55659	1.7966	.87377	9
.2	.48786	.55888	1.7893	.87292	.8
.3	.48938	.56117	1.7820	.87207	.7
.4	.49090	.56347	1.7747	.87121	.6
.5	.49242	.56577	1.7675	.87036	.5
.6	.49394	.56808	1.7603	.86949	.4
.7	.49546	.57039	1.7532	.86863	.3
.8	.49697	.57271	1.7461	.86777	.2
.9	.49849	.57503	1.7391	.86690	.1
30–	.50000	.57735	1.7321	.86603	**60–**
.1	.50151	.57968	1.7251	.86515	.9
.2	.50302	.58201	1.7182	.86427	.8
.3	.50453	.58435	1.7113	.86340	.7
.4	.50603	.58670	1.7045	.86251	.6
.5	.50754	.58905	1.6977	.86163	.5
.6	.50904	.59140	1.6909	.86074	.4
.7	.51054	.59376	1.6842	.85985	.3
.8	.51204	.59612	1.6775	.85896	.2
.9	.51354	.59849	1.6709	.85806	.1
31–	.51504	.60086	1.6643	.85717	**59–**
.1	.51653	.60324	1.6577	.85627	.9
.2	.51803	.60562	1.6512	.85536	.8
.3	.51952	.60801	1.6447	.85446	.7
.4	.52101	.61040	1.6383	.85355	.6
.5	.52250	.61280	1.6319	.85264	.5
.6	.52399	.61520	1.6255	.85173	.4
.7	.52547	.61761	1.6191	.85081	.3
.8	.52696	.62003	1.6128	.84989	.2
.9	.52844	.62245	1.6066	.84897	.1
32–	.52992	.62487	1.6003	.84805	**58–**
.1	.53140	.62730	1.5941	.84712	.9
.2	.53288	.62973	1.5880	.84619	.8
.3	.53435	.63217	1.5818	.84526	.7
.4	.53583	.63462	1.5757	.84433	.6
.5	.53730	.63707	1.5697	.84339	.5
.6	.53877	.63953	1.5637	.84245	.4
.7	.54024	.64199	1.5577	.84151	.3
.8	.54171	.64446	1.5517	.84057	.2
.9	.54317	.64693	1.5458	.83962	.1
33–	.54464	.64941	1.5399	.83867	**57–**
.1	.54610	.65189	1.5340	.83772	.9
.2	.54756	.65438	1.5282	.83676	.8
.3	.54902	.65688	1.5224	.83581	.7
.4	.55048	.65938	1.5166	.83485	.6
.5	.55194	.66189	1.5108	.83389	.5
.6	.55339	.66440	1.5051	.83292	.4
.7	.55484	.66692	1.4994	.83195	.3
.8	.55630	.66944	1.4938	.83098	.2
.9	.56775	.67197	1.4882	.83001	.1
34–	.55919	.67451	1.4826	.82904	**56–**
Deg.	**Cos**	**Ctn**	**Tan**	**Sin**	**Deg.**

Natural Trigonometric Functions for Decimal Fractions of a Degree

Natural Trigonometric Functions for Decimal Fractions of a Degree

Deg.	Sin	Tan	Ctn	Cos	Deg.
34–	.55919	.67451	1.4826	.82904	**56–**
.1	.56064	.67705	1.4770	.82806	.9
.2	.56208	.67960	1.4715	.82708	.8
.3	.56353	.68215	1.4659	.82610	.7
.4	.56497	.68471	1.4605	.82511	.6
.5	.56641	.68728	1.4550	.82413	.5
.6	.56784	.68985	1.4496	.82314	.4
.7	.56928	.69243	1.4442	.82214	.3
.8	.57071	.69502	1.4388	.82115	.2
.9	.57215	.69761	1.4335	.82015	.1
35–	.57358	.70021	1.4281	.81915	**55–**
.1	.57501	.70281	1.4229	.81815	.9
.2	.57643	.70542	1.4176	.81714	.8
.3	.57786	.70804	1.4124	.81614	.7
.4	.57928	.71066	1.4071	.81513	.6
.5	.58070	.71329	1.4019	.81412	.5
.6	.58212	.71593	1.3968	.81310	.4
.7	.58354	.71857	1.3916	.81208	.3
.8	.58496	.72122	1.3865	.81106	.2
.9	.58637	.72388	1.3814	.81004	.1
36–	.58779	.72654	1.3764	.80902	**54–**
.1	.58920	.72921	1.3713	.80799	.9
.2	.59061	.73189	1.3663	.80696	.8
.3	.59201	.73457	1.3613	.80593	.7
.4	.59342	.73726	1.3564	.80489	.6
.5	.59482	.73996	1.3514	.80386	.5
.6	.59622	.74267	1.3465	.80282	.4
.7	.59763	.74538	1.3416	.80178	.3
.8	.59902	.74810	1.3367	.80073	.2
.9	.60042	.75082	1.3319	.79968	.1
37–	.60182	.75355	1.3270	.79864	**53–**
.1	.60321	.75629	1.3222	.79758	.9
.2	.60460	.75904	1.3175	.79653	.8
.3	.60599	.76180	1.3127	.79547	.7
.4	.60738	.76456	1.3079	.79441	.6
.5	.60876	.76733	1.3032	.79335	.5
.6	.61015	.77010	1.2985	.79229	.4
.7	.61153	.77289	1.2938	.79122	.3
.8	.61291	.77568	1.2892	.79016	.2
.9	.61429	.77848	1.2846	.78908	.1
38–	.61566	.78129	1.2799	.78801	**52–**
.1	.61704	.78410	1.2753	.78694	.9
.2	.61841	.78692	1.2708	.78586	.8
.3	.61978	.78975	1.2662	.78478	.7
.4	.62115	.79259	1.2617	.78369	.6
.5	.62251	.79544	1.2572	.78261	.5
.6	.62388	.79829	1.2527	.78152	.4
.7	.62524	.80115	1.2482	.78043	.3
.8	.62660	.80402	1.2437	.77934	.2
.9	.62796	.80690	1.2393	.77824	.1
39–	.62932	.80978	1.2349	.77715	**51–**
.1	.63068	.81268	1.2305	.77605	.9
.2	.63203	.81558	1.2261	.77494	.8
.3	.63338	.81849	1.2218	.77384	.7
.4	.63473	.82141	1.2174	.77273	.6
39.5	.63608	.82434	1.2131	.77162	**50.5**
Deg.	Cos	Ctn	Tan	Sin	Deg.

Deg.	Sin	Tan	Ctn	Cos	Deg.
39.5	.63608	.82434	1.2131	.77162	**50.5**
.6	.63742	.82727	1.2088	.77051	.4
.7	.63877	.83022	1.2045	.76940	.3
.8	.64011	.83317	1.2002	.76828	.2
.9	.64145	.83613	1.1960	.76717	.1
40–	.64279	.83910	1.1918	.76604	**50–**
.1	.64412	.84208	1.1875	.76492	.9
.2	.64546	.84507	1.1833	.76380	.8
.3	.64679	.84806	1.1792	.76267	.7
.4	.64812	.85107	1.1750	.76154	.6
.5	.64945	.85408	1.1708	.76041	.5
.6	.65077	.85710	1.1667	.75927	.4
.7	.65210	.86014	1.1626	.75813	.3
.8	.65342	.86318	1.1585	.75700	.2
.9	.65474	.86623	1.1544	.75585	.1
41–	.65606	.86929	1.1504	.75471	**49–**
.1	.65738	.87236	1.1463	.75356	.9
.2	.65869	.87543	1.1423	.75241	.8
.3	.66000	.87852	1.1383	.75126	.7
.4	.66131	.88162	1.1343	.75011	.6
.5	.66262	.88473	1.1303	.74896	.5
.6	.66393	.88784	1.1263	.74780	.4
.7	.66523	.89097	1.1224	.74664	.3
.8	.66653	.89410	1.1184	.74548	.2
.9	.66783	.89725	1.1145	.74431	.1
42–	.66913	.90040	1.1106	.74314	**48–**
.1	.67043	.90357	1.1067	.74198	.9
.2	.67172	.90674	1.1028	.74080	.8
.3	.67301	.90993	1.0990	.73963	.7
.4	.67430	.91313	1.0951	.73846	.6
.5	.67559	.91633	1.0913	.73728	.5
.6	.67688	.91955	1.0875	.73610	.4
.7	.67816	.92277	1.0837	.73491	.3
.8	.67944	.92601	1.0799	.73373	.2
.9	.68072	.92926	1.0761	.73254	.1
43–	.68200	.93252	1.0724	.73135	**47–**
.1	.68327	.93578	1.0686	.73016	.9
.2	.68455	.93906	1.0649	.72897	.8
.3	.68582	.94235	1.0612	.72777	.7
.4	.68709	.94565	1.0575	.72657	.6
.5	.68835	.94896	1.0538	.72537	.5
.6	.68962	.95229	1.0501	.72417	.4
.7	.69088	.95562	1.0464	.72297	.3
.8	.69214	.95897	1.0428	.72176	.2
.9	.69340	.96232	1.0392	.72055	.1
44–	.69466	.96569	1.0355	.71934	**46–**
.1	.69591	.96907	1.0319	.71813	.9
.2	.69717	.97246	1.0283	.71691	.8
.3	.69842	.97586	1.0247	.71569	.7
.4	.69966	.97927	1.0212	.71447	.6
.5	.70091	.98270	1.0176	.71325	.5
.6	.70215	.98613	1.0141	.71203	.4
.7	.70339	.98958	1.0105	.71080	.3
.8	.70463	.99304	1.0070	.70957	.2
.9	.70587	.99652	1.0035	.70834	.1
45–	.70711	1.00000	1.0000	.70711	**45–**
Deg.	Cos	Ctn	Tan	Sin	Deg.

Natural Trigonometric Functions for Decimal Fractions of a Degree

Common Logarithms of Trigonometric Functions for Decimal Fractions of a Degree

Deg.	L Sin	L Tan	L Ctn	L Cos	Deg.
0–	—	—	—	0.00000	**90–**
.1	7.24188	7.24188	2.75812	0.00000	.9
.2	7.54291	7.54291	2.45709	0.00000	.8
.3	7.71900	7.71900	2.28100	9.99999	.7
.4	7.84393	7.84394	2.15606	9.99999	.6
.5	7.94084	7.94086	2.05914	9.99998	.5
.6	8.02002	8.02004	1.97996	9.99998	.4
.7	8.08696	8.08700	1.91300	9.99997	.3
.8	8.14495	8.14500	1.85500	9.99996	.2
.9	8.19610	8.19616	1.80384	9.99995	.1
1–	8.24186	8.24192	1.75808	9.99993	**89–**
.1	8.28324	8.28332	1.71668	9.99992	.9
.2	8.32103	8.32112	1.67888	9.99990	.8
.3	8.35578	8.35590	1.64410	9.99989	.7
.4	8.38796	8.38809	1.61191	9.99987	.6
.5	8.41792	8.41807	1.58193	9.99985	.5
.6	8.44594	8.44611	1.55389	9.99983	.4
.7	8.47226	8.47245	1.52755	9.99981	.3
.8	8.49708	8.49729	1.50271	9.99979	.2
.9	8.52055	8.52079	1.47921	9.99976	.1
2–	8.54282	8.54308	1.45692	9.99974	**88–**
.1	8.56400	8.56429	1.43571	9.99971	.9
.2	8.58419	8.58451	1.41549	9.99968	.8
.3	8.60349	8.60384	1.39616	9.99965	.7
.4	8.62196	8.62234	1.37766	9.99962	.6
.5	8.63968	8.64009	1.35991	9.99959	.5
.6	8.65670	8.65715	1.34285	9.99955	.4
.7	8.67308	8.67356	1.32644	9.99952	.3
.8	8.68886	8.68938	1.31062	9.99948	.2
.9	8.70409	8.70465	1.29535	9.99944	.1
3–	8.71880	8.71940	1.28060	9.99940	**87–**
.1	8.73303	8.73366	1.26634	9.99936	.9
.2	8.74680	8.74748	1.25252	9.99932	.8
.3	8.76015	8.76087	1.23913	9.99928	.7
.4	8.77310	8.77387	1.22613	9.99923	.6
.5	8.78568	8.78649	1.21351	9.99919	.5
.6	8.79789	8.79875	1.20125	9.99914	.4
.7	8.80978	8.81068	1.18932	9.99909	.3
.8	8.82134	8.82230	1.17770	9.99904	.2
.9	8.83261	8.83361	1.16639	9.99899	.1
4–	8.84358	8.84464	1.15536	9.99894	**86–**
.1	8.85429	8.85540	1.14460	9.99889	.9
.2	8.86474	8.86591	1.13409	9.99883	.8
.3	8.87494	8.87616	1.12384	9.99878	.7
.4	8.88490	8.88618	1.11382	9.99872	.6
.5	8.89464	8.89598	1.10402	9.99866	.5
.6	8.90417	8.90557	1.09443	9.99860	.4
.7	8.91349	8.91495	1.08505	9.99854	.3
.8	8.92261	8.92414	1.07586	9.99847	.2
.9	8.93154	8.93313	1.06687	9.99841	.1
5–	8.94030	8.94195	1.05805	9.99834	**85–**
.1	8.94887	8.95060	1.04940	9.99828	.9
.2	8.95728	8.95908	1.04092	9.99821	.8
.3	8.96553	8.96739	1.03261	9.99814	.7
.4	8.97363	8.97556	1.02444	9.99807	.6
.5	8.98157	8.98358	1.01642	9.99800	.5
.6	8.98937	8.99145	1.00855	9.99792	.4
.7	8.99704	8.99919	1.00081	9.99785	.3
.8	9.00456	9.00679	0.99321	9.99777	.2
.9	9.01196	9.01427	0.98573	9.99769	.1
6–	9.01923	9.02162	0.97838	9.99761	**84–**
Deg.	**L Cos**	**L Ctn**	**L Tan**	**L Sin**	**Deg.**

Deg.	L Sin	L Tan	L Ctn	L Cos	Deg.
6–	9.01923	9.02162	0.97838	9.99761	**84–**
.1	9.02639	9.02885	0.97115	9.99753	.9
.2	9.03342	9.03597	0.96403	9.99745	.8
.3	9.04034	9.04297	0.95703	9.99737	.7
.4	9.04715	9.04987	0.95013	9.99728	.6
.5	9.05386	9.05666	0.94334	9.99720	.5
.6	9.06046	9.06335	0.93665	9.99711	.4
.7	9.06696	9.06994	0.93006	9.99702	.3
.8	9.07337	9.07643	0.92357	9.99693	.2
.9	9.07968	9.08283	0.91717	9.99684	.1
7–	9.08589	9.08914	0.91086	9.99675	**83–**
.1	9.09202	9.09537	0.90463	9.99666	.9
.2	9.09807	9 10150	0.89850	9.99656	.8
.3	9.10402	9.10756	0.89244	9.99647	.7
.4	9.10990	9.11353	0.88647	9.99637	.6
.5	9.11570	9.11943	0.88057	9.99627	.5
.6	9.12142	9.12525	0.87475	9.99617	.4
.7	9.12706	9.13099	0.86901	9.99607	.3
.8	9.13263	9.13667	0.86333	9.99596	.2
.9	9.13813	9.14227	0.85773	9.99586	.1
8–	9.14356	9.14780	0.85220	9.99575	**82–**
.1	9.14891	9.15327	0.84673	9.99565	.9
.2	9.15421	9.15867	0.84133	9.99554	.8
.3	9.15944	9.16401	0.83599	9.99543	.7
.4	9.16460	9.16928	0.83072	9.99532	.6
.5	9.16970	9.17450	0.82550	9.99520	.5
.6	9.17474	9.17965	0.82035	9.99509	.4
.7	9.17973	9.18475	0.81525	9.99497	.3
.8	9.18465	9.18979	0.81021	9.99486	.2
.9	9.18952	9.19478	0.80522	9.99474	.1
9–	9.19433	9.19971	0.80029	9.99462	**81–**
.1	9.19909	9.20459	0.79541	9.99450	.9
.2	9.20380	9.20942	0.79058	9.99438	.8
.3	9.20845	9.21420	0.78580	9.99425	.7
.4	9.21306	9.21893	0.78107	9.99413	.6
.5	9.21761	9.22361	0.77639	9.99400	.5
.6	9.22211	9.22824	0.77176	9.99388	.4
.7	9.22657	9.23283	0.76717	9.99375	.3
.8	9.23098	9.23737	0.76263	9.99362	.2
.9	9.23535	9.24186	0.75814	9.99348	.1
10–	9.23967	9.24632	0.75368	9.99335	**80–**
.1	9.24395	9.25073	0.74927	9.99322	.9
.2	9.24818	9.25510	0.74490	9.99308	.8
.3	9.25237	9.25943	0.74057	9.99294	.7
.4	9.25652	9.26372	0.73628	9.99281	.6
.5	9.26063	9.26797	0.73203	9.99267	.5
.6	9.26470	9.27218	0.72782	9.99252	.4
.7	9.26873	9.27635	0.72365	9.99238	.3
.8	9.27273	9.28049	0.71951	9.99224	.2
.9	9.27668	9.28459	0.71541	9.99209	.1
11–	9.28060	9.28865	0.71135	9.99195	**79–**
.1	9.28448	9.29268	0.70732	9.99180	.9
.2	9.28833	9.29668	0.70332	9.99165	.8
.3	9.29214	9.30064	0.69936	9.99150	.7
.4	9.29591	9.30457	0.69543	9.99135	.6
.5	9.29966	9.30846	0.69154	9.99119	.5
.6	9.30336	9.31233	0.68767	9.99104	.4
.7	9.30704	9.31616	0.68384	9.99088	.3
.8	9.31068	9.31996	0.68004	9.99072	.2
.9	9.31430	9.32373	0.67627	9.99056	.1
12–	9.31788	9.32747	0.67253	9.99040	**78–**
Deg.	**L Cos**	**L Ctn**	**L Tan**	**L Sin**	**Deg.**

Common Logarithms of Trigonometric Functions for Decimal Fractions of a Degree

Common Logarithms of Trigonometric Functions for Decimal Fractions of a Degree

Deg.	L Sin	L Tan	L Ctn	L Cos	Deg.
12–	9.31788	9.32747	0.67253	9.99040	**78–**
.1	9.32143	9.33119	0.66881	9.99024	.9
.2	9.32495	9.33487	0.66513	9.99008	.8
.3	9.32844	9.33853	0.66147	9.98991	.7
.4	9.33190	9.34215	0.65785	9.98975	.6
.5	9.33534	9.34576	0.65424	9.98958	.5
.6	9.33874	9.34933	0.65067	9.98941	.4
.7	9 34212	9.35288	0.64712	9.98924	.3
.8	9.34547	9.35640	0.64360	9.98907	.2
.9	9.34879	9.35989	0.64011	9.98890	.1
13–	9.35209	9.36336	0.63664	9.98872	**77–**
.1	9.35536	9.36681	0.63319	9.98855	.9
.2	9.35860	9.37023	0.62977	9.98837	.8
.3	9.36182	9.37363	0.62637	9.98819	.7
.4	9.36502	9.37700	0.62300	9.98801	.6
.5	9.36819	9.38035	0.61965	9.98783	.5
.6	9.37133	9.38368	0.61632	9.98765	.4
.7	9.37445	9.38699	0.61301	9.98746	.3
.8	9.37755	9.39027	0.60973	9.98728	.2
.9	9.38062	9.39353	0.60647	9.98709	.1
14–	9.38368	9.39677	0.60323	9.98690	**76–**
.1	9.38670	9.39999	0.60001	9.98671	.9
.2	9.38971	9.40319	0.59681	9.98652	.8
.3	9.39270	9.40636	0.59364	9.98633	.7
.4	9.39566	9.40952	0.59048	9.98614	.6
.5	9.39860	9.41266	0.58734	9.98594	.5
.6	9.40152	9.41578	0.58422	9.98574	.4
.7	9.40442	9.41887	0.58113	9.98555	.3
.8	9.40730	9.42195	0.57805	9.98535	.2
.9	9.41016	9.42501	0.57499	9.98515	.1
15–	9.41300	9.42805	0.57195	9.98494	**75–**
.1	9.41582	9.43108	0.56892	9.98474	.9
.2	9.41861	9.43408	0.56592	9.98453	.8
.3	9.42140	9.43707	0.56293	9.98433	.7
.4	9.42416	9.44004	0.55996	9.98412	.6
.5	9.42690	9.44299	0.55701	9.98391	.5
.6	9.42962	9.44592	0.55408	9.98370	.4
.7	9.43233	9.44884	0.55116	9.98349	.3
.8	9.43502	9.45174	0.54826	9.98327	.2
.9	9.43769	9.45463	0.54537	9.98306	.1
16–	9.44034	9.45750	0.54250	9.98284	**74–**
.1	9.44297	9.46035	0.53965	9.98262	.9
.2	9.44559	9.46319	0.53681	9.98240	.8
.3	9.44819	9.46601	0.53399	9.98218	.7
.4	9.45077	9.46881	0.53119	9.98196	.6
.5	9.45334	9.47160	0.52840	9.98174	.5
.6	9.45589	9.47438	0.52562	9.98151	.4
.7	9.45843	9.47714	0.52286	9.98129	.3
.8	9.46095	9.47989	0.52011	9.98106	.2
.9	9.46345	9.48262	0.51738	9.98083	.1
17–	9.46594	9.48534	0.51466	9.98060	**73–**
.1	9.46841	9.48804	0.51196	9.98036	.9
.2	9.47086	9.49073	0.50927	9.98013	.8
.3	9.47330	9.49341	0.50659	9.97989	.7
.4	9.47573	9.49607	0.50393	9.97966	.6
.5	9.47814	9.49872	0.50128	9.97942	.5
.6	9.48054	9.50136	0.49864	9.97918	.4
.7	9.48292	9.50398	0.49602	9.97894	.3
.8	9.48529	9.50659	0.49341	9.97870	.2
.9	9.48764	9.50919	0.49081	9.97845	.1
18–	9.48998	9.51178	0.48822	9.97821	**72–**
Deg.	L Cos	L Ctn	L Tan	L Sin	Deg.

Deg.	L Sin	L Tan	L Ctn	L Cos	Deg.
18–	9.48998	9.51178	0.48822	9.97821	**72–**
.1	9.49231	9.51435	0.48565	9.97796	.9
.2	9.49462	9.51691	0.48309	9.97771	.8
.3	9.49692	9.51946	0.48054	9.97746	.7
.4	9.49920	9.52200	0.47800	9.97721	.6
.5	9.50148	9.52452	0.47548	9.97696	.5
.6	9.50374	9.52703	0.47297	9.97670	.4
.7	9.50598	9.52953	0.47047	9.97645	.3
.8	9.50821	9.53202	0.46798	9.97619	.2
.9	9.51043	9.53450	0.46550	9.97593	.1
19–	9.51264	9.53697	0.46303	9.97567	**71–**
.1	9.51484	9.53943	0.46057	9.97541	.9
.2	9.51702	9.54187	0.45813	9.97515	.8
.3	9.51919	9.54431	0.45569	9.97488	.7
.4	9.52135	9.54673	0.45327	9.97461	.6
.5	9.52350	9.54915	0.45085	9.97435	.5
.6	9.52563	9.55155	0.44845	9.97408	.4
.7	9.52775	9.55395	0.44605	9.97381	.3
.8	9.52986	9.55633	0.44367	9.97353	.2
.9	9.53196	9.55870	0.44130	9.97326	.1
20–	9.53405	9.56107	0.43893	9.97299	**70–**
.1	9.53613	9.56342	0.43658	9.97271	.9
.2	9.53819	9.56576	0.43424	9.97243	.8
.3	9.54025	9.56810	0.43190	9.97215	.7
.4	9.54229	9.57042	0.42958	9.97187	.6
.5	9.54433	9.57274	0.42726	9.97159	.5
.6	9.54635	9.57504	0.42496	9.97130	.4
.7	9.54836	9.57734	0.42266	9.97102	.3
.8	9.55036	9.57963	0.42037	9.97073	.2
.9	9.55235	9.58191	0.41809	9.97044	.1
21–	9.55433	9.58418	0.41582	9.97015	**69–**
.1	9.55630	9.58644	0.41356	9.96986	.9
.2	9.55826	9.58869	0.41131	9.96957	.8
.3	9.56021	9.59094	0.40906	9.96927	.7
.4	9.56215	9.59317	0.40683	9.96898	.6
.5	9.56408	9.59540	0.40460	9.96868	.5
.6	9.56599	9.59762	0.40238	9.96838	.4
.7	9.56790	9.59983	0.40017	9.96808	.3
.8	9.56980	9.60203	0.39797	9.96778	.2
.9	9.57169	9.60422	0.39578	9.96747	.1
22–	9.57358	9.60641	0.39359	9.96717	**68–**
.1	9.57545	9.60859	0.39141	9.96686	.9
.2	9.57731	9.61076	0.38924	9.96655	.8
.3	9.57916	9.61292	0.38708	9.96624	.7
.4	9.58101	9.61508	0.38492	9.96593	.6
.5	9.58284	9.61722	0.38278	9.96562	.5
.6	9.58467	9.61936	0.38064	9.96530	.4
.7	9.58648	9.62150	0.37850	9.96498	.3
.8	9.58829	9.62362	0.37638	9.96467	.2
.9	9.59009	9.62574	0.37426	9.96435	.1
23–	9.59188	9.62785	0.37215	9.96403	**67–**
.1	9.59366	9.62996	0.37004	9.96370	.9
.2	9.59543	9.63205	0.36795	9.96338	.8
.3	9.59720	9.63414	0.36586	9.96305	.7
.4	9.59895	9.63623	0.36377	9.96273	.6
.5	9.60070	9.63830	0.36170	9.96240	.5
.6	9.60244	9.64037	9.35963	9.96207	.4
.7	9.60417	9.64243	0.35757	9.96174	.3
.8	9.60589	9.64449	0.35551	9.96140	.2
.9	9.60761	9.64654	0.35346	9.96107	.1
24–	9.60931	9.64858	0.35142	9.96073	**66–**
Deg.	L Cos	L Ctn	L Tan	L Sin	Deg.

Common Logarithms of Trigonometric Functions for Decimal Fractions of a Degree

Common Logarithms of Trigonometric Functions for Decimal Fractions of a Degree

Deg.	L Sin	L Tan	L Ctn	L Cos	Deg.
24–	9.60931	9.64858	0.35142	9.96073	**66–**
.1	9.61101	9.65062	0.34938	9.96039	.9
.2	9.61270	9.65265	0.34735	9.96005	.8
.3	9.61438	9.65467	0.34533	9.95971	.7
.4	9.61606	9.65669	0.34331	9.95937	.6
.5	9.61773	9.65870	0.34130	9.95902	.5
.6	9.61939	9.66071	0.33929	9.95868	.4
.7	9.62104	9.66271	0.33729	9.95833	.3
.8	9.62268	9.66470	0.33530	9.95798	.2
.9	9.62432	9.66669	0.33331	9.95763	.1
25–	9.62595	9.66867	0.33133	9.95728	**65–**
.1	9.62757	9.67065	0.32935	9.95692	.9
.2	9.62918	9.67262	0.32738	9.95657	.8
.3	9.63079	9.67458	0.32542	9.95621	.7
.4	9.63239	9.67654	0.32346	9.95585	.6
.5	9.63398	9.67850	0.32150	9.95549	.5
.6	9.63557	9.68044	0.31956	9.95513	.4
.7	9.63715	9.68239	0.31761	9.95476	.3
.8	9.63872	9.68432	0.31568	9.95440	.2
.9	9.64028	9.68626	0.31374	9.95403	.1
26–	9.64184	9.68818	0.31182	9.95366	**64–**
.1	9.64339	9.69010	0.30990	9.95329	.9
.2	9.64494	9.69202	0.30798	9.95292	.8
.3	9.64647	9.69393	0.30607	9.95254	.7
.4	9.64800	9.69584	0.30416	9.95217	.6
.5	9.64953	9.69774	0.30226	9.95179	.5
.6	9 65104	9.69963	0.30037	9.95141	.4
.7	9 65255	9.70152	0.29848	9.95103	.3
.8	9.65406	9.70341	0.29659	9.95065	.2
.9	9.65556	9.70529	0.29471	9.95027	.1
27–	9 65705	9.70717	0.29283	9.94988	**63–**
.1	9.65853	9.70904	0.29096	9.94949	.9
.2	9.66001	9.71090	0.28910	9.94911	.8
.3	9.66148	9.71277	0.28723	9.94871	.7
.4	9.66295	9.71462	0.28538	9.94832	.6
.5	9.66441	9.71648	0.28352	9.94793	.5
.6	9.66586	9.71833	0.28167	9.94753	.4
.7	9.66731	9.72017	0.27983	9.94714	.3
.8	9.66875	9.72201	0.27799	9.94674	.2
.9	9.67018	9.72384	0.27616	9.94634	.1
28–	9.67161	9.72567	0.27433	9.94593	**62–**
.1	9.67303	9.72750	0.27250	9.94553	.9
.2	9.67445	9.72932	0.27068	9.94513	.8
.3	9.67586	9.73114	0.26886	9.94472	.7
.4	9.67726	9.73295	0.26705	9.94431	.6
.5	9.67866	9.73476	0.26524	9.94390	.5
.6	9.68006	9.73657	0.26343	9.94349	.4
.7	9.68144	9.73837	0.26163	9.94307	.3
.8	9.68283	9.74017	0.25983	9.94266	.2
.9	9.68420	9.74196	0.25804	9.94224	.1
29–	9.68557	9.74375	0.25625	9.94182	**61–**
.1	9.68694	9.74554	0.25446	9.94140	.9
.2	9.68829	9.74732	0.25268	9.94098	.8
.3	9.68965	9.74910	0.25090	9.94055	.7
.4	9.69100	9.75087	0.24913	9.94012	.6
.5	9.69234	9.75264	0.24736	9.93970	.5
.6	9.69368	9.75441	0.24559	9.93927	.4
.7	9.69501	9.75617	0.24383	9.93884	.3
.8	9.69633	9.75793	0.24207	9.93840	.2
.9	9.69765	9.75969	0.24031	9.93797	.1
30–	9.69897	9.76144	0.23856	9.93753	**60–**
Deg.	L Cos	L Ctn	L Tan	L Sin	Deg.

Deg.	L Sin	L Tan	L Ctn	L Cos	Deg.
30–	9.69897	9.76144	0.23856	9.93753	**60–**
.1	9.70028	9.76319	0.23681	9.93709	.9
.2	9.70159	9.76493	0.23507	9.93665	.8
.3	9.70288	9.76668	0.23332	9.93621	.7
.4	9.70418	9.76841	0.23159	9.93577	.6
.5	9.70547	9.77015	0.22985	9.93532	.5
.6	9.70675	9.77188	0.22812	9.93487	.4
.7	9.70803	9.77361	0.22639	9.93442	.3
.8	9.70931	9.77533	0.22467	9.93397	.2
.9	9.71058	9.77706	0.22294	9.93352	.1
31–	9.71184	9.77877	0.22123	9.93307	**59–**
.1	9.71310	9.78049	0.21951	9.93261	.9
.2	9.71435	9.78220	0.21780	9.93215	.8
.3	9.71560	9.78391	0.21609	9.93169	.7
.4	9.71685	9.78562	0.21438	9.93123	.6
.5	9.71809	9.78732	0.21268	9.93077	.5
.6	9.71932	9.78902	0.21098	9.93030	.4
.7	9.72055	9.79072	0.20928	9.92983	.3
.8	9.72177	9.79241	0.20759	9.92936	.2
.9	9.72299	9.79410	0.20590	9.92889	.1
32–	9.72421	9.79579	0.20421	9.92842	**58–**
.1	9.72542	9.79747	0.20253	9.92795	.9
.2	9.72663	9.79916	0.20084	9.92747	.8
.3	9.72783	9.80084	0.19916	9.92699	.7
.4	9.72902	9.80251	0.19749	9.92651	.6
.5	9.73022	9.80419	0.19581	9.92603	.5
.6	9.73140	9.80586	0.19414	9.92555	.4
.7	9.73259	9.80753	0.19247	9.92506	.3
.8	9.73377	9.80919	0.19081	9.92457	.2
.9	9.73494	9.81086	0.18914	9.92408	.1
33–	9.73611	9.81252	0.18748	9.92359	**57–**
.1	9.73727	9.81418	0.18582	9.92310	.9
.2	9.73843	9.81583	0.18417	9.92260	.8
.3	9.73959	9.81748	0.18252	9.92211	.7
.4	9.74074	9.81913	0.18087	9.92161	.6
.5	9.74189	9.82078	0.17922	9.92111	.5
.6	9.74303	9.82243	0.17757	9.92060	.4
.7	9.74417	9.82407	0.17593	9.92010	.3
.8	9.74531	9.82571	0.17429	9.91959	.2
.9	9.74644	9.82735	0.17265	9.91908	.1
34–	9.74756	9.82899	0.17101	9.91857	**56–**
.1	9.74868	9.83062	0.16938	9.91806	.9
.2	9.74980	9.83225	0.16775	9.91755	.8
.3	9.75091	9.83388	0.16612	9.91703	.7
.4	9.75202	9.83551	0.16449	9.91651	.6
.5	9.75313	9.83713	0.16287	9.91599	.5
.6	9.75423	9.83876	0.16124	9.91547	.4
.7	9.75533	9.84038	0.15962	9.91495	.3
.8	9.75642	9.84200	0.15800	9.91442	.2
.9	9.75751	9.84361	0.15639	9.91389	.1
35–	9.75859	9.84523	0.15477	9.91336	**55–**
.1	9.75967	9.84684	0.15316	9.91283	.9
.2	9.76075	9.84845	0.15155	9.91230	.8
.3	9.76182	9.85006	0.14994	9.91176	.7
.4	9.76289	9.85166	0.14834	9.91123	.6
.5	9.76395	9.85327	0.14673	9.91069	.5
.6	9.76501	9.85487	0.14513	9.91014	.4
.7	9.76607	9.85647	0.14353	9.90960	.3
.8	9.76712	9.85807	0.14193	9.90906	.2
.9	9.76817	9.85967	0.14033	9.90851	.1
36–	9.76922	9.86126	0.13874	9.90796	**54–**
Deg.	L Cos	L Ctn	L Tan	L Sin	Deg.

Common Logarithms of Trigonometric Functions for Decimal Fractions of a Degree

Common Logarithms of Trigonometric Functions for Decimal Fractions of a Degree

Deg.	L Sin	L Tan	L Ctn	L Cos	Deg.
36–	9.76922	9.86126	0.13874	9.90796	**54–**
.1	9.77026	9.86285	0.13715	9.90741	.9
.2	9.77130	9.86445	0.13555	9.90685	.8
.3	9.77233	9.86603	0.13397	9.90630	.7
.4	9.77336	9.86762	0.13238	9.90574	.6
.5	9.77439	9.86921	0.13079	9.90518	.5
.6	9.77541	9.87079	0.12921	9.90462	.4
.7	9.77643	9.87238	0.12762	9.90405	.3
.8	9.77744	9.87396	0.12604	9.90349	.2
.9	9.77846	9.87554	0.12446	9.90292	.1
37–	9.77946	9.87711	0.12289	9.90235	**53–**
.1	9.78047	9.87869	0.12131	9.90178	.9
.2	9.78147	9.88027	0.11973	9.90120	.8
.3	9.78246	9.88184	0.11816	9.90063	.7
.4	9.78346	9.88341	0.11659	9.90005	.6
.5	9.78445	9.88498	0.11502	9.89947	.5
.6	9.78543	9.88655	0.11345	9.89888	.4
.7	9.78642	9.88812	0.11188	9.89830	.3
.8	9.78739	9.88968	0.11032	9.89771	.2
.9	9.78837	9.89125	0.10875	9.89712	.1
38–	9.78934	9.89281	0.10719	9.89653	**52–**
.1	9.79031	9.89437	0.10563	9.89594	.9
.2	9.79128	9.89593	0.10407	9.89534	.8
.3	9.79224	9.89749	0.10251	9.89475	.7
.4	9.79319	9.89905	0.10095	9.89415	.6
.5	9.79415	9.90061	0.09939	9.89354	.5
.6	9.79510	9.90216	0.09784	9.89294	.4
.7	9.79605	9.90371	0.09629	9.89233	.3
.8	9.79699	9.90527	0.09473	9.89173	.2
.9	9.79793	9.90682	0.09318	9.89112	.1
39–	9.79887	9.90837	0.09163	9.89050	**51–**
.1	9.79981	9.90992	0.09008	9.88989	.9
.2	9.80074	9.91147	0.08853	9.88927	.8
.3	9.80166	9.91301	0.08699	9.88865	.7
.4	9.80259	9.91456	0.08544	9.88803	.6
.5	9.80351	9.91610	0.08390	9.88741	.5
.6	9.80443	9.91765	0.08235	9.88678	.4
.7	9.80534	9.91919	0.08081	9.88615	.3
.8	9.80625	9.92073	0.07927	9.88552	.2
.9	9.80716	9.92227	0.07773	9.88489	.1
40–	9.80807	9.92381	0.07619	9.88425	**50–**
.1	9.80897	9.92535	0.07465	9.88362	.9
.2	9.80987	9.92689	0.07311	9.88298	.8
.3	9.81076	9.92843	0.07157	9.88234	.7
.4	9.81166	9.92996	0.07004	9.88169	.6
40.5	9.81254	9.93150	0.06850	9.88105	**49.5**
Deg.	**L Cos**	**L Ctn**	**L Tan**	**L Sin**	**Deg.**

Deg.	L Sin	L Tan	L Ctn	L Cos	Deg.
40.5	9.81254	9.93150	0.06850	9.88105	**49.5**
.6	9.81343	9.93303	0.06697	9.88040	.4
.7	9.81431	9.93457	0.06543	9.87975	.3
.8	9.81519	9.93610	0.06390	9.87909	.2
.9	9.81607	9.93763	0.06237	9.87844	.1
41–	9.81694	9.93916	0.06084	9.87778	**49–**
.1	9.81781	9.94069	0.05931	9.87712	.9
.2	9.81868	9.94222	0.05778	9.87646	.8
.3	9.81955	9.94375	0.05625	9.87579	.7
.4	9.82041	9.94528	0.05472	9.87513	.6
.5	9.82126	9.94681	0.05319	9.87446	.5
.6	9.82212	9.94834	0.05166	9.87378	.4
.7	9.82297	9.94986	0.05014	9.87311	.3
.8	9.82382	9.95139	0.04861	9.87243	.2
.9	9.82467	9.95291	0.04709	9.87175	.1
42–	9.82551	9.95444	0.04556	9.87107	**48–**
.1	9.82635	9.95596	0.04404	9.87039	.9
.2	9.82719	9.95748	0.04252	9.86970	.8
.3	9.82802	9.95901	0.04099	9.86902	.7
.4	9.82885	9.96053	0.03947	9.86832	.6
.5	9.82968	9.96205	0.03795	9.86763	.5
.6	9.83051	9.96357	0.03643	9.86694	.4
.7	9.83133	9.96510	0.03490	9.86624	.3
.8	9.83215	9.96662	0.03338	9.86554	.2
.9	9.83297	9.96814	0.03186	9.86483	.1
43–	9.83378	9.96966	0.03034	9.86413	**47–**
.1	9.83459	9.97118	0.02882	9.86342	.9
.2	9.83540	9.97269	0.02731	9.86271	.8
.3	9.83621	9.97421	0.02579	9.86200	.7
.4	9.83701	9.97573	0.02427	9.86128	.6
.5	9.83781	9.97725	0.02275	9.86056	.5
.6	9.83861	9.97877	0.02123	9.85984	.4
.7	9.83940	9.98029	0.01971	9.85912	.3
.8	9.84020	9.98180	0.01820	9.85839	.2
.9	9.84098	9.98332	0.01668	9.85766	.1
44–	9.84177	9.98484	0.01516	9.85693	**46–**
.1	9.84255	9.98635	0.01365	9.85620	.9
.2	9.84334	9.98787	0.01213	9.85547	.8
.3	9.84411	9.98939	0.01061	9.85473	.7
.4	9.84489	9.99090	0.00910	9.85399	.6
.5	9.84566	9.99242	0.00758	9.85324	.5
.6	9.84643	9.99394	0.00606	9.85250	.4
.7	9.84720	9.99545	0.00455	9.85175	.3
.8	9.84796	9.99697	0.00303	9.85100	.2
.9	9.84873	9.99848	0.00152	9.85024	.1
45–	9.84949	0.00000	0.00000	9.84949	**45–**
Deg.	**L Cos**	**L Ctn**	**L Tan**	**L Sin**	**Deg.**

Common Logarithms of Trigonometric Functions for Decimal Fractions of a Degree

Degrees, Minutes, and Seconds to Radians

Degrees				Minutes		Seconds	
0°	0.000 0000	60°	1.047 1976	0′	0.000 0000	0″	0.000 0000
1	0.017 4533	61	1.064 6508	1	0.000 2909	1	0.000 0048
2	0.034 9066	62	1.082 1041	2	0.000 5818	2	0.000 0097
3	0.052 3599	63	1.099 5574	3	0.000 8727	3	0.000 0145
4	0.069 8132	64	1.117 0107	4	0.001 1636	4	0.000 0194
5	0.087 2665	**65**	1.134 4640	**5**	0.001 4544	**5**	0.000 0242
6	0.104 7198	66	1.151 9173	6	0.001 7453	6	0.000 0291
7	0.122 1730	67	1.169 3706	7	0.002 0362	7	0.000 0339
8	0.139 6263	68	1.186 8239	8	0.002 3271	8	0.000 0388
9	0.157 0796	69	1.204 2772	9	0.002 6180	9	0.000 0436
10	0.174 5329	**70**	1.221 7305	**10**	0.002 9089	**10**	0.000 0485
11	0.191 9862	71	1.239 1838	11	0.003 1998	11	0.000 0533
12	0.209 4395	72	1.256 6371	12	0.003 4907	12	0.000 0582
13	0.226 8928	73	1.274 0904	13	0.003 7815	13	0.000 0630
14	0.244 3461	74	1.291 5436	14	0.004 0724	14	0.000 0679
15	0.261 7994	**75**	1.308 9969	**15**	0.004 3633	**15**	0.000 0727
16	0.279 2527	76	1.326 4502	16	0.004 6542	16	0.000 0776
17	0.296 7060	77	1.343 9035	17	0.004 9451	17	0.000 0824
18	0.314 1593	78	1.361 3568	18	0.005 2360	18	0.000 0873
19	0.331 6126	79	1.378 8101	19	0.005 5269	19	0.000 0921
20	0.349 0659	**80**	1.396 2634	**20**	0.005 8178	**20**	0.000 0970
21	0.366 5191	81	1.413 7167	21	0.006 1087	21	0.000 1018
22	0.383 9724	82	1.431 1700	22	0.006 3995	22	0.000 1067
23	0.401 4257	83	1.448 6233	23	0.006 6904	23	0.000 1115
24	0.418 8790	84	1.466 0766	24	0.006 9813	24	0.000 1164
25	0.436 3323	**85**	1.483 5299	**25**	0.007 2722	**25**	0.000 1212
26	0.453 7856	86	1.500 9832	26	0.007 5631	26	0.000 1261
27	0.471 2389	87	1.518 4364	27	0.007 8540	27	0.000 1309
28	0.488 6922	88	1.535 8897	28	0.008 1449	28	0.000 1357
29	0.506 1455	89	1.553 3430	29	0.008 4358	29	0.000 1406
30	0.523 5988	**90**	1.570 7963	**30**	0.008 7266	**30**	0.000 1454
31	0.541 0521	91	1.588 2496	31	0.009 0175	31	0.000 1503
32	0.558 5054	92	1.605 7029	32	0.009 3084	32	0.000 1551
33	0.575 9587	93	1.623 1562	33	0.009 5993	33	0.000 1600
34	0.593 4119	94	1.640 6095	34	0.009 8902	34	0.000 1648
35	0.610 8652	**95**	1.658 0628	**35**	0.010 1811	**35**	0.000 1697
36	0.628 3185	96	1.675 5161	36	0.010 4720	36	0.000 1745
37	0.645 7718	97	1.692 9694	37	0.010 7629	37	0.000 1794
38	0.663 2251	98	1.710 4227	38	0.011 0538	38	0.000 1842
39	0.680 6784	99	1.727 8760	39	0.011 3446	39	0.000 1891
40	0.698 1317	**100**	1.745 3293	**40**	0.011 6355	**40**	0.000 1939
41	0.715 5850	110	1.919 8622	41	0.011 9264	41	0.000 1988
42	0.733 0383	120	2.094 3951	42	0.012 2173	42	0.000 2036
43	0.750 4916	130	2.268 9280	43	0.012 5082	43	0.000 2085
44	0.767 9449	140	2.443 4610	44	0.012 7991	44	0.000 2133
45	0.785 3982	**150**	2.617 9939	**45**	0.013 0900	**45**	0.000 2182
46	0.802 8515	160	2.792 5268	46	0.013 3809	46	0.000 2230
47	0.820 3047	170	2.967 0597	47	0.013 6717	47	0.000 2279
48	0.837 7580	180	3.141 5927	48	0.013 9626	48	0.000 2327
49	0.855 2113	190	3.316 1256	49	0.014 2535	49	0.000 2376
50	0.872 6646	**200**	3.490 6585	**50**	0.014 5444	**50**	0.000 2424
51	0.890 1179	210	3.665 1914	51	0.014 8353	51	0.000 2473
52	0.907 5712	220	3.839 7244	52	0.015 1262	52	0.000 2521
53	0.925 0245	230	4.014 2573	53	0.015 4171	53	0.000 2570
54	0.942 4778	240	4.188 7902	54	0.015 7080	54	0.000 2618
55	0.959 9311	**250**	4.363 3231	**55**	0.015 9989	**55**	0.000 2666
56	0.977 3844	260	4.537 8561	56	0.016 2897	56	0.000 2715
57	0.994 8377	270	4.712 3890	57	0.016 5806	57	0.000 2763
58	1.012 2910	280	4.886 9219	58	0.016 8715	58	0.000 2812
59	1.029 7443	290	5.061 4548	59	0.017 1624	59	0.000 2860
60	1.047 1976	**300**	5.235 9878	**60**	0.017 4533	**60**	0.000 2909
Degrees				Minutes		Seconds	

Degrees, Minutes, and Seconds to Radians

Natural Values of the Trigonometric Functions for Angles in Radians

Rad.	Sin	Tan	Ctn	Cos
0.00	.00000	.00000	—	1.00000
.01	.01000	.01000	99.997	0.99995
.02	.02000	.02000	49.993	.99980
.03	.03000	.03001	33.323	.99955
.04	.03999	.04002	24.987	.99920
.05	.04998	.05004	19.983	.99875
.06	.05996	.06007	16.647	.99820
.07	.06994	.07011	14.262	.99755
.08	.07991	.08017	12.473	.99680
.09	.08988	.09024	11.081	.99595
0.10	.09983	.10033	9.9666	.99500
.11	.10978	.11045	9.0542	.99396
.12	.11971	.12058	8.2933	.99281
.13	.12963	.13074	7.6489	.99156
.14	.13954	.14092	7.0961	.99022
.15	.14944	.15114	6.6166	.98877
.16	.15932	.16138	6.1966	.98723
.17	.16918	.17166	5.8256	.98558
.18	.17903	.18197	5.4954	.98384
.19	.18886	.19232	5.1997	.98200
0.20	.19867	.20271	4.9332	.98007
.21	.20846	.21314	4.6917	.97803
.22	.21823	.22362	4.4719	.97590
.23	.22798	.23414	4.2709	.97367
.24	.23770	.24472	4.0864	.97134
.25	.24740	.25534	3.9163	.96891
.26	.25708	.26602	3.7591	.96639
.27	.26673	.27676	3.6133	.96377
.28	.27636	.28755	3.4776	.96106
.29	.28595	.29841	3.3511	.95824
0.30	.29552	.30934	3.2327	.95534
.31	.30506	.32033	3.1218	.95233
.32	.31457	.33139	3.0176	.94924
.33	.32404	.34252	2.9195	.94604
.34	.33349	.35374	2.8270	.94275
.35	.34290	.36503	2.7395	.93937
.36	.35227	.37640	2.6567	.93590
.37	.36162	.38786	2.5782	.93233
.38	.37092	.39941	2.5037	.92866
.39	.38019	.41105	2.4328	.92491
0.40	.38942	.42279	2.3652	.92106
.41	.39861	.43463	2.3008	.91712
.42	.40776	.44657	2.2393	.91309
.43	.41687	.45862	2.1804	.90897
.44	.42594	.47078	2.1241	.90475
.45	.43497	.48306	2.0702	.90045
.46	.44395	.49545	2.0184	.89605
.47	.45289	.50797	1.9686	.89157
.48	.46178	.52061	1.9208	.88699
.49	.47063	.53339	1.8748	.88233
0.50	.47943	.54630	1.8305	.87758
Rad.	**Sin**	**Tan**	**Ctn**	**Cos**

Rad.	Sin	Tan	Ctn	Cos
0.50	.47943	.54630	1.8305	.87758
.51	.48818	.55936	1.7878	.87274
.52	.49688	.57256	1.7465	.86782
.53	.50553	.58592	1.7067	.86281
.54	.51414	.59943	1.6683	.85771
.55	.52269	.61311	1.6310	.85252
.56	.53119	.62695	1.5950	.84726
.57	.53963	.64097	1.5601	.84190
.58	.54802	.65517	1.5263	.83646
.59	.55636	.66956	1.4935	.83094
0.60	.56464	.68414	1.4617	.82534
.61	.57287	.69892	1.4308	.81965
.62	.58104	.71391	1.4007	.81388
.63	.58914	.72911	1.3715	.80803
.64	.59720	.74454	1.3431	.80210
.65	.60519	.76020	1.3154	.79608
.66	.61312	.77610	1.2885	.78999
.67	.62099	.79225	1.2622	.78382
.68	.62879	.80866	1.2366	.77757
.69	.63654	.82534	1.2116	.77125
0.70	.64422	.84229	1.1872	.76484
.71	.65183	.85953	1.1634	.75836
.72	.65938	.87707	1.1402	.75181
.73	.66687	.89492	1.1174	.74517
.74	.67429	.91309	1.0952	.73847
.75	.68164	.93160	1.0734	.73169
.76	.68892	.95045	1.0521	.72484
.77	.69614	.96967	1.0313	.71791
.78	.70328	.98926	1.0109	.71091
.79	.71035	1.0092	.99084	.70385
0.80	.71736	1.0296	.97121	.69671
.81	.72429	1.0505	.95197	.68950
.82	.73115	1.0717	.93309	.68222
.83	.73793	1.0934	.91455	.67488
.84	.74464	1.1156	.89635	.66746
.85	.75128	1.1383	.87848	.65998
.86	.75784	1.1616	.86091	.65244
.87	.76433	1.1853	.84365	.64483
.88	.77074	1.2097	.82668	.63715
.89	.77707	1.2346	.80998	.62941
0.90	.78333	1.2602	.79355	.62161
.91	.78950	1.2864	.77738	.61375
.92	.79560	1.3133	.76146	.60582
.93	.80162	1.3409	.74578	.59783
.94	.80756	1.3692	.73034	.58979
.95	.81342	1.3984	.71511	.58168
.96	.81919	1.4284	.70010	.57352
.97	.82489	1.4592	.68531	.56530
.98	.83050	1.4910	.67071	.55702
.99	.83603	1.5237	.65631	.54869
1.00	.84147	1.5574	.64209	.54030
Rad.	**Sin**	**Tan**	**Ctn**	**Cos**

Natural Values of the Trigonometric Functions for Angles in Radians

Natural Values of the Trigonometric Functions for Angles in Radians

Rad.	Sin	Tan	Ctn	Cos
1.00	.84147	1.5574	.64209	.54030
1.01	.84683	1.5922	.62806	.53186
1.02	.85211	1.6281	.61420	.52337
1.03	.85730	1.6652	.60051	.51482
1.04	.86240	1.7036	.58699	.50622
1.05	.86742	1.7433	.57362	.49757
1.06	.87236	1.7844	.56040	.48887
1.07	.87720	1.8270	.54734	.48012
1.08	.88196	1.8712	.53441	.47133
1.09	.88663	1.9171	.52162	.46249
1.10	.89121	1.9648	.50897	.45360
1.11	.89570	2.0143	.49644	.44466
1.12	.90010	2.0660	.48404	.43568
1.13	.90441	2.1198	.47175	.42666
1.14	.90863	2.1759	.45959	.41759
1.15	.91276	2.2345	.44753	.40849
1.16	.91680	2.2958	.43558	.39934
1.17	.92075	2.3600	.42373	.39015
1.18	.92461	2.4273	.41199	.38092
1.19	.92837	2.4979	.40034	.37166
1.20	.93204	2.5722	.38878	.36236
1.21	.93562	2.6503	.37731	.35302
1.22	.93910	2.7328	.36593	.34365
1.23	.94249	2.8198	.35463	.33424
1.24	.94578	2.9119	.34341	.32480
1.25	.94898	3.0096	.33227	.31532
1.26	.95209	3.1133	.32121	.30582
1.27	.95510	3.2236	.31021	.29628
1.28	.95802	3.3413	.29928	.28672
1.29	.96084	3.4672	.28842	.27712
1.30	.96356	3.6021	.27762	.26750
Rad.	Sin	Tan	Ctn	Cos

Rad.	Sin	Tan	Ctn	Cos
1.30	.96356	3.6021	.27762	.26750
1.31	.96618	3.7471	.26687	.25785
1.32	.96872	3.9033	.25619	.24818
1.33	.97115	4.0723	.24556	.23848
1.34	.97348	4.2556	.23498	.22875
1.35	.97572	4.4552	.22446	.21901
1.36	.97786	4.6734	.21398	.20924
1.37	.97991	4.9131	.20354	.19945
1.38	.98185	5.1774	.19315	.18964
1.39	.98370	5.4707	.18279	.17981
1.40	.98545	5.7979	.17248	.16997
1.41	.98710	6.1654	.16220	.16010
1.42	.98865	6.5811	.15195	.15023
1.43	.99010	7.0555	.14173	.14033
1.44	.99146	7.6018	.13155	.13042
1.45	.99271	8.2381	.12139	.12050
1.46	.99387	8.9886	.11125	.11057
1.47	.99492	9.8874	.10114	.10063
1.48	.99588	10.983	.09105	.09067
1.49	.99674	12.350	.08097	.08071
1.50	.99749	14.101	.07091	.07074
1.51	.99815	16.428	.06087	.06076
1.52	.99871	19.670	.05084	.05077
1.53	.99917	24.498	.04082	.04079
1.54	.99953	32.461	.03081	.03079
1.55	.99978	48.078	.02080	.02079
1.56	.99994	92.621	.01080	.01080
1.57	1.00000	1255.8	.00080	.00080
1.58	.99996	−108.65	−.00920	−.00920
1.59	.99982	−52.067	−.01921	−.01920
1.60	.99957	−34.233	−.02921	−.02920
Rad.	Sin	Tan	Ctn	Cos

Natural Values of the Trigonometric Functions for Angles in Radians

TABLE 10

Radians to Degrees, Minutes, and Seconds

	Radians	Tenths	Hundredths	Thousandths	Ten-thousandths
1	57° 17′ 44.″8	5° 43′ 46.″5	0° 34′ 22.″6	0° 3′ 26.″3	0° 0′ 20.″6
2	114° 35′ 29.″6	11° 27′ 33.″0	1° 8′ 45.″3	0° 6′ 52.″5	0° 0′ 41.″3
3	171° 53′ 14.″4	17° 11′ 19.″4	1° 43′ 07.″9	0° 10′ 18.″8	0° 1′ 01.″9
4	229° 10′ 59.″2	22° 55′ 05.″9	2° 17′ 30.″6	0° 13′ 45.″1	0° 1′ 22.″5
5	286° 28′ 44.″0	28° 38′ 52.″4	2° 51′ 53.″2	0° 17′ 11.″3	0° 1′ 43.″1
6	343° 46′ 28.″8	34° 22′ 38.″9	3° 26′ 15.″9	0° 20′ 37.″6	0° 2′ 03.″8
7	401° 4′ 13.″6	40° 6′ 25.″4	4° 0′ 38.″5	0° 24′ 03.″9	0° 2′ 24.″4
8	458° 21′ 58.″4	45° 50′ 11.″8	4° 35′ 01.″2	0° 27′ 30.″1	0° 2′ 45.″0
9	515° 39′ 43.″3	51° 33′ 58.″3	5° 9′ 23.″8	0° 30′ 56.″4	0° 3′ 05.″6
	Radians	Tenths	Hundredths	Thousandths	Ten-thousandths

Radians to Degrees, Minutes, and Seconds

Common Logarithms of the Trigonometric Functions for Angles in Radians

Rad.	L Sin	L Tan	L Ctn	L Cos
0.00	—	—	—	0.00000
.01	7.99999	8.00001	1.99999	9.99998
.02	8.30100	8.30109	1.69891	9.99991
.03	8.47706	8.47725	1.52275	9.99980
.04	8.60194	8.60229	1.39771	9.99965
.05	8.69879	8.69933	1.30067	9.99946
.06	8.77789	8.77867	1.22133	9.99922
.07	8.84474	8.84581	1.15419	9.99894
.08	8.90263	8.90402	1.09598	9.99861
.09	8.95366	8.95542	1.04458	9.99824
0.10	8.99928	9.00145	0.99855	9.99782
.11	9.04052	9.04315	0.95685	9.99737
.12	9.07814	9.08127	0.91873	9.99687
.13	9.11272	9.11640	0.88360	9.99632
.14	9.14471	9.14898	0.85102	9.99573
.15	9.17446	9.17937	0.82063	9.99510
.16	9.20227	9.20785	0.79215	9.99442
.17	9.22836	9.23466	0.76534	9.99369
.18	9.25292	9.26000	0.74000	9.99293
.19	9.27614	9.28402	0.71598	9.99211
0.20	9.29813	9.30688	0.69312	9.99126
.21	9.31902	9.32867	0.67133	9.99035
.22	9.33891	9.34951	0.65049	9.98940
.23	9.35789	9.36948	0.63052	9.98841
.24	9.37603	9.38866	0.61134	9.98737
.25	9.39341	9.40712	0.59288	9.98628
.26	9.41007	9.42492	0.57508	9.98515
.27	9.42607	9.44210	0.55790	9.98397
.28	9.44147	9.45872	0.54128	9.98275
.29	9.45629	9.47482	0.52518	9.98148
0.30	9.47059	9.49043	0.50957	9.98016
.31	9.48438	9.50559	0.49441	9.97879
.32	9.49771	9.52034	0.47966	9.97737
.33	9.51060	9.53469	0.46531	9.97591
.34	9.52308	9.54868	0.45132	9.97440
.35	9.53516	9.56233	0.43767	9.97284
.36	9.54688	9.57565	0 42435	9.97123
.37	9.55825	9.58868	0.41132	9.96957
.38	9.56928	9.60142	0.39858	9.96786
.39	9.58000	9.61390	0.38610	9.96610
0.40	9.59042	9.62613	0.37387	9.96429
.41	9.60055	9.63812	0.36188	9.96243
.42	9.61041	9.64989	0.35011	9.96051
.43	9.62000	9.66145	0.33855	9.95855
.44	9.62935	9.67282	0.32718	9.95653
.45	9.63845	9.68400	0.31600	9.95446
.46	9.64733	9.69500	0.30500	9.95233
.47	9.65599	9.70583	0.29417	9.95015
.48	9.66443	9.71651	0.28349	9.94792
.49	9.67268	9.72704	0.27296	9.94563
0.50	9.68072	9.73743	0.26257	9.94329
Rad.	L Sin	L Tan	L Ctn	L Cos

Rad.	L Sin	L Tan	L Ctn	L Cos
0.50	9.68072	9.73743	0.26257	9.94329
.51	9.68858	9.74769	0.25231	9.94089
.52	9.69625	9.75782	0.24218	9.93843
.53	9.70375	9.76784	0.23216	9.93591
.54	9.71108	9.77774	0.22226	9.93334
.55	9.71824	9.78754	0.21246	9.93071
.56	9.72525	9.79723	0.20277	9.92801
.57	9.73210	9.80684	0.19316	9.92526
.58	9.73880	9.81635	0.18365	9.92245
.59	9.74536	9.82579	0.17421	9.91957
0.60	9.75177	9.83514	0.16486	9.91663
.61	9.75805	9.84443	0.15557	9.91363
.62	9.76420	9.85364	0.14636	9.91056
.63	9.77022	9.86280	0.13720	9.90743
.64	9.77612	9.87189	0.12811	9.90423
.65	9.78189	9.88093	0.11907	9.90096
.66	9.78754	9.88992	0.11008	9.89762
.67	9.79308	9.89886	0.10114	9.89422
.68	9.79851	9.90777	0.09223	9.89074
.69	9.80382	9.91663	0.08337	9.88719
0.70	9.80903	9.92546	0.07454	9.88357
.71	9.81414	9.93426	0.06574	9.87988
.72	9.81914	9.94303	0.05697	9.87611
.73	9.82404	9.95178	0.04822	9.87226
.74	9.82885	9.96051	0.03949	9.86833
.75	9.83355	9.96923	0.03077	9.86433
.76	9.83817	9.97793	0.02207	9.86024
.77	9.84269	9.98662	0.01338	9.85607
.78	9.84713	9.99531	0.00469	9.85182
.79	9.85147	0.00400	9.99600	9.84748
0.80	9.85573	0.01268	9.98732	9.84305
.81	9.85991	0.02138	9.97862	9.83853
.82	9.86400	0.03008	9.96992	9.83393
.83	9.86802	0.03879	9.96121	9.82922
.84	9.87195	0.04752	9.95248	9.82443
.85	9.87580	0.05627	9.94373	9.81953
.86	9.87958	0.06504	9.93496	9.81454
.87	9.88328	0.07384	9.92616	9.80944
.88	9.88691	0.08266	9.91734	9.80424
.89	9.89046	0.09153	9.90847	9.79894
0.90	9.89394	0.10043	9.89957	9.79352
.91	9.89735	0.10937	9.89063	9.78799
.92	9.90070	0.11835	9.88165	9.78234
.93	9.90397	0.12739	9.87261	9.77658
.94	9.90717	0.13648	9.86352	9.77070
.95	9.91031	0.14563	9.85437	9.76469
.96	9.91339	0.15484	9.84516	9.75855
.97	9.91639	0.16412	9.83588	9.75228
.98	9.91934	0.17347	9.82653	9.74587
.99	9.92222	0.18289	9.81711	9.73933
1.00	9.92504	0.19240	9.80760	9.73264
Rad.	L Sin	L Tan	L Ctn	L Cos

Common Logarithms of the Trigonometric Functions for Angles in Radians

Table 11

Common Logarithms of the Trigonometric Functions for Angles in Radians

Rad.	L Sin	L Tan	L Ctn	L Cos
1.00	9.92504	0.19240	9.80760	9.73264
1.01	9.92780	0.20200	9.79800	9.72580
1.02	9.93049	0.21169	9.78831	9.71881
1.03	9.93313	0.22148	9.77852	9.71165
1.04	9.93571	0.23137	9.76863	9.70434
1.05	9.93823	0.24138	9.75862	9.69686
1.06	9.94069	0.25150	9.74850	9.68920
1.07	9.94310	0.26175	9.73825	9.68135
1.08	9.94545	0.27212	9.72788	9.67332
1.09	9.94774	0.28264	9.71736	9.66510
1.10	9.94998	0.29331	9.70669	9.65667
1.11	9.95216	0.30413	9.69587	9.64803
1.12	9.95429	0.31512	9.68488	9.63917
1.13	9.95637	0.32628	9.67372	9.63008
1.14	9.95839	0.33763	9.66237	9.62075
1.15	9.96036	0.34918	9.65082	9.61118
1.16	9.96228	0.36093	9.63907	9.60134
1.17	9.96414	0.37291	9.62709	9.59123
1.18	9.96596	0.38512	9.61488	9.58084
1.19	9.96772	0.39757	9.60243	9.57015
1.20	9.96943	0.41030	9.58970	9.55914
1.21	9.97110	0.42330	9.57670	9.54780
1.22	9.97271	0.43660	9.56340	9.53611
1.23	9.97428	0.45022	9.54978	9.52406
1.24	9.97579	0.46418	9.53582	9.51161
1.25	9.97726	0.47850	9.52150	9.49875
1.26	9.97868	0.49322	9.50678	9.48546
1.27	9.98005	0.50835	9.49165	9.47170
1.28	9.98137	0.52392	9.47608	9.45745
1.29	9.98265	0.53998	9.46002	9.44267
1.30	9.98388	0.55656	9.44344	9.42732
Rad.	L Sin	L Tan	L Ctn	L Cos

Rad.	L Sin	L Tan	L Ctn	L Cos
1.30	9.98388	0.55656	9.44344	9.42732
1.31	9.98506	0.57369	9.42631	9.41137
1.32	9.98620	0.59144	9.40856	9.39476
1.33	9.98729	0.60984	9.39016	9.37744
1.34	9.98833	0.62896	9.37104	9.35937
1.35	9.98933	0.64887	9.35113	9.34046
1.36	9.99028	0.66964	9.33036	9.32064
1.37	9.99119	0.69135	9.30865	9.29983
1.38	9.99205	0.71411	9.28589	9.27793
1.39	9.99286	0.73804	9.26196	9.25482
1.40	9.99363	0.76327	9.23673	9.23036
1.41	9.99436	0.78996	9.21004	9.20440
1.42	9.99504	0.81830	9.18170	9.17674
1.43	9.99568	0.84853	9.15147	9.14716
1.44	9.99627	0.88092	9.11908	9.11536
1.45	9.99682	0.91583	9.08417	9.08100
1.46	9.99733	0.95369	9.04631	9.04364
1.47	9.99779	0.99508	9.00492	9.00271
1.48	9.99821	1.04074	8.95926	8.95747
1.49	9.99858	1.09166	8.90834	8.90692
1.50	9.99891	1.14926	8.85074	8.84965
1.51	9.99920	1.21559	8.78441	8.78361
1.52	9.99944	1.29379	8.70621	8.70565
1.53	9.99964	1.38914	8.61086	8.61050
1.54	9.99979	1.51136	8.48864	8.48843
1.55	9.99991	1.68195	8.31805	8.31796
1.56	9.99997	1.96671	8.03329	8.03327
1.57	0.00000	3.09891	6.90109	6.90109
1.58	9.99998	2.03603*	7.96397*	7.96396*
1.59	9.99992	1.71656*	8.28344*	8.28336*
1.60	9.99981	1.53444*	8.46556*	8.46538*
Rad.	L Sin	L Tan	L Ctn	L Cos

* The natural values are negative.

Common Logarithms of the Trigonometric Functions for Angles in Radians

Natural Trigonometric Functions for Selected Angles

Radians	Degrees	Sin	Cos	Tan	Ctn	Sec	Csc
0	0	0.0000	1.0000	0.0000	—	1.0000	—
$\pi/36$	5	0.0872	0.9962	0.0875	11.430	1.0038	11.474
$\pi/18$	10	0.1736	0.9848	0.1763	5.6713	1.0154	5.7588
$\pi/12$	15	0.2588	0.9659	0.2679	3.7321	1.0353	3.8637
$\pi/9$	20	0.3420	0.9397	0.3640	2.7475	1.0642	2.9238
$5\pi/36$	25	0.4226	0.9063	0.4663	2.1445	1.1034	2.3662
$\pi/6$	30	0.5000	0.8660	0.5774	1.7321	1.1547	2.0000
$7\pi/36$	35	0.5736	0.8192	0.7002	1.4281	1.2208	1.7434
$2\pi/9$	40	0.6428	0.7660	0.8391	1.1918	1.3054	1.5557
$\pi/4$	45	0.7071	0.7071	1.0000	1.0000	1.4142	1.4142
$5\pi/18$	50	0.7660	0.6428	1.1918	0.8391	1.5557	1.3054
$11\pi/36$	55	0.8192	0.5736	1.4281	0.7002	1.7434	1.2208
$\pi/3$	60	0.8660	0.5000	1.7321	0.5774	2.0000	1.1547
$13\pi/36$	65	0.9063	0.4226	2.1445	0.4663	2.3662	1.1034
$7\pi/18$	70	0.9397	0.3420	2.7475	0.3640	2.9238	1.0642
$5\pi/12$	75	0.9659	0.2588	3.7321	0.2679	3.8637	1.0353
$4\pi/9$	80	0.9848	0.1736	5.6713	0.1763	5.7588	1.0154
$17\pi/36$	85	0.9962	0.0872	11.430	0.0875	11.474	1.0038
$\pi/2$	90	1.0000	0.0000	—	0.0000	—	1.0000
$19\pi/36$	95	0.9962	−0.0872	−11.430	− 0.0875	−11.474	1.0038
$5\pi/9$	100	0.9848	−0.1736	− 5.6713	− 0.1763	− 5.7588	1.0154
$7\pi/12$	105	0.9659	−0.2588	− 3.7321	− 0.2679	− 3.8637	1.0353
$11\pi/18$	110	0.9397	−0.3420	− 2.7475	− 0.3640	− 2.9238	1.0642
$23\pi/36$	115	0.9063	−0.4226	− 2.1445	− 0.4663	− 2.3662	1.1034
$2\pi/3$	120	0.8660	−0.5000	− 1.7321	− 0.5774	− 2.0000	1.1547
$25\pi/36$	125	0.8192	−0.5736	− 1.4281	− 0.7002	− 1.7434	1.2208
$13\pi/18$	130	0.7660	−0.6428	− 1.1918	− 0.8391	− 1.5557	1.3054
$3\pi/4$	135	0.7071	−0.7071	− 1.0000	− 1.0000	− 1.4142	1.4142
$7\pi/9$	140	0.6428	−0.7660	− 0.8391	− 1.1918	− 1.3054	1.5557
$29\pi/36$	145	0.5736	−0.8192	− 0.7002	− 1.4281	− 1.2208	1.7434
$5\pi/6$	150	0.5000	−0.8660	− 0.5774	− 1.7321	− 1.1547	2.0000
$31\pi/36$	155	0.4226	−0.9063	− 0.4663	− 2.1445	− 1.1034	2.3662
$8\pi/9$	160	0.3420	−0.9397	− 0.3640	− 2.7475	− 1.0642	2.9238
$11\pi/12$	165	0.2588	−0.9659	− 0.2679	− 3.7321	− 1.0353	3.8637
$17\pi/18$	170	0.1736	−0.9848	− 0.1763	− 5.6713	− 1.0154	5.7588
$35\pi/36$	175	0.0872	−0.9962	− 0.0875	−11.430	− 1.0038	11.474
π	180	0.0000	−1.0000	− 0.0000	—	− 1.0000	—
Radians	Degrees	Sin	Cos	Tan	Ctn	Sec	Csc

Natural Trigonometric Functions for Selected Angles

TABLE 13

Common Logarithms of Factorials

N	Log N!	N	Log N!	N	Log N!	N	Log N!	N	Log N!
1	0.00 000	**51**	66.19 065	**101**	159.97 433	**151**	264.93 587	**201**	377.20 008
2	0.30 103	52	67.90 665	102	161.98 293	152	267.11 771	202	379.50 544
3	0.77 815	53	69.63 092	103	163.99 576	153	269.30 241	203	381.81 293
4	1.38 021	54	71.36 332	104	166.01 280	154	271.48 993	204	384.12 256
5	2.07 918	55	73.10 368	105	168.03 399	155	273.68 026	205	386.43 432
6	2.85 733	**56**	74.85 187	**106**	170.05 929	**156**	275.87 338	**206**	388.74 818
7	3.70 243	57	76.60 774	107	172.08 867	157	278.06 928	207	391.06 415
8	4.60 552	58	78.37 117	108	174.12 210	158	280.26 794	208	393.38 222
9	5.55 976	59	80.14 202	109	176.15 952	159	282.46 934	209	395.70 236
10	6.55 976	60	81.92 017	110	178.20 092	160	284.67 346	210	398.02 458
11	7.60 116	**61**	83.70 550	**111**	180.24 624	**161**	286.88 028	**211**	400.34 887
12	8.68 034	62	85.49 790	112	182.29 546	162	289.08 980	212	402.67 520
13	9.79 428	63	87.29 724	113	184.34 854	163	291.30 198	213	405.00 358
14	10.94 041	64	89.10 342	114	186.40 544	164	293.51 683	214	407.33 399
15	12.11 650	65	90.91 633	115	188.46 614	165	295.73 431	215	409.66 643
16	13.32 062	**66**	92.73 587	**116**	190.53 060	**166**	297.95 442	**216**	412.00 089
17	14.55 107	67	94.56 195	117	192.59 878	167	300.17 714	217	414.33 735
18	15.80 634	68	96.39 446	118	194.67 067	168	302.40 245	218	416.67 580
19	17.08 509	69	98.23 331	119	196.74 621	169	304.63 033	219	419.01 625
20	18.38 612	70	100.07 841	120	198.82 539	170	306.86 078	220	421.35 867
21	19.70 834	**71**	101.92 966	**121**	200.90 818	**171**	309.09 378	**221**	423.70 306
22	21.05 077	72	103.78 700	122	202.99 454	172	311.32 931	222	426.04 941
23	22.41 249	73	105.65 032	123	205.08 444	173	313.56 735	223	428.39 772
24	23.79 271	74	107.51 955	124	207.17 787	174	315.80 790	224	430.74 797
25	25.19 065	75	109.39 461	125	209.27 478	175	318.05 094	225	433.10 015
26	26.60 562	**76**	111.27 543	**126**	211.37 515	**176**	320.29 645	**226**	435.45 426
27	28.03 698	77	113.16 192	127	213.47 895	177	322.54 443	227	437.81 028
28	29.48 414	78	115.05 401	128	215.58 616	178	324.79 485	228	440.16 822
29	30.94 654	79	116.95 164	129	217.69 675	179	327.04 770	229	442.52 805
30	32.42 366	80	118.85 473	130	219.81 069	180	329.30 297	230	444.88 978
31	33.91 502	**81**	120.76 321	**131**	221.92 796	**181**	331.56 065	**231**	447.25 339
32	35.42 017	82	122.67 703	132	224.04 854	182	333.82 072	232	449.61 888
33	36.93 869	83	124.59 610	133	226.17 239	183	336.08 317	233	451.98 624
34	38.47 016	84	126.52 038	134	228.29 949	184	338.34 799	234	454.35 545
35	40.01 423	85	128.44 980	135	230.42 983	185	340.61 516	235	456.72 652
36	41.57 054	**86**	130.38 430	**136**	232.56 337	**186**	342.88 467	**236**	459.09 943
37	43.13 874	87	132.32 382	137	234.70 009	187	345.15 652	237	461.47 418
38	44.71 852	88	134.26 830	138	236.83 997	188	347.43 067	238	463.85 076
39	46.30 959	89	136.21 769	139	238.98 298	189	349.70 714	239	466.22 916
40	47.91 165	90	138.17 194	140	241.12 911	190	351.98 589	240	468.60 937
41	49.52 443	**91**	140.13 098	**141**	243.27 833	**191**	354.26 692	**241**	470.99 139
42	51.14 768	92	142.09 477	142	245.43 062	192	356.55 022	242	473.37 520
43	52.78 115	93	144.06 325	143	247.58 595	193	358.83 578	243	475.76 081
44	54.42 460	94	146.03 638	144	249.74 432	194	361.12 358	244	478.14 820
45	56.07 781	95	148.01 410	145	251.90 568	195	363.41 362	245	480.53 736
46	57.74 057	**96**	149.99 637	**146**	254.07 004	**196**	365.70 587	**246**	482.92 830
47	59.41 267	97	151.98 314	147	256.23 735	197	368.00 034	247	485.32 100
48	61.09 391	98	153.97 437	148	258.40 762	198	370.29 701	248	487.71 545
49	62.78 410	99	155.97 000	149	260.58 080	199	372.59 586	249	490.11 165
50	64.48 307	100	157.97 000	150	262.75 689	200	374.89 689	250	492.50 959

N | Log N! | N | Log N! | N | Log N! | N | Log N! | N | Log N!

Common Logarithms of Factorials

1.00 — Four-Place Natural Logarithms — 5.59

N	.00	.01	.02	.03	.04	.05	.06	.07	.08	.09
1.0	0.0000	0.0100	0.0198	0.0296	0.0392	0.0488	0.0583	0.0677	0.0770	0.0862
1.1	0.0953	0.1044	0.1133	0.1222	0.1310	0.1398	0.1484	0.1570	0.1655	0.1740
1.2	0.1823	0.1906	0.1989	0.2070	0.2151	0.2231	0.2311	0.2390	0.2469	0.2546
1.3	0.2624	0.2700	0.2776	0.2852	0.2927	0.3001	0.3075	0.3148	0.3221	0.3293
1.4	0.3365	0.3436	0.3507	0.3577	0.3646	0.3716	0.3784	0.3853	0.3920	0.3988
1.5	0.4055	0.4121	0.4187	0.4253	0.4318	0.4383	0.4447	0.4511	0.4574	0.4637
1.6	0.4700	0.4762	0.4824	0.4886	0.4947	0.5008	0.5068	0.5128	0.5188	0.5247
1.7	0.5306	0.5365	0.5423	0.5481	0.5539	0.5596	0.5653	0.5710	0.5766	0.5822
1.8	0.5878	0.5933	0.5988	0.6043	0.6098	0.6152	0.6206	0.6259	0.6313	0.6366
1.9	0.6419	0.6471	0.6523	0.6575	0.6627	0.6678	0.6729	0.6780	0.6831	0.6881
2.0	0.6931	0.6981	0.7031	0.7080	0.7129	0.7178	0.7227	0.7275	0.7324	0.7372
2.1	0.7419	0.7467	0.7514	0.7561	0.7608	0.7655	0.7701	0.7747	0.7793	0.7839
2.2	0.7885	0.7930	0.7975	0.8020	0.8065	0.8109	0.8154	0.8198	0.8242	0.8286
2.3	0.8329	0.8372	0.8416	0.8459	0.8502	0.8544	0.8587	0.8629	0.8671	0.8713
2.4	0.8755	0.8796	0.8838	0.8879	0.8920	0.8961	0.9002	0.9042	0.9083	0.9123
2.5	0.9163	0.9203	0.9243	0.9282	0.9322	0.9361	0.9400	0.9439	0.9478	0.9517
2.6	0.9555	0.9594	0.9632	0.9670	0.9708	0.9746	0.9783	0.9821	0.9858	0.9895
2.7	0.9933	0.9969	1.0006	1.0043	1.0080	1.0116	1.0152	1.0188	1.0225	1.0260
2.8	1.0296	1.0332	1.0367	1.0403	1.0438	1.0473	1.0508	1.0543	1.0578	1.0613
2.9	1.0647	1.0682	1.0716	1.0750	1.0784	1.0818	1.0852	1.0886	1.0919	1.0953
3.0	1.0986	1.1019	1.1053	1.1086	1.1119	1.1151	1.1184	1.1217	1.1249	1.1282
3.1	1.1314	1.1346	1.1378	1.1410	1.1442	1.1474	1.1506	1.1537	1.1569	1.1600
3.2	1.1632	1.1663	1.1694	1.1725	1.1756	1.1787	1.1817	1.1848	1.1878	1.1909
3.3	1.1939	1.1969	1.2000	1.2030	1.2060	1.2090	1.2119	1.2149	1.2179	1.2208
3.4	1.2238	1.2267	1.2296	1.2326	1.2355	1.2384	1.2413	1.2442	1.2470	1.2499
3.5	1.2528	1.2556	1.2585	1.2613	1.2641	1.2669	1.2698	1.2726	1.2754	1.2782
3.6	1.2809	1.2837	1.2865	1.2892	1.2920	1.2947	1.2975	1.3002	1.3029	1.3056
3.7	1.3083	1.3110	1.3137	1.3164	1.3191	1.3218	1.3244	1.3271	1.3297	1.3324
3.8	1.3350	1.3376	1.3403	1.3429	1.3455	1.3481	1.3507	1.3533	1.3558	1.3584
3.9	1.3610	1.3635	1.3661	1.3686	1.3712	1.3737	1.3762	1.3788	1.3813	1.3838
4.0	1.3863	1.3888	1.3913	1.3938	1.3962	1.3987	1.4012	1.4036	1.4061	1.4085
4.1	1.4110	1.4134	1.4159	1.4183	1.4207	1.4231	1.4255	1.4279	1.4303	1.4327
4.2	1.4351	1.4375	1.4398	1.4422	1.4446	1.4469	1.4493	1.4516	1.4540	1.4563
4.3	1.4586	1.4609	1.4633	1.4656	1.4679	1.4702	1.4725	1.4748	1.4770	1.4793
4.4	1.4816	1.4839	1.4861	1.4884	1.4907	1.4929	1.4951	1.4974	1.4996	1.5019
4.5	1.5041	1.5063	1.5085	1.5107	1.5129	1.5151	1.5173	1.5195	1.5217	1.5239
4.6	1.5261	1.5282	1.5304	1.5326	1.5347	1.5369	1.5390	1.5412	1.5433	1.5454
4.7	1.5476	1.5497	1.5518	1.5539	1.5560	1.5581	1.5602	1.5623	1.5644	1.5665
4.8	1.5686	1.5707	1.5728	1.5748	1.5769	1.5790	1.5810	1.5831	1.5851	1.5872
4.9	1.5892	1.5913	1.5933	1.5953	1.5974	1.5994	1.6014	1.6034	1.6054	1.6074
5.0	1.6094	1.6114	1.6134	1.6154	1.6174	1.6194	1.6214	1.6233	1.6253	1.6273
5.1	1.6292	1.6312	1.6332	1.6351	1.6371	1.6390	1.6409	1.6429	1.6448	1.6467
5.2	1.6487	1.6506	1.6525	1.6544	1.6563	1.6582	1.6601	1.6620	1.6639	1.6658
5.3	1.6677	1.6696	1.6715	1.6734	1.6752	1.6771	1.6790	1.6808	1.6827	1.6845
5.4	1.6864	1.6882	1.6901	1.6919	1.6938	1.6956	1.6974	1.6993	1.7011	1.7029
5.5	1.7047	1.7066	1.7084	1.7102	1.7120	1.7138	1.7156	1.7174	1.7192	1.7210
N	.00	.01	.02	.03	.04	.05	.06	.07	.08	.09

$\log_e .1 = .6974{-}3$ $\log_e .01 = .3948{-}5$ $\log_e .001 = .0922{-}7$

5.50 — Four-Place Natural Logarithms — 10.09

N	.00	.01	.02	.03	.04	.05	.06	.07	.08	.09
5.5	1.7047	1.7066	1.7084	1.7102	1.7120	1.7138	1.7156	1.7174	1.7192	1.7210
5.6	1.7228	1.7246	1.7263	1.7281	1.7299	1.7317	1.7334	1.7352	1.7370	1.7387
5.7	1.7405	1.7422	1.7440	1.7457	1.7475	1.7492	1.7509	1.7527	1.7544	1.7561
5.8	1.7579	1.7596	1.7613	1.7630	1.7647	1.7664	1.7681	1.7699	1.7716	1.7733
5.9	1.7750	1.7766	1.7783	1.7800	1.7817	1.7834	1.7851	1.7867	1.7884	1.7901
6.0	1.7918	1.7934	1.7951	1.7967	1.7984	1.8001	1.8017	1.8034	1.8050	1.8066
6.1	1.8083	1.8099	1.8116	1.8132	1.8148	1.8165	1.8181	1.8197	1.8213	1.8229
6.2	1.8245	1.8262	1.8278	1.8294	1.8310	1.8326	1.8342	1.8358	1.8374	1.8390
6.3	1.8405	1.8421	1.8437	1.8453	1.8469	1.8485	1.8500	1.8516	1.8532	1.8547
6.4	1.8563	1.8579	1.8594	1.8610	1.8625	1.8641	1.8656	1.8672	1.8687	1.8703
6.5	1.8718	1.8733	1.8749	1.8764	1.8779	1.8795	1.8810	1.8825	1.8840	1.8856
6.6	1.8871	1.8886	1.8901	1.8916	1.8931	1.8946	1.8961	1.8976	1.8991	1.9006
6.7	1.9021	1.9036	1.9051	1.9066	1.9081	1.9095	1.9110	1.9125	1.9140	1.9155
6.8	1.9169	1.9184	1.9199	1.9213	1.9228	1.9242	1.9257	1.9272	1.9286	1.9301
6.9	1.9315	1.9330	1.9344	1.9359	1.9373	1.9387	1.9402	1.9416	1.9430	1.9445
7.0	1.9459	1.9473	1.9488	1.9502	1.9516	1.9530	1.9544	1.9559	1.9573	1.9587
7.1	1.9601	1.9615	1.9629	1.9643	1.9657	1.9671	1.9685	1.9699	1.9713	1.9727
7.2	1.9741	1.9755	1.9769	1.9782	1.9796	1.9810	1.9824	1.9838	1.9851	1.9865
7.3	1.9879	1.9892	1.9906	1.9920	1.9933	1.9947	1.9961	1.9974	1.9988	2.0001
7.4	2.0015	2.0028	2.0042	2.0055	2.0069	2.0082	2.0096	2.0109	2.0122	2.0136
7.5	2.0149	2.0162	2.0176	2.0189	2.0202	2.0215	2.0229	2.0242	2.0255	2.0268
7.6	2.0281	2.0295	2.0308	2.0321	2.0334	2.0347	2.0360	2.0373	2.0386	2.0399
7.7	2.0412	2.0425	2.0438	2.0451	2.0464	2.0477	2.0490	2.0503	2.0516	2.0528
7.8	2.0541	2.0554	2.0567	2.0580	2.0592	2.0605	2.0618	2.0631	2.0643	2.0656
7.9	2.0669	2.0681	2.0694	2.0707	2.0719	2.0732	2.0744	2.0757	2.0769	2.0782
8.0	2.0794	2.0807	2.0819	2.0832	2.0844	2.0857	2.0869	2.0882	2.0894	2 0906
8.1	2.0919	2.0931	2.0943	2.0956	2.0968	2.0980	2.0992	2.1005	2.1017	2.1029
8.2	2.1041	2.1054	2.1066	2.1078	2.1090	2.1102	2.1114	2.1126	2.1138	2.1150
8.3	2.1163	2.1175	2.1187	2.1199	2.1211	2.1223	2.1235	2.1247	2.1258	2.1270
8.4	2.1282	2.1294	2.1306	2.1318	2.1330	2.1342	2.1353	2.1365	2.1377	2.1389
8.5	2.1401	2.1412	2.1424	2.1436	2.1448	2.1459	2.1471	2.1483	2.1494	2.1506
8.6	2.1518	2.1529	2.1541	2.1552	2.1564	2.1576	2.1587	2.1599	2.1610	2.1622
8.7	2.1633	2.1645	2.1656	2.1668	2.1679	2.1691	2.1702	2.1713	2.1725	2.1736
8.8	2.1748	2.1759	2.1770	2.1782	2.1793	2.1804	2.1815	2.1827	2.1838	2.1849
8.9	2.1861	2.1872	2.1883	2.1894	2.1905	2.1917	2.1928	2.1939	2.1950	2.1961
9.0	2.1972	2.1983	2.1994	2.2006	2.2017	2.2028	2.2039	2.2050	2.2061	2.2072
9.1	2.2083	2.2094	2.2105	2.2116	2.2127	2.2138	2 2148	2.2159	2.2170	2.2181
9.2	2.2192	2.2203	2.2214	2.2225	2.2235	2.2246	2.2257	2.2268	2.2279	2.2289
9.3	2.2300	2.2311	2.2322	2.2332	2.2343	2.2354	2.2364	2.2375	2.2386	2.2396
9.4	2.2407	2.2418	2.2428	2.2439	2.2450	2.2460	2.2471	2.2481	2.2492	2.2502
9.5	2.2513	2.2523	2.2534	2.2544	2.2555	2.2565	2.2576	2.2586	2.2597	2.2607
9.6	2.2618	2.2628	2.2638	2.2649	2.2659	2.2670	2.2680	2.2690	2.2701	2.2711
9.7	2.2721	2.2732	2.2742	2.2752	2.2762	2.2773	2.2783	2.2793	2.2803	2.2814
9.8	2.2824	2.2834	2.2844	2.2854	2.2865	2.2875	2.2885	2.2895	2.2905	2.2915
9.9	2.2925	2.2935	2.2946	2.2956	2.2966	2.2976	2.2986	2.2996	2.3006	2.3016
10.0	2.3026	2.3036	2.3046	2.3056	2.3066	2.3076	2.3086	2.3096	2.3106	2.3115
N	.00	.01	.02	.03	.04	.05	.06	.07	.08	.09

$\log_e .0001 = .7897{-}10$ $\log_e .00001 = .4871{-}12$ $\log_e .000\,001 = .1845{-}14$

10.0 — Four-Place Natural Logarithms — 55.9

N	.0	.1	.2	.3	.4	.5	.6	.7	.8	.9
10	2.3026	2.3125	2.3224	2.3321	2.3418	2.3514	2.3609	2.3702	2.3795	2.3888
11	2.3979	2.4069	2.4159	2.4248	2.4336	2.4423	2.4510	2.4596	2.4681	2.4765
12	2.4849	2.4932	2.5014	2.5096	2.5177	2.5257	2.5337	2.5416	2.5494	2.5572
13	2.5649	2.5726	2.5802	2.5878	2.5953	2.6027	2.6101	2.6174	2.6247	2.6319
14	2.6391	2.6462	2.6532	2.6603	2.6672	2.6741	2.6810	2.6878	2.6946	2.7014
15	2.7081	2.7147	2.7213	2.7279	2.7344	2.7408	2.7473	2.7537	2.7600	2.7663
16	2.7726	2.7788	2.7850	2.7912	2.7973	2.8034	2.8094	2.8154	2.8214	2.8273
17	2.8332	2.8391	2.8449	2.8507	2.8565	2.8622	2.8679	2.8736	2.8792	2.8848
18	2.8904	2.8959	2.9014	2.9069	2.9124	2.9178	2.9232	2.9285	2.9339	2.9392
19	2.9444	2.9497	2.9549	2.9601	2.9653	2.9704	2.9755	2.9806	2.9857	2.9907
20	2.9957	3.0007	3.0057	3.0106	3.0155	3.0204	3.0253	3.0301	3.0350	3.0397
21	3.0445	3.0493	3.0540	3.0587	3.0634	3.0681	3.0727	3.0773	3.0819	3.0865
22	3.0910	3.0956	3.1001	3.1046	3.1091	3.1135	3.1179	3.1224	3.1268	3.1311
23	3.1355	3.1398	3.1442	3.1485	3.1527	3.1570	3.1612	3.1655	3.1697	3.1739
24	3.1781	3.1822	3.1864	3.1905	3.1946	3.1987	3.2027	3.2068	3.2108	3.2149
25	3.2189	3.2229	3.2268	3.2308	3.2347	3.2387	3.2426	3.2465	3.2504	3.2542
26	3.2581	3.2619	3.2658	3.2696	3.2734	3.2771	3.2809	3.2847	3.2884	3.2921
27	3.2958	3.2995	3.3032	3.3069	3.3105	3.3142	3.3178	3.3214	3.3250	3.3286
28	3.3322	3.3358	3.3393	3.3429	3.3464	3.3499	3.3534	3.3569	3.3604	3.3638
29	3.3673	3.3707	3.3742	3.3776	3.3810	3.3844	3.3878	3.3911	3.3945	3.3979
30	3.4012	3.4045	3.4078	3.4111	3.4144	3.4177	3.4210	3.4243	3.4275	3.4308
31	3.4340	3.4372	3.4404	3.4436	3.4468	3.4500	3.4532	3.4563	3.4595	3.4626
32	3.4657	3.4689	3.4720	3.4751	3.4782	3.4812	3.4843	3.4874	3.4904	3.4935
33	3.4965	3.4995	3.5025	3.5056	3.5086	3.5115	3.5145	3.5175	3.5205	3.5234
34	3.5264	3.5293	3.5322	3.5351	3.5381	3.5410	3.5439	3.5467	3.5496	3.5525
35	3.5553	3.5582	3.5610	3.5639	3.5667	3.5695	3.5723	3.5752	3.5779	3.5807
36	3.5835	3.5863	3.5891	3.5918	3.5946	3.5973	3.6000	3.6028	3.6055	3.6082
37	3.6109	3.6136	3.6163	3.6190	3.6217	3.6243	3.6270	3.6297	3.6323	3.6350
38	3.6376	3.6402	3.6428	3.6454	3.6481	3.6507	3.6533	3.6558	3.6584	3.6610
39	3.6636	3.6661	3.6687	3.6712	3.6738	3.6763	3.6788	3.6814	3.6839	3.6864
40	3.6889	3.6914	3.6939	3.6964	3.6988	3.7013	3.7038	3.7062	3.7087	3.7111
41	3.7136	3.7160	3.7184	3.7209	3.7233	3.7257	3.7281	3.7305	3.7329	3.7353
42	3.7377	3.7400	3.7424	3.7448	3.7471	3.7495	3.7519	3.7542	3.7565	3.7589
43	3.7612	3.7635	3.7658	3.7682	3.7705	3.7728	3.7751	3.7773	3.7796	3.7819
44	3.7842	3.7865	3.7887	3.7910	3.7932	3.7955	3.7977	3.8000	3.8022	3.8044
45	3.8067	3.8089	3.8111	3.8133	3.8155	3.8177	3.8199	3.8221	3.8243	3.8265
46	3.8286	3.8308	3.8330	3.8351	3.8373	3.8395	3.8416	3.8437	3.8459	3.8480
47	3.8501	3.8523	3.8544	3.8565	3.8586	3.8607	3.8628	3.8649	3.8670	3.8691
48	3.8712	3.8733	3.8754	3.8774	3.8795	3.8816	3.8836	3.8857	3.8877	3.8898
49	3.8918	3.8939	3.8959	3.8979	3.9000	3.9020	3.9040	3.9060	3.9080	3.9100
50	3.9120	3.9140	3.9160	3.9180	3.9200	3.9220	3.9240	3.9259	3.9279	3.9299
51	3.9318	3.9338	3.9357	3.9377	3.9396	3.9416	3.9435	3.9455	3.9474	3.9493
52	3.9512	3.9532	3.9551	3.9570	3.9589	3.9608	3.9627	3.9646	3.9665	3.9684
53	3.9703	3.9722	3.9741	3.9759	3.9778	3.9797	3.9815	3.9834	3.9853	3.9871
54	3.9890	3.9908	3.9927	3.9945	3.9964	3.9982	4.0000	4.0019	4.0037	4.0055
55	4.0073	4.0091	4.0110	4.0128	4.0146	4.0164	4.0182	4.0200	4.0218	4.0236
N	.0	.1	.2	.3	.4	.5	.6	.7	.8	.9

$\log_e 100 = 4.6052$ $\log_e 1000 = 6.9078$ $\log_e 10{,}000 = 9.2103$

55.0 — Four-Place Natural Logarithms — 100.9

N	.0	.1	.2	.3	.4	.5	.6	.7	.8	.9
55	4.0073	4.0091	4.0110	4.0128	4.0146	4.0164	4.0182	4.0200	4.0218	4.0236
56	4.0254	4.0271	4.0289	4.0307	4.0325	4.0342	4.0360	4.0378	4.0395	4.0413
57	4.0431	4.0448	4.0466	4.0483	4.0500	4.0518	4.0535	4.0553	4.0570	4.0587
58	4.0604	4.0622	4.0639	4.0656	4.0673	4.0690	4.0707	4.0724	4.0741	4.0758
59	4.0775	4.0792	4.0809	4.0826	4.0843	4.0860	4.0877	4.0893	4.0910	4.0927
60	4.0943	4.0960	4.0977	4.0993	4.1010	4.1026	4.1043	4.1059	4.1076	4.1092
61	4.1109	4.1125	4.1141	4.1158	4.1174	4.1190	4.1207	4.1223	4.1239	4.1255
62	4.1271	4.1287	4.1304	4.1320	4.1336	4.1352	4.1368	4.1384	4.1400	4.1415
63	4.1431	4.1447	4.1463	4.1479	4.1495	4.1510	4.1526	4.1542	4.1558	4.1573
64	4.1589	4.1604	4.1620	4.1636	4.1651	4.1667	4.1682	4.1698	4.1713	4.1728
65	4.1744	4.1759	4.1775	4.1790	4.1805	4.1821	4.1836	4.1851	4.1866	4.1881
66	4.1897	4.1912	4.1927	4.1942	4.1957	4.1972	4.1987	4.2002	4.2017	4.2032
67	4.2047	4.2062	4.2077	4.2092	4.2106	4.2121	4.2136	4.2151	4.2166	4.2180
68	4.2195	4.2210	4.2224	4.2239	4.2254	4.2268	4.2283	4.2297	4.2312	4.2327
69	4.2341	4.2356	4.2370	4.2384	4.2399	4.2413	4.2428	4.2442	4.2456	4.2471
70	4.2485	4.2499	4.2513	4.2528	4.2542	4.2556	4.2570	4.2584	4.2599	4.2613
71	4.2627	4.2641	4.2655	4.2669	4.2683	4.2697	4.2711	4.2725	4.2739	4.2753
72	4.2767	4.2781	4.2794	4.2808	4.2822	4.2836	4.2850	4.2863	4.2877	4.2891
73	4.2905	4.2918	4.2932	4.2946	4.2959	4.2973	4.2986	4.3000	4.3014	4.3027
74	4.3041	4.3054	4.3068	4.3081	4.3095	4.3108	4.3121	4.3135	4.3148	4.3162
75	4.3175	4.3188	4.3202	4.3215	4.3228	4.3241	4.3255	4.3268	4.3281	4.3294
76	4.3307	4.3320	4.3334	4.3347	4.3360	4.3373	4.3386	4.3399	4.3412	4.3425
77	4.3438	4.3451	4.3464	4.3477	4.3490	4.3503	4.3516	4.3529	4.3541	4.3554
78	4.3567	4.3580	4.3593	4.3605	4.3618	4.3631	4.3644	4.3656	4.3669	4.3682
79	4.3694	4.3707	4.3720	4.3732	4.3745	4.3758	4.3770	4.3783	4.3795	4.3808
80	4.3820	4.3833	4.3845	4.3858	4.3870	4.3883	4.3895	4.3907	4.3920	4.3932
81	4.3944	4.3957	4.3969	4.3981	4.3994	4.4006	4.4018	4.4031	4.4043	4.4055
82	4.4067	4.4079	4.4092	4.4104	4.4116	4.4128	4.4140	4.4152	4.4164	4.4176
83	4.4188	4.4200	4.4212	4.4224	4.4236	4.4248	4.4260	4.4272	4.4284	4.4296
84	4.4308	4.4320	4.4332	4.4344	4.4356	4.4368	4.4379	4.4391	4.4403	4.4415
85	4.4427	4.4438	4.4450	4.4462	4.4473	4.4485	4.4497	4.4509	4.4520	4.4532
86	4.4543	4.4555	4.4567	4.4578	4.4590	4.4601	4.4613	4.4625	4.4636	4.4648
87	4.4659	4.4671	4.4682	4.4694	4.4705	4.4716	4.4728	4.4739	4.4751	4.4762
88	4.4773	4.4785	4.4796	4.4807	4.4819	4.4830	4.4841	4.4853	4.4864	4.4875
89	4.4886	4.4898	4.4909	4.4920	4.4931	4.4942	4.4954	4.4965	4.4976	4.4987
90	4.4998	4.5009	4.5020	4.5031	4.5042	4.5053	4.5065	4.5076	4.5087	4.5098
91	4.5109	4.5120	4.5131	4.5142	4.5152	4.5163	4.5174	4.5185	4.5196	4.5207
92	4.5218	4.5229	4.5240	4.5250	4.5261	4.5272	4.5283	4.5294	4.5304	4.5315
93	4.5326	4.5337	4.5347	4.5358	4.5369	4.5380	4.5390	4.5401	4.5412	4.5422
94	4.5433	4.5444	4.5454	4.5465	4.5475	4.5486	4.5497	4.5507	4.5518	4.5528
95	4.5539	4.5549	4.5560	4.5570	4.5581	4.5591	4.5602	4.5612	4.5623	4.5633
96	4.5643	4.5654	4.5664	4.5675	4.5685	4.5695	4.5706	4.5716	4.5726	4.5737
97	4.5747	4.5757	4.5768	4.5778	4.5788	4.5799	4.5809	4.5819	4.5829	4.5839
98	4.5850	4.5860	4.5870	4.5880	4.5890	4.5901	4.5911	4.5921	4.5931	4.5941
99	4.5951	4.5961	4.5971	4.5981	4.5992	4.6002	4.6012	4.6022	4.6032	4.6042
100	4.6052	4.6062	4.6072	4.6082	4.6092	4.6102	4.6112	4.6121	4.6131	4.6141
N	.0	.1	.2	.3	.4	.5	.6	.7	.8	.9

$\log_e 100{,}000 = 11.5129$ $\log_e 1{,}000{,}000 = 13.8155$ $\log_e 10{,}000{,}000 = 16.1181$

0.00 — Values and Logarithms of Exponential Functions — 1.00

x	e^x	$\text{Log}_{10}\, e^x$	e^{-x}	x	e^x	$\text{Log}_{10}\, e^x$	e^{-x}
0.00	1.0000	.00 000	1.00 000	**0.50**	1.6487	.21 715	.60 653
0.01	1.0101	.00 434	0.99 005	0.51	1.6653	.22 149	.60 050
0.02	1.0202	.00 869	.98 020	0.52	1.6820	.22 583	.59 452
0.03	1.0305	.01 303	.97 045	0.53	1.6989	.23 018	.58 860
0.04	1.0408	.01 737	.96 079	0.54	1.7160	.23 452	.58 275
0.05	1.0513	.02 171	.95 123	**0.55**	1.7333	.23 886	.57 695
0.06	1.0618	.02 606	.94 176	0.56	1.7507	.24 320	.57 121
0.07	1.0725	.03 040	.93 239	0.57	1.7683	.24 755	.56 553
0.08	1.0833	.03 474	.92 312	0.58	1.7860	.25 189	.55 990
0.09	1.0942	.03 909	.91 393	0.59	1.8040	.25 623	.55 433
0.10	1.1052	.04 343	.90 484	**0.60**	1.8221	.26 058	.54 881
0.11	1.1163	.04 777	.89 583	0.61	1.8404	.26 492	.54 335
0.12	1.1275	.05 212	.88 692	0.62	1.8589	.26 926	.53 794
0.13	1.1388	.05 646	.87 810	0.63	1.8776	.27 361	.53 259
0.14	1.1503	.06 080	.86 936	0.64	1.8965	.27 795	.52 729
0.15	1.1618	.06 514	.86 071	**0.65**	1.9155	.28 229	.52 205
0.16	1.1735	.06 949	.85 214	0.66	1.9348	.28 663	.51 685
0.17	1.1853	.07 383	.84 366	0.67	1.9542	.29 098	.51 171
0.18	1.1972	.07 817	.83 527	0.68	1.9739	.29 532	.50 662
0.19	1.2092	.08 252	.82 696	0.69	1.9937	.29 966	.50 158
0.20	1.2214	.08 686	.81 873	**0.70**	2.0138	.30 401	.49 659
0.21	1.2337	.09 120	.81 058	0.71	2.0340	.30 835	.49 164
0.22	1.2461	.09 554	.80 252	0.72	2.0544	.31 269	.48 675
0.23	1.2586	.09 989	.79 453	0.73	2.0751	.31 703	.48 191
0.24	1.2712	.10 423	.78 663	0.74	2.0959	.32 138	.47 711
0.25	1.2840	.10 857	.77 880	**0.75**	2.1170	.32 572	.47 237
0.26	1.2969	.11 292	.77 105	0.76	2.1383	.33 006	.46 767
0.27	1.3100	.11 726	.76 338	0.77	2.1598	.33 441	.46 301
0.28	1.3231	.12 160	.75 578	0.78	2.1815	.33 875	.45 841
0.29	1.3364	.12 595	.74 826	0.79	2.2034	.34 309	.45 384
0.30	1.3499	.13 029	.74 082	**0.80**	2.2255	.34 744	.44 933
0.31	1.3634	.13 463	.73 345	0.81	2.2479	.35 178	.44 486
0.32	1.3771	.13 897	.72 615	0.82	2.2705	.35 612	.44 043
0.33	1.3910	.14 332	.71 892	0.83	2.2933	.36 046	.43 605
0.34	1.4049	.14 766	.71 177	0.84	2.3164	.36 481	.43 171
0.35	1.4191	.15 200	.70 469	**0.85**	2.3396	.36 915	.42 741
0.36	1.4333	.15 635	.69 768	0.86	2.3632	.37 349	.42 316
0.37	1.4477	.16 069	.69 073	0.87	2.3869	.37 784	.41 895
0.38	1.4623	.16 503	.68 386	0.88	2.4109	.38 218	.41 478
0.39	1.4770	.16 937	.67 706	0.89	2.4351	.38 652	.41 066
0.40	1.4918	.17 372	.67 032	**0.90**	2.4596	.39 087	.40 657
0.41	1.5068	.17 806	.66 365	0.91	2.4843	.39 521	.40 252
0.42	1.5220	.18 240	.65 705	0.92	2.5093	.39 955	.39 852
0.43	1.5373	.18 675	.65 051	0.93	2.5345	.40 389	.39 455
0.44	1.5527	.19 109	.64 404	0.94	2.5600	.40 824	.39 063
0.45	1.5683	.19 543	.63 763	**0.95**	2.5857	.41 258	.38 674
0.46	1.5841	.19 978	.63 128	0.96	2.6117	.41 692	.38 289
0.47	1.6000	.20 412	.62 500	0.97	2.6379	.42 127	.37 908
0.48	1.6161	.20 846	.61 878	0.98	2.6645	.42 561	.37 531
0.49	1.6323	.21 280	.61 263	0.99	2.6912	.42 995	.37 158
0.50	1.6487	.21 715	.60 653	**1.00**	2.7183	.43 429	.36 788
x	e^x	$\text{Log}_{10}\, e^x$	e^{-x}	x	e^x	$\text{Log}_{10}\, e^x$	e^{-x}

0.00 — Values and Logarithms of Exponential Functions — 1.00

1.00 — Values and Logarithms of Exponential Functions — 2.00

x	e^x	$\text{Log}_{10}\, e^x$	e^{-x}	x	e^x	$\text{Log}_{10}\, e^x$	e^{-x}
1.00	2.7183	.43 429	.36 788	**1.50**	4.4817	.65 144	.22 313
1.01	2.7456	.43 864	.36 422	1.51	4.5267	.65 578	.22 091
1.02	2.7732	.44 298	.36 059	1.52	4.5722	.66 013	.21 871
1.03	2.8011	.44 732	.35 701	1.53	4.6182	.66 447	.21 654
1.04	2.8292	.45 167	.35 345	1.54	4.6646	.66 881	.21 438
1.05	2.8577	.45 601	.34 994	**1.55**	4.7115	.67 316	.21 225
1.06	2.8864	.46 035	.34 646	1.56	4.7588	.67 750	.21 014
1.07	2.9154	.46 470	.34 301	1.57	4.8066	.68 184	.20 805
1.08	2.9447	.46 904	.33 960	1.58	4.8550	.68 619	.20 598
1.09	2.9743	.47 338	.33 622	1.59	4.9037	.69 053	.20 393
1.10	3.0042	.47 772	.33 287	**1.60**	4.9530	.69 487	.20 190
1.11	3.0344	.48 207	.32 956	1.61	5.0028	.69 921	.19 989
1.12	3.0649	.48 641	.32 628	1.62	5.0531	.70 356	.19 790
1.13	3.0957	.49 075	.32 303	1.63	5.1039	.70 790	.19 593
1.14	3.1268	.49 510	.31 982	1.64	5.1552	.71 224	.19 398
1.15	3.1582	.49 944	.31 664	**1.65**	5.2070	.71 659	.19 205
1.16	3.1899	.50 378	.31 349	1.66	5.2593	.72 093	.19 014
1.17	3.2220	.50 812	.31 037	1.67	5.3122	.72 527	.18 825
1.18	3.2544	.51 247	.30 728	1.68	5.3656	.72 961	.18 637
1.19	3.2871	.51 681	.30 422	1.69	5.4195	.73 396	.18 452
1.20	3.3201	.52 115	.30 119	**1.70**	5.4739	.73 830	.18 268
1.21	3.3535	.52 550	.29 820	1.71	5.5290	.74 264	.18 087
1.22	3.3872	.52 984	.29 523	1.72	5.5845	.74 699	.17 907
1.23	3.4212	.53 418	.29 229	1.73	5.6407	.75 133	.17 728
1.24	3.4556	.53 853	.28 938	1.74	5.6973	.75 567	.17 552
1.25	3.4903	.54 287	.28 650	**1.75**	5.7546	.76 002	.17 377
1.26	3.5254	.54 721	.28 365	1.76	5.8124	.76 436	.17 204
1.27	3.5609	.55 155	.28 083	1.77	5.8709	.76 870	.17 033
1.28	3.5966	.55 590	.27 804	1.78	5.9299	.77 304	.16 864
1.29	3.6328	.56 024	.27 527	1.79	5.9895	.77 739	.16 696
1.30	3.6693	.56 458	.27 253	**1.80**	6.0496	.78 173	.16 530
1.31	3.7062	.56 893	.26 982	1.81	6.1104	.78 607	.16 365
1.32	3.7434	.57 327	.26 714	1.82	6.1719	.79 042	.16 203
1.33	3.7810	.57 761	.26 448	1.83	6.2339	.79 476	.16 041
1.34	3.8190	.58 195	.26 185	1.84	6.2965	.79 910	.15 882
1.35	3.8574	.58 630	.25 924	**1.85**	6.3598	.80 344	.15 724
1.36	3.8962	.59 064	.25 666	1.86	6.4237	.80 779	.15 567
1.37	3.9354	.59 498	.25 411	1.87	6.4883	.81 213	.15 412
1.38	3.9749	.59 933	.25 158	1.88	6.5535	.81 647	.15 259
1.39	4.0149	.60 367	.24 908	1.89	6.6194	.82 082	.15 107
1.40	4.0552	.60 801	.24 660	**1.90**	6.6859	.82 516	.14 957
1.41	4.0960	.61 236	.24 414	1.91	6.7531	.82 950	.14 808
1.42	4.1371	.61 670	.24 171	1.92	6.8210	.83 385	.14 661
1.43	4.1787	.62 104	.23 931	1.93	6.8895	.83 819	.14 515
1.44	4.2207	.62 538	.23 693	1.94	6.9588	.84 253	.14 370
1.45	4.2631	.62 973	.23 457	**1.95**	7.0287	.84 687	.14 227
1.46	4.3060	.63 407	.23 224	1.96	7.0993	.85 122	.14 086
1.47	4.3492	.63 841	.22 993	1.97	7.1707	.85 556	.13 946
1.48	4.3929	.64 276	.22 764	1.98	7.2427	.85 990	.13 807
1.49	4.4371	.64 710	.22 537	1.99	7.3155	.86 425	.13 670
1.50	4.4817	.65 144	.22 313	**2.00**	7.3891	.86 859	.13 534
x	e^x	$\text{Log}_{10}\, e^x$	e^{-x}	x	e^x	$\text{Log}_{10}\, e^x$	e^{-x}

1.00 — Values and Logarithms of Exponential Functions — 2.00

2.00 — Values and Logarithms of Exponential Functions — 3.00

x	e^x	$\text{Log}_{10} e^x$	e^{-x}	x	e^x	$\text{Log}_{10} e^x$	e^{-x}
2.00	7.3891	.86 859	.13 534	**2.50**	12.182	1.08 574	.082 085
2.01	7.4633	.87 293	.13 399	2.51	12.305	1.09 008	.081 268
2.02	7.5383	.87 727	.13 266	2.52	12.429	1.09 442	.080 460
2.03	7.6141	.88 162	.13 134	2.53	12.554	1.09 877	.079 659
2.04	7.6906	.88 596	.13 003	2.54	12.680	1.10 311	.078 866
2.05	7.7679	.89 030	.12 873	**2.55**	12.807	1.10 745	.078 082
2.06	7.8460	.89 465	.12 745	2.56	12.936	1.11 179	.077 305
2.07	7.9248	.89 899	.12 619	2.57	13.066	1.11 614	.076 536
2.08	8.0045	.90 333	.12 493	2.58	13.197	1.12 048	.075 774
2.09	8.0849	.90 768	.12 369	2.59	13.330	1.12 482	.075 020
2.10	8.1662	.91 202	.12 246	**2.60**	13.464	1.12 917	.074 274
2.11	8.2482	.91 636	.12 124	2.61	13.599	1.13 351	.073 535
2.12	8.3311	.92 070	.12 003	2.62	13.736	1.13 785	.072 803
2.13	8.4149	.92 505	.11 884	2.63	13.874	1.14 219	.072 078
2.14	8.4994	.92 939	.11 765	2.64	14.013	1.14 654	.071 361
2.15	8.5849	.93 373	.11 648	**2.65**	14.154	1.15 088	.070 651
2.16	8.6711	.93 808	.11 533	2.66	14.296	1.15 522	.069 948
2.17	8.7583	.94 242	.11 418	2.67	14.440	1.15 957	.069 252
2.18	8.8463	.94 676	.11 304	2.68	14.585	1.16 391	.068 563
2.19	8.9352	.95 110	.11 192	2.69	14.732	1.16 825	.067 881
2.20	9.0250	.95 545	.11 080	**2.70**	14.880	1.17 260	.067 206
2.21	9.1157	.95 979	.10 970	2.71	15.029	1.17 694	.066 537
2.22	9.2073	.96 413	.10 861	2.72	15.180	1.18 128	.065 875
2.23	9.2999	.96 848	.10 753	2.73	15.333	1.18 562	.065 219
2.24	9.3933	.97 282	.10 646	2.74	15.487	1.18 997	.064 570
2.25	9.4877	.97 716	.10 540	**2.75**	15.643	1.19 431	.063 928
2.26	9.5831	.98 151	.10 435	2.76	15.800	1.19 865	.063 292
2.27	9.6794	.98 585	.10 331	2.77	15.959	1.20 300	.062 662
2.28	9.7767	.99 019	.10 228	2.78	16.119	1.20 734	.062 039
2.29	9.8749	.99 453	.10 127	2.79	16.281	1.21 168	.061 421
2.30	9.9742	.99 888	.10 026	**2.80**	16.445	1.21 602	.060 810
2.31	10.074	1.00 322	.09 9261	2.81	16.610	1.22 037	.060 205
2.32	10.176	1.00 756	.09 8274	2.82	16.777	1.22 471	.059 606
2.33	10.278	1.01 191	.09 7296	2.83	16.945	1.22 905	.059 013
2.34	10.381	1.01 625	.09 6328	2.84	17.116	1.23 340	.058 426
2.35	10.486	1.02 059	.09 5369	**2.85**	17.288	1.23 774	.057 844
2.36	10.591	1.02 493	.09 4420	2.86	17.462	1.24 208	.057 269
2.37	10.697	1.02 928	.09 3481	2.87	17.637	1.24 643	.056 699
2.38	10.805	1.03 362	.09 2551	2.88	17.814	1.25 077	.056 135
2.39	10.913	1.03 796	.09 1630	2.89	17.993	1.25 511	.055 576
2.40	11.023	1.04 231	.09 0718	**2.90**	18.174	1.25 945	.055 023
2.41	11.134	1.04 665	.08 9815	2.91	18.357	1.26 380	.054 476
2.42	11.246	1.05 099	.08 8922	2.92	18.541	1.26 814	.053 934
2.43	11.359	1.05 534	.08 8037	2.93	18.728	1.27 248	.053 397
2.44	11.473	1.05 968	.08 7161	2.94	18.916	1.27 683	.052 866
2.45	11.588	1.06 402	.08 6294	**2.95**	19.106	1.28 117	.052 340
2.46	11.705	1.06 836	.08 5435	2.96	19.298	1.28 551	.051 819
2.47	11.822	1.07 271	.08 4585	2.97	19.492	1.28 985	.051 303
2.48	11.941	1.07 705	.08 3743	2.98	19.688	1.29 420	.050 793
2.49	12.061	1.08 139	.08 2910	2.99	19.886	1.29 854	.050 287
2.50	12.182	1.08 574	.08 2085	**3.00**	20.086	1.30 288	.049 787
x	e^x	$\text{Log}_{10} e^x$	e^{-x}	x	e^x	$\text{Log}_{10} e^x$	e^{-x}

3.00 — Values and Logarithms of Exponential Functions — 4.00

x	e^x	$\text{Log}_{10}\, e^x$	e^{-x}	x	e^x	$\text{Log}_{10}\, e^x$	e^{-x}
3.00	20.086	1.30 288	.04 9787	**3.50**	33.115	1.52 003	.030 197
3.01	20.287	1.30 723	.04 9292	3.51	33.448	1.52 437	.029 897
3.02	20.491	1.31 157	.04 8801	3.52	33.784	1.52 872	.029 599
3.03	20.697	1.31 591	.04 8316	3.53	34.124	1.53 306	.029 305
3.04	20.905	1.32 026	.04 7835	3.54	34.467	1.53 740	.029 013
3.05	21.115	1.32 460	.04 7359	**3.55**	34.813	1.54 175	.028 725
3.06	21.328	1.32 894	.04 6888	3.56	35.163	1.54 609	.028 439
3.07	21.542	1.33 328	.04 6421	3.57	35.517	1.55 043	.028 156
3.08	21.758	1.33 763	.04 5959	3.58	35.874	1.55 477	.027 876
3.09	21.977	1.34 197	.04 5502	3.59	36.234	1.55 912	.027 598
3.10	22.198	1.34 631	.04 5049	**3.60**	36.598	1.56 346	.027 324
3.11	22.421	1.35 066	.04 4601	3.61	36.966	1.56 780	.027 052
3.12	22.646	1.35 500	.04 4157	3.62	37.338	1.57 215	.026 783
3.13	22.874	1.35 934	.04 3718	3.63	37.713	1.57 649	.026 516
3.14	23.104	1.36 368	.04 3283	3.64	38.092	1.58 083	.026 252
3.15	23.336	1.36 803	.04 2852	**3.65**	38.475	1.58 517	.025 991
3.16	23.571	1.37 237	.04 2426	3.66	38.861	1.58 952	.025 733
3.17	23.807	1.37 671	.04 2004	3.67	39.252	1.59 386	.025 476
3.18	24.047	1.38 106	.04 1586	3.68	39.646	1.59 820	.025 223
3.19	24.288	1.38 540	.04 1172	3.69	40.045	1.60 255	.024 972
3.20	24.533	1.38 974	.04 0762	**3.70**	40.447	1.60 689	.024 724
3.21	24.779	1.39 409	.04 0357	3.71	40.854	1.61 123	.024 478
3.22	25.028	1.39 843	.03 9955	3.72	41.264	1.61 558	.024 234
3.23	25.280	1.40 277	.03 9557	3.73	41.679	1.61 992	.023 993
3.24	25.534	1.40 711	.03 9164	3.74	42.098	1.62 426	.023 754
3.25	25.790	1.41 146	.03 8774	**3.75**	42.521	1.62 860	.023 518
3.26	26.050	1.41 580	.03 8388	3.76	42.948	1.63 295	.023 284
3.27	26.311	1.42 014	.03 8006	3.77	43.380	1.63 729	.023 052
3.28	26.576	1.42 449	.03 7628	3.78	43.816	1.64 163	.022 823
3.29	26.843	1.42 883	.03 7254	3.79	44.256	1.64 598	.022 596
3.30	27.113	1.43 317	.03 6883	**3.80**	44.701	1.65 032	.022 371
3.31	27.385	1.43 751	.03 6516	3.81	45.150	1.65 466	.022 148
3.32	27.660	1.44 186	.03 6153	3.82	45.604	1.65 900	.021 928
3.33	27.938	1.44 620	.03 5793	3.83	46.063	1.66 335	.021 710
3.34	28.219	1.45 054	.03 5437	3.84	46.525	1.66 769	.021 494
3.35	28.503	1.45 489	.03 5084	**3.85**	46.993	1.67 203	.021 280
3.36	28.789	1.45 923	.03 4735	3.86	47.465	1.67 638	.021 068
3.37	29.079	1.46 357	.03 4390	3.87	47.942	1.68 072	.020 858
3.38	29.371	1.46 792	.03 4047	3.88	48.424	1.68 506	.020 651
3.39	29.666	1.47 226	.03 3709	3.89	48.911	1.68 941	.020 445
3.40	29.964	1.47 660	.03 3373	**3.90**	49.402	1.69 375	.020 242
3.41	30.265	1.48 094	.03 3041	3.91	49.899	1.69 809	.020 041
3.42	30.569	1.48 529	.03 2712	3.92	50.400	1.70 243	.019 841
3.43	30.877	1.48 963	.03 2387	3.93	50.907	1.70 678	.019 644
3.44	31.187	1.49 397	.03 2065	3.94	51.419	1.71 112	.019 448
3.45	31.500	1.49 832	.03 1746	**3.95**	51.935	1.71 546	.019 255
3.46	31.817	1.50 266	.03 1430	3.96	52.457	1.71 981	.019 063
3.47	32.137	1.50 700	.03 1117	3.97	52.985	1.72 415	.018 873
3.48	32.460	1.51 134	.03 0807	3.98	53.517	1.72 849	.018 686
3.49	32.786	1.51 569	.03 0501	3.99	54.055	1.73 283	.018 500
3.50	33.115	1.52 003	.03 0197	**4.00**	54.598	1.73 718	.018 316
x	e^x	$\text{Log}_{10}\, e^x$	e^{-x}	x	e^x	$\text{Log}_{10}\, e^x$	e^{-x}

3.00 — Values and Logarithms of Exponential Functions — 4.00

4.00 — Values and Logarithms of Exponential Functions — 5.00

x	e^x	$\text{Log}_{10}\, e^x$	e^{-x}	x	e^x	$\text{Log}_{10}\, e^x$	e^{-x}
4.00	54.598	1.73 718	.01 8316	**4.50**	90.017	1.95 433	.011 109
4.01	55.147	1.74 152	.01 8133	4.51	90.922	1.95 867	.010 998
4.02	55.701	1.74 586	.01 7953	4.52	91.836	1.96 301	.010 889
4.03	56.261	1.75 021	.01 7774	4.53	92.759	1.96 735	.010 781
4.04	56.826	1.75 455	.01 7597	4.54	93.691	1.97 170	.010 673
4.05	57.397	1.75 889	.01 7422	**4.55**	94.632	1 97 604	.010 567
4.06	57.974	1.76 324	.01 7249	4.56	95.583	1.98 038	.010 462
4.07	58.557	1.76 758	.01 7077	4.57	96.544	1.98 473	.010 358
4.08	59.145	1.77 192	.01 6907	4.58	97.514	1.98 907	.010 255
4.09	59.740	1.77 626	.01 6739	4.59	98.494	1.99 341	.010 153
4.10	60.340	1.78 061	.01 6573	**4.60**	99.484	1.99 775	.010 052
4.11	60.947	1.78 495	.01 6408	4.61	100.48	2.00 210	.009 9518
4.12	61.559	1.78 929	.01 6245	4.62	101.49	2.00 644	.009 8528
4.13	62.178	1.79 364	.01 6083	4.63	102.51	2.01 078	.009 7548
4.14	62.803	1.79 798	.01 5923	4.64	103.54	2.01 513	.009 6577
4.15	63.434	1.80 232	.01 5764	**4.65**	104.58	2.01 947	.009 5616
4.16	64.072	1.80 667	.01 5608	4.66	105.64	2.02 381	.009 4665
4.17	64.715	1.81 101	.01 5452	4.67	106.70	2.02 816	.009 3723
4.18	65.366	1.81 535	.01 5299	4.68	107.77	2.03 250	.009 2790
4.19	66.023	1.81 969	.01 5146	4.69	108.85	2.03 684	.009 1867
4.20	66.686	1.82 404	.01 4996	**4.70**	109.95	2.04 118	.009 0953
4.21	67.357	1.82 838	.01 4846	4.71	111.05	2.04 553	.009 0048
4.22	68.033	1.83 272	.01 4699	4.72	112.17	2.04 987	.008 9152
4.23	68.717	1.83 707	.01 4552	4.73	113.30	2.05 421	.008 8265
4.24	69.408	1.84 141	.01 4408	4.74	114.43	2.05 856	.008 7386
4.25	70.105	1.84 575	.01 4264	**4.75**	115.58	2.06 290	.008 6517
4.26	70.810	1.85 009	.01 4122	4.76	116.75	2.06 724	.008 5656
4.27	71.522	1.85 444	.01 3982	4.77	117.92	2.07 158	.008 4804
4.28	72.240	1.85 878	.01 3843	4.78	119.10	2.07 593	.008 3960
4.29	72.966	1.86 312	.01 3705	4.79	120.30	2.08 027	.008 3125
4.30	73.700	1.86 747	.01 3569	**4.80**	121.51	2.08 461	.008 2297
4.31	74.440	1.87 181	.01 3434	4.81	122.73	2.08 896	.008 1479
4.32	75.189	1.87 615	.01 3300	4.82	123.97	2.09 330	.008 0668
4.33	75.944	1.88 050	.01 3168	4.83	125.21	2.09 764	.007 9865
4.34	76.708	1.88 484	.01 3037	4.84	126.47	2.10 199	.007 9071
4.35	77.478	1.88 918	.01 2907	**4.85**	127.74	2.10 633	.007 8284
4.36	78.257	1.89 352	.01 2778	4.86	129.02	2.11 067	.007 7505
4.37	79.044	1.89 787	.01 2651	4.87	130.32	2.11 501	.007 6734
4.38	79.838	1.90 221	.01 2525	4.88	131.63	2.11 936	.007 5970
4.39	80.640	1.90 655	.01 2401	4.89	132.95	2.12 370	.007 5214
4.40	81.451	1.91 090	.01 2277	**4.90**	134.29	2.12 804	.007 4466
4.41	82.269	1.91 524	.01 2155	4.91	135.64	2.13 239	.007 3725
4.42	83.096	1.91 958	.01 2034	4.92	137.00	2.13 673	.007 2991
4.43	83.931	1.92 392	.01 1914	4.93	138.38	2.14 107	.007 2265
4.44	84.775	1.92 827	.01 1796	4.94	139.77	2.14 541	.007 1546
4.45	85.627	1.93 261	.01 1679	**4.95**	141.17	2.14 976	.007 0834
4.46	86.488	1.93 695	.01 1562	4.96	142.59	2.15 410	.007 0129
4.47	87.357	1.94 130	.01 1447	4.97	144.03	2.15 844	.006 9431
4.48	88.235	1.94 564	.01 1333	4.98	145.47	2.16 279	.006 8741
4.49	89.121	1.94 998	.01 1221	4.99	146.94	2.16 713	.006 8057
4.50	90.017	1.95 433	.01 1109	**5.00**	148.41	2.17 147	.006 7379
x	e^x	$\text{Log}_{10}\, e^x$	e^{-x}	x	e^x	$\text{Log}_{10}\, e^x$	e^{-x}

4.00 — Values and Logarithms of Exponential Functions — 5.00

5.00 — Values and Logarithms of Exponential Functions — 10.00

x	e^x	$\text{Log}_{10} e^x$	e^{-x}	x	e^x	$\text{Log}_{10} e^x$	e^{-x}
5.00	148.41	2.17 147	.00 67379	**7.50**	1 808.0	3.25 721	.000 5531
5.05	156.02	2.19 319	.00 64093	7.55	1 900.7	3.27 892	.000 5261
5.10	164.02	2.21 490	.00 60967	7.60	1 998.2	3.30 064	.000 5005
5.15	172.43	2.23 662	.00 57994	7.65	2 100.6	3.32 235	.000 4760
5.20	181.27	2.25 833	.00 55166	7.70	2 208.3	3.34 407	.000 4528
5.25	190.57	2.28 005	.00 52475	**7.75**	2 321.6	3.36 578	.000 4307
5.30	200.34	2.30 176	.00 49916	7.80	2 440.6	3.38 750	.000 4097
5.35	210.61	2.32 348	.00 47482	7.85	2 565.7	3.40 921	.000 3898
5.40	221.41	2.34 519	.00 45166	7.90	2 697.3	3.43 093	.000 3707
5.45	232.76	2.36 690	.00 42963	7.95	2 835.6	3.45 264	.000 3527
5.50	244.69	2.38 862	.00 40868	**8.00**	2 981.0	3.47 436	.000 3355
5.55	257.24	2.41 033	.00 38875	8.05	3 133.8	3.49 607	.000 3191
5.60	270.43	2.43 205	.00 36979	8.10	3 294.5	3.51 779	.000 3035
5.65	284.29	2.45 376	.00 35175	8.15	3 463.4	3.53 950	.000 2887
5.70	298.87	2.47 548	.00 33460	8.20	3 641.0	3.56 121	.000 2747
5.75	314.19	2.49 719	.00 31828	**8.25**	3 827.6	3.58 293	.000 2613
5.80	330.30	2.51 891	.00 30276	8.30	4 023.9	3.60 464	.000 2485
5.85	347.23	2.54 062	.00 28799	8.35	4 230.2	3.62 636	.000 2364
5.90	365.04	2.56 234	.00 27394	8.40	4 447.1	3.64 807	.000 2249
5.95	383.75	2.58 405	.00 26058	8.45	4 675.1	3.66 979	.000 2139
6.00	403.43	2.60 577	.00 24788	**8.50**	4 914.8	3.69 150	.000 2035
6.05	424.11	2.62 748	.00 23579	8.55	5 166.8	3.71 322	.000 1935
6.10	445.86	2.64 920	.00 22429	8.60	5 431.7	3.73 493	.000 1841
6.15	468.72	2.67 091	.00 21335	8.65	5 710.1	3.75 665	.000 1751
6.20	492.75	2.69 263	.00 20294	8.70	6 002.9	3.77 836	.000 1666
6.25	518.01	2.71 434	.00 19305	**8.75**	6 310.7	3.80 008	.000 1585
6.30	544.57	2.73 606	.00 18363	8.80	6 634.2	3.82 179	.000 1507
6.35	572.49	2.75 777	.00 17467	8.85	6 974.4	3.84 351	.000 1434
6.40	601.85	2.77 948	.00 16616	8.90	7 332.0	3.86 522	.000 1364
6.45	632.70	2.80 120	.00 15805	8.95	7 707.9	3.88 694	.000 1297
6.50	665.14	2.82 291	.00 15034	**9.00**	8 103.1	3.90 865	.000 1234
6.55	699.24	2.84 463	.00 14301	9.05	8 518.5	3.93 037	.000 1174
6.60	735.10	2.86 634	.00 13604	9.10	8 955.3	3.95 208	.000 1117
6.65	772.78	2.88 806	.00 12940	9.15	9 414.4	3.97 379	.000 1062
6.70	812.41	2.90 977	.00 12309	9.20	9 897.1	3.99 551	.000 1010
6.75	854.06	2.93 149	.00 11709	**9.25**	10 405	4.01 722	.000 0961
6.80	897.85	2.95 320	.00 11138	9.30	10 938	4.03 894	.000 0914
6.85	943.88	2.97 492	.00 10595	9.35	11 499	4.06 065	.000 0870
6.90	992.27	2.99 663	.00 10078	9.40	12 088	4.08 237	.000 0827
6.95	1 043.1	3.01 835	.00 09586	9.45	12 708	4.10 408	.000 0787
7.00	1 096.6	3.04 006	.00 09119	**9.50**	13 360	4.12 580	.000 0749
7.05	1 152.9	3.06 178	.00 08674	9.55	14 045	4.14 751	.000 0712
7.10	1 212.0	3.08 349	.00 08251	9.60	14 765	4.16 923	.000 0677
7.15	1 274.1	3.10 521	.00 07849	9.65	15 522	4.19 094	.000 0644
7.20	1 339.4	3.12 692	.00 07466	9.70	16 318	4.21 266	.000 0613
7.25	1 408.1	3.14 863	.00 07102	**9.75**	17 154	4.23 437	.000 0583
7.30	1 480.3	3.17 035	.00 06755	9.80	18 034	4.25 609	.000 0555
7.35	1 556.2	3.19 206	.00 06426	9.85	18 958	4.27 780	.000 0527
7.40	1 636.0	3.21 378	.00 06113	9.90	19 930	4.29 952	.000 0502
7.45	1 719.9	3.23 549	.00 05814	9.95	20 952	4.32 123	.000 0477
7.50	1 808.0	3.25 721	.00 05531	**10.00**	22 026	4.34 294	.000 0454
x	e^x	$\text{Log}_{10} e^x$	e^{-x}	x	e^x	$\text{Log}_{10} e^x$	e^{-x}

0.00 — Values of Hyperbolic Functions — 1.00

x	Sinh *x*	Cosh *x*	Tanh *x*	*x*	Sinh *x*	Cosh *x*	Tanh *x*
0.00	.00 000	1.0000	.00 000	**0.50**	.52 110	1.1276	.46 212
0.01	.01 000	1.0001	.01 000	0.51	.53 240	1.1329	.46 995
0.02	.02 000	1.0002	.02 000	0.52	.54 375	1.1383	.47 770
0.03	.03 000	1.0005	.02 999	0.53	.55 516	1.1438	.48 538
0.04	.04 001	1.0008	.03 998	0.54	.56 663	1.1494	.49 299
0.05	.05 002	1.0013	.04 996	**0.55**	.57 815	1.1551	.50 052
0.06	.06 004	1.0018	.05 993	0.56	.58 973	1.1609	.50 798
0.07	.07 006	1.0025	.06 989	0.57	.60 137	1.1669	.51 536
0.08	.08 009	1.0032	.07 983	0.58	.61 307	1.1730	.52 267
0.09	.09 012	1.0041	.08 976	0.59	.62 483	1.1792	.52 990
0.10	.10 017	1.0050	.09 967	**0.60**	.63 665	1.1855	.53 705
0.11	.11 022	1.0061	.10 956	0.61	.64 854	1.1919	.54 413
0.12	.12 029	1.0072	.11 943	0.62	.66 049	1.1984	.55 113
0.13	.13 037	1.0085	.12 927	0.63	.67 251	1.2051	.55 805
0.14	.14 046	1.0098	.13 909	0.64	.68 459	1.2119	.56 490
0.15	.15 056	1.0113	.14 889	**0.65**	.69 675	1.2188	.57 167
0.16	.16 068	1.0128	.15 865	0.66	.70 897	1.2258	.57 836
0.17	.17 082	1.0145	.16 838	0.67	.72 126	1.2330	.58 498
0.18	.18 097	1.0162	.17 808	0.68	.73 363	1.2402	.59 152
0.19	.19 115	1.0181	.18 775	0.69	.74 607	1.2476	.59 798
0.20	.20 134	1.0201	.19 738	**0.70**	.75 858	1.2552	.60 437
0.21	.21 155	1.0221	.20 697	0.71	.77 117	1.2628	.61 068
0.22	.22 178	1.0243	.21 652	0.72	.78 384	1.2706	.61 691
0.23	.23 203	1.0266	.22 603	0.73	.79 659	1.2785	.62 307
0.24	.24 231	1.0289	.23 550	0.74	.80 941	1.2865	.62 915
0.25	.25 261	1.0314	.24 492	**0.75**	.82 232	1.2947	.63 515
0.26	.26 294	1.0340	.25 430	0.76	.83 530	1.3030	.64 108
0.27	.27 329	1.0367	.26 362	0.77	.84 838	1.3114	.64 693
0.28	.28 367	1.0395	.27 291	0.78	.86 153	1.3199	.65 271
0.29	.29 408	1.0423	.28 213	0.79	.87 478	1.3286	.65 841
0.30	.30 452	1.0453	.29 131	**0.80**	.88 811	1.3374	.66 404
0.31	.31 499	1.0484	.30 044	0.81	.90 152	1.3464	.66 959
0.32	.32 549	1.0516	.30 951	0.82	.91 503	1.3555	.67 507
0.33	.33 602	1.0549	.31 852	0.83	.92 863	1.3647	.68 048
0.34	.34 659	1.0584	.32 748	0.84	.94 233	1.3740	.68 581
0.35	.35 719	1.0619	.33 638	**0.85**	.95 612	1.3835	.69 107
0.36	.36 783	1.0655	.34 521	0.86	.97 000	1.3932	.69 626
0.37	.37 850	1.0692	.35 399	0.87	.98 398	1.4029	.70 137
0.38	.38 921	1.0731	.36 271	0.88	.99 806	1.4128	.70 642
0.39	.39 996	1.0770	.37 136	0.89	1.01 22	1.4229	.71 139
0.40	.41 075	1.0811	.37 995	**0.90**	1.02 65	1.4331	.71 630
0.41	.42 158	1.0852	.38 847	0.91	1.04 09	1.4434	.72 113
0.42	.43 246	1.0895	.39 693	0.92	1.05 54	1.4539	.72 590
0.43	.44 337	1.0939	.40 532	0.93	1.07 00	1.4645	.73 059
0.44	.45 434	1.0984	.41 364	0.94	1.08 47	1.4753	.73 522
0.45	.46 534	1.1030	.42 190	**0.95**	1.09 95	1.4862	.73 978
0.46	.47 640	1.1077	.43 008	0.96	1.11 44	1.4973	.74 428
0.47	.48 750	1.1125	.43 820	0.97	1.12 94	1.5085	.74 870
0.48	.49 865	1.1174	.44 624	0.98	1.14 46	1.5199	.75 307
0.49	.50 984	1.1225	.45 422	0.99	1.15 98	1.5314	.75 736
0.50	.52 110	1.1276	.46 212	**1.00**	1.17 52	1.5431	.76 159
x	Sinh *x*	Cosh *x*	Tanh *x*	*x*	Sinh *x*	Cosh *x*	Tanh *x*

0.00 — Values of Hyperbolic Functions — 1.00

1.00 — Values of Hyperbolic Functions — 2.00

x	Sinh x	Cosh x	Tanh x	x	Sinh x	Cosh x	Tanh x
1.00	1.1752	1.5431	.76 159	**1.50**	2.1293	2.3524	.90 515
1.01	1.1907	1.5549	.76 576	1.51	2.1529	2.3738	.90 694
1.02	1.2063	1.5669	.76 987	1.52	2.1768	2.3955	.90 870
1.03	1.2220	1.5790	.77 391	1.53	2.2008	2.4174	.91 042
1.04	1.2379	1.5913	.77 789	1.54	2.2251	2.4395	.91 212
1.05	1.2539	1.6038	.78 181	**1.55**	2.2496	2.4619	.91 379
1.06	1.2700	1.6164	.78 566	1.56	2.2743	2.4845	.91 542
1.07	1.2862	1.6292	.78 946	1.57	2.2993	2.5073	.91 703
1.08	1.3025	1.6421	.79 320	1.58	2.3245	2.5305	.91 860
1.09	1.3190	1.6552	.79 688	1.59	2.3499	2.5538	.92 015
1.10	1.3356	1.6685	.80 050	**1.60**	2.3756	2.5775	.92 167
1.11	1.3524	1.6820	.80 406	1.61	2.4015	2.6013	.92 316
1.12	1.3693	1.6956	.80 757	1.62	2.4276	2.6255	.92 462
1.13	1.3863	1.7093	.81 102	1.63	2.4540	2.6499	.92 606
1.14	1.4035	1.7233	.81 441	1.64	2.4806	2.6746	.92 747
1.15	1.4208	1.7374	.81 775	**1.65**	2.5075	2.6995	.92 886
1.16	1.4382	1.7517	.82 104	1.66	2.5346	2.7247	.93 022
1.17	1.4558	1.7662	.82 427	1.67	2.5620	2.7502	.93 155
1.18	1.4735	1.7808	.82 745	1.68	2.5896	2.7760	.93 286
1.19	1.4914	1.7957	.83 058	1.69	2.6175	2.8020	.93 415
1.20	1.5095	1.8107	.83 365	**1.70**	2.6456	2.8283	.93 541
1.21	1.5276	1.8258	.83 668	1.71	2.6740	2.8549	.93 665
1.22	1.5460	1.8412	.83 965	1.72	2.7027	2.8818	.93 786
1.23	1.5645	1.8568	.84 258	1.73	2.7317	2.9090	.93 906
1.24	1.5831	1.8725	.84 546	1.74	2.7609	2.9364	.94 023
1.25	1.6019	1.8884	.84 828	**1.75**	2.7904	2.9642	.94 138
1.26	1.6209	1.9045	.85 106	1.76	2.8202	2.9922	.94 250
1.27	1.6400	1.9208	.85 380	1.77	2.8503	3.0206	.94 361
1.28	1.6593	1.9373	.85 648	1.78	2.8806	3.0492	.94 470
1.29	1.6788	1.9540	.85 913	1.79	2.9112	3.0782	.94 576
1.30	1.6984	1.9709	.86 172	**1.80**	2.9422	3.1075	.94 681
1.31	1.7182	1.9880	.86 428	1.81	2.9734	3.1371	.94 783
1.32	1.7381	2.0053	.86 678	1.82	3.0049	3.1669	.94 884
1.33	1.7583	2.0228	.86 925	1.83	3.0367	3.1972	.94 983
1.34	1.7786	2.0404	.87 167	1.84	3.0689	3.2277	.95 080
1.35	1.7991	2.0583	.87 405	**1.85**	3.1013	3.2585	.95 175
1.36	1.8198	2.0764	.87 639	1.86	3.1340	3.2897	.95 268
1.37	1.8406	2.0947	.87 869	1.87	3.1671	3.3212	.95 359
1.38	1.8617	2.1132	.88 095	1.88	3.2005	3.3530	.95 449
1.39	1.8829	2.1320	.88 317	1.89	3.2341	3.3852	.95 537
1.40	1.9043	2.1509	.88 535	**1.90**	3.2682	3.4177	.95 624
1.41	1.9259	2.1700	.88 749	1.91	3.3025	3.4506	.95 709
1.42	1.9477	2.1894	.88 960	1.92	3.3372	3.4838	.95 792
1.43	1.9697	2.2090	.89 167	1.93	3.3722	3.5173	.95 873
1.44	1.9919	2.2288	.89 370	1.94	3.4075	3.5512	.95 953
1.45	2.0143	2.2488	.89 569	**1.95**	3.4432	3.5855	.96 032
1.46	2.0369	2.2691	.89 765	1.96	3.4792	3.6201	.96 109
1.47	2.0597	2.2896	.89 958	1.97	3.5156	3.6551	.96 185
1.48	2.0827	2.3103	.90 147	1.98	3.5523	3.6904	.96 259
1.49	2.1059	2.3312	.90 332	1.99	3.5894	3.7261	.96 331
1.50	2.1293	2.3524	.90 515	**2.00**	3.6269	3.7622	.96 403
x	Sinh x	Cosh x	Tanh x	x	Sinh x	Cosh x	Tanh x

1.00 — Values of Hyperbolic Functions — 2.00

2.00 — Values of Hyperbolic Functions — 3.00

x	Sinh x	Cosh x	Tanh x	x	Sinh x	Cosh x	Tanh x
2.00	3.6269	3.7622	.96 403	**2.50**	6.0502	6.1323	.98 661
2.01	3.6647	3.7987	.96 473	2.51	6.1118	6.1931	.98 688
2.02	3.7028	3.8355	.96 541	2.52	6.1741	6.2545	.98 714
2.03	3.7414	3.8727	.96 609	2.53	6.2369	6.3166	.98 739
2.04	3.7803	3.9103	.96 675	2.54	6.3004	6.3793	.98 764
2.05	3.8196	3.9483	.96 740	**2.55**	6.3645	6.4426	.98 788
2.06	3.8593	3.9867	.96 803	2.56	6.4293	6.5066	.98 812
2.07	3.8993	4.0255	.96 865	2.57	6.4946	6.5712	.98 835
2.08	3.9398	4.0647	.96 926	2.58	6.5607	6.6365	.98 858
2.09	3.9806	4.1043	.96 986	2.59	6.6274	6.7024	.98 881
2.10	4.0219	4.1443	.97 045	**2.60**	6.6947	6.7690	.98 903
2.11	4.0635	4.1847	.97 103	2.61	6.7628	6.8363	.98 924
2.12	4.1056	4.2256	.97 159	2.62	6.8315	6.9043	.98 946
2.13	4.1480	4.2669	.97 215	2.63	6.9008	6.9729	.98 966
2.14	4.1909	4.3085	.97 269	2.64	6.9709	7.0423	.98 987
2.15	4.2342	4.3507	.97 323	**2.65**	7.0417	7.1123	.99 007
2.16	4.2779	4.3932	.97 375	2.66	7.1132	7.1831	.99 026
2.17	4.3221	4.4362	.97 426	2.67	7.1854	7.2546	.99 045
2.18	4.3666	4.4797	.97 477	2.68	7.2583	7.3268	.99 064
2.19	4.4116	4.5236	.97 526	2.69	7.3319	7.3998	.99 083
2.20	4.4571	4.5679	.97 574	**2.70**	7.4063	7.4735	.99 101
2.21	4.5030	4.6127	.97 622	2.71	7.4814	7.5479	.99 118
2.22	4.5494	4.6580	.97 668	2.72	7.5572	7.6231	.99 136
2.23	4.5962	4.7037	.97 714	2.73	7.6338	7.6991	.99 153
2.24	4.6434	4.7499	.97 759	2.74	7.7112	7.7758	.99 170
2.25	4.6912	4.7966	.97 803	**2.75**	7.7894	7.8533	.99 186
2.26	4.7394	4.8437	.97 846	2.76	7.8683	7.9316	.99 202
2.27	4.7880	4.8914	.97 888	2.77	7.9480	8.0106	.99 218
2.28	4.8372	4.9395	.97 929	2.78	8.0285	8.0905	.99 233
2.29	4.8868	4.9881	.97 970	2.79	8.1098	8.1712	.99 248
2.30	4.9370	5.0372	.98 010	**2.80**	8.1919	8.2527	.99 263
2.31	4.9876	5.0868	.98 049	2.81	8.2749	8.3351	.99 278
2.32	5.0387	5.1370	.98 087	2.82	8.3586	8.4182	.99 292
2.33	5.0903	5.1876	.98 124	2.83	8.4432	8.5022	.99 306
2.34	5.1425	5.2388	.98 161	2.84	8.5287	8.5871	.99 320
2.35	5.1951	5.2905	.98 197	**2.85**	8.6150	8.6728	.99 333
2.36	5.2483	5.3427	.98 233	2.86	8.7021	8.7594	.99 346
2.37	5.3020	5.3954	.98 267	2.87	8.7902	8.8469	.99 359
2.38	5.3562	5.4487	.98 301	2.88	8.8791	8.9352	.99 372
2.39	5.4109	5.5026	.98 335	2.89	8.9689	9.0244	.99 384
2.40	5.4662	5.5569	.98 367	**2.90**	9.0596	9.1146	.99 396
2.41	5.5221	5.6119	.98 400	2.91	9.1512	9.2056	.99 408
2.42	5.5785	5.6674	.98 431	2.92	9.2437	9.2976	.99 420
2.43	5.6354	5.7235	.98 462	2.93	9.3371	9.3905	.99 431
2.44	5.6929	5.7801	.98 492	2.94	9.4315	9.4844	.99 443
2.45	5.7510	5.8373	.98 522	**2.95**	9.5268	9.5791	.99 454
2.46	5.8097	5.8951	.98 551	2.96	9.6231	9.6749	.99 464
2.47	5.8689	5.9535	.98 579	2.97	9.7203	9.7716	.99 475
2.48	5.9288	6.0125	.98 607	2.98	9.8185	9.8693	.99 485
2.49	5.9892	6.0721	.98 635	2.99	9.9177	9.9680	.99 496
2.50	6.0502	6.1323	.98 661	**3.00**	10.0179	10.0677	.99 505
x	Sinh x	Cosh x	Tanh x	x	Sinh x	Cosh x	Tanh x

2.00 — Values of Hyperbolic Functions — 3.00

3.00 — Values of Hyperbolic Functions — 10.00

x	Sinh x	Cosh x	Tanh x	x	Sinh x	Cosh x	Tanh x
3.00	10.018	10.068	.99 505	**5.50**	122.34	122.35	.99 997
3.05	10.534	10.581	.99 552	5.55	128.62	128.62	.99 997
3.10	11.076	11.122	.99 595	5.60	135.21	135.22	.99 997
3.15	11.647	11.689	.99 633	5.65	142.14	142.15	.99 998
3.20	12.246	12.287	.99 668	5.70	149.43	149.44	.99 998
3.25	12.876	12.915	.99 700	**5.75**	157.09	157.10	.99 998
3.30	13.538	13.575	.99 728	5.80	165.15	165.15	.99 998
3.35	14.234	14.269	.99 754	5.85	173.62	173.62	.99 998
3.40	14.965	14.999	.99 777	5.90	182.52	182.52	.99 998
3.45	15.734	15.766	.99 799	5.95	191.88	191.88	.99 999
3.50	16.543	16.573	.99 818	**6.00**	201.71	201.72	.99 999
3.55	17.392	17.421	.99 835	6.05	212.06	212.06	.99 999
3.60	18.285	18.313	.99 851	6.10	222.93	222.93	.99 999
3.65	19.224	19.250	.99 865	6.15	234.36	234.36	.99 999
3.70	20.211	20.236	.99 878	6.20	246.37	246.38	.99 999
3.75	21.249	21.272	.99 889	**6.25**	259.01	259.01	.99 999
3.80	22.339	22.362	.99 900	6.30	272.29	272.29	.99 999
3.85	23.486	23.507	.99 909	6.35	286.25	286.25	.99 999
3.90	24.691	24.711	.99 918	6.40	300.92	300.92	.99 999
3.95	25.958	25.977	.99 926	6.45	316.35	316.35	1.00 000
4.00	27.290	27.308	.99 933	**6.50**	332.57	332.57	1.00 000
4.05	28.690	28.707	.99 939	6.55	349.62	349.62	1.00 000
4.10	30.162	30.178	.99 945	6.60	367.55	367.55	1.00 000
4.15	31.709	31.725	.99 950	6.65	386.39	386.39	1.00 000
4.20	33.336	33.351	.99 955	6.70	406.20	406.20	1.00 000
4.25	35.046	35.060	.99 959	**6.75**	427.03	427.03	1.00 000
4.30	36.843	36.857	.99 963	6.80	448.92	448.92	1.00 000
4.35	38.733	38.746	.99 967	6.85	471.94	471.94	1.00 000
4.40	40.719	40.732	.99 970	6.90	496.14	496.14	1.00 000
4.45	42.808	42.819	.99 973	6.95	521.57	521.58	1.00 000
4.50	45.003	45.014	.99 975	**7.00**	548.32	548.32	1.00 000
4.55	47.311	47.321	.99 978	7.05	576.43	576.43	1.00 000
4.60	49.737	49.747	.99 980	7.10	605.98	605.98	1.00 000
4.65	52.288	52.297	.99 982	7.15	637.05	637.05	1.00 000
4.70	54.969	54.978	.99 983	7.20	669.72	669.72	1.00 000
4.75	57.788	57.796	.99 985	**7.25**	704.05	704.05	1.00 000
4.80	60.751	60.759	.99 986	7.30	740.15	740.15	1.00 000
4.85	63.866	63.874	.99 988	7.35	778.10	778.10	1.00 000
4.90	67.141	67.149	.99 989	7.40	817.99	817.99	1.00 000
4.95	70.584	70.591	.99 990	7.45	859.93	859.93	1.00 000
5.00	74.203	74.210	.99 991	**7.50**	904.02	904.02	1.00 000
5.05	78.008	78.014	.99 992	7.75	1 160.8	1 160.8	1.00 000
5.10	82.008	82.014	.99 993	8.00	1 490.5	1 490.5	1.00 000
5.15	86.213	86.219	.99 993	8.25	1 913.8	1 913.8	1.00 000
5.20	90.633	90.639	.99 994	8.50	2 457.4	2 457.4	1.00 000
5.25	95.281	95.286	.99 994	**8.75**	3 155.3	3 155.3	1.00 000
5.30	100.17	100.17	.99 995	9.00	4 051.5	4 051.5	1.00 000
5.35	105.30	105.31	.99 995	9.25	5 202.3	5 202.3	1.00 000
5.40	110.70	110.71	.99 996	9.50	6 679.9	6 679.9	1.00 000
5.45	116.38	116.38	.99 996	9.75	8 577.1	8 577.1	1.00 000
5.50	122.34	122.35	.99 997	**10.00**	11 013.2	11 013.2	1.00 000
x	Sinh x	Cosh x	Tanh x	x	Sinh x	Cosh x	Tanh x

3.00 — Values of Hyperbolic Functions — 10.00

TABLE 17

American Experience Table of Mortality

x	l_x	d_x	p_x	$\mathring{e}_x$	x	l_x	d_x	p_x	$\mathring{e}_x$
10	100 000	749	.992 510	48.72	**55**	64 563	1199	.981 429	17.40
11	99 251	746	.992 484	48.08	56	63 364	1260	.980 115	16.72
12	98 505	743	.992 457	47.45	57	62 104	1325	.978 665	16.05
13	97 762	740	.992 431	46.80	58	60 779	1394	.977 064	15.39
14	97 022	737	.992 404	46.16	59	59 385	1468	.975 280	14.74
15	96 285	735	.992 366	45.50	**60**	57 917	1546	.973 307	14.10
16	95 550	732	.992 339	44.85	61	56 371	1628	.971 120	13.47
17	94 818	729	.992 312	44.19	62	54 743	1713	.968 708	12.86
18	94 089	727	.992 273	43.53	63	53 030	1800	.966 057	12.26
19	93 362	725	.992 235	42.87	64	51 230	1889	.963 127	11.67
20	92 637	723	.992 195	42.20	**65**	49 341	1980	.959 871	11.10
21	91 914	722	.992 145	41.53	66	47 361	2070	.956 293	10.54
22	91 192	721	.992 094	40.85	67	45 291	2158	.952 353	10.00
23	90 471	720	.992 042	40.17	68	43 133	2243	.947 998	9.47
24	89 751	719	.991 989	39.49	69	40 890	2321	.943 238	8.97
25	89 032	718	.991 935	38.81	**70**	38 569	2391	.938 007	8.48
26	88 314	718	.991 870	38.12	71	36 178	2448	.932 335	8.00
27	87 596	718	.991 803	37.43	72	33 730	2487	.926 267	7.55
28	86 878	718	.991 736	36.73	73	31 243	2505	.919 822	7.11
29	86 160	719	.991 655	36.03	74	28 738	2501	.912 972	6.68
30	85 441	720	.991 573	35.33	**75**	26 237	2476	.905 629	6.27
31	84 721	721	.991 490	34.63	76	23 761	2431	.897 689	5.88
32	84 000	723	.991 393	33.92	77	21 330	2369	.888 936	5.49
33	83 277	726	.991 282	33.21	78	18 961	2291	.879 173	5.11
34	82 551	729	.991 169	32.50	79	16 670	2196	.868 266	4.74
35	81 822	732	.991 054	31.78	**80**	14 474	2091	.855 534	4.39
36	81 090	737	.990 911	31.07	81	12 383	1964	.841 395	4.05
37	80 353	742	.990 766	30.35	82	10 419	1816	.825 703	3.71
38	79 611	749	.990 592	29.62	83	8 603	1648	.808 439	3.39
39	78 862	756	.990 414	28.90	84	6 955	1470	.788 641	3.08
40	78 106	765	.990 206	28.18	**85**	5 485	1292	.764 448	2.77
41	77 341	774	.989 992	27.45	86	4 193	1114	.734 319	2.47
42	76 567	785	.989 748	26.72	87	3 079	933	.696 980	2.18
43	75 782	797	.989 483	26.00	88	2 146	744	.653 308	1.91
44	74 985	812	.989 171	25.27	89	1 402	555	.604 137	1.66
45	74 173	828	.988 837	24.54	**90**	847	385	.545 455	1.42
46	73 345	848	.988 438	23.81	91	462	246	.467 532	1.19
47	72 497	870	.988 000	23.08	92	216	137	.365 741	0.98
48	71 627	896	.987 491	22.36	93	79	58	.265 823	0.80
49	70 731	927	.986 894	21.63	94	21	18	.142 857	0.64
50	69 804	962	.986 219	20.91	**95**	3	3	.000 000	0.50
51	68 842	1001	.985 459	20.20					
52	67 841	1044	.984 611	19.49					
53	66 797	1091	.983 667	18.79					
54	65 706	1143	.982 604	18.09					
x	l_x	d_x	p_x	$\mathring{e}_x$	x	l_x	d_x	p_x	$\mathring{e}_x$

l_x = number living at age x,
d_x = number dying at age x,
p_x = yearly probability of living,
$\mathring{e}_x$ = complete expectation of life.

American Experience Table of Mortality

Commissioners 1941 Standard Ordinary Mortality Table

x	l_x	d_x	p_x	$\mathring{e}_x$	x	l_x	d_x	p_x	$\mathring{e}_x$
0	1 023 102	23 102	.977 42	62.33	**50**	810 900	9 990	.987 68	21.37
1	1 000 000	5 770	.994 23	62.76	51	800 910	10 628	.986 73	20.64
2	994 230	4 116	.995 86	62.12	52	790 282	11 301	.985 70	19.91
3	990 114	3 347	.996 62	61.37	53	778 981	12 020	.984 57	19.19
4	986 767	2 950	.997 01	60.58	54	766 961	12 770	.983 35	18.48
5	983 817	2 715	.997 24	59.76	**55**	754 191	13 560	.982 02	17.78
6	981 102	2 561	.997 39	58.92	56	740 631	14 390	.980 57	17.10
7	978 541	2 417	.997 53	58.08	57	726 241	15 251	.979 00	16.43
8	976 124	2 255	.997 69	57.22	58	710 990	16 147	.977 29	15.77
9	973 869	2 065	.997 88	56.35	59	694 843	17 072	.975 43	15.13
10	971 804	1 914	.998 03	55.47	**60**	677 771	18 022	.973 41	14.50
11	969 890	1 852	.998 09	54.58	61	659 749	18 988	.971 22	13.88
12	968 038	1 859	.998 08	53.68	62	640 761	19 979	.968 82	13.27
13	966 179	1 913	.998 02	52.78	63	620 782	20 958	.966 24	12.69
14	964 266	1 996	.997 93	51.89	64	599 824	21 942	.963 42	12.11
15	962 270	2 069	.997 85	50.99	**65**	577 882	22 907	.960 36	11.55
16	960 201	2 103	.997 81	50.10	66	554 975	23 842	.957 04	11.01
17	958 098	2 156	.997 75	49.21	67	531 133	24 730	.953 44	10.48
18	955 942	2 199	.997 70	48.32	68	506 403	25 553	.949 54	9.97
19	953 743	2 260	.997 63	47.43	69	480 850	26 302	.945 30	9.47
20	951 483	2 312	.997 57	46.54	**70**	454 548	26 955	.940 70	8.99
21	949 171	2 382	.997 49	45.66	71	427 593	27 481	.935 73	8.52
22	946 789	2 452	.997 41	44.77	72	400 112	27 872	.930 34	8.08
23	944 337	2 531	.997 32	43.88	73	372 240	28 104	.924 50	7.64
24	941 806	2 609	.997 23	43.00	74	344 136	28 154	.918 19	7.23
25	939 197	2 705	.997 12	42.12	**75**	315 982	28 009	.911 36	6.82
26	936 492	2 800	.997 01	41.24	76	287 973	27 651	.903 98	6.44
27	933 692	2 904	.996 89	40.36	77	260 322	27 071	.896 01	6.07
28	930 788	3 025	.996 75	39.49	78	233 251	26 262	.887 41	5.72
29	927 763	3 154	.996 60	38.61	79	206 989	25 224	.878 14	5.38
30	924 609	3 292	.996 44	37.74	**80**	181 765	23 966	.868 15	5.06
31	921 317	3 437	.996 27	36.88	81	157 799	22 502	.857 40	4.75
32	917 880	3 598	.996 08	36.01	82	135 297	20 857	.845 84	4.46
33	914 282	3 767	.995 88	35.15	83	114 440	19 062	.833 43	4.18
34	910 515	3 961	.995 65	34.29	84	95 378	17 157	.820 12	3.91
35	906 554	4 161	.995 41	33.44	**85**	78 221	15 185	.805 87	3.66
36	902 393	4 386	.995 14	32.59	86	63 036	13 198	.790 63	3.42
37	898 007	4 625	.994 85	31.75	87	49 838	11 245	.774 37	3.19
38	893 382	4 878	.994 54	30.91	88	38 593	9 378	.757 00	2.98
39	888 504	5 162	.994 19	30.08	89	29 215	7 638	.738 56	2.77
40	883 342	5 459	.993 82	29.25	**90**	21 577	6 063	.719 01	2.58
41	877 883	5 785	.993 41	28.43	91	15 514	4 681	.698 27	2.39
42	872 098	6 131	.992 97	27.62	92	10 833	3 506	.676 36	2.21
43	865 967	6 503	.992 49	26.81	93	7 327	2 540	.653 34	2.03
44	859 464	6 910	.991 96	26.01	94	4 787	1 776	.629 00	1.84
45	852 554	7 340	.991 39	25.21	**95**	3 011	1 193	.603 79	1.63
46	845 214	7 801	.990 77	24.43	96	1 818	813	.552 81	1.37
47	837 413	8 299	.990 09	23.65	97	1 005	551	.451 74	1.08
48	829 114	8 822	.989 36	22.88	98	454	329	.275 33	.78
49	820 292	9 392	.988 55	22.12	99	125	125	.000 00	.50
x	l_x	d_x	p_x	$\mathring{e}_x$	x	l_x	d_x	p_x	$\mathring{e}_x$

Commissioners 1941 Standard Ordinary Mortality Table

Commutation Columns 2½%

Commissioners 1941 Standard Ordinary Mortality Table*

x	D_x	N_x	C_x	M_x	a_x	A_x
1	975 609.76	30 351 128	5 491.969 1	235 338.35	31.109 9	.241 222
2	946 322.43	29 375 518	3 822.115 2	229 846.38	31.041 8	.242 884
3	919 419.28	28 429 196	3 032.216 8	226 024.26	30.920 8	.245 834
4	893 962.20	27 509 776	2 607.370 2	222 992.05	30.772 9	.249 442
5	869 550.88	26 615 814	2 341.136 0	220 384.68	30.608 7	.253 447
6	846 001.18	25 746 263	2 154.480 3	218 043.54	30.432 9	.257 734
7	823 212.53	24 900 262	1 983.744 5	215 889.06	30.247 7	.262 252
8	801 150.42	24 077 050	1 805.642 5	213 905.32	30.053 1	.266 998
9	779 804.53	23 275 899	1 613.174 7	212 099.67	29.848 4	.271 991
10	759 171.73	22 496 095	1 458.745 1	210 486.50	29.632 4	.277 258
11	739 196.60	21 736 923	1 377.065 5	209 027.75	29.406 1	.282 777
12	719 790.36	20 997 726	1 348.556 5	207 650.69	29.172 0	.288 488
13	700 885.94	20 277 936	1 353.882 1	206 302.13	28.931 9	.294 345
14	682 437.28	19 577 050	1 378.169 3	204 948.25	28.687 0	.300 318
15	664 414.29	18 894 613	1 393.730 0	203 570.08	28.438 0	.306 390
16	646 815.33	18 230 198	1 382.081 2	202 176.35	28.184 5	.312 572
17	629 657.27	17 583 383	1 382.353 7	200 794.27	27.925 3	.318 895
18	612 917.42	16 953 726	1 375.535 5	199 411.91	27.660 7	.325 349
19	596 592.68	16 340 808	1 379.212 3	198 036.38	27.390 2	.331 946
20	580 662.42	15 744 216	1 376.533 1	196 657.17	27.114 2	.338 677
21	565 123.40	15 163 553	1 383.619 6	195 280.63	26.832 3	.345 554
22	549 956.28	14 598 430	1 389.541 6	193 897.01	25.544 7	.352 568
23	535 153.17	14 048 474	1 399.327 5	192 507.47	26.251 3	.359 724
24	520 701.32	13 513 320	1 407.270 0	191 108.14	25.952 2	.367 021
25	506 594.02	12 992 619	1 423.464 9	189 700.88	25.647 0	.374 463
26	492 814.61	12 486 025	1 437.519 2	188 277.41	25.336 2	.382 045
27	479 357.22	11 993 210	1 454.549 1	186 839.89	25.019 4	.389 772
28	466 211.03	11 513 853	1 478.200 3	185 385.34	24.696 7	.397 643
29	453 361.83	11 047 642	1 503.646 4	183 907.14	24.368 3	.405 652
30	440 800.58	10 594 280	1 531.158 0	182 403.50	24.034 2	.413 800
31	428 518.18	10 153 480	1 559.609 4	180 872.34	23.694 4	.422 088
32	416 506.91	9 724 962	1 592.845 3	179 312.73	23.348 9	.430 516
33	404 755.37	9 308 455	1 626.987 4	177 719.88	22.997 7	.439 080
34	393 256.29	8 903 699	1 669.050 8	176 092.90	22.641 0	.447 781
35	381 995.63	8 510 443	1 710.561 0	174 423.84	22.278 9	.456 612
36	370 968.10	8 128 447	1 759.080 1	172 713.28	21.911 4	.465 574
37	360 161.02	7 757 479	1 809.692 8	170 954.20	21.538 9	.474 660
38	349 566.90	7 397 318	1 862.134 5	169 144.51	21.161 4	.483 869
39	339 178.75	7 047 751	1 922.486 9	167 282.38	20.778 9	.493 198
40	328 983.61	6 708 573	1 983.511 0	165 359.89	20.391 8	.502 639
41	318 976.11	6 379 589	2 050.694 7	163 376.38	20.000 2	.512 190
42	309 145.51	6 060 613	2 120.338 1	161 325.68	19.604 4	.521 844
43	299 485.04	5 751 467	2 194.136 7	159 205.35	19.204 5	.531 597
44	289 986.39	5 451 982	2 274.595 1	157 011.21	18.800 8	.541 443
45	280 638.95	5 161 996	2 357 209 9	154 736.61	18.393 7	.551 373
46	271 436.89	4 881 357	2 444.154 2	152 379.40	17.983 4	.561 381
47	262 372.33	4 609 920	2 536.765 0	149 935.25	17.570 1	.571 460
48	253 436.24	4 347 548	2 630.859 4	147 398.48	17.154 4	.581 600
49	244 624.00	4 094 112	2 732.529 2	144 767.62	16.736 3	.591 796
50	235 925.04	3 849 488	2 835.622 1	142 035.10	16.316 6	.602 035
x	D_x	N_x	C_x	M_x	a_x	A_x

* Reproduced by permission of the Actuarial Society of America.

Commutation Columns 2½%

Commissioners 1941 Standard Ordinary Mortality Table

x	D_x	N_x	C_x	M_x	a_x	A_x
51	227 335.15	3 613 563	2 943.137 4	139 199.47	15.895 3	.612 310
52	218 847.25	3 386 227	3 053.177 2	136 256.34	15.473 0	.622 609
53	210 456.33	3 167 380	3 168.222 9	133 203.16	15.050 1	.632 925
54	202 155.03	2 956 924	3 283.812 1	130 034.94	14.627 0	.643 244
55	193 940.61	2 754 769	3 401.913 1	126 751.12	14.204 2	.653 556
56	185 808.43	2 560 828	3 522.090 1	123 349.21	13.782 1	.663 852
57	177 754.43	2 375 020	3 641.783 5	119 827.12	13 361 2	.674 116
58	169 777.17	2 197 265	3 761.696 8	116 185.34	12.942 1	.684 340
59	161.874 57	2 027 488	3 880.185 4	112 423.64	12.525 1	.694 511
60	154 046.23	1 865 614	3 996.199 9	108 543.46	12.110 7	.704 616
61	146 292.80	1 711 567	4 107.708 0	104 547.26	11.699 6	.714 644
62	138 616.97	1 565 275	4 216.676 0	100 439.55	11.292 1	.724 583
63	131 019.40	1 426 658	4 315.413 8	96 222.87	10.888 9	.734 417
64	123 508.39	1 295 638	4 407.831 2	91 907.46	10.490 3	.744 139
65	116 088.15	1 172 130	4 489.449 7	87 499.63	10.096 9	.753 734
66	108 767.29	1 056 042	4 558.728 2	83 010.18	9.709 2	.763 191
67	101 555.70	947 274.4	4 613.189 3	78 451.45	9.327 6	.772 497
68	94 465.545	845 718.7	4 650.452 1	73 838.26	8.952 7	.781 642
69	87 511.050	751 253.1	4 670.014 3	69 187.81	8.584 7	.790 618
70	80 706.625	663 742.1	4 669.226 0	64 517.79	8.224 1	.799 411
71	74 068.942	583 035.4	4 644.235 4	59 848.57	7.871 5	.808 012
72	67 618.148	508 966.5	4 595.428 1	55 204.33	7.527 1	.816 413
73	61 373.498	441 348.3	4 520.662 7	50 608.90	7.191 2	.824 605
74	55 355.921	379 974.8	4 418.249 2	46 088.24	6.864 2	.832 580
75	49 587.526	324 618.9	4 288.286 9	41 669.99	6.546 4	.840 332
76	44 089.787	275 031.4	4 130.220 2	37 381.70	6.238 0	.847 854
77	38 884.206	230 941.6	3 944.961 8	33 251.48	5.939 2	.855 141
78	33 990.850	192 057.4	3 733.725 8	29 306.52	5.650 3	.862 189
79	29 428.077	158 066.6	3 498.684 1	25 572.80	5.371 3	.868 993
80	25 211.636	128 638.5	3 243.115 8	22 074.11	5.102 3	.875 553
81	21 353.602	103 426.8	2 970.736 8	18 831.00	4.843 5	.881 865
82	17 862.047	82 073.24	2 686.402 0	15 860.26	4.594 8	.887 931
83	14 739.984	64 211.19	2 395.321 2	13 173.86	4 356 3	.893 750
84	11 985.151	49 471.21	2 103.356 1	10 778.54	4.127 7	.899 324
85	9 589.474 6	37 486.06	1 816.194 6	8 675.180	3.909 1	.904 656
86	7 539.390 5	27 896.58	1 540.039 4	6 858.986	3.700 1	.909 753
87	5 815.463 2	20 357.19	1 280.145 4	5 318.946	3.500 5	.914 621
88	4 393.477 3	14 541.73	1 041.564 6	4 038.801	3.309 8	.919 272
89	3 244.754 6	10 148.25	827.621 52	2 997.236	3.127 6	.923 717
90	2 337.992 9	6 903.496	640.937 68	2 169.615	2.952 7	.927 982
91	1 640.030 9	4 565.503	482.773 06	1 528.677	2.783 8	.932 103
92	1 117.257 1	2 925.472	352.770 63	1 045.904	2.618 4	.936 136
93	737.236 29	1 808.215	249.339 10	693.133 5	2.452 7	.940 178
94	469.915 86	1 070.979	170.088 82	443.794 4	2.279 1	.944 413
95	288.365 67	601.062 8	111.467 79	273.705 6	2.084 4	.949 162
96	169.864 58	312.697 2	74.109 795	162.237 8	1.840 9	.955 101
97	91.611 740	142.832 6	49.001 885	88.128 0	1.559 1	.961 973
98	40.375 419	51.220 9	28.545 208	39.126 1	1.268 6	.969 058
99	10.845 444	10.845 4	10.580 921	10.580 9	1.000 0	.975 610
x	D_x	N_x	C_x	M_x	a_x	A_x

Amount of 1 at Compound Interest: $(1 + r)^n$

n	1%	1½%	2%	2½%	3%	3½%	4%	5%	6%	n
1	1.0100	1.0150	1.0200	1.0250	1.0300	1.0350	1.0400	1.0500	1.0600	**1**
2	1.0201	1.0302	1.0404	1.0506	1.0609	1.0712	1.0816	1.1025	1.1236	2
3	1.0303	1.0457	1.0612	1.0769	1.0927	1.1087	1.1249	1.1576	1.1910	3
4	1.0406	1.0614	1.0824	1.1038	1.1255	1.1475	1.1699	1.2155	1.2625	4
5	1.0510	1.0773	1.1041	1.1314	1.1593	1.1877	1.2167	1.2763	1.3382	5
6	1.0615	1.0934	1.1262	1.1597	1.1941	1.2293	1.2653	1.3401	1.4185	**6**
7	1.0721	1.1098	1.1487	1.1887	1.2299	1.2723	1.3159	1.4071	1.5036	7
8	1.0829	1.1265	1.1717	1.2184	1.2668	1.3168	1.3686	1.4775	1.5938	8
9	1.0937	1.1434	1.1951	1.2489	1.3048	1.3629	1.4233	1.5513	1.6895	9
10	1.1046	1.1605	1.2190	1.2801	1.3439	1.4106	1.4802	1.6289	1.7908	10
11	1.1157	1.1779	1.2434	1.3121	1.3842	1.4600	1.5395	1.7103	1.8983	**11**
12	1.1268	1.1956	1.2682	1.3449	1.4258	1.5111	1.6010	1.7959	2.0122	12
13	1.1381	1.2136	1.2936	1.3785	1.4685	1.5640	1.6651	1.8856	2.1329	13
14	1.1495	1.2318	1.3195	1.4130	1.5126	1.6187	1.7317	1.9799	2.2609	14
15	1.1610	1.2502	1.3459	1.4483	1.5580	1.6753	1.8009	2.0789	2.3966	15
16	1.1726	1.2690	1.3728	1.4845	1.6047	1.7340	1.8730	2.1829	2.5404	**16**
17	1.1843	1.2880	1.4002	1.5216	1.6528	1.7947	1.9479	2.2920	2.6928	17
18	1.1961	1.3073	1.4282	1.5597	1.7024	1.8575	2.0258	2.4066	2.8543	18
19	1.2081	1.3270	1.4568	1.5987	1.7535	1.9225	2.1068	2.5270	3.0256	19
20	1.2202	1.3469	1.4859	1.6386	1.8061	1.9898	2.1911	2.6533	3.2071	20
21	1.2324	1.3671	1.5157	1.6796	1.8603	2.0594	2.2788	2.7860	3.3996	**21**
22	1.2447	1.3876	1.5460	1.7216	1.9161	2.1315	2.3699	2.9253	3.6035	22
23	1.2572	1.4084	1.5769	1.7646	1.9736	2.2061	2.4647	3.0715	3.8197	23
24	1.2697	1.4295	1.6084	1.8087	2.0328	2.2833	2.5633	3.2251	4.0489	24
25	1.2824	1.4509	1.6406	1.8539	2.0938	2.3632	2.6658	3.3864	4.2919	25
26	1.2953	1.4727	1.6734	1.9003	2.1566	2.4460	2.7725	3.5557	4.5494	**26**
27	1.3082	1.4948	1.7069	1.9478	2.2213	2.5316	2.8834	3.7335	4.8223	27
28	1.3213	1.5172	1.7410	1.9965	2.2879	2.6202	2.9987	3.9201	5.1117	28
29	1.3345	1.5400	1.7758	2.0464	2.3566	2.7119	3.1187	4.1161	5.4184	29
30	1.3478	1.5631	1.8114	2.0976	2.4273	2.8068	3.2434	4.3219	5.7435	30
31	1.3613	1.5865	1.8476	2.1500	2.5001	2.9050	3.3731	4.5380	6.0881	**31**
32	1.3749	1.6103	1.8845	2.2038	2.5751	3.0067	3.5081	4.7649	6.4534	32
33	1.3887	1.6345	1.9222	2.2589	2.6523	3.1119	3.6484	5.0032	6.8406	33
34	1.4026	1.6590	1.9607	2.3153	2.7319	3.2209	3.7943	5.2533	7.2510	34
35	1.4166	1.6839	1.9999	2.3732	2.8139	3.3336	3.9461	5.5160	7.6861	35
36	1.4308	1.7091	2.0399	2.4325	2.8983	3.4503	4.1039	5.7918	8.1473	**36**
37	1.4451	1.7348	2.0807	2.4933	2.9852	3.5710	4.2681	6.0814	8.6361	37
38	1.4595	1.7608	2.1223	2.5557	3.0748	3.6960	4.4388	6.3855	9.1543	38
39	1.4741	1.7872	2.1647	2.6196	3.1670	3.8254	4.6164	6.7048	9.7035	39
40	1.4889	1.8140	2.2080	2.6851	3.2620	3.9593	4.8010	7.0400	10.2857	40
41	1.5038	1.8412	2.2522	2.7522	3.3599	4.0978	4.9931	7.3920	10.9029	**41**
42	1.5188	1.8688	2.2972	2.8210	3.4607	4.2413	5.1928	7.7616	11.5570	42
43	1.5340	1.8969	2.3432	2.8915	3.5645	4.3897	5.4005	8.1497	12.2505	43
44	1.5493	1.9253	2.3901	2.9638	3.6715	4.5433	5.6165	8.5572	12.9855	44
45	1.5648	1.9542	2.4379	3.0379	3.7816	4.7024	5.8412	8.9850	13.7646	45
46	1.5805	1.9835	2.4866	3.1139	3.8950	4.8669	6.0748	9.4343	14.5905	**46**
47	1.5963	2.0133	2.5363	3.1917	4.0119	5.0373	6.3178	9.9060	15.4659	47
48	1.6122	2.0435	2.5871	3.2715	4.1323	5.2136	6.5705	10.4013	16.3939	48
49	1.6283	2.0741	2.6388	3.3533	4.2562	5.3961	6.8333	10.9213	17.3775	49
50	1.6446	2.1052	2.6916	3.4371	4.3839	5.5849	7.1067	11.4674	18.4202	50
n	1%	1½%	2%	2½%	3%	3½%	4%	5%	6%	n

Amount of 1 at Compound Interest: $(1 + r)^n$

TABLE 21

Present Value of 1 at Compound Interest: $(1 + r)^{-n}$

n	1%	1½%	2%	2½%	3%	3½%	4%	5%	6%	n
1	.99010	.98522	.98039	.97561	.97087	.96618	.96154	.95238	.94340	**1**
2	.98030	.97066	.96117	.95181	.94260	.93351	.92456	.90703	.89000	2
3	.97059	.95632	.94232	.92860	.91514	.90194	.88900	.86384	.83962	3
4	.96098	.94218	.92385	.90595	.88849	.87144	.85480	.82270	.79209	4
5	.95147	.92826	.90573	.88385	.86261	.84197	.82193	.78353	.74726	5
6	.94205	.91454	.88797	.86230	.83748	.81350	.79031	.74622	.70496	**6**
7	.93272	.90103	.87056	.84127	.81309	.78599	.75992	.71068	.66506	7
8	.92348	.88771	.85349	.82075	.78941	.75941	.73069	.67684	.62741	8
9	.91434	.87459	.83676	.80073	.76642	.73373	.70259	.64461	.59190	9
10	.90529	.86167	.82035	.78120	.74409	.70892	.67556	.61391	.55839	10
11	.89632	.84893	.80426	.76214	.72242	.68495	.64958	.58468	.52679	**11**
12	.88745	.83639	.78849	.74356	.70138	.66178	.62460	.55684	.49697	12
13	.87866	.82403	.77303	.72542	.68095	.63940	.60057	.53032	.46884	13
14	.86996	.81185	.75788	.70773	.66112	.61778	.57748	.50507	.44230	14
15	.86135	.79985	.74301	.69047	.64186	.59689	.55526	.48102	.41727	15
16	.85282	.78803	.72845	.67362	.62317	.57671	.53391	.45811	.39365	**16**
17	.84438	.77639	.71416	.65720	.60502	.55720	.51337	.43630	.37136	17
18	.83602	.76491	.70016	.64117	.58739	.53836	.49363	.41552	.35034	18
19	.82774	.75361	.68643	.62553	.57029	.52016	.47464	.39573	.33051	19
20	.81954	.74247	.67297	.61027	.55368	.50257	.45639	.37689	.31180	20
21	.81143	.73150	.65978	.59539	.53755	.48557	.43883	.35894	.29416	**21**
22	.80340	.72069	.64684	.58086	.52189	.46915	.42196	.34185	.27751	22
23	.79544	.71004	.63416	.56670	.50669	.45329	.40573	.32557	.26180	23
24	.78757	.69954	.62172	.55288	.49193	.43796	.39012	.31007	.24698	24
25	.77977	.68921	.60953	.53939	.47761	.42315	.37512	.29530	.23300	25
26	.77205	.67902	.59758	.52623	.46369	.40884	.36069	.28124	.21981	**26**
27	.76440	.66899	.58586	.51340	.45019	.39501	.34682	.26785	.20737	27
28	.75684	.65910	.57437	.50088	.43708	.38165	.33348	.25509	.19563	28
29	.74934	.64936	.56311	.48866	.42435	.36875	.32065	.24295	.18456	29
30	.74192	.63976	.55207	.47674	.41199	.35628	.30832	.23138	.17411	30
31	.73458	.63031	.54125	.46511	.39999	.34423	.29646	.22036	.16425	**31**
32	.72730	.62099	.53063	.45377	.38834	.33259	.28506	.20987	.15496	32
33	.72010	.61182	.52023	.44270	.37703	.32134	.27409	.19987	.14619	33
34	.71297	.60277	.51003	.43191	.36604	.31048	.26355	.19035	.13791	34
35	.70591	.59387	.50003	.42137	.35538	.29998	.25342	.18129	.13011	35
36	.69892	.58509	.49022	.41109	.34503	.28983	.24367	.17266	.12274	**36**
37	.69200	.57644	.48061	.40107	.33498	.28003	.23430	.16444	.11579	37
38	.68515	.56792	.47119	.39128	.32523	.27056	.22529	.15661	.10924	38
39	.67837	.55953	.46195	.38174	.31575	.26141	.21662	.14915	.10306	39
40	.67165	.55126	.45289	.37243	.30656	.25257	.20829	.14205	.09722	40
41	.66500	.54312	.44401	.36335	.29763	.24403	.20028	.13528	.09172	**41**
42	.65842	.53509	.43530	.35448	.28896	.23578	.19257	.12884	.08653	42
43	.65190	.52718	.42677	.34584	.28054	.22781	.18517	.12270	.08163	43
44	.64545	.51939	.41840	.33740	.27237	.22010	.17805	.11686	.07701	44
45	.63905	.51171	.41020	.32917	.26444	.21266	.17120	.11130	.07265	45
46	.63273	.50415	.40215	.32115	.25674	.20547	.16461	.10600	.06854	**46**
47	.62646	.49670	.39427	.31331	.24926	.19852	.15828	.10095	.06466	47
48	.62026	.48936	.38654	.30567	.24200	.19181	.15219	.09614	.06100	48
49	.61412	.48213	.37896	.29822	.23495	.18532	.14634	.09156	.05755	49
50	.60804	.47500	.37153	.29094	.22811	.17905	.14071	.08720	.05429	50
n	1%	1½%	2%	2½%	3%	3½%	4%	5%	6%	n

Present Value of 1 at Compound Interest: $(1 + r)^{-n}$

TABLE 22

Amount of 1 per Annum at Compound Interest: $[(1 + r)^n - 1]/r$

n	1%	1½%	2%	2½%	3%	3½%	4%	5%	6%	n
1	1.0000	1.0000	1.0000	1.0000	1.0000	1.0000	1.0000	1.0000	1.0000	**1**
2	2.0100	2.0150	2.0200	2.0250	2.0300	2.0350	2.0400	2.0500	2.0600	2
3	3.0301	3.0452	3.0604	3.0756	3.0909	3.1062	3.1216	3.1525	3.1836	3
4	4.0604	4.0909	4.1216	4.1525	4.1836	4.2149	4.2465	4.3101	4.3746	4
5	5.1010	5.1523	5.2040	5.2563	5.3091	5.3625	5.4163	5.5256	5.6371	5
6	6.1520	6.2296	6.3081	6.3877	6.4684	6.5502	6.6330	6.8019	6.9753	**6**
7	7.2135	7.3230	7.4343	7.5474	7.6625	7.7794	7.8983	8.1420	8.3938	7
8	8.2857	8.4328	8.5830	8.7361	8.8923	9.0517	9.2142	9.5491	9.8975	8
9	9.3685	9.5593	9.7546	9.9545	10.1591	10.3685	10.5828	11.0266	11.4913	9
10	10.4622	10.7027	10.9497	11.2034	11.4639	11.7314	12.0061	12.5779	13.1808	10
11	11.5668	11.8633	12.1687	12.4835	12.8078	13.1420	13.4864	14.2068	14.9716	**11**
12	12.6825	13.0412	13.4121	13.7956	14.1920	14.6020	15.0258	15.9171	16.8699	12
13	13.8093	14.2368	14.6803	15.1404	15.6178	16.1130	16.6268	17.7130	18.8821	13
14	14.9474	15.4504	15.9739	16.5190	17.0863	17.6770	18.2919	19.5986	21.0151	14
15	16.0969	16.6821	17.2934	17.9319	18.5989	19.2957	20.0236	21.5786	23.2760	15
16	17.2579	17.9324	18.6393	19.3802	20.1569	20.9710	21.8245	23.6575	25.6725	**16**
17	18.4304	19.2014	20.0121	20.8647	21.7616	22.7050	23.6975	25.8404	28.2129	17
18	19.6147	20.4894	21.4123	22.3863	23.4144	24.4997	25.6454	28.1324	30.9057	18
19	20.8109	21.7967	22.8406	23.9460	25.1169	26.3572	27.6712	30.5390	33.7600	19
20	22.0190	23.1237	24.2974	25.5447	26.8704	28.2797	29.7781	33.0660	36.7856	20
21	23.2392	24.4705	25.7833	27.1833	28.6765	30.2695	31.9692	35.7193	39.9927	**21**
22	24.4716	25.8376	27.2990	28.8629	30.5368	32.3289	34.2480	38.5052	43.3923	22
23	25.7163	27.2251	28.8450	30.5844	32.4529	34.4604	36.6179	41.4305	46.9958	23
24	26.9735	28.6335	30.4219	32.3490	34.4265	36.6665	39.0826	44.5020	50.8156	24
25	28.2432	30.0630	32.0303	34.1578	36.4593	38.9499	41.6459	47.7271	54.8645	25
26	29.5256	31.5140	33.6709	36.0117	38.5530	41.3131	44.3117	51.1135	59.1564	**26**
27	30.8209	32.9867	35.3443	37.9120	40.7096	43.7591	47.0842	54.6691	63.7058	27
28	32.1291	34.4815	37.0512	39.8598	42.9309	46.2906	49.9676	58.4026	68.5281	28
29	33.4504	35.9987	38.7922	41.8563	45.2189	48.9108	52.9663	62.3227	73.6398	29
30	34.7849	37.5387	40.5681	43.9027	47.5754	51.6227	56.0849	66.4388	79.0582	30
31	36.1327	39.1018	42.3794	46.0003	50.0027	54.4295	59.3283	70.7608	84.8017	**31**
32	37.4941	40.6883	44.2270	48.1503	52.5028	57.3345	62.7015	75.2988	90.8898	32
33	38.8690	42.2986	46.1116	50.3540	55.0778	60.3412	66.2095	80.0638	97.3432	33
34	40.2577	43.9331	48.0338	52.6129	57.7302	63.4532	69.8579	85.0670	104.1838	34
35	41.6603	45.5921	49.9945	54.9282	60.4621	66.6740	73.6522	90.3203	111.4348	35
36	43.0769	47.2760	51.9944	57.3014	63.2759	70.0076	77.5983	95.8363	119.1209	**36**
37	44.5076	48.9851	54.0343	59.7339	66.1742	73.4579	81.7022	101.6281	127.2681	37
38	45.9527	50.7199	56.1149	62.2273	69.1594	77.0289	85.9703	107.7095	135.9042	38
39	47.4123	52.4807	58.2372	64.7830	72.2342	80.7249	90.4091	114.0950	145.0585	39
40	48.8864	54.2679	60.4020	67.4026	75.4013	84.5503	95.0255	120.7998	154.7620	40
41	50.3752	56.0819	62.6100	70.0876	78.6633	88.5095	99.8265	127.8398	165.0477	**41**
42	51.8790	57.9231	64.8622	72.8398	82.0232	92.6074	104.8196	135.2318	175.9505	42
43	53.3978	59.7920	67.1595	75.6608	85.4839	96.8486	110.0124	142.9933	187.5076	43
44	54.9318	61.6889	69.5027	78.5523	89.0484	101.2383	115.4129	151.1430	199.7580	44
45	56.4811	63.6142	71.8927	81.5161	92.7199	105.7817	121.0294	159.7002	212.7435	45
46	58.0459	65.5684	74.3306	84.5540	96.5015	110.4840	126.8706	168.6852	226.5081	**46**
47	59.6263	67.5519	76.8172	87.6679	100.3965	115.3510	132.9454	178.1194	241.0986	47
48	61.2226	69.5652	79.3535	90.8596	104.4084	120.3883	139.2632	188.0254	256.5645	48
49	62.8348	71.6087	81.9406	94.1311	108.5406	125.6018	145.8337	198.4267	272.9584	49
50	64.4632	73.6828	84.5794	97.4843	112.7969	130.9979	152.6671	209.3480	290.3359	50
n	1%	1½%	2%	2½%	3%	3½%	4%	5%	6%	n

Amount of 1 per Annum at Compound Interest: $[(1 + r)^n - 1]/r$

Present Value of 1 per Annum at Compound Interest: $[1-(1+r)^{-n}]/r$

n	1%	1½%	2%	2½%	3%	3½%	4%	5%	6%	n
1	0.9901	0.9852	0.9804	0.9756	0.9709	0.9662	0.9615	0.9524	0.9434	**1**
2	1.9704	1.9559	1.9416	1.9274	1.9135	1.8997	1.8861	1.8594	1.8334	2
3	2.9410	2.9122	2.8839	2.8560	2.8286	2.8016	2.7751	2.7232	2.6730	3
4	3.9020	3.8544	3.8077	3.7620	3.7171	3.6731	3.6299	3.5460	3.4651	4
5	4.8534	4.7826	4.7135	4.6458	4.5797	4.5151	4.4518	4.3295	4.2124	5
6	5.7955	5.6972	5.6014	5.5081	5.4172	5.3286	5.2421	5.0757	4.9173	**6**
7	6.7282	6.5982	6.4720	6.3494	6.2303	6.1145	6.0021	5.7864	5.5824	7
8	7.6517	7.4859	7.3255	7.1701	7.0197	6.8740	6.7327	6.4632	6.2098	8
9	8.5660	8.3605	8.1622	7.9709	7.7861	7.6077	7.4353	7.1078	6.8017	9
10	9.4713	9.2222	8.9826	8.7521	8.5302	8.3166	8.1109	7.7217	7.3601	10
11	10.3676	10.0711	9.7868	9.5142	9.2526	9.0016	8.7605	8.3064	7.8869	**11**
12	11.2551	10.9075	10.5753	10.2578	9.9540	9.6633	9.3851	8.8633	8.3838	12
13	12.1337	11.7315	11.3484	10.9832	10.6350	10.3027	9.9856	9.3936	8.8527	13
14	13.0037	12.5434	12.1062	11.6909	11.2961	10.9205	10.5631	9.8986	9.2950	14
15	13.8651	13.3432	12.8493	12.3814	11.9379	11.5174	11.1184	10.3797	9.7122	15
16	14.7179	14.1313	13.5777	13.0550	12.5611	12.0941	11.6523	10.8378	10.1059	**16**
17	15.5623	14.9076	14.2919	13.7122	13.1661	12.6513	12.1657	11.2741	10.4773	17
18	16.3983	15.6726	14.9920	14.3534	13.7535	13.1897	12.6593	11.6896	10.8276	18
19	17.2260	16.4262	15.6785	14.9789	14.3238	13.7098	13.1339	12.0853	11.1581	19
20	18.0456	17.1686	16.3514	15.5892	14.8775	14.2124	13.5903	12.4622	11.4699	20
21	18.8570	17.9001	17.0112	16.1845	15.4150	14.6980	14.0292	12.8212	11.7641	**21**
22	19.6604	18.6208	17.6580	16.7654	15.9369	15.1671	14.4511	13.1630	12.0416	22
23	20.4558	19.3309	18.2922	17.3321	16.4436	15.6204	14.8568	13.4886	12.3034	23
24	21.2434	20.0304	18.9139	17.8850	16.9355	16.0584	15.2470	13.7986	12.5504	24
25	22.0232	20.7196	19.5235	18.4244	17.4131	16.4815	15.6221	14.0939	12.7834	25
26	22.7952	21.3986	20.1210	18.9506	17.8768	16.8904	15.9828	14.3752	13.0032	**26**
27	23.5596	22.0676	20.7069	19.4640	18.3270	17.2854	16.3296	14.6430	13.2105	27
28	24.3164	22.7267	21.2813	19.9649	18.7641	17.6670	16.6631	14.8981	13.4062	28
29	25.0658	23.3761	21.8444	20.4535	19.1885	18.0358	16.9837	15.1411	13.5907	29
30	25.8077	24.0158	22.3965	20.9303	19.6004	18.3920	17.2920	15.3725	13.7648	30
31	26.5423	24.6461	22.9377	21.3954	20.0004	18.7363	17.5885	15.5928	13.9291	**31**
32	27.2696	25.2671	23.4683	21.8492	20.3888	19.0689	17.8736	15.8027	14.0840	32
33	27.9897	25.8790	23.9886	22.2919	20.7658	19.3902	18.1476	16.0025	14.2302	33
34	28.7027	26.4817	24.4986	22.7238	21.1318	19.7007	18.4112	16.1929	14.3681	34
35	29.4086	27.0756	24.9986	23.1452	21.4872	20.0007	18.6646	16.3742	14.4982	35
36	30.1075	27.6607	25.4888	23.5563	21.8323	20.2905	18.9083	16.5469	14.6210	**36**
37	30.7995	28.2371	25.9695	23.9573	22.1672	20.5705	19.1426	16.7113	14.7368	37
38	31.4847	28.8051	26.4406	24.3486	22.4925	20.8411	19.3679	16.8679	14.8460	38
39	32.1630	29.3646	26.9026	24.7303	22.8082	21.1025	19.5845	17.0170	14.9491	39
40	32.8347	29.9158	27.3555	25.1028	23.1148	21.3551	19.7928	17.1591	15.0463	40
41	33.4997	30.4590	27.7995	25.4661	23.4124	21.5991	19.9931	17.2944	15.1380	**41**
42	34.1581	30.9941	28.2348	25.8206	23.7014	21.8349	20.1856	17.4232	15.2245	42
43	34.8100	31.5212	28.6616	26.1664	23.9819	22.0627	20.3708	17.5459	15.3062	43
44	35.4555	32.0406	29.0800	26.5038	24.2543	22.2828	20.5488	17.6628	15.3832	44
45	36.0945	32.5523	29.4902	26.8330	24.5187	22.4955	20.7200	17.7741	15.4558	45
46	36.7272	33.0565	29.8923	27.1542	24.7754	22.7009	20.8847	17.8801	15.5244	**46**
47	37.3537	33.5532	30.2866	27.4675	25.0247	22.8994	21.0429	17.9810	15.5890	47
48	37.9740	34.0426	30.6731	27.7732	25.2667	23.0912	21.1951	18.0772	15.6500	48
49	38.5881	34.5247	31.0521	28.0714	25.5017	23.2766	21.3415	18.1687	15.7076	49
50	39.1961	34.9997	31.4236	28.3623	25.7298	23.4556	21.4822	18.2559	15.7619	50
n	1%	1½%	2%	2½%	3%	3½%	4%	5%	6%	n

Present Value of 1 per Annum at Compound Interest: $[1-(1+r)^{-n}]/r$

Ordinates of the Normal Probability Curve

$$\phi(t) = \frac{1}{\sqrt{2\pi}} e^{-t^2/2}$$

t	0.00	0.01	0.02	0.03	0.04	0.05	0.06	0.07	0.08	0.09
0.0	.3989	.3989	.3989	.3988	.3986	.3984	.3982	.3980	.3977	.3973
0.1	.3970	.3965	.3961	.3956	.3951	.3945	.3939	.3932	.3925	.3918
0.2	.3910	.3902	.3894	.3885	.3876	.3867	.3857	.3847	.3836	.3825
0.3	.3814	.3802	.3790	.3778	.3765	.3752	.3739	.3725	.3712	.3697
0.4	.3683	.3668	.3653	.3637	.3621	.3605	.3589	.3572	.3555	.3538
0.5	.3521	.3503	.3485	.3467	.3448	.3429	.3410	.3391	.3372	.3352
0.6	.3332	.3312	.3292	.3271	.3251	.3230	.3209	.3187	.3166	.3144
0.7	.3123	.3101	.3079	.3056	.3034	.3011	.2989	.2966	.2943	.2920
0.8	.2897	.2874	.2850	.2827	.2803	.2780	.2756	.2732	.2709	.2685
0.9	.2661	.2637	.2613	.2589	.2565	.2541	.2516	.2492	.2468	.2444
1.0	.2420	.2396	.2371	.2347	.2323	.2299	.2275	.2251	.2227	.2203
1.1	.2179	.2155	.2131	.2107	.2083	.2059	.2036	.2012	.1989	.1965
1.2	.1942	.1919	.1895	.1872	.1849	.1826	.1804	.1781	.1758	.1736
1.3	.1714	.1691	.1669	.1647	.1626	.1604	.1582	.1561	.1539	.1518
1.4	.1497	.1476	.1456	.1435	.1415	.1394	.1374	.1354	.1334	.1315
1.5	.1295	.1276	.1257	.1238	.1219	.1200	.1182	.1163	.1145	.1127
1.6	.1109	.1092	.1074	.1057	.1040	.1023	.1006	.0989	.0973	.0957
1.7	.0940	.0925	.0909	.0893	.0878	.0863	.0848	.0833	.0818	.0804
1.8	.0790	.0775	.0761	.0748	.0734	.0721	.0707	.0694	.0681	.0669
1.9	.0656	.0644	.0632	.0620	.0608	.0596	.0584	.0573	.0562	.0551
2.0	.0540	.0529	.0519	.0508	.0498	.0488	.0478	.0468	.0459	.0449
2.1	.0440	.0431	.0422	.0413	.0404	.0396	.0387	.0379	.0371	.0363
2.2	.0355	.0347	.0339	.0332	.0325	.0317	.0310	.0303	.0297	.0290
2.3	.0283	.0277	.0270	.0264	.0258	.0252	.0246	.0241	.0235	.0229
2.4	.0224	.0219	.0213	.0208	.0203	.0198	.0194	.0189	.0184	.0180
2.5	.0175	.0171	.0167	.0163	.0158	.0154	.0151	.0147	.0143	.0139
2.6	.0136	.0132	.0129	.0126	.0122	.0119	.0116	.0113	.0110	.0107
2.7	.0104	.0101	.0099	.0096	.0093	.0091	.0088	.0086	.0084	.0081
2.8	.0079	.0077	.0075	.0073	.0071	.0069	.0067	.0065	.0063	.0061
2.9	.0060	.0058	.0056	.0055	.0053	.0051	.0050	.0048	.0047	.0046
3.0	.0044	.0043	.0042	.0040	.0039	.0038	.0037	.0036	.0035	.0034
3.1	.0033	.0032	.0031	.0030	.0029	.0028	.0027	.0026	.0025	.0025
3.2	.0024	.0023	.0022	.0022	.0021	.0020	.0020	.0019	.0018	.0018
3.3	.0017	.0017	.0016	.0016	.0015	.0015	.0014	.0014	.0013	.0013
3.4	.0012	.0012	.0012	.0011	.0011	.0010	.0010	.0010	.0009	.0009
3.5	.0009	.0008	.0008	.0008	.0008	.0007	.0007	.0007	.0007	.0006
3.6	.0006	.0006	.0006	.0005	.0005	.0005	.0005	.0005	.0005	.0004
3.7	.0004	.0004	.0004	.0004	.0004	.0004	.0003	.0003	.0003	.0003
3.8	.0003	.0003	.0003	.0003	.0003	.0002	.0002	.0002	.0002	.0002
3.9	.0002	.0002	.0002	.0002	.0002	.0002	.0002	.0002	.0001	.0001
t	0.00	0.01	0.02	0.03	0.04	0.05	0.06	0.07	0.08	0.09

Ordinates of the Normal Probability Curve

Areas of the Normal Probability Curve

$$\int_0^t \phi(t)dt$$

t	0.00	0.01	0.02	0.03	0.04	0.05	0.06	0.07	0.08	0.09
0.0	.0000	.0040	.0080	.0120	.0160	.0199	.0239	.0279	.0319	.0359
0.1	.0398	.0438	.0478	.0517	.0557	.0596	.0636	.0675	.0714	.0753
0.2	.0793	.0832	.0871	.0910	.0948	.0987	.1026	.1064	.1103	.1141
0.3	.1179	.1217	.1255	.1293	.1331	.1368	.1406	.1443	.1480	.1517
0.4	.1554	.1591	.1628	.1664	.1700	.1736	.1772	.1808	.1844	.1879
0.5	.1915	.1950	.1985	.2019	.2054	.2088	.2123	.2157	.2190	.2224
0.6	.2257	.2291	.2324	.2357	.2389	.2422	.2454	.2486	.2517	.2549
0.7	.2580	.2611	.2642	.2673	.2704	.2734	.2764	.2794	.2823	.2852
0.8	.2881	.2910	.2939	.2967	.2995	.3023	.3051	.3078	.3106	.3133
0.9	.3159	.3186	.3212	.3238	.3264	.3289	.3315	.3340	.3365	.3389
1.0	.3413	.3438	.3461	.3485	.3508	.3531	.3554	.3577	.3599	.3621
1.1	.3643	.3665	.3686	.3708	.3729	.3749	.3770	.3790	.3810	.3830
1.2	.3849	.3869	.3888	.3907	.3925	.3944	.3962	.3980	.3997	.4015
1.3	.4032	.4049	.4066	.4082	.4099	.4115	.4131	.4147	.4162	.4177
1.4	.4192	.4207	.4222	.4236	.4251	.4265	.4279	.4292	.4306	.4319
1.5	.4332	.4345	.4357	.4370	.4382	.4394	.4406	.4418	.4429	.4441
1.6	.4452	.4463	.4474	.4484	.4495	.4505	.4515	.4525	.4535	.4545
1.7	.4554	.4564	.4573	.4582	.4591	.4599	.4608	.4616	.4625	.4633
1.8	.4641	.4649	.4656	.4664	.4671	.4678	.4686	.4693	.4699	.4706
1.9	.4713	.4719	.4726	.4732	.4738	.4744	.4750	.4756	.4761	.4767
2.0	.4773	.4778	.4783	.4788	.4793	.4798	.4803	.4808	.4812	.4817
2.1	.4821	.4826	.4830	.4834	.4838	.4842	.4846	.4850	.4854	.4857
2.2	.4861	.4864	.4868	.4871	.4875	.4878	.4881	.4884	.4887	.4890
2.3	.4893	.4896	.4898	.4901	.4904	.4906	.4909	.4911	.4913	.4916
2.4	.4918	.4920	.4922	.4925	.4927	.4929	.4931	.4932	.4934	.4936
2.5	.4938	.4940	.4941	.4943	.4945	.4946	.4948	.4949	.4951	.4952
2.6	.4953	.4955	.4956	.4957	.4959	.4960	.4961	.4962	.4963	.4964
2.7	.4965	.4966	.4967	.4968	.4969	.4970	.4971	.4972	.4973	.4974
2.8	.4974	.4975	.4976	.4977	.4977	.4978	.4979	.4979	.4980	.4981
2.9	.4981	.4982	.4983	.4983	.4984	.4984	.4985	.4985	.4986	.4986
3.0	.4987	.4987	.4987	.4988	.4988	.4989	.4989	.4989	.4989	.4990
3.1	.4990	.4991	.4991	.4991	.4992	.4992	.4992	.4992	.4993	.4993
3.2	.4993	.4993	.4994	.4994	.4994	.4994	.4994	.4995	.4995	.4995
3.3	.4995	.4995	.4996	.4996	.4996	.4996	.4996	.4996	.4996	.4997
3.4	.4997	.4997	.4997	.4997	.4997	.4997	.4997	.4997	.4997	.4998
3.5	.4998	.4998	.4998	.4998	.4998	.4998	.4998	.4998	.4998	.4998
3.6	.4998	.4998	.4999	.4999	.4999	.4999	.4999	.4999	.4999	.4999
3.7	.4999	.4999	.4999	.4999	.4999	.4999	.4999	.4999	.4999	.4999
3.8	.4999	.4999	.4999	.4999	.4999	.4999	.4999	.4999	.4999	.5000
3.9	.5000	.5000	.5000	.5000	.5000	.5000	.5000	.5000	.5000	.5000
t	0.00	0.01	0.02	0.03	0.04	0.05	0.06	0.07	0.08	0.09

Areas of the Normal Probability Curve

Values of *F* and *t*

5% (lightface) and 1% (boldface) Points

Degrees of Freedom for Lesser Mean Square	Degrees of Freedom for Greater Mean Square																				Values of t
	1	2	3	4	5	6	7	8	9	10	12	16	20	30	40	50	75	100	200	∞	
1	161 **4,052**	200 **4,999**	216 **5,403**	225 **5,625**	230 **5,764**	234 **5,859**	237 **5,928**	239 **5,981**	241 **6,022**	242 **6,056**	244 **6,106**	246 **6,169**	248 **6,208**	250 **6,258**	251 **6,286**	252 **6,302**	253 **6,323**	253 **6,334**	254 **6,352**	254 **6,366**	12.706 **63.657**
2	18.51 **98.49**	19.00 **99.01**	19.16 **99.17**	19.25 **99.25**	19.30 **99.30**	19.33 **99.33**	19.36 **99.34**	19.37 **99.36**	19.38 **99.38**	19.39 **99.40**	19.41 **99.42**	19.43 **99.44**	19.44 **99.45**	19.46 **99.47**	19.47 **99.48**	19.47 **99.48**	19.48 **99.49**	19.49 **99.49**	19.49 **99.49**	19.50 **99.50**	4.303 **9.925**
3	10.13 **34.12**	9.55 **30.81**	9.28 **29.46**	9.12 **28.71**	9.01 **28.24**	8.94 **27.91**	8.88 **27.67**	8.84 **27.49**	8.81 **27.34**	8.78 **27.23**	8.74 **27.05**	8.69 **26.83**	8.66 **26.69**	8.62 **26.50**	8.60 **26.41**	8.58 **26.35**	8.57 **26.27**	8.56 **26.23**	8.54 **26.18**	8.53 **26.12**	3.182 **5.841**
4	7.71 **21.20**	6.94 **18.00**	6.59 **16.69**	6.39 **15.98**	6.26 **15.52**	6.16 **15.21**	6.09 **14.98**	6.04 **14.80**	6.00 **14.66**	5.96 **14.54**	5.91 **14.37**	5.84 **14.15**	5.80 **14.02**	5.74 **13.83**	5.71 **13.74**	5.70 **13.69**	5.68 **13.61**	5.66 **13.57**	5.65 **13.52**	5.63 **13.46**	2.776 **4.604**
5	6.61 **16.26**	5.79 **13.27**	5.41 **12.06**	5.19 **11.39**	5.05 **10.97**	4.95 **10.67**	4.88 **10.45**	4.82 **10.27**	4.78 **10.15**	4.74 **10.05**	4.68 **9.89**	4.60 **9.68**	4.56 **9.55**	4.50 **9.38**	4.46 **9.29**	4.44 **9.24**	4.42 **9.17**	4.40 **9.13**	4.38 **9.07**	4.36 **9.02**	2.571 **4.032**
6	5.99 **13.74**	5.14 **10.92**	4.76 **9.78**	4.53 **9.15**	4.39 **8.75**	4.28 **8.47**	4.21 **8.26**	4.15 **8.10**	4.10 **7.98**	4.06 **7.87**	4.00 **7.72**	3.92 **7.52**	3.87 **7.39**	3.81 **7.23**	3.77 **7.14**	3.75 **7.09**	3.72 **7.02**	3.71 **6.99**	3.69 **6.94**	3.67 **6.88**	2.447 **3.707**
7	5.59 **12.25**	4.74 **9.55**	4.35 **8.45**	4.12 **7.85**	3.97 **7.46**	3.87 **7.19**	3.79 **7.00**	3.73 **6.84**	3.68 **6.71**	3.63 **6.62**	3.57 **6.47**	3.49 **6.27**	3.44 **6.15**	3.38 **5.98**	3.34 **5.90**	3.32 **5.85**	3.29 **5.78**	3.28 **5.75**	3.25 **5.70**	3.23 **5.65**	2.365 **3.499**
8	5.32 **11.26**	4.46 **8.65**	4.07 **7.59**	3.84 **7.01**	3.69 **6.63**	3.58 **6.37**	3.50 **6.19**	3.44 **6.03**	3.39 **5.91**	3.34 **5.82**	3.28 **5.67**	3.20 **5.48**	3.15 **5.36**	3.08 **5.20**	3.05 **5.11**	3.03 **5.06**	3.00 **5.00**	2.98 **4.96**	2.96 **4.91**	2.93 **4.86**	2.306 **3.355**
9	5.12 **10.56**	4.26 **8.02**	3.86 **6.99**	3.63 **6.42**	3.48 **6.06**	3.37 **5.80**	3.29 **5.62**	3.23 **5.47**	3.18 **5.35**	3.13 **5.26**	3.07 **5.11**	2.98 **4.92**	2.93 **4.80**	2.86 **4.64**	2.82 **4.56**	2.80 **4.51**	2.77 **4.45**	2.76 **4.41**	2.73 **4.36**	2.71 **4.31**	2.262 **3.250**
10	4.96 **10.04**	4.10 **7.56**	3.71 **6.55**	3.48 **5.99**	3.33 **5.64**	3.22 **5.39**	3.14 **5.21**	3.07 **5.06**	3.02 **4.95**	2.97 **4.85**	2.91 **4.71**	2.82 **4.52**	2.77 **4.41**	2.70 **4.25**	2.67 **4.17**	2.64 **4.12**	2.61 **4.05**	2.59 **4.01**	2.56 **3.96**	2.54 **3.91**	2.228 **3.169**
11	4.84 **9.65**	3.98 **7.20**	3.59 **6.22**	3.36 **5.67**	3.20 **5.32**	3.09 **5.07**	3.01 **4.88**	2.95 **4.74**	2.90 **4.63**	2.86 **4.54**	2.79 **4.40**	2.70 **4.21**	2.65 **4.10**	2.57 **3.94**	2.53 **3.86**	2.50 **3.80**	2.47 **3.74**	2.45 **3.70**	2.42 **3.66**	2.40 **3.60**	2.201 **3.106**
12	4.75 **9.33**	3.88 **6.93**	3.49 **5.95**	3.26 **5.41**	3.11 **5.06**	3.00 **4.82**	2.92 **4.65**	2.85 **4.50**	2.80 **4.39**	2.76 **4.30**	2.69 **4.16**	2.60 **3.98**	2.54 **3.86**	2.46 **3.70**	2.42 **3.61**	2.40 **3.56**	2.36 **3.49**	2.35 **3.46**	2.32 **3.41**	2.30 **3.36**	2.179 **3.055**

13	4.67 **9.07**	3.80 **6.70**	3.41 **5.74**	3.18 **5.20**	3.02 **4.86**	2.92 **4.62**	2.84 **4.44**	2.77 **4.30**	2.72 **4.19**	2.67 **4.10**	2.60 **3.96**	2.51 **3.78**	2.46 **3.67**	2.38 **3.51**	2.34 **3.42**	2.32 **3.37**	2.28 **3.30**	2.26 **3.27**	2.24 **3.21**	2.21 **3.16**	2.160 **3.012**
14	4.60 **8.86**	3.74 **6.51**	3.34 **5.56**	3.11 **5.03**	2.96 **4.69**	2.85 **4.46**	2.77 **4.28**	2.70 **4.14**	2.65 **4.03**	2.60 **3.94**	2.53 **3.80**	2.44 **3.62**	2.39 **3.51**	2.31 **3.34**	2.27 **3.26**	2.24 **3.21**	2.21 **3.14**	2.19 **3.11**	2.16 **3.06**	2.13 **3.00**	2.145 **2.977**
15	4.54 **8.68**	3.68 **6.36**	3.29 **5.42**	3.06 **4.89**	2.90 **4.56**	2.79 **4.32**	2.70 **4.14**	2.64 **4.00**	2.59 **3.89**	2.55 **3.80**	2.48 **3.67**	2.39 **3.48**	2.33 **3.36**	2.25 **3.20**	2.21 **3.12**	2.18 **3.07**	2.15 **3.00**	2.12 **2.97**	2.10 **2.92**	2.07 **2.87**	2.131 **2.947**
16	4.49 **8.53**	3.63 **6.23**	3.24 **5.29**	3.01 **4.77**	2.85 **4.44**	2.74 **4.20**	2.66 **4.03**	2.59 **3.89**	2.54 **3.78**	2.49 **3.69**	2.42 **3.55**	2.33 **3.37**	2.28 **3.25**	2.20 **3.10**	2.16 **3.01**	2.13 **2.96**	2.09 **2.89**	2.07 **2.86**	2.04 **2.80**	2.01 **2.75**	2.120 **2.921**
17	4.45 **8.40**	3.59 **6.11**	3.20 **5.18**	2.96 **4.67**	2.81 **4.34**	2.70 **4.10**	2.62 **3.93**	2.55 **3.79**	2.50 **3.68**	2.45 **3.59**	2.38 **3.45**	2.29 **3.27**	2.23 **3.16**	2.15 **3.00**	2.11 **2.92**	2.08 **2.86**	2.04 **2.79**	2.02 **2.76**	1.99 **2.70**	1.96 **2.65**	2.110 **2.898**
18	4.41 **8.28**	3.55 **6.01**	3.16 **5.09**	2.93 **4.58**	2.77 **4.25**	2.66 **4.01**	2.58 **3.85**	2.51 **3.71**	2.46 **3.60**	2.41 **3.51**	2.34 **3.37**	2.25 **3.19**	2.19 **3.07**	2.11 **2.91**	2.07 **2.83**	2.04 **2.78**	2.00 **2.71**	1.98 **2.68**	1.95 **2.62**	1.92 **2.57**	2.101 **2.878**
19	4.38 **8.18**	3.52 **5.93**	3.13 **5.01**	2.90 **4.50**	2.74 **4.17**	2.63 **3.94**	2.55 **3.77**	2.48 **3.63**	2.43 **3.52**	2.38 **3.43**	2.31 **3.30**	2.21 **3.12**	2.15 **3.00**	2.07 **2.84**	2.02 **2.76**	2.00 **2.70**	1.96 **2.63**	1.94 **2.60**	1.91 **2.54**	1.88 **2.49**	2.093 **2.861**
20	4.35 **8.10**	3.49 **5.85**	3.10 **4.94**	2.87 **4.43**	2.71 **4.10**	2.60 **3.87**	2.52 **3.71**	2.45 **3.56**	2.40 **3.45**	2.35 **3.37**	2.28 **3.23**	2.18 **3.05**	2.12 **2.94**	2.04 **2.77**	1.99 **2.69**	1.96 **2.63**	1.92 **2.56**	1.90 **2.53**	1.87 **2.47**	1.84 **2.42**	2.086 **2.845**
21	4.32 **8.02**	3.47 **5.78**	3.07 **4.87**	2.84 **4.37**	2.68 **4.04**	2.57 **3.81**	2.49 **3.65**	2.42 **3.51**	2.37 **3.40**	2.32 **3.31**	2.25 **3.17**	2.15 **2.99**	2.09 **2.88**	2.00 **2.72**	1.96 **2.63**	1.93 **2.58**	1.89 **2.51**	1.87 **2.47**	1.84 **2.42**	1.81 **2.36**	2.080 **2.831**
22	4.30 **7.94**	3.44 **5.72**	3.05 **4.82**	2.82 **4.31**	2.66 **3.99**	2.55 **3.76**	2.47 **3.59**	2.40 **3.45**	2.35 **3.35**	2.30 **3.26**	2.23 **3.12**	2.13 **2.94**	2.07 **2.83**	1.98 **2.67**	1.93 **2.58**	1.91 **2.53**	1.87 **2.46**	1.84 **2.42**	1.81 **2.37**	1.78 **2.31**	2.074 **2.819**
23	4.28 **7.88**	3.42 **5.66**	3.03 **4.76**	2.80 **4.26**	2.64 **3.94**	2.53 **3.71**	2.45 **3.54**	2.38 **3.41**	2.32 **3.30**	2.28 **3.21**	2.20 **3.07**	2.10 **2.89**	2.04 **2.78**	1.96 **2.62**	1.91 **2.53**	1.88 **2.48**	1.84 **2.41**	1.82 **2.37**	1.79 **2.32**	1.76 **2.26**	2.069 **2.807**
24	4.26 **7.82**	3.40 **5.61**	3.01 **4.72**	2.78 **4.22**	2.62 **3.90**	2.51 **3.67**	2.43 **3.50**	2.36 **3.36**	2.30 **3.25**	2.26 **3.17**	2.18 **3.03**	2.09 **2.85**	2.02 **2.74**	1.94 **2.58**	1.89 **2.49**	1.86 **2.44**	1.82 **2.36**	1.80 **2.33**	1.76 **2.27**	1.73 **2.21**	2.064 **2.797**
25	4.24 **7.77**	3.38 **5.57**	2.99 **4.68**	2.76 **4.18**	2.60 **3.86**	2.49 **3.63**	2.41 **3.46**	2.34 **3.32**	2.28 **3.21**	2.24 **3.13**	2.16 **2.99**	2.06 **2.81**	2.00 **2.70**	1.92 **2.54**	1.87 **2.45**	1.84 **2.40**	1.80 **2.32**	1.77 **2.29**	1.74 **2.23**	1.71 **2.17**	2.060 **2.787**
26	4.22 **7.72**	3.37 **5.53**	2.98 **4.64**	2.74 **4.14**	2.59 **3.82**	2.47 **3.59**	2.39 **3.42**	2.32 **3.29**	2.27 **3.17**	2.22 **3.09**	2.15 **2.96**	2.05 **2.77**	1.99 **2.66**	1.90 **2.50**	1.85 **2.41**	1.82 **2.36**	1.78 **2.28**	1.76 **2.25**	1.72 **2.19**	1.69 **2.13**	2.056 **2.779**

Reproduced from *Calculation and Interpretation of Analysis of Variance and Covariance* by G. W. Snedecor, by permission of the author and the publisher, The Iowa State College Press, Ames, Iowa.

Values of F and t

5% (lightface) and 1% (boldface) Points

Degrees of Freedom for Lesser Mean Square	Degrees of Freedom for Greater Mean Square																				Values of t*
	1	2	3	4	5	6	7	8	9	10	12	16	20	30	40	50	75	100	200	∞	
27	4.21 **7.68**	3.35 **5.49**	2.96 **4.60**	2.73 **4.11**	2.57 **3.79**	2.46 **3.56**	2.37 **3.39**	2.30 **3.26**	2.25 **3.14**	2.20 **3.06**	2.13 **2.93**	2.03 **2.74**	1.97 **2.63**	1.88 **2.47**	1.84 **2.38**	1.80 **2.33**	1.76 **2.25**	1.74 **2.21**	1.71 **2.16**	1.67 **2.10**	2.052 **2.771**
28	4.20 **7.64**	3.34 **5.45**	2.95 **4.57**	2.71 **4.07**	2.56 **3.76**	2.44 **3.53**	2.36 **3.36**	2.29 **3.23**	2.24 **3.11**	2.19 **3.03**	2.12 **2.90**	2.02 **2.71**	1.96 **2.60**	1.87 **2.44**	1.81 **2.35**	1.78 **2.30**	1.75 **2.22**	1.72 **2.18**	1.69 **2.13**	1.65 **2.06**	2.048 **2.763**
29	4.18 **7.60**	3.33 **5.42**	2.93 **4.54**	2.70 **4.04**	2.54 **3.73**	2.43 **3.50**	2.35 **3.33**	2.28 **3.20**	2.22 **3.08**	2.18 **3.00**	2.10 **2.87**	2.00 **2.68**	1.94 **2.57**	1.85 **2.41**	1.80 **2.32**	1.77 **2.27**	1.73 **2.19**	1.71 **2.15**	1.68 **2.10**	1.64 **2.03**	2.045 **2.756**
30	4.17 **7.56**	3.32 **5.39**	2.92 **4.51**	2.69 **4.02**	2.53 **3.70**	2.42 **3.47**	2.34 **3.30**	2.27 **3.17**	2.21 **3.06**	2.16 **2.98**	2.09 **2.84**	1.99 **2.66**	1.93 **2.55**	1.84 **2.38**	1.79 **2.29**	1.76 **2.24**	1.72 **2.16**	1.69 **2.13**	1.66 **2.07**	1.62 **2.01**	2.042 **2.750**
32	4.15 **7.50**	3.30 **5.34**	2.90 **4.46**	2.67 **3.97**	2.51 **3.66**	2.40 **3.42**	2.32 **3.25**	2.25 **3.12**	2.19 **3.01**	2.14 **2.94**	2.07 **2.80**	1.97 **2.62**	1.91 **2.51**	1.82 **2.34**	1.76 **2.25**	1.74 **2.20**	1.69 **2.12**	1.67 **2.08**	1.64 **2.02**	1.59 **1.96**	2.037 **2.738**
34	4.13 **7.44**	3.28 **5.29**	2.88 **4.42**	2.65 **3.93**	2.49 **3.61**	2.38 **3.38**	2.30 **3.21**	2.23 **3.08**	2.17 **2.97**	2.12 **2.89**	2.05 **2.76**	1.95 **2.58**	1.89 **2.47**	1.80 **2.30**	1.74 **2.21**	1.71 **2.15**	1.67 **2.08**	1.64 **2.04**	1.61 **1.98**	1.57 **1.91**	2.032 **2.728**
36	4.11 **7.39**	3.26 **5.25**	2.86 **4.38**	2.63 **3.89**	2.48 **3.58**	2.36 **3.35**	2.28 **3.18**	2.21 **3.04**	2.15 **2.94**	2.10 **2.86**	2.03 **2.72**	1.93 **2.54**	1.87 **2.43**	1.78 **2.26**	1.72 **2.17**	1.69 **2.12**	1.65 **2.04**	1.62 **2.00**	1.59 **1.94**	1.55 **1.87**	2.028 **2.720**
38	4.10 **7.35**	3.25 **5.21**	2.85 **4.34**	2.62 **3.86**	2.46 **3.54**	2.35 **3.32**	2.26 **3.15**	2.19 **3.02**	2.14 **2.91**	2.09 **2.82**	2.02 **2.69**	1.92 **2.51**	1.85 **2.40**	1.76 **2.22**	1.71 **2.14**	1.67 **2.08**	1.63 **2.00**	1.60 **1.97**	1.57 **1.90**	1.53 **1.84**	2.024 **2.711**
40	4.08 **7.31**	3.23 **5.18**	2.84 **4.31**	2.61 **3.83**	2.45 **3.51**	2.34 **3.29**	2.25 **3.12**	2.18 **2.99**	2.12 **2.88**	2.07 **2.80**	2.00 **2.66**	1.90 **2.49**	1.84 **2.37**	1.74 **2.20**	1.69 **2.11**	1.66 **2.05**	1.61 **1.97**	1.59 **1.94**	1.55 **1.88**	1.51 **1.81**	2.021 **2.704**
42	4.07 **7.27**	3.22 **5.15**	2.83 **4.29**	2.59 **3.80**	2.44 **3.49**	2.32 **3.26**	2.24 **3.10**	2.17 **2.96**	2.11 **2.86**	2.06 **2.77**	1.99 **2.64**	1.89 **2.46**	1.82 **2.35**	1.73 **2.17**	1.68 **2.08**	1.64 **2.02**	1.60 **1.94**	1.57 **1.91**	1.54 **1.85**	1.49 **1.78**	2.018 **2.698**
44	4.06 **7.24**	3.21 **5.12**	2.82 **4.26**	2.58 **3.78**	2.43 **3.46**	2.31 **3.24**	2.23 **3.07**	2.16 **2.94**	2.10 **2.84**	2.05 **2.75**	1.98 **2.62**	1.88 **2.44**	1.81 **2.32**	1.72 **2.15**	1.66 **2.06**	1.63 **2.00**	1.58 **1.92**	1.56 **1.88**	1.52 **1.82**	1.48 **1.75**	2.015 **2.693**
46	4.05 **7.21**	3.20 **5.10**	2.81 **4.24**	2.57 **3.76**	2.42 **3.44**	2.30 **3.22**	2.22 **3.05**	2.14 **2.92**	2.09 **2.82**	2.04 **2.73**	1.97 **2.60**	1.87 **2.42**	1.80 **2.30**	1.71 **2.13**	1.65 **2.04**	1.62 **1.98**	1.57 **1.90**	1.54 **1.86**	1.51 **1.80**	1.46 **1.72**	2.012 **2.687**

48	4.04 **7.19**	3.19 **5.08**	2.80 **4.22**	2.56 **3.74**	2.41 **3.42**	2.30 **3.20**	2.21 **3.04**	2.14 **2.90**	2.08 **2.80**	2.03 **2.71**	1.96 **2.58**	1.86 **2.40**	1.79 **2.28**	1.70 **2.11**	1.64 **2.02**	1.61 **1.96**	1.56 **1.88**	1.53 **1.84**	1.50 **1.78**	1.45 **1.70**	2.010 **2.682**
50	4.03 **7.17**	3.18 **5.06**	2.79 **4.20**	2.56 **3.72**	2.40 **3.41**	2.29 **3.18**	2.20 **3.02**	2.13 **2.88**	2.07 **2.78**	2.02 **2.70**	1.95 **2.56**	1.85 **2.39**	1.78 **2.26**	1.69 **2.10**	1.63 **2.00**	1.60 **1.94**	1.55 **1.86**	1.52 **1.82**	1.48 **1.76**	1.44 **1.68**	2.008 **2.678**
55	4.02 **7.12**	3.17 **5.01**	2.78 **4.16**	2.54 **3.68**	2.38 **3.37**	2.27 **3.15**	2.18 **2.98**	2.11 **2.85**	2.05 **2.75**	2.00 **2.66**	1.93 **2.53**	1.83 **2.35**	1.76 **2.23**	1.67 **2.06**	1.61 **1.96**	1.58 **1.90**	1.52 **1.82**	1.50 **1.78**	1.46 **1.71**	1.41 **1.64**	2.003 **2.668**
60	4.00 **7.08**	3.15 **4.98**	2.76 **4.13**	2.52 **3.65**	2.37 **3.34**	2.25 **3.12**	2.17 **2.95**	2.10 **2.82**	2.04 **2.72**	1.99 **2.63**	1.92 **2.50**	1.81 **2.32**	1.75 **2.20**	1.65 **2.03**	1.59 **1.93**	1.56 **1.87**	1.50 **1.79**	1.48 **1.74**	1.44 **1.68**	1.39 **1.60**	2.000 **2.660**
65	3.99 **7.04**	3.14 **4.95**	2.75 **4.10**	2.51 **3.62**	2.36 **3.31**	2.24 **3.09**	2.15 **2.93**	2.08 **2.79**	2.02 **2.70**	1.98 **2.61**	1.90 **2.47**	1.80 **2.30**	1.73 **2.18**	1.63 **2.00**	1.57 **1.90**	1.54 **1.84**	1.49 **1.76**	1.46 **1.71**	1.42 **1.64**	1.37 **1.56**	1.996 **2.653**
70	3.98 **7.01**	3.13 **4.92**	2.74 **4.08**	2.50 **3.60**	2.35 **3.29**	2.23 **3.07**	2.14 **2.91**	2.07 **2.77**	2.01 **2.67**	1.97 **2.59**	1.89 **2.45**	1.79 **2.28**	1.72 **2.15**	1.62 **1.98**	1.56 **1.88**	1.53 **1.82**	1.47 **1.74**	1.45 **1.69**	1.40 **1.62**	1.35 **1.53**	1.994 **2.648**
80	3.96 **6.96**	3.11 **4.88**	2.72 **4.04**	2.48 **3.56**	2.33 **3.25**	2.21 **3.04**	2.12 **2.87**	2.05 **2.74**	1.99 **2.64**	1.95 **2.55**	1.88 **2.41**	1.77 **2.24**	1.70 **2.11**	1.60 **1.94**	1.54 **1.84**	1.51 **1.78**	1.45 **1.70**	1.42 **1.65**	1.38 **1.57**	1.32 **1.49**	1.990 **2.638**
100	3.94 **6.90**	3.09 **4.82**	2.70 **3.98**	2.46 **3.51**	2.30 **3.20**	2.19 **2.99**	2.10 **2.82**	2.03 **2.69**	1.97 **2.59**	1.92 **2.51**	1.85 **2.36**	1.75 **2.19**	1.68 **2.06**	1.57 **1.89**	1.51 **1.79**	1.48 **1.73**	1.42 **1.64**	1.39 **1.59**	1.34 **1.51**	1.28 **1.43**	1.984 **2.626**
125	3.92 **6.84**	3.07 **4.78**	2.68 **3.94**	2.44 **3.47**	2.29 **3.17**	2.17 **2.95**	2.08 **2.79**	2.01 **2.65**	1.95 **2.56**	1.90 **2.47**	1.83 **2.33**	1.72 **2.15**	1.65 **2.03**	1.55 **1.85**	1.49 **1.75**	1.45 **1.68**	1.39 **1.59**	1.36 **1.54**	1.31 **1.46**	1.25 **1.37**	1.979 **2.616**
150	3.91 **6.81**	3.06 **4.75**	2.67 **3.91**	2.43 **3.44**	2.27 **3.14**	2.16 **2.92**	2.07 **2.76**	2.00 **2.62**	1.94 **2.53**	1.89 **2.44**	1.82 **2.30**	1.71 **2.12**	1.64 **2.00**	1.54 **1.83**	1.47 **1.72**	1.44 **1.66**	1.37 **1.56**	1.34 **1.51**	1.29 **1.43**	1.22 **1.33**	1.976 **2.609**
200	3.89 **6.76**	3.04 **4.71**	2.65 **3.88**	2.41 **3.41**	2.26 **3.11**	2.14 **2.90**	2.05 **2.73**	1.98 **2.60**	1.92 **2.50**	1.87 **2.41**	1.80 **2.28**	1.69 **2.09**	1.62 **1.97**	1.52 **1.79**	1.45 **1.69**	1.42 **1.62**	1.35 **1.53**	1.32 **1.48**	1.26 **1.39**	1.19 **1.28**	1.972 **2.601**
400	3.86 **6.70**	3.02 **4.66**	2.62 **3.83**	2.39 **3.36**	2.23 **3.06**	2.12 **2.85**	2.03 **2.69**	1.96 **2.55**	1.90 **2.46**	1.85 **2.37**	1.78 **2.23**	1.67 **2.04**	1.60 **1.92**	1.49 **1.74**	1.42 **1.64**	1.38 **1.57**	1.32 **1.47**	1.28 **1.42**	1.22 **1.32**	1.13 **1.19**	1.966 **2.588**
1000	3.85 **6.66**	3.00 **4.62**	2.61 **3.80**	2.38 **3.34**	2.22 **3.04**	2.10 **2.82**	2.02 **2.66**	1.95 **2.53**	1.89 **2.43**	1.84 **2.34**	1.76 **2.20**	1.65 **2.01**	1.58 **1.89**	1.47 **1.71**	1.41 **1.61**	1.36 **1.54**	1.30 **1.44**	1.26 **1.38**	1.19 **1.28**	1.08 **1.11**	1.962 **2.581**
∞	3.84 **6.64**	2.99 **4.60**	2.60 **3.78**	2.37 **3.32**	2.21 **3.02**	2.09 **2.80**	2.01 **2.64**	1.94 **2.51**	1.88 **2.41**	1.83 **2.32**	1.75 **2.18**	1.64 **1.99**	1.57 **1.87**	1.46 **1.69**	1.40 **1.59**	1.35 **1.52**	1.28 **1.41**	1.24 **1.36**	1.17 **1.25**	1.00 **1.00**	1.960 **2.576**

* Some of these values of t were determined by graphical interpolation.

χ^2 Probability Scale

Values of χ^2 Corresponding to Certain Chances of Exceeding χ^2

Degrees of Freedom	P = .90	.70	.50	.30	.20	.10	.05	.02	.01
1	0.02	0.15	0.45	1.07	1.64	2.71	3.84	5.41	6.63
2	0.21	0.71	1.39	2.41	3.22	4.60	5.99	7.82	9.21
3	0.58	1.42	2.37	3.66	4.64	6.25	7.81	9.84	11.34
4	1.06	2.19	3.36	4.88	5.99	7.78	9.49	11.67	13.28
5	1.61	3.00	4.35	6.06	7.29	9.24	11.07	13.39	15.09
6	2.20	3.83	5.35	7.23	8.56	10.64	12.59	15.03	16.81
7	2.83	4.67	6.35	8.38	9.80	12.02	14.07	16.62	18.47
8	3.49	5.53	7.34	9.52	11.03	13.36	15.51	18.17	20.09
9	4.17	6.39	8.34	10.66	12.24	14.68	16.92	19.68	21.67
10	4.86	7.27	9.34	11.78	13.44	15.99	18.31	21.16	23.21
11	5.58	8.15	10.34	12.90	14.63	17.27	19.67	22.62	24.72
12	6.30	9.03	11.34	14.01	15.81	18.55	21.03	24.05	26.22
13	7.04	9.93	12.34	15.12	16.98	19.81	22.36	25.47	27.69
14	7.79	10.82	13.34	16.22	18.15	21.06	23.68	26.87	29.14
15	8.55	11.72	14.34	17.32	19.31	22.31	25.00	28.26	30.58
16	9.31	12.62	15.34	18.42	20.46	23.54	26.30	29.63	32.00
17	10.08	13.53	16.34	19.51	21.61	24.77	27.59	30.99	33.41
18	10.86	14.44	17.34	20.60	22.76	25.99	28.87	32.35	34.80
19	11.65	15.35	18.34	21.69	23.90	27.20	30.14	33.69	36.19
20	12.44	16.27	19.34	22.77	25.04	28.41	31.41	35.02	37.57
21	13.24	17.18	20.34	23.86	26.17	29.61	32.67	36.34	38.93
22	14.04	18.10	21.34	24.94	27.30	30.81	33.92	37.66	40.29
23	14.85	19.02	22.34	26.02	28.43	32.01	35.17	38.97	41.64
24	15.66	19.94	23.34	27.10	29.55	33.20	36.41	40.27	42.98
25	16.47	20.87	24.34	28.17	30.67	34.38	37.65	41.57	44.31
26	17.29	21.79	25.34	29.25	31.79	35.56	38.88	42.86	45.64
27	18.11	22.72	26.34	30.32	32.91	36.74	40.11	44.14	46.96
28	18.94	23.65	27.34	31.39	34.03	37.92	41.34	45.42	48.28
29	19.77	24.58	28.24	32.46	35.14	39.09	42.56	46.69	49.59
30	20.60	25.51	29.34	33.53	36.25	40.26	43.77	47.96	50.89
Degrees of Freedom	**P = .90**	**.70**	**.50**	**.30**	**.20**	**.10**	**.05**	**.02**	**.01**

χ^2 Probability Scale

For larger degrees of freedom, let $t = \sqrt{2\chi^2} - \sqrt{2n - 1}$ where n = degrees of freedom. Then, approximately,

$$P = \frac{1}{2} - \int_o^t \varphi(t)\, dt$$

and Table 25 may be used.

Reproduced from *Statistical Methods for Research Workers*, with the permission of the author, R. A. Fisher, and his publisher, Oliver and Boyd, Edinburgh.

Values and Logarithms of the Gamma Function

n	Γ(n)	Log Γ(n)	n	Γ(n)	Log Γ(n)	n	Γ(n)	Log Γ(n)
1.01	.99 433	9.99 753	**1.51**	.88 659	9.94 772	**2.01**	1.00 43	0.00 185
1.02	.98 884	9.99 513	1.52	.88 704	9.94 794	2.02	1.00 86	0.00 373
1.03	.98 355	9.99 280	1.53	.88 757	9.94 820	2.03	1.01 31	0.00 563
1.04	.97 844	9.99 053	1.54	.88 818	9.94 850	2.04	1.01 76	0.00 757
1.05	.97 350	9.98 834	1.55	.88 887	9.94 884	2.05	1.02 22	0.00 953
1.06	.96 874	9.98 621	**1.56**	.88 964	9.94 921	**2.06**	1.02 69	0.01 151
1.07	.96 415	9.98 415	1.57	.89 049	9.94 963	2.07	1.03 16	0.01 353
1.08	.95 973	9.98 215	1.58	.89 142	9.95 008	2.08	1.03 65	0.01 557
1.09	.95 546	9.98 021	1.59	.89 243	9.95 057	2.09	1.04 15	0.01 764
1.10	.95 135	9.97 834	1.60	.89 352	9.95 110	2.10	1.04 65	0.01 973
1.11	.94 740	9.97 653	**1.61**	.89 468	9.95 167	**2.11**	1.05 16	0.02 185
1.12	.94 359	9.97 478	1.62	.89 592	9.95 227	2.12	1.05 68	0.02 400
1.13	.93 993	9.97 310	1.63	.89 724	9.95 291	2.13	1.06 21	0.02 617
1.14	.93 642	9.97 147	1.64	.89 864	9.95 359	2.14	1.06 75	0.02 837
1.15	.93 304	9.96 990	1.65	.90 012	9.95 430	2.15	1.07 30	0.03 060
1.16	.92 980	9.96 839	**1.66**	.90 167	9.95 505	**2.16**	1.07 86	0.03 285
1.17	.92 670	9.96 694	1.67	.90 330	9.95 583	2.17	1.08 42	0.03 512
1.18	.92 373	9.96 554	1.68	.90 500	9.95 665	2.18	1.09 00	0.03 743
1.19	.92 089	9.96 421	1.69	.90 678	9.95 750	2.19	1.09 59	0.03 975
1.20	.91 817	9.96 292	1.70	.90 864	9.95 839	2.20	1.10 18	0.04 210
1.21	.91 558	9.96 169	**1.71**	.91 057	9.95 931	**2.21**	1.10 78	0.04 448
1.22	.91 311	9.96 052	1.72	.91 258	9.96 027	2.22	1.11 40	0.04 688
1.23	.91 075	9.95 940	1.73	.91 467	9.96 126	2.23	1.12 02	0.04 931
1.24	.90 852	9.95 833	1.74	.91 683	9.96 229	2.24	1.12 66	0.05 176
1.25	.90 640	9.95 732	1.75	.91 906	9.96 335	2.25	1.13 30	0.05 423
1.26	.90 440	9.95 636	**1.76**	.92 137	9.96 444	**2.26**	1.13 95	0.05 673
1.27	.90 250	9.95 545	1.77	.92 376	9.96 556	2.27	1.14 62	0.05 925
1.28	.90 072	9.95 459	1.78	.92 623	9.96 672	2.28	1.15 29	0.06 180
1.29	.89 904	9.95 378	1.79	.92 877	9.96 791	2.29	1.15 98	0.06 437
1.30	.89 747	9.95 302	1.80	.93 138	9.96 913	2.30	1.16 67	0.06 696
1.31	.89 600	9.95 231	**1.81**	.93 408	9.97 038	**2.31**	1.17 38	0.06 958
1.32	.89 464	9.95 165	1.82	.93 685	9.97 167	2.32	1.18 09	0.07 222
1.33	.89 338	9.95 104	1.83	.93 969	9.97 298	2.33	1.18 82	0.07 489
1.34	.89 222	9.95 047	1.84	.94 261	9.97 433	2.34	1.19 56	0.07 757
1.35	.89 115	9.94 995	1.85	.94 561	9.97 571	2.35	1.20 31	0.08 029
1.36	.89 018	9.94 948	**1.86**	.94 869	9.97 712	**2.36**	1.21 07	0 08 302
1.37	.88 931	9.94 905	1.87	.95 184	9.97 856	2.37	1.21 84	0.08 578
1.38	.88 854	9.94 868	1.88	.95 507	9.98 004	2.38	1.22 62	0.08 855
1.39	.88 785	9.94 834	1.89	.95 838	9.98 154	2.39	1.23 41	0.09 136
1.40	.88 726	9.94 805	1.90	.96 177	9.98 307	2.40	1.24 22	0.09 418
1.41	.88 676	9.94 781	**1.91**	.96 523	9.98 463	**2.41**	1.25 03	0.09 703
1.42	.88 636	9.94 761	1.92	.96 877	9.98 622	2.42	1.25 86	0.09 990
1.43	.88 604	9.94 745	1.93	.97 240	9.98 784	2.43	1.26 70	0.10 279
1.44	.88 581	9.94 734	1.94	.97 610	9.98 949	2.44	1.27 56	0.10 570
1.45	.88 566	9.94 727	1.95	.97 988	9.99 117	2.45	1.28 42	0.10 864
1.46	.88 560	9.94 724	**1.96**	.98 374	9.99 288	**2.46**	1.29 30	0.11 159
1.47	.88 563	9.94 725	1.97	.98 768	9.99 462	2.47	1.30 19	0.11 457
1.48	.88 575	9.94 731	1.98	.99 171	9.99 638	2.48	1.31 09	0.11 757
1.49	.88 595	9.94 741	1.99	.99 581	9.99 818	2.49	1.32 01	0.12 059
1.50	.88 623	9.94 754	2.00	1.00 000	0.00 000	2.50	1.32 93	0.12 364
n	Γ(n)	Log Γ(n)	n	Γ(n)	Log Γ(n)	n	Γ(n)	Log Γ(n)

Values and Logarithms of the Gamma Function

For larger values of n, use $\Gamma(n+1) = n\Gamma(n)$ or the approximation

$$\Gamma(n+1) = \sqrt{2\pi n}\, n^n e^{-n} e^{1/12n}$$

TABLE 29

The Probability Integral: $\frac{2}{\sqrt{\pi}} \int_0^t e^{-t^2}\,dt$

t	.000	.001	.002	.003	.004	.005	.006	.007	.008	.009
0.00	.00 000	.00 113	.00 226	.00 339	.00 451	.00 564	.00 677	.00 790	.00 903	.01 016
0.01	.01 128	.01 241	.01 354	.01 467	.01 580	.01 692	.01 805	.01 918	.02 031	.02 144
0.02	.02 256	.02 369	.02 482	.02 595	.02 708	.02 820	.02 933	.03 046	.03 159	.03 271
0.03	.03 384	.03 497	.03 610	.03 722	.03 835	.03 948	.04 060	.04 173	.04 286	.04 398
0.04	.04 511	.04 624	.04 736	.04 849	.04 962	.05 074	.05 187	.05 299	.05 412	.05 525
0.05	.05 637	.05 750	.05 862	.05 975	.06 087	.06 200	.06 312	.06 425	.06 537	.06 650
0.06	.06 762	.06 875	.06 987	.07 099	.07 212	.07 324	.07 437	.07 549	.07 661	.07 773
0.07	.07 886	.07 998	.08 110	.08 223	.08 335	.08 447	.08 559	.08 671	.08 784	.08 896
0.08	.09 008	.09 120	.09 232	.09 344	.09 456	.09 568	.09 680	.09 792	.09 904	.10 016
0.09	.10 128	.10 240	.10 352	.10 464	.10 576	.10 687	.10 799	.10 911	.11 023	.11 135
0.10	.11 246	.11 358	.11 470	.11 581	.11 693	.11 805	.11 916	.12 028	.12 139	.12 251
0.11	.12 362	.12 474	.12 585	.12 697	.12 808	.12 919	.13 031	.13 142	.13 253	.13 365
0.12	.13 476	.13 587	.13 698	.13 809	.13 921	.14 032	.14 143	.14 254	.14 365	.14 476
0.13	.14 587	.14 698	.14 809	.14 919	.15 030	.15 141	.15 252	.15 363	.15 473	.15 584
0.14	.15 695	.15 805	.15 916	.16 027	.16 137	.16 248	.16 358	.16 468	.16 579	.16 689
0.15	.16 800	.16 910	.17 020	.17 130	.17 241	.17 351	.17 461	.17 571	.17 681	.17 791
0.16	.17 901	.18 011	.18 121	.18 231	.18 341	.18 451	.18 560	.18 670	.18 780	.18 890
0.17	.18 999	.19 109	.19 218	.19 328	.19 437	.19 547	.19 656	.19 766	.19 875	.19 984
0.18	.20 094	.20 203	.20 312	.20 421	.20 530	.20 639	.20 748	.20 857	.20 966	.21 075
0.19	.21 184	.21 293	.21 402	.21 510	.21 619	.21 728	.21 836	.21 945	.22 053	.22 162
0.20	.22 270	.22 379	.22 487	.22 595	.22 704	.22 812	.22 920	.23 028	.23 136	.23 244
0.21	.23 352	.23 460	.23 568	.23 676	.23 784	.23 891	.23 999	.24 107	.24 214	.24 322
0.22	.24 430	.24 537	.24 645	.24 752	.24 859	.24 967	.25 074	.25 181	.25 288	.25 395
0.23	.25 502	.25 609	.25 716	.25 823	.25 930	.26 037	.26 144	.26 250	.26 357	.26 463
0.24	.26 570	.26 677	.26 783	.26 889	.26 996	.27 102	.27 208	.27 314	.27 421	.27 527
0.25	.27 633	.27 739	.27 845	.27 950	.28 056	.28 162	.28 268	.28 373	.28 479	.28 584
0.26	.28 690	.28 795	.28 901	.29 006	.29 111	.29 217	.29 322	.29 427	.29 532	.29 637
0.27	.29 742	.29 847	.29 952	.30 056	.30 161	.30 266	.30 370	.30 475	.30 579	.30 684
0.28	.30 788	.30 892	.30 997	.31 101	.31 205	.31 309	.31 413	.31 517	.31 621	.31 725
0.29	.31 828	.31 932	.32 036	.32 139	.32 243	.32 346	.32 450	.32 553	.32 656	.32 760
0.30	.32 863	.32 966	.33 069	.33 172	.33 275	.33 378	.33 480	.33 583	.33 686	.33 788
0.31	.33 891	.33 993	.34 096	.34 198	.34 300	.34 403	.34 505	.34 607	.34 709	.34 811
0.32	.34 913	.35 014	.35 116	.35 218	.35 319	.35 421	.35 523	.35 624	.35 725	.35 827
0.33	.35 928	.36 029	.36 130	.36 231	.36 332	.36 433	.36 534	.36 635	.36 735	.36 836
0.34	.36 936	.37 037	.37 137	.37 238	.37 338	.37 438	.37 538	.37 638	.37 738	.37 838
0.35	.37 938	.38 038	.38 138	.38 237	.38 337	.38 436	.38 536	.38 635	.38 735	.38 834
0.36	.38 933	.39 032	.39 131	.39 230	.39 329	.39 428	.39 526	.39 625	.39 724	.39 822
0.37	.39 921	.40 019	.40 117	.40 215	.40 314	.40 412	.40 510	.40 608	.40 705	.40 803
0.38	.40 901	.40 999	.41 096	.41 194	.41 291	.41 388	.41 486	.41 583	.41 680	.41 777
0.39	.41 874	.41 971	.42 068	.42 164	.42 261	.42 358	.42 454	.42 550	.42 647	.42 743
0.40	.42 839	.42 935	.43 031	.43 127	.43 223	.43 319	.43 415	.43 510	.43 606	.43 701
0.41	.43 797	.43 892	.43 988	.44 083	.44 178	.44 273	.44 368	.44 463	.44 557	.44 652
0.42	.44 747	.44 841	.44 936	.45 030	.45 124	.45 219	.45 313	.45 407	.45 501	.45 595
0.43	.45 689	.45 782	.45 876	.45 970	.46 063	.46 157	.46 250	.46 343	.46 436	.46 529
0.44	.46 623	.46 715	.46 808	.46 901	.46 994	.47 086	.47 179	.47 271	.47 364	.47 456
0.45	.47 548	.47 640	.47 732	.47 824	.47 916	.48 008	.48 100	.48 191	.48 283	.48 374
0.46	.48 466	.48 557	.48 648	.48 739	.48 830	.48 921	.49 012	.49 103	.49 193	.49 284
0.47	.49 375	.49 465	.49 555	.49 646	.49 736	.49 826	.49 916	.50 006	.50 096	.50 185
0.48	.50 275	.50 365	.50 454	.50 543	.50 633	.50 722	.50 811	.50 900	.50 989	.51 078
0.49	.51 167	.51 256	.51 344	.51 433	.51 521	.51 609	.51 698	.51 786	.51 874	.51 962
0.50	.52 050	.52 138	.52 226	.52 313	.52 401	.52 488	.52 576	.52 663	.52 750	.52 837
0.51	.52 924	.53 011	.53 098	.53 185	.53 272	.53 358	.53 445	.53 531	.53 617	.53 704
0.52	.53 790	.53 876	.53 962	.54 048	.54 134	.54 219	.54 305	.54 390	.54 476	.54 561
0.53	.54 646	.54 732	.54 817	.54 902	.54 987	.55 071	.55 156	.55 241	.55 325	.55 410
0.54	.55 494	.55 578	.55 662	.55 746	.55 830	.55 914	.55 998	.56 082	.56 165	.56 249
t	.000	.001	.002	.003	.004	.005	.006	.007	.008	.009

The Probability Integral: $\frac{2}{\sqrt{\pi}} \int_0^t e^{-t^2}\,dt$

The Probability Integral: $\frac{2}{\sqrt{\pi}} \int_0^t e^{-t^2}\,dt$

t	.000	.001	.002	.003	.004	.005	.006	.007	.008	.009
0.55	.56 332	.56 416	.56 499	.56 582	.56 665	.56 748	.56 831	.56 914	.56 996	.57 079
0.56	.57 162	.57 244	.57 326	.57 409	.57 491	.57 573	.57 655	.57 737	.57 818	.57 900
0.57	.57 982	.58 063	.58 144	.58 226	.58 307	.58 388	.58 469	.58 550	.58 631	.58 712
0.58	.58 792	.58 873	.58 953	.59 034	.59 114	.59 194	.59 274	.59 354	.59 434	.59 514
0.59	.59 594	.59 673	.59 753	.59 832	.59 912	.59 991	.60 070	.60 149	.60 228	.60 307
0.60	.60 386	.60 464	.60 543	.60 621	.60 700	.60 778	.60 856	.60 934	.61 012	.61 090
0.61	.61 168	.61 246	.61 323	.61 401	.61 478	.61 556	.61 633	.61 710	.61 787	.61 864
0.62	.61 941	.62 018	.62 095	.62 171	.62 248	.62 324	.62 400	.62 477	.62 553	.62 629
0.63	.62 705	.62 780	.62 856	.62 932	.63 007	.63 083	.63 158	.63 233	.63 309	.63 384
0.64	.63 459	.63 533	.63 608	.63 683	.63 757	.63 832	.63 906	.63 981	.64 055	.64 129
0.65	.64 203	.64 277	.64 351	.64 424	.64 498	.64 572	.64 645	.64 718	.64 791	.64 865
0.66	.64 938	.65 011	.65 083	.65 156	.65 229	.65 301	.65 374	.65 446	.65 519	.65 591
0.67	.65 663	.65 735	.65 807	.65 878	.65 950	.66 022	.66 093	.66 165	.66 236	.66 307
0.68	.66 378	.66 449	.66 520	.66 591	.66 662	.66 732	.66 803	.66 873	.66 944	.67 014
0.69	.67 084	.67 154	.67 224	.67 294	.67 364	.67 433	.67 503	.67 572	.67 642	.67 711
0.70	.67 780	.67 849	.67 918	.67 987	.68 056	.68 125	.68 193	.68 262	.68 330	.68 398
0.71	.68 467	.68 535	.68 603	.68 671	.68 738	.68 806	.68 874	.68 941	.69 009	.69 076
0.72	.69 143	.69 210	.69 278	.69 344	.69 411	.69 478	.69 545	.69 611	.69 678	.69 744
0.73	.69 810	.69 877	.69 943	.70 009	.70 075	.70 140	.70 206	.70 272	.70 337	.70 403
0.74	.70 468	.70 533	.70 598	.70 663	.70 728	.70 793	.70 858	.70 922	.70 987	.71 051
0.75	.71 116	.71 180	.71 244	.71 308	.71 372	.71 436	.71 500	.71 563	.71 627	.71 690
0.76	.71 754	.71 817	.71 880	.71 943	.72 006	.72 069	.72 132	.72 195	.72 257	.72 320
0.77	.72 382	.72 444	.72 507	.72 569	.72 631	.72 693	.72 755	.72 816	.72 878	.72 940
0.78	.73 001	.73 062	.73 124	.73 185	.73 246	.73 307	.73 368	.73 429	.73 489	.73 550
0.79	.73 610	.73 671	.73 731	.73 791	.73 851	.73 911	.73 971	.74 031	.74 091	.74 151
0.80	.74 210	.74 270	.74 329	.74 388	.74 447	.74 506	.74 565	.74 624	.74 683	.74 742
0.81	.74 800	.74 859	.74 917	.74 976	.75 034	.75 092	.75 150	.75 208	.75 266	.75 323
0.82	.75 381	.75 439	.75 496	.75 553	.75 611	.75 668	.75 725	.75 782	.75 839	.75 896
0.83	.75 952	.76 009	.76 066	.76 122	.76 178	.76 234	.76 291	.76 347	.76 403	.76 459
0.84	.76 514	.76 570	.76 626	.76 681	.76 736	.76 792	.76 847	.76 902	.76 957	.77 012
0.85	.77 067	.77 122	.77 176	.77 231	.77 285	.77 340	.77 394	.77 448	.77 502	.77 556
0.86	.77 610	.77 664	.77 718	.77 771	.77 825	.77 878	.77 932	.77 985	.78 038	.78 091
0.87	.78 144	.78 197	.78 250	.78 302	.78 355	.78 408	.78 460	.78 512	.78 565	.78 617
0.88	.78 669	.78 721	.78 773	.78 824	.78 876	.78 928	.78 979	.79 031	.79 082	.79 133
0.89	.79 184	.79 235	.79 286	.79 337	.79 388	.79 439	.79 489	.79 540	.79 590	.79 641
0.90	.79 691	.79 741	.79 791	.79 841	.79 891	.79 941	.79 990	.80 040	.80 090	.80 139
0.91	.80 188	.80 238	.80 287	.80 336	.80 385	.80 434	.80 482	.80 531	.80 580	.80 628
0.92	.80 677	.80 725	.80 773	.80 822	.80 870	.80 918	.80 966	.81 013	.81 061	.81 109
0.93	.81 156	.81 204	.81 251	.81 299	.81 346	.81 393	.81 440	.81 487	.81 534	.81 580
0.94	.81 627	.81 674	.81 720	.81 767	.81 813	.81 859	.81 905	.81 951	.81 997	.82 043
0.95	.82 089	.82 135	.82 180	.82 226	.82 271	.82 317	.82 362	.82 407	.82 452	.82 497
0.96	.82 542	.82 587	.82 632	.82 677	.82 721	.82 766	.82 810	.82 855	.82 899	.82 943
0.97	.82 987	.83 031	.83 075	.83 119	.83 162	.83 206	.83 250	.83 293	.83 337	.83 380
0.98	.83 423	.83 466	.83 509	.83 552	.83 595	.83 638	.83 681	.83 723	.83 766	.83 808
0.99	.83 851	.83 893	.83 935	.83 977	.84 020	.84 061	.84 103	.84 145	.84 187	.84 229
1.00	.84 270	.84 312	.84 353	.84 394	.84 435	.84 477	.84 518	.84 559	.84 600	.84 640
1.01	.84 681	.84 722	.84 762	.84 803	.84 843	.84 883	.84 924	.84 964	.85 004	.85 044
1.02	.85 084	.85 124	.85 163	.85 203	.85 243	.85 282	.85 322	.85 361	.85 400	.85 439
1.03	.85 478	.85 517	.85 556	.85 595	.85 634	.85 673	.85 711	.85 750	.85 788	.85 827
1.04	.85 865	.85 903	.85 941	.85 979	.86 017	.86 055	.86 093	.86 131	.86 169	.86 206
1.05	.86 244	.86 281	.86 318	.86 356	.86 393	.86 430	.86 467	.86 504	.86 541	.86 578
1.06	.86 614	.86 651	.86 688	.86 724	.86 760	.86 797	.86 833	.86 869	.86 905	.86 941
1.07	.86 977	.87 013	.87 049	.87 085	.87 120	.87 156	.87 191	.87 227	.87 262	.87 297
1.08	.87 333	.87 368	.87 403	.87 438	.87 473	.87 507	.87 542	.87 577	.87 611	.87 646
1.09	.87 680	.87 715	.87 749	.87 783	.87 817	.87 851	.87 885	.87 919	.87 953	.87 987
t	.000	.001	.002	.003	.004	.005	.006	.007	.008	.009

The Probability Integral: $\frac{2}{\sqrt{\pi}} \int_0^t e^{-t^2}\,dt$

The Probability Integral: $\frac{2}{\sqrt{\pi}} \int_0^t e^{-t^2}\, dt$

t	.000	.001	.002	.003	.004	.005	.006	.007	.008	.009
1.10	.88 021	.88 054	.88 088	.88 121	.88 155	.88 188	.88 221	.88 254	.88 287	.88 320
1.11	.88 353	.88 386	.88 419	.88 452	.88 484	.88 517	.88 549	.88 582	.88 614	.88 647
1.12	.88 679	.88 711	.88 743	.88 775	.88 807	.88 839	.88 871	.88 902	.88 934	.88 966
1.13	.88 997	.89 029	.89 060	.89 091	.89 122	.89 154	.89 185	.89 216	.89 247	.89 277
1.14	.89 308	.89 339	.89 370	.89 400	.89 431	.89 461	.89 492	.89 522	.89 552	.89 582
1.15	.89 612	.89 642	.89 672	.89 702	.89 732	.89 762	.89 792	.89 821	.89 851	.89 880
1.16	.89 910	.89 939	.89 968	.89 997	.90 027	.90 056	.90 085	.90 114	.90 142	.90 171
1.17	.90 200	.90 229	.90 257	.90 286	.90 314	.90 343	.90 371	.90 399	.90 428	.90 456
1.18	.90 484	.90 512	.90 540	.90 568	.90 595	.90 623	.90 651	.90 678	.90 706	.90 733
1.19	.90 761	.90 788	.90 815	.90 843	.90 870	.90 897	.90 924	.90 951	.90 978	.91 005
1.20	.91 031	.91 058	.91 085	.91 111	.91 138	.91 164	.91 191	.91 217	.91 243	.91 269
1.21	.91 296	.91 322	.91 348	.91 374	.91 399	.91 425	.91 451	.91 477	.91 502	.91 528
1.22	.91 553	.91 579	.91 604	.91 630	.91 655	.91 680	.91 705	.91 730	.91 755	.91 780
1.23	.91 805	.91 830	.91 855	.91 879	.91 904	.91 929	.91 953	.91 978	.92 002	.92 026
1.24	.92 051	.92 075	.92 099	.92 123	.92 147	.92 171	.92 195	.92 219	.92 243	.92 266
1.25	.92 290	.92 314	.92 337	.92 361	.92 384	.92 408	.92 431	.92 454	.92 477	.92 500
1.26	.92 524	.92 547	.92 570	.92 593	.92 615	.92 638	.92 661	.92 684	.92 706	.92 729
1.27	.92 751	.92 774	.92 796	.92 819	.92 841	.92 863	.92 885	.92 907	.92 929	.92 951
1.28	.92 973	.92 995	.93 017	.93 039	.93 061	.93 082	.93 104	.93 126	.93 147	.93 168
1.29	.93 190	.93 211	.93 232	.93 254	.93 275	.93 296	.93 317	.93 338	.93 359	.93 380
1.30	.93 401	.93 422	.93 442	.93 463	.93 484	.93 504	.93 525	.93 545	.93 566	.93 586
1.31	.93 606	.93 627	.93 647	.93 667	.93 687	.93 707	.93 727	.93 747	.93 767	.93 787
1.32	.93 807	.93 826	.93 846	.93 866	.93 885	.93 905	.93 924	.93 944	.93 963	.93 982
1.33	.94 002	.94 021	.94 040	.94 059	.94 078	.94 097	.94 116	.94 135	.94 154	.94 173
1.34	.94 191	.94 210	.94 229	.94 247	.94 266	.94 284	.94 303	.94 321	.94 340	.94 358
1.35	.94 376	.94 394	.94 413	.94 431	.94 449	.94 467	.94 485	.94 503	.94 521	.94 538
1.36	.94 556	.94 574	.94 592	.94 609	.94 627	.94 644	.94 662	.94 679	.94 697	.94 714
1.37	.94 731	.94 748	.94 766	.94 783	.94 800	.94 817	.94 834	.94 851	.94 868	.94 885
1.38	.94 902	.94 918	.94 935	.94 952	.94 968	.94 985	.95 002	.95 018	.95 035	.95 051
1.39	.95 067	.95 084	.95 100	.95 116	.95 132	.95 148	.95 165	.95 181	.95 197	.95 213
1.40	.95 229	.95 244	.95 260	.95 276	.95 292	.95 307	.95 323	.95 339	.95 354	.95 370
1.41	.95 385	.95 401	.95 416	.95 431	.95 447	.95 462	.95 477	.95 492	.95 507	.95 523
1.42	.95 538	.95 553	.95 568	.95 582	.95 597	.95 612	.95 627	.95 642	.95 656	.95 671
1.43	.95 686	.95 700	.95 715	.95 729	.95 744	.95 758	.95 773	.95 787	.95 801	.95 815
1.44	.95 830	.95 844	.95 858	.95 872	.95 886	.95 900	.95 914	.95 928	.95 942	.95 956
1.45	.95 970	.95 983	.95 997	.96 011	.96 024	.96 038	.96 051	.96 065	.96 078	.96 092
1.46	.96 105	.96 119	.96 132	.96 145	.96 159	.96 172	.96 185	.96 198	.96 211	.96 224
1.47	.96 237	.96 250	.96 263	.96 276	.96 289	.96 302	.96 315	.96 327	.96 340	.96 353
1.48	.96 365	.96 378	.96 391	.96 403	.96 416	.96 428	.96 440	.96 453	.96 465	.96 478
1.49	.96 490	.96 502	.96 514	.96 526	.96 539	.96 551	.96 563	.96 575	.96 587	.96 599
1.50	.96 611	.96 622	.96 634	.96 646	.96 658	.96 670	.96 681	.96 693	.96 705	.96 716
1.51	.96 728	.96 739	.96 751	.96 762	.96 774	.96 785	.96 796	.96 808	.96 819	.96 830
1.52	.96 841	.96 853	.96 864	.96 875	.96 886	.96 897	.96 908	.96 919	.96 930	.96 941
1.53	.96 952	.96 962	.96 973	.96 984	.96 995	.97 005	.97 016	.97 027	.97 037	.97 048
1.54	.97 059	.97 069	.97 080	.97 090	.97 100	.97 111	.97 121	.97 131	.97 142	.97 152
1.55	.97 162	.97 172	.97 183	.97 193	.97 203	.97 213	.97 223	.97 233	.97 243	.97 253
1.56	.97 263	.97 273	.97 283	.97 292	.97 302	.97 312	.97 322	.97 331	.97 341	.97 351
1.57	.97 360	.97 370	.97 379	.97 389	.97 398	.97 408	.97 417	.97 427	.97 436	.97 445
1.58	.97 455	.97 464	.97 473	.97 482	.97 492	.97 501	.97 510	.97 519	.97 528	.97 537
1.59	.97 546	.97 555	.97 564	.97 573	.97 582	.97 591	.97 600	.97 609	.97 617	.97 626
1.60	.97 635	.97 644	.97 652	.97 661	.97 670	.97 678	.97 687	.97 695	.97 704	.97 712
1.61	.97 721	.97 729	.97 738	.97 746	.97 754	.97 763	.97 771	.97 779	.97 787	.97 796
1.62	.97 804	.97 812	.97 820	.97 828	.97 836	.97 844	.97 852	.97 860	.97 868	.97 876
1.63	.97 884	.97 892	.97 900	.97 908	.97 916	.97 924	.97 931	.97 939	.97 947	.97 954
1.64	.97 962	.97 970	.97 977	.97 985	.97 993	.98 000	.98 008	.98 015	.98 023	.98 030
t	.000	.001	.002	.003	.004	.005	.006	.007	.008	.009

The Probability Integral: $\frac{2}{\sqrt{\pi}} \int_0^t e^{-t^2}\, dt$

The Probability Integral: $\frac{2}{\sqrt{\pi}} \int_0^t e^{-t^2}\,dt$

t	.000	.001	.002	.003	.004	.005	.006	.007	.008	.009
1.65	.98 038	.98 045	.98 052	.98 060	.98 067	.98 074	.98 082	.98 089	.98 096	.98 103
1.66	.98 110	.98 118	.98 125	.98 132	.98 139	.98 146	.98 153	.98 160	.98 167	.98 174
1.67	.98 181	.98 188	.98 195	.98 202	.98 209	.98 215	.98 222	.98 229	.98 236	.98 243
1.68	.98 249	.98 256	.98 263	.98 269	.98 276	.98 283	.98 289	.98 296	.98 302	.98 309
1.69	.98 315	.98 322	.98 328	.98 335	.98 341	.98 347	.98 354	.98 360	.98 366	.98 373
1.70	.98 379	.98 385	.98 392	.98 398	.98 404	.98 410	.98 416	.98 422	.98 429	.98 435
1.71	.98 441	.98 447	.98 453	.98 459	.98 465	.98 471	.98 477	.98 483	.98 489	.98 494
1.72	.98 500	.98 506	.98 512	.98 518	.98 524	.98 529	.98 535	.98 541	.98 546	.98 552
1.73	.98 558	.98 563	.98 569	.98 575	.98 580	.98 586	.98 591	.98 597	.98 602	.98 608
1.74	.98 613	.98 619	.98 624	.98 630	.98 635	.98 641	.98 646	.98 651	.98 657	.98 662
1.75	.98 667	.98 672	.98 678	.98 683	.98 688	.98 693	.98 699	.98 704	.98 709	.98 714
1.76	.98 719	.98 724	.98 729	.98 734	.98 739	.98 744	.98 749	.98 754	.98 759	.98 764
1.77	.98 769	.98 774	.98 779	.98 784	.98 789	.98 793	.98 798	.98 803	.98 808	.98 813
1.78	.98 817	.98 822	.98 827	.98 832	.98 836	.98 841	.98 846	.98 850	.98 855	.98 859
1.79	.98 864	.98 869	.98 873	.98 878	.98 882	.98 887	.98 891	.98 896	.98 900	98 905
1.80	.98 909	.98 913	.98 918	.98 922	.98 927	.98 931	.98 935	.98 940	.98 944	.98 948
1.81	.98 952	.98 957	.98 961	.98 965	.98 969	.98 974	.98 978	.98 982	.98 986	.98 990
1.82	.98 994	.98 998	.99 003	.99 007	.99 011	.99 015	.99 019	.99 023	.99 027	.99 031
1.83	.99 035	.99 039	.99 043	.99 047	.99 050	.99 054	.99 058	.99 062	.99 066	.99 070
1.84	.99 074	.99 077	.99 081	.99 085	.99 089	.99 093	.99 096	.99 100	.99 104	.99 107
1.85	.99 111	.99 115	.99 118	.99 122	.99 126	.99 129	.99 133	.99 137	.99 140	.99 144
1.86	.99 147	.99 151	.99 154	.99 158	.99 161	.99 165	.99 168	.99 172	.99 175	.99 179
1.87	.99 182	.99 185	.99 189	.99 192	.99 196	.99 199	.99 202	.99 206	.99 209	.99 212
1.88	.99 216	.99 219	.99 222	.99 225	.99 229	.99 232	.99 235	.99 238	.99 242	.99 245
1.89	.99 248	.99 251	.99 254	.99 257	.99 261	.99 264	.99 267	.99 270	.99 273	.99 276
1.90	.99 279	.99 282	.99 285	.99 288	.99 291	.99 294	.99 297	.99 300	.99 303	.99 306
1.91	.99 309	.99 312	.99 315	.99 318	.99 321	.99 324	.99 326	.99 329	.99 332	.99 335
1.92	.99 338	.99 341	.99 343	.99 346	.99 349	.99 352	.99 355	.99 357	.99 360	.99 363
1.93	.99 366	.99 368	.99 371	.99 374	.99 376	.99 379	.99 382	.99 384	.99 387	.99 390
1.94	.99 392	.99 395	.99 397	.99 400	.99 403	.99 405	.99 408	.99 410	.99 413	.99 415
1.95	.99 418	.99 420	.99 423	.99 425	.99 428	.99 430	.99 433	.99 435	.99 438	.99 440
1.96	.99 443	.99 445	.99 447	.99 450	.99 452	.99 455	.99 457	.99 459	.99 462	.99 464
1.97	.99 466	.99 469	.99 471	.99 473	.99 476	.99 478	.99 480	.99 482	.99 485	.99 487
1.98	.99 489	.99 491	.99 494	.99 496	.99 498	.99 500	.99 502	.99 505	.99 507	.99 509
1.99	.99 511	.99 513	.99 515	.99 518	.99 520	.99 522	.99 524	.99 526	.99 528	.99 530
t	.000	.001	.002	.003	.004	.005	.006	.007	.008	.009

t	.00	.01	.02	.03	.04	.05	.06	.07	.08	.09
2.0	.99 532	.99 552	.99 572	.99 591	.99 609	.99 626	.99 642	.99 658	.99 673	.99 688
2.1	.99 702	.99 715	.99 728	.99 741	.99 753	.99 764	.99 775	.99 785	.99 795	.99 805
2.2	.99 814	.99 822	.99 831	.99 839	.99 846	.99 854	.99 861	.99 867	.99 874	.99 880
2.3	.99 886	.99 891	.99 897	.99 902	.99 906	.99 911	.99 915	.99 920	.99 924	.99 928
2.4	.99 931	.99 935	.99 938	.99 941	.99 944	.99 947	.99 950	.99 952	.99 955	.99 957
2.5	.99 959	.99 961	.99 963	.99 965	.99 967	.99 969	.99 971	.99 972	.99 974	.99 975
2.6	.99 976	.99 978	.99 979	.99 980	.99 981	.99 982	.99 983	.99 984	.99 985	.99 986
2.7	.99 987	.99 987	.99 988	.99 989	.99 989	.99 990	.99 991	.99 991	.99 992	.99 992
2.8	.99 992	.99 993	.99 993	.99 994	.99 994	.99 994	.99 995	.99 995	.99 995	.99 996
2.9	.99 996	.99 996	.99 996	.99 997	.99 997	.99 997	.99 997	.99 997	.99 997	.99 998
3.0	.99 998	.99 998	.99 998	.99 998	.99 998	.99 998	.99 998	.99 999	.99 999	.99 999
t	.00	.01	.02	.03	.04	.05	.06	.07	.08	.09

The Probability Integral: $\frac{2}{\sqrt{\pi}} \int_0^t e^{-t^2}\,dt$

TABLE 30

Values of Bessel Functions $J_0(x)$ and $J_1(x)$

x	$J_0(x)$	$J_1(x)$	x	$J_0(x)$	$J_1(x)$	x	$J_0(x)$	$J_1(x)$
0.0	1.0000	.0000	**5.0**	−.1776	−.3276	**10.0**	−.2459	.0435
0.1	.9975	.0499	5.1	−.1443	−.3371	10.1	−.2490	.0184
0.2	.9900	.0995	5.2	−.1103	−.3432	10.2	−.2496	−.0066
0.3	.9776	.1483	5.3	−.0758	−.3460	10.3	−.2477	−.0313
0.4	.9604	.1960	5.4	−.0412	−.3453	10.4	−.2434	−.0555
0.5	.9385	.2423	**5.5**	−.0068	−.3414	**10.5**	−.2366	−.0789
0.6	.9120	.2867	5.6	.0270	−.3343	10.6	−.2276	−.1012
0.7	.8812	.3290	5.7	.0599	−.3241	10.7	−.2164	−.1224
0.8	.8463	.3688	5.8	.0917	−.3110	10.8	−.2032	−.1422
0.9	.8075	.4059	5.9	.1220	−.2951	10.9	−.1881	−.1603
1.0	.7652	.4401	**6.0**	.1506	−.2767	**11.0**	−.1712	−.1768
1.1	.7196	.4709	6.1	.1773	−.2559	11.1	−.1528	−.1913
1.2	.6711	.4983	6.2	.2017	−.2329	11.2	−.1330	−.2039
1.3	.6201	.5220	6.3	.2238	−.2081	11.3	−.1121	−.2143
1.4	.5669	.5419	6.4	.2433	−.1816	11.4	−.0902	−.2225
1.5	.5118	.5579	**6.5**	.2601	−.1538	**11.5**	−.0677	−.2284
1.6	.4554	.5699	6.6	.2740	−.1250	11.6	−.0446	−.2320
1.7	.3980	.5778	6.7	.2851	−.0953	11.7	−.0213	−.2333
1.8	.3400	.5815	6.8	.2931	−.0652	11.8	.0020	−.2323
1.9	.2818	.5812	6.9	.2981	−.0349	11.9	.0250	−.2290
2.0	.2239	.5767	**7.0**	.3001	−.0047	**12.0**	.0477	−.2234
2.1	.1666	.5683	7.1	.2991	.0252	12.1	.0697	−.2157
2.2	.1104	.5560	7.2	.2951	.0543	12.2	.0908	−.2060
2.3	.0555	.5399	7.3	.2882	.0826	12.3	.1108	−.1943
2.4	.0025	.5202	7.4	.2786	.1096	12.4	.1296	−.1807
2.5	−.0484	.4971	**7.5**	.2663	.1352	**12.5**	.1469	−.1655
2.6	−.0968	.4708	7.6	.2516	.1592	12.6	.1626	−.1487
2.7	−.1424	.4416	7.7	.2346	.1813	12.7	.1766	−.1307
2.8	−.1850	.4097	7.8	.2154	.2014	12.8	.1887	−.1114
2.9	−.2243	.3754	7.9	.1944	.2192	12.9	.1988	−.0912
3.0	−.2601	.3391	**8.0**	.1717	.2346	**13.0**	.2069	−.0703
3.1	−.2921	.3009	8.1	.1475	.2476	13.1	.2129	−.0489
3.2	−.3202	.2613	8.2	.1222	.2580	13.2	.2167	−.0271
3.3	−.3443	.2207	8.3	.0960	.2657	13.3	.2183	−.0052
3.4	−.3643	.1792	8.4	.0692	.2708	13.4	.2177	.0166
3.5	−.3801	.1374	**8.5**	.0419	.2731	**13.5**	.2150	.0380
3.6	−.3918	.0955	8.6	.0146	.2728	13.6	.2101	.0590
3.7	−.3992	.0538	8.7	−.0125	.2697	13.7	.2032	.0791
3.8	−.4026	.0128	8.8	−.0392	.2641	13.8	.1943	.0984
3.9	−.4018	−.0272	8.9	−.0653	.2559	13.9	.1836	.1165
4.0	−.3971	−.0660	**9.0**	−.0903	.2453	**14.0**	.1711	.1334
4.1	−.3887	−.1033	9.1	−.1142	.2324	14.1	.1570	.1488
4.2	−.3766	−.1386	9.2	−.1367	.2174	14.2	.1414	.1626
4.3	−.3610	−.1719	9.3	−.1577	.2004	14.3	.1245	.1747
4.4	−.3423	−.2028	9.4	−.1768	.1816	14.4	.1065	.1850
4.5	−.3205	−.2311	**9.5**	−.1939	.1613	**14.5**	.0875	.1934
4.6	−.2961	−.2566	9.6	−.2090	.1395	14.6	.0679	.1999
4.7	−.2693	−.2791	9.7	−.2218	.1166	14.7	.0476	.2043
4.8	−.2404	−.2985	9.8	−.2323	.0928	14.8	.0271	.2066
4.9	−.2097	−.3147	9.9	−.2403	.0684	14.9	.0064	.2069
x	$J_0(x)$	$J_1(x)$	x	$J_0(x)$	$J_1(x)$	x	$J_0(x)$	$J_1(x)$

Zeros of $J_0(x)$: $x_1=2.405$, $x_2=5.520$, $x_3=8.654$, $x_4=11.792$, $x_5=14.931$, $x_6=18.071$
Zeros of $J_1(x)$: $x_1=3.832$, $x_2=7.016$, $x_3=10.173$, $x_4=13.324$, $x_5=16.471$, $x_6=19.616$

Values of Bessel Functions $J_0(x)$ and $J_1(x)$

TABLE 31

Values of the Complete Elliptic Integrals

θ	K	E	θ	K	E	θ	K	E
0°	1.5708	1.5708	**50°**	1.9356	1.3055	**82.0°**	3.3699	1.0278
1°	1.5709	1.5707	51°	1.9539	1.2963	82.2°	3.3946	1.0267
2°	1.5713	1.5703	52°	1.9729	1.2870	82.4°	3.4199	1.0256
3°	1.5719	1.5697	53°	1.9927	1.2776	82.6°	3.4460	1.0245
4°	1.5727	1.5689	54°	2.0133	1.2681	82.8°	3.4728	1.0234
5°	1.5738	1.5678	**55°**	2.0347	1.2587	**83.0°**	3.5004	1.0223
6°	1.5751	1.5665	56°	2.0571	1.2492	83.2°	3.5288	1.0213
7°	1.5767	1.5649	57°	2.0804	1.2397	83.4°	3.5581	1.0202
8°	1.5785	1.5632	58°	2.1047	1.2301	83.6°	3.5884	1.0192
9°	1.5805	1.5611	59°	2.1300	1.2206	83.8°	3.6196	1.0182
10°	1.5828	1.5589	**60°**	2.1565	1.2111	**84.0°**	3.6519	1.0172
11°	1.5854	1.5564	61°	2.1842	1.2015	84.2°	3.6852	1.0163
12°	1.5882	1.5537	62°	2.2132	1.1920	84.4°	3.7198	1.0153
13°	1.5913	1.5507	63°	2.2435	1.1826	84.6°	3.7557	1.0144
14°	1.5946	1.5476	64°	2.2754	1.1732	84.8°	3.7930	1.0135
15°	1.5981	1.5442	**65°**	2.3088	1.1638	**85.0°**	3.8317	1.0127
16°	1.6020	1.5405	66°	2.3439	1.1545	85.2°	3.8721	1.0118
17°	1.6061	1.5367	67°	2.3809	1.1453	85.4°	3.9142	1.0110
18°	1.6105	1.5326	68°	2.4198	1.1362	85.6°	3.9583	1.0102
19°	1.6151	1.5283	69°	2.4610	1.1272	85.8°	4.0044	1.0094
20°	1.6200	1.5238	**70.0°**	2.5046	1.1184	**86.0°**	4.0528	1.0086
21°	1.6252	1.5191	70.5°	2.5273	1.1140	86.2°	4.1037	1.0079
22°	1.6307	1.5141	71.0°	2.5507	1.1096	86.4°	4.1574	1.0072
23°	1.6365	1.5090	71.5°	2.5749	1.1053	86.6°	4.2142	1.0065
24°	1.6426	1.5037	72.0°	2.5998	1.1011	86.8°	4.2744	1.0059
25°	1.6490	1.4981	**72.5°**	2.6256	1.0968	**87.0°**	4.3387	1.0053
26°	1.6557	1.4924	73.0°	2.6521	1.0927	87.2°	4.4073	1.0047
27°	1.6627	1.4864	73.5°	2.6796	1.0885	87.4°	4.4811	1.0041
28°	1.6701	1.4803	74.0°	2.7081	1.0844	87.6°	4.5609	1.0036
29°	1.6777	1.4740	74.5°	2.7375	1.0804	87.8°	4.6477	1.0031
30°	1.6858	1.4675	**75.0°**	2.7681	1.0764	**88.0°**	4.7427	1.0026
31°	1.6941	1.4608	75.5°	2.7998	1.0725	88.2°	4.8478	1.0021
32°	1.7028	1.4539	76.0°	2.8327	1.0686	88.4°	4.9654	1.0017
33°	1.7119	1.4469	76.5°	2.8669	1.0648	88.6°	5.0988	1.0014
34°	1.7214	1.4397	77.0°	2.9026	1.0611	88.8°	5.2527	1.0010
35°	1.7312	1.4323	**77.5°**	2.9397	1.0574	**89.0°**	5.4349	1.0008
36°	1.7415	1.4248	78.0°	2.9786	1.0538	89.1°	5.5402	1.0006
37°	1.7522	1.4171	78.5°	3.0192	1.0502	89.2°	5.6579	1.0005
38°	1.7633	1.4092	79.0°	3.0617	1.0468	89.3°	5.7914	1.0004
39°	1.7748	1.4013	79.5°	3.1064	1.0434	89.4°	5.9455	1.0003
40°	1.7868	1.3931	**80.0°**	3.1534	1.0401	**89.5°**	6.1278	1.0002
41°	1.7992	1.3849	80.2°	3.1729	1.0388	89.6°	6.3509	1.0001
42°	1.8122	1.3765	80.4°	3.1928	1.0375	89.7°	6.6385	1.0001
43°	1.8256	1.3680	80.6°	3.2132	1.0363	89.8°	7.0440	1.0000
44°	1.8396	1.3594	80.8°	3.2340	1.0350	89.9°	7.7371	1.0000
45°	1.8541	1.3506	**81.0°**	3.2553	1.0338	**90.0°**	—	1.0000
46°	1.8691	1.3418	81.2°	3.2771	1.0326			
47°	1.8848	1.3329	81.4°	3.2995	1.0314			
48°	1.9011	1.3238	81.6°	3.3223	1.0302			
49°	1.9180	1.3147	81.8°	3.3458	1.0290			
θ	K	E	θ	K	E	θ	K	E

$$K = \int_0^{\pi/2} (1 - \sin^2\theta \sin^2\phi)^{-1/2}\, d\phi \qquad E = \int_0^{\pi/2} (1 - \sin^2\theta \sin^2\phi)^{1/2}\, d\phi$$

Values of the Complete Elliptic Integrals

Values of the Elliptic Integral of the First Kind: $F(k,\phi)$

ϕ \ θ	5°	10°	15°	20°	25°	30°	35°	40°	45°
1°	0.0175	0.0175	0.0175	0.0175	0.0175	0.0175	0.0175	0.0175	0.0175
2°	0.0349	0.0349	0.0349	0.0349	0.0349	0.0349	0.0349	0.0349	0.0349
3°	0.0524	0.0524	0.0524	0.0524	0.0524	0.0524	0.0524	0.0524	0.0524
4°	0.0698	0.0698	0.0698	0.0698	0.0698	0.0698	0.0698	0.0698	0.0698
5°	0.0873	0.0873	0.0873	0.0873	0.0873	0.0873	0.0873	0.0873	0.0873
6°	0.1047	0.1047	0.1047	0.1047	0.1048	0.1048	0.1048	0.1048	0.1048
7°	0.1222	0.1222	0.1222	0.1222	0.1222	0.1222	0.1223	0.1223	0.1223
8°	0.1396	0.1396	0.1397	0.1397	0.1397	0.1397	0.1398	0.1398	0.1399
9°	0.1571	0.1571	0.1571	0.1572	0.1572	0.1572	0.1573	0.1573	0.1574
10°	0.1745	0.1746	0.1746	0.1746	0.1747	0.1748	0.1748	0.1749	0.1750
11°	0.1920	0.1920	0.1921	0.1921	0.1922	0.1923	0.1924	0.1925	0.1926
12°	0.2095	0.2095	0.2095	0.2096	0.2097	0.2098	0.2099	0.2101	0.2102
13°	0.2269	0.2270	0.2270	0.2271	0.2272	0.2274	0.2275	0.2277	0.2279
14°	0.2444	0.2444	0.2445	0.2446	0.2448	0.2450	0.2451	0.2453	0.2456
15°	0.2618	0.2619	0.2620	0.2621	0.2623	0.2625	0.2628	0.2630	0.2633
16°	0.2793	0.2794	0.2795	0.2797	0.2799	0.2802	0.2804	0.2808	0.2811
17°	0.2967	0.2968	0.2970	0.2972	0.2975	0.2978	0.2981	0.2985	0.2989
18°	0.3142	0.3143	0.3145	0.3148	0.3151	0.3154	0.3159	0.3163	0.3167
19°	0.3317	0.3318	0.3320	0.3323	0.3327	0.3331	0.3336	0.3341	0.3347
20°	0.3491	0.3493	0.3495	0.3499	0.3503	0.3508	0.3514	0.3520	0.3526
21°	0.3666	0.3668	0.3671	0.3675	0.3680	0.3685	0.3692	0.3699	0.3706
22°	0.3840	0.3842	0.3846	0.3851	0.3856	0.3863	0.3871	0.3879	0.3887
23°	0.4015	0.4017	0.4021	0.4027	0.4033	0.4041	0.4049	0.4059	0.4068
24°	0.4190	0.4192	0.4197	0.4203	0.4210	0.4219	0.4229	0.4239	0.4250
25°	0.4364	0.4367	0.4372	0.4379	0.4387	0.4397	0.4408	0.4420	0.4433
26°	0.4539	0.4542	0.4548	0.4556	0.4565	0.4576	0.4588	0.4602	0.4616
27°	0.4714	0.4717	0.4724	0.4732	0.4743	0.4755	0.4769	0.4784	0.4800
28°	0.4888	0.4893	0.4899	0.4909	0.4921	0.4934	0.4950	0.4967	0.4985
29°	0.5063	0.5068	0.5075	0.5086	0.5099	0.5114	0.5132	0.5150	0.5170
30°	0.5238	0.5243	0.5251	0.5263	0.5277	0.5294	0.5313	0.5334	0.5356
31°	0.5412	0.5418	0.5427	0.5440	0.5456	0.5475	0.5496	0.5519	0.5543
32°	0.5587	0.5593	0.5603	0.5617	0.5635	0.5656	0.5679	0.5704	0.5731
33°	0.5762	0.5769	0.5780	0.5795	0.5814	0.5837	0.5862	0.5890	0.5920
34°	0.5937	0.5944	0.5956	0.5973	0.5994	0.6018	0.6046	0.6077	0.6109
35°	0.6111	0.6119	0.6133	0.6151	0.6173	0.6200	0.6231	0.6264	0.6300
36°	0.6286	0.6295	0.6309	0.6329	0.6353	0.6383	0.6416	0.6452	0.6491
37°	0.6461	0.6470	0.6486	0.6507	0.6534	0.6565	0.6602	0.6641	0.6684
38°	0.6636	0.6646	0.6662	0.6685	0.6714	0.6749	0.6788	0.6831	0.6877
39°	0.6810	0.6821	0.6839	0.6864	0.6895	0.6932	0.6975	0.7021	0.7071
40°	0.6985	0.6997	0.7016	0.7043	0.7076	0.7116	0.7162	0.7213	0.7267
41°	0.7160	0.7173	0.7193	0.7222	0.7258	0.7301	0.7350	0.7405	0.7463
42°	0.7335	0.7348	0.7370	0.7401	0.7440	0.7486	0.7539	0.7598	0.7661
43°	0.7510	0.7524	0.7548	0.7580	0.7622	0.7671	0.7728	0.7791	0.7859
44°	0.7685	0.7700	0.7725	0.7760	0.7804	0.7857	0.7918	0.7986	0.8059
45°	0.7859	0.7876	0.7903	0.7940	0.7987	0.8044	0.8109	0.8181	0.8260
ϕ / θ	5°	10°	15°	20°	25°	30°	35°	40°	45°

$$F(k,\phi) = \int_0^\phi (1 - \sin^2\theta \sin^2\phi)^{-1/2}\, d\phi$$

Values of the Elliptic Integral of the First Kind: $F(k,\phi)$

Values of the Elliptic Integral of the First Kind: $F(k,\phi)$

ϕ \ θ	50°	55°	60°	65°	70°	75°	80°	85°	90°
1°	0.0175	0.0175	0.0175	0.0175	0.0175	0.0175	0.0175	0.0175	0.0175
2°	0.0349	0.0349	0.0349	0.0349	0.0349	0.0349	0.0349	0.0349	0.0349
3°	0.0524	0.0524	0.0524	0.0524	0.0524	0.0524	0.0524	0.0524	0.0524
4°	0.0698	0.0699	0.0699	0.0699	0.0699	0.0699	0.0699	0.0699	0.0699
5°	0.0873	0.0873	0.0873	0.0874	0.0874	0.0874	0.0874	0.0847	0.0874
6°	0.1048	0.1048	0.1049	0.1049	0.1049	0.1049	0.1049	0.1049	0.1049
7°	0.1224	0.1224	0.1224	0.1224	0.1224	0.1225	0.1225	0.1225	0.1225
8°	0.1399	0.1399	0.1400	0.1400	0.1400	0.1401	0.1401	0.1401	0.1401
9°	0.1575	0.1575	0.1576	0.1576	0.1577	0.1577	0.1577	0.1577	0.1577
10°	0.1751	0.1751	0.1752	0.1753	0.1753	0.1754	0.1754	0.1754	0.1754
11°	0.1927	0.1928	0.1929	0.1930	0.1930	0.1931	0.1931	0.1932	0.1932
12°	0.2103	0.2105	0.2106	0.2107	0.2108	0.2109	0.2109	0.2110	0.2110
13°	0.2280	0.2282	0.2284	0.2285	0.2286	0.2287	0.2288	0.2288	0.2289
14°	0.2458	0.2460	0.2462	0.2464	0.2465	0.2466	0.2467	0.2468	0.2468
15°	0.2636	0.2638	0.2641	0.2643	0.2645	0.2646	0.2647	0.2648	0.2648
16°	0.2814	0.2817	0.2820	0.2823	0.2825	0.2827	0.2828	0.2829	0.2830
17°	0.2993	0.2997	0.3000	0.3003	0.3006	0.3008	0.3010	0.3011	0.3012
18°	0.3172	0.3177	0.3181	0.3185	0.3188	0.3191	0.3193	0.3194	0.3195
19°	0.3352	0.3357	0.3362	0.3367	0.3371	0.3374	0.3377	0.3378	0.3379
20°	0.3533	0.3539	0.3545	0.3550	0.3555	0.3559	0.3561	0.3563	0.3564
21°	0.3714	0.3721	0.3728	0.3734	0.3740	0.3744	0.3747	0.3749	0.3750
22°	0.3896	0.3904	0.3912	0.3919	0.3926	0.3931	0.3935	0.3937	0.3938
23°	0.4078	0.4088	0.4097	0.4105	0.4113	0.4119	0.4123	0.4126	0.4127
24°	0.4261	0.4272	0.4283	0.4292	0.4301	0.4308	0.4313	0.4316	0.4317
25°	0.4446	0.4458	0.4470	0.4481	0.4490	0.4498	0.4504	0.4508	0.4509
26°	0.4630	0.4645	0.4658	0.4670	0.4681	0.4690	0.4697	0.4701	0.4702
27°	0.4816	0.4832	0.4847	0.4861	0.4873	0.4884	0.4891	0.4896	0.4897
28°	0.5003	0.5021	0.5038	0.5053	0.5067	0.5079	0.5087	0.5092	0.5094
29°	0.5190	0.5210	0.5229	0.5247	0.5262	0.5275	0.5285	0.5291	0.5293
30°	0.5379	0.5401	0.5422	0.5442	0.5459	0.5474	0.5484	0.5491	0.5493
31°	0.5568	0.5593	0.5617	0.5639	0.5658	0.5674	0.5686	0.5693	0.5696
32°	0.5759	0.5786	0.5812	0.5837	0.5858	0.5876	0.5889	0.5898	0.5900
33°	0.5950	0.5980	0.6010	0.6037	0.6060	0.6080	0.6095	0.6104	0.6107
34°	0.6143	0.6176	0.6208	0.6238	0.6265	0.6287	0.6303	0.6313	0.6317
35°	0.6336	0.6373	0.6408	0.6441	0.6471	0.6495	0.6513	0.6525	0.6528
36°	0.6531	0.6571	0.6610	0.6647	0.6679	0.6706	0.6726	0.6739	0.6743
37°	0.6727	0.6771	0.6814	0.6854	0.6890	0.6919	0.6941	0.6955	0.6960
38°	0.6925	0.6973	0.7019	0.7063	0.7102	0.7135	0.7159	0.7175	0.7180
39°	0.7123	0.7176	0.7227	0.7275	0.7318	0.7353	0.7380	0.7397	0.7403
40°	0.7323	0.7380	0.7436	0.7488	0.7535	0.7575	0.7604	0.7623	0.7629
41°	0.7524	0.7586	0.7647	0.7704	0.7756	0.7799	0.7831	0.7852	0.7859
42°	0.7727	0.7794	0.7860	0.7922	0.7979	0.8026	0.8062	0.8084	0.8092
43°	0.7931	0.8004	0.8075	0.8143	0.8204	0.8256	0.8295	0.8320	0.8328
44°	0.8136	0.8215	0.8293	0.8367	0.8433	0.8490	0.8533	0.8560	0.8569
45°	0.8343	0.8428	0.8512	0.8592	0.8665	0.8727	0.8774	0.8804	0.8814
ϕ / θ	50°	55°	60°	65°	70°	75°	80°	85°	90°

$$F(k,\phi) = \int_0^{\phi} (1 - \sin^2\theta \sin^2\phi)^{-1/2}\, d\phi$$

Values of the Elliptic Integral of the First Kind: $F(k,\phi)$

Values of the Elliptic Integral of the First Kind: $F(k,\phi)$

ϕ \ θ	5°	10°	15°	20°	25°	30°	35°	40°	45°
46°	0.8034	0.8052	0.8080	0.8120	0.8170	0.8230	0.8300	0.8378	0.8462
47°	0.8209	0.8227	0.8258	0.8300	0.8353	0.8418	0.8492	0.8575	0.8666
48°	0.8384	0.8403	0.8436	0.8480	0.8537	0.8606	0.8685	0.8773	0.8870
49°	0.8559	0.8579	0.8614	0.8661	0.8721	0.8794	0.8878	0.8972	0.9076
50°	0.8734	0.8756	0.8792	0.8842	0.8905	0.8982	0.9072	0.9173	0.9283
51°	0.8909	0.8932	0.8970	0.9023	0.9090	0.9172	0.9267	0.9374	0.9491
52°	0.9084	0.9108	0.9148	0.9204	0.9275	0.9361	0.9462	0.9575	0.9701
53°	0.9259	0.9284	0.9326	0.9385	0.9460	0.9551	0.9658	0.9778	0.9912
54°	0.9434	0.9460	0.9505	0.9567	0.9646	0.9742	0.9855	0.9982	1.0124
55°	0.9609	0.9637	0.9683	0.9748	0.9832	0.9933	1.0052	1.0187	1.0337
56°	0.9784	0.9813	0.9862	0.9930	1.0018	1.0125	1.0250	1.0393	1.0552
57°	0.9959	0.9989	1.0041	1.0112	1.0204	1.0317	1.0449	1.0600	1.0768
58°	1.0134	1.0166	1.0219	1.0295	1.0391	1.0509	1.0648	1.0807	1.0985
59°	1.0309	1.0342	1.0398	1.0477	1.0578	1.0702	1.0848	1.1016	1.1204
60°	1.0484	1.0519	1.0577	1.0660	1.0766	1.0896	1.1049	1.1226	1.1424
61°	1.0659	1.0695	1.0757	1.0843	1.0953	1.1089	1.1250	1.1436	1.1646
62°	1.0834	1.0872	1.0936	1.1026	1.1141	1.1284	1.1452	1.1648	1.1868
63°	1.1009	1.1049	1.1115	1.1209	1.1330	1.1478	1.1655	1.1860	1.2093
64°	1.1184	1.1225	1.1295	1.1392	1.1518	1.1674	1.1859	1.2073	1.2318
65°	1.1359	1.1402	1.1474	1.1575	1.1707	1.1869	1.2063	1.2288	1.2545
66°	1.1534	1.1579	1.1654	1.1759	1.1896	1.2065	1.2267	1.2503	1.2773
67°	1.1709	1.1756	1.1833	1.1943	1.2085	1.2262	1.2472	1.2719	1.3002
68°	1.1884	1.1932	1.2013	1.2127	1.2275	1.2458	1.2678	1.2936	1.3232
69°	1.2059	1.2109	1.2193	1.2311	1.2465	1.2655	1.2885	1.3154	1.3464
70°	1.2234	1.2286	1.2373	1.2495	1.2655	1.2853	1.3092	1.3372	1.3697
71°	1.2410	1.2463	1.2553	1.2680	1.2845	1.3051	1.3299	1.3592	1.3931
72°	1.2585	1.2640	1.2733	1.2864	1.3036	1.3249	1.3507	1.3812	1.4167
73°	1.2760	1.2817	1.2913	1.3049	1.3226	1.3448	1.3715	1.4033	1.4403
74°	1.2935	1.2994	1.3093	1.3234	1.3417	1.3647	1.3924	1.4254	1.4640
75°	1.3110	1.3171	1.3273	1.3418	1.3608	1.3846	1.4134	1.4477	1.4879
76°	1.3285	1.3348	1.3454	1.3603	1.3800	1.4045	1.4344	1.4700	1.5118
77°	1.3460	1.3525	1.3634	1.3788	1.3991	1.4245	1.4554	1.4923	1.5359
78°	1.3636	1.3702	1.3814	1.3974	1.4183	1.4445	1.4765	1.5147	1.5600
79°	1.3811	1.3879	1.3995	1.4159	1.4374	1.4645	1.4976	1.5372	1.5842
80°	1.3986	1.4056	1.4175	1.4344	1.4566	1.4846	1.5187	1.5597	1.6085
81°	1.4161	1.4234	1.4356	1.4530	1.4758	1.5046	1.5399	1.5823	1.6328
82°	1.4336	1.4411	1.4536	1.4715	1.4950	1.5247	1.5611	1.6049	1.6572
83°	1.4512	1.4588	1.4717	1.4901	1.5143	1.5448	1.5823	1.6276	1.6817
84°	1.4687	1.4765	1.4897	1.5086	1.5335	1.5649	1.6035	1.6502	1.7062
85°	1.4862	1.4942	1.5078	1.5272	1.5527	1.5850	1.6248	1.6730	1.7308
86°	1.5037	1.5120	1.5259	1.5457	1.5720	1.6052	1.6461	1.6957	1.7554
87°	1.5212	1.5297	1.5439	1.5643	1.5912	1.6253	1.6673	1.7184	1.7801
88°	1.5388	1.5474	1.5620	1.5829	1.6105	1.6454	1.6886	1.7412	1.8047
89°	1.5563	1.5651	1.5801	1.6015	1.6297	1.6656	1.7099	1.7640	1.8294
90°	1.5738	1.5828	1.5981	1.6200	1.6490	1.6858	1.7312	1.7868	1.8541
ϕ / θ	5°	10°	15°	20°	25°	30°	35°	40°	45°

$$F(k,\phi) = \int_0^{\phi} (1 - \sin^2\theta \sin^2\phi)^{-1/2} \, d\phi$$

Values of the Elliptic Integral of the First Kind: $F(k,\phi)$

Values of the Elliptic Integral of the First Kind: $F(k,\phi)$

ϕ \ θ	50°	55°	60°	65°	70°	75°	80°	85°	90°
46°	0.8552	0.8643	0.8734	0.8821	0.8900	0.8968	0.9019	0.9052	0.9063
47°	0.8761	0.8860	0.8958	0.9053	0.9139	0.9212	0.9269	0.9304	0.9316
48°	0.8973	0.9079	0.9185	0.9287	0.9381	0.9461	0.9523	0.9561	0.9575
49°	0.9186	0.9300	0.9415	0.9525	0.9627	0.9714	0.9781	0.9824	0.9838
50°	0.9401	0.9523	0.9647	0.9766	0.9876	0.9971	1.0044	1.0091	1.0107
51°	0.9617	0.9748	0.9881	1.0010	1.0130	1.0233	1.0313	1.0364	1.0381
52°	0.9835	0.9976	1.0118	1.0258	1.0387	1.0499	1.0587	1.0642	1.0662
53°	1.0055	1.0205	1.0359	1.0509	1.0649	1.0771	1.0866	1.0927	1.0948
54°	1.0277	1.0437	1.0602	1.0764	1.0915	1.1048	1.1152	1.1219	1.1242
55°	1.0500	1.0672	1.0848	1.1022	1.1186	1.1331	1.1444	1.1517	1.1542
56°	1.0725	1.0908	1.1097	1.1285	1.1462	1.1619	1.1743	1.1823	1.1851
57°	1.0952	1.1147	1.1349	1.1551	1.1743	1.1914	1.2049	1.2136	1.2167
58°	1.1180	1.1389	1.1605	1.1822	1.2030	1.2215	1.2362	1.2458	1.2492
59°	1.1411	1.1632	1.1864	1.2097	1.2321	1.2522	1.2684	1.2789	1.2826
60°	1.1643	1.1879	1.2125	1.2376	1.2619	1.2837	1.3014	1.3129	1.3170
61°	1.1877	1.2128	1.2392	1.2660	1.2922	1.3159	1.3352	1.3480	1.3524
62°	1.2113	1.2379	1.2661	1.2949	1.3231	1.3490	1.3701	1.3841	1.3890
63°	1.2351	1.2633	1.2933	1.3242	1.3547	1.3828	1.4059	1.4214	1.4268
64°	1.2591	1.2890	1.3209	1.3541	1.3870	1.4175	1.4429	1.4599	1.4659
65°	1.2833	1.3149	1.3489	1.3844	1.4199	1.4532	1.4810	1.4998	1.5065
66°	1.3076	1.3411	1.3773	1.4153	1.4536	1.4898	1.5203	1.5411	1.5485
67°	1.3321	1.3675	1.4060	1.4467	1.4880	1.5274	1.5610	1.5840	1.5923
68°	1.3568	1.3942	1.4351	1.4786	1.5232	1.5661	1.6030	1.6287	1.6379
69°	1.3817	1.4212	1.4646	1.5111	1.5591	1.6059	1.6466	1.6752	1.6856
70°	1.4068	1.4484	1.4944	1.5441	1.5959	1.6468	1.6918	1.7237	1.7354
71°	1.4320	1.4759	1.5246	1.5777	1.6335	1.6891	1.7388	1.7745	1.7877
72°	1.4574	1.5036	1.5552	1.6118	1.6720	1.7326	1.7876	1.8277	1.8427
73°	1.4830	1.5315	1.5862	1.6465	1.7113	1.7774	1.8384	1.8837	1.9008
74°	1.5087	1.5597	1.6175	1.6818	1.7516	1.8237	1.8915	1.9427	1.9623
75°	1.5345	1.5882	1.6492	1.7176	1.7927	1.8715	1.9468	2.0050	2.0276
76°	1.5606	1.6168	1.6812	1.7540	1.8347	1.9207	2.0047	2.0711	2.0973
77°	1.5867	1.6457	1.7136	1.7909	1.8777	1.9716	2.0653	2.1414	2.1721
78°	1.6130	1.6748	1.7462	1.8284	1.9215	2.0240	2.1288	2.2164	2.2528
79°	1.6394	1.7040	1.7792	1.8664	1.9663	2.0781	2.1954	2.2969	2.3404
80°	1.6660	1.7335	1.8125	1.9048	2.0119	2.1339	2.2653	2.3836	2.4362
81°	1.6926	1.7631	1.8461	1.9438	2.0584	2.1913	2.3387	2.4775	2.5421
82°	1.7193	1.7929	1.8799	1.9831	2.1057	2.2504	2.4157	2.5795	2.6603
83°	1.7462	1.8228	1.9140	2.0229	2.1537	2.3110	2.4965	2.6911	2.7942
84°	1.7731	1.8528	1.9482	2.0630	2.2024	2.3731	2.5811	2.8136	2.9487
85°	1.8001	1.8830	1.9826	2.1035	2.2518	2.4366	2.6694	2.9487	3.1313
86°	1.8271	1.9132	2.0172	2.1442	2.3017	2.5013	2.7612	3.0978	3.3547
87°	1.8542	1.9435	2.0519	2.1852	2.3520	2.5670	2.8561	3.2620	3.6425
88°	1.8813	1.9739	2.0867	2.2263	2.4026	2.6336	2.9537	3.4412	4.0481
89°	1.9084	2.0043	2.1216	2.2675	2.4535	2.7007	3.0530	3.6328	4.7413
90°	1.9356	2.0347	2.1565	2.3088	2.5046	2.7681	3.1534	3.8317	——
ϕ / θ	50°	55°	60°	65°	70°	75°	80°	85°	90°

$$F(k,\phi) = \int_0^{\phi} (1 - \sin^2\theta \sin^2\phi)^{-1/2}\, d\phi$$

Values of the Elliptic Integral of the First Kind: $F(k,\phi)$

Values of the Elliptic Integral of the Second Kind: $E(k,\phi)$

ϕ \ θ	5°	10°	15°	20°	25°	30°	35°	40°	45°
1°	0.0175	0.0175	0.0175	0.0175	0.0175	0.0175	0.0175	0.0175	0.0175
2°	0.0349	0.0349	0.0349	0.0349	0.0349	0.0349	0.0349	0.0349	0.0349
3°	0.0524	0.0524	0.0524	0.0524	0.0524	0.0524	0.0524	0.0523	0.0523
4°	0.0698	0.0698	0.0698	0.0698	0.0698	0.0698	0.0698	0.0698	0.0698
5°	0.0873	0.0873	0.0873	0.0873	0.0872	0.0872	0.0872	0.0872	0.0872
6°	0.1047	0.1047	0.1047	0.1047	0.1047	0.1047	0.1047	0.1046	0.1046
7°	0.1222	0.1222	0.1222	0.1221	0.1221	0.1221	0.1221	0.1220	0.1220
8°	0.1396	0.1396	0.1396	0.1396	0.1395	0.1395	0.1395	0.1394	0.1394
9°	0.1571	0.1571	0.1570	0.1570	0.1570	0.1569	0.1569	0.1568	0.1568
10°	0.1745	0.1745	0.1745	0.1744	0.1744	0.1743	0.1742	0.1742	0.1741
11°	0.1920	0.1920	0.1919	0.1918	0.1918	0.1917	0.1916	0.1915	0.1914
12°	0.2094	0.2094	0.2093	0.2093	0.2092	0.2091	0.2089	0.2088	0.2087
13°	0.2269	0.2268	0.2268	0.2267	0.2265	0.2264	0.2263	0.2261	0.2259
14°	0.2443	0.2443	0.2442	0.2441	0.2439	0.2437	0.2436	0.2433	0.2431
15°	0.2618	0.2617	0.2616	0.2615	0.2613	0.2611	0.2608	0.2606	0.2603
16°	0.2792	0.2791	0.2790	0.2788	0.2786	0.2784	0.2781	0.2778	0.2775
17°	0.2967	0.2966	0.2964	0.2962	0.2959	0.2956	0.2953	0.2949	0.2946
18°	0.3141	0.3140	0.3138	0.3136	0.3133	0.3129	0.3125	0.3121	0.3116
19°	0.3316	0.3314	0.3312	0.3309	0.3305	0.3301	0.3296	0.3291	0.3286
20°	0.3490	0.3489	0.3486	0.3483	0.3478	0.3473	0.3468	0.3462	0.3456
21°	0.3665	0.3663	0.3660	0.3656	0.3651	0.3645	0.3639	0.3632	0.3625
22°	0.3839	0.3837	0.3834	0.3829	0.3823	0.3817	0.3809	0.3802	0.3793
23°	0.4013	0.4011	0.4007	0.4002	0.3996	0.3988	0.3980	0.3971	0.3961
24°	0.4188	0.4185	0.4181	0.4175	0.4168	0.4159	0.4150	0.4139	0.4129
25°	0.4362	0.4359	0.4354	0.4348	0.4339	0.4330	0.4319	0.4308	0.4296
26°	0.4537	0.4533	0.4528	0.4520	0.4511	0.4500	0.4488	0.4475	0.4462
27°	0.4711	0.4707	0.4701	0.4693	0.4682	0.4670	0.4657	0.4643	0.4628
28°	0.4886	0.4881	0.4874	0.4865	0.4854	0.4840	0.4825	0.4809	0.4793
29°	0.5060	0.5055	0.5048	0.5037	0.5025	0.5010	0.4993	0.4975	0.4957
30°	0.5234	0.5229	0.5221	0.5209	0.5195	0.5179	0.5161	0.5141	0.5120
31°	0.5409	0.5403	0.5394	0.5381	0.5366	0.5348	0.5327	0.5306	0.5283
32°	0.5583	0.5577	0.5567	0.5553	0.5536	0.5516	0.5494	0.5470	0.5446
33°	0.5757	0.5751	0.5740	0.5725	0.5706	0.5684	0.5660	0.5634	0.5607
34°	0.5932	0.5924	0.5912	0.5896	0.5876	0.5852	0.5826	0.5797	0.5768
35°	0.6106	0.6098	0.6085	0.6067	0.6045	0.6019	0.5991	0.5960	0.5928
36°	0.6280	0.6272	0.6258	0.6238	0.6214	0.6186	0.6155	0.6122	0.6087
37°	0.6455	0.6445	0.6430	0.6409	0.6383	0.6353	0.6319	0.6283	0.6245
38°	0.6629	0.6619	0.6602	0.6580	0.6552	0.6519	0.6483	0.6444	0.6403
39°	0.6803	0.6792	0.6775	0.6750	0.6720	0.6685	0.6646	0.6604	0.6559
40°	0.6977	0.6966	0.6947	0.6921	0.6888	0.6851	0.6808	0.6763	0.6715
41°	0.7152	0.7139	0.7119	0.7091	0.7056	0.7016	0.6970	0.6921	0.6870
42°	0.7326	0.7313	0.7291	0.7261	0.7224	0.7180	0.7132	0.7079	0.7024
43°	0.7500	0.7486	0.7463	0.7431	0.7391	0.7345	0.7293	0.7237	0.7178
44°	0.7674	0.7659	0.7634	0.7600	0.7558	0.7508	0.7453	0.7393	0.7330
45°	0.7849	0.7832	0.7806	0.7770	0.7725	0.7672	0.7613	0.7549	0.7482
ϕ / θ	5°	10°	15°	20°	25°	30°	35°	40°	45°

$$E(k,\phi) = \int_0^{\phi} (1 - \sin^2\theta \, \sin^2\phi)^{1/2} \, d\phi$$

Values of the Elliptic Integral of the Second Kind: $E(k,\phi)$

Values of the Elliptic Integral of the Second Kind: $E(k,\phi)$

ϕ \ θ	50°	55°	60°	65°	70°	75°	80°	85°	90°
1°	0.0175	0.0175	0.0175	0.0175	0.0175	0.0175	0.0175	0.0175	0.0175
2°	0.0349	0.0349	0.0349	0.0349	0.0349	0.0349	0.0349	0.0349	0.0349
3°	0.0523	0.0523	0.0523	0.0523	0.0523	0.0523	0.0523	0.0523	0.0523
4°	0.0698	0.0698	0.0698	0.0698	0.0698	0.0698	0.0698	0.0698	0.0698
5°	0.0872	0.0872	0.0872	0.0872	0.0872	0.0872	0.0872	0.0872	0.0872
6°	0.1046	0.1046	0.1046	0.1046	0.1046	0.1045	0.1045	0.1045	0.1045
7°	0.1220	0.1220	0.1219	0.1219	0.1219	0.1219	0.1219	0.1219	0.1219
8°	0.1394	0.1393	0.1393	0.1393	0.1392	0.1392	0.1392	0.1392	0.1392
9°	0.1567	0.1566	0.1566	0.1566	0.1565	0.1565	0.1565	0.1564	0.1564
10°	0.1740	0.1739	0.1739	0.1738	0.1738	0.1737	0.1737	0.1737	0.1736
11°	0.1913	0.1912	0.1911	0.1910	0.1909	0.1909	0.1908	0.1908	0.1908
12°	0.2085	0.2084	0.2083	0.2082	0.2081	0.2080	0.2080	0.2079	0.2079
13°	0.2258	0.2256	0.2254	0.2253	0.2252	0.2251	0.2250	0.2250	0.2250
14°	0.2429	0.2427	0.2425	0.2424	0.2422	0.2421	0.2420	0.2419	0.2419
15°	0.2601	0.2598	0.2596	0.2594	0.2592	0.2590	0.2589	0.2588	0.2588
16°	0.2771	0.2768	0.2765	0.2763	0.2761	0.2759	0.2757	0.2757	0.2756
17°	0.2942	0.2938	0.2935	0.2932	0.2929	0.2927	0.2925	0.2924	0.2924
18°	0.3112	0.3107	0.3103	0.3099	0.3096	0.3094	0.3092	0.3091	0.3090
19°	0.3281	0.3276	0.3271	0.3267	0.3263	0.3260	0.3258	0.3256	0.3256
20°	0.3450	0.3444	0.3438	0.3433	0.3429	0.3425	0.3422	0.3421	0.3420
21°	0.3618	0.3611	0.3604	0.3598	0.3593	0.3589	0.3586	0.3584	0.3584
22°	0.3785	0.3777	0.3770	0.3763	0.3757	0.3752	0.3749	0.3747	0.3746
23°	0.3952	0.3943	0.3935	0.3927	0.3920	0.3915	0.3911	0.3908	0.3907
24°	0.4118	0.4108	0.4098	0.4090	0.4082	0.4076	0.4071	0.4068	0.4067
25°	0.4284	0.4272	0.4261	0.4251	0.4243	0.4236	0.4230	0.4227	0.4226
26°	0.4449	0.4436	0.4423	0.4412	0.4402	0.4394	0.4389	0.4385	0.4384
27°	0.4613	0.4598	0.4584	0.4572	0.4561	0.4552	0.4545	0.4541	0.4540
28°	0.4776	0.4760	0.4744	0.4730	0.4718	0.4708	0.4701	0.4696	0.4695
29°	0.4938	0.4920	0.4903	0.4887	0.4874	0.4863	0.4855	0.4850	0.4848
30°	0.5100	0.5080	0.5061	0.5044	0.5029	0.5016	0.5007	0.5002	0.5000
31°	0.5261	0.5239	0.5218	0.5199	0.5182	0.5169	0.5159	0.5152	0.5150
32°	0.5421	0.5396	0.5373	0.5352	0.5334	0.5319	0.5308	0.5301	0.5299
33°	0.5580	0.5553	0.5528	0.5505	0.5485	0.5468	0.5456	0.5449	0.5446
34°	0.5738	0.5709	0.5681	0.5656	0.5634	0.5616	0.5603	0.5595	0.5592
35°	0.5895	0.5863	0.5833	0.5806	0.5782	0.5762	0.5748	0.5739	0.5736
36°	0.6051	0.6017	0.5984	0.5954	0.5928	0.5907	0.5891	0.5881	0.5878
37°	0.6207	0.6169	0.6134	0.6101	0.6073	0.6050	0.6032	0.6022	0.6018
38°	0.6361	0.6321	0.6282	0.6247	0.6216	0.6191	0.6172	0.6160	0.6157
39°	0.6515	0.6471	0.6429	0.6391	0.6357	0.6330	0.6310	0.6297	0.6293
40°	0.6667	0.6620	0.6575	0.6533	0.6497	0.6468	0.6446	0.6432	0.6428
41°	0.6818	0.6767	0.6719	0.6674	0.6636	0.6604	0.6580	0.6566	0.6561
42°	0.6969	0.6914	0.6862	0.6814	0.6772	0.6738	0.6712	0.6697	0.6691
43°	0.7118	0.7059	0.7003	0.6952	0.6907	0.6870	0.6843	0.6826	0.6820
44°	0.7266	0.7204	0.7144	0.7088	0.7040	0.7000	0.6971	0.6953	0.6947
45°	0.7414	0.7346	0.7282	0.7223	0.7171	0.7129	0.7097	0.7078	0.7071
ϕ / θ	50°	55°	60°	65°	70°	75°	80°	85°	90°

$$E(k,\phi) = \int_0^{\phi} (1 - \sin^2\theta \sin^2\phi)^{1/2}\, d\phi$$

Values of the Elliptic Integral of the Second Kind: $E(k,\phi)$

Values of the Elliptic Integral of the Second Kind: $E(k,\phi)$

ϕ \ θ	5°	10°	15°	20°	25°	30°	35°	40°	45°
46°	0.8023	0.8006	0.7977	0.7939	0.7891	0.7835	0.7772	0.7704	0.7633
47°	0.8197	0.8179	0.8149	0.8108	0.8057	0.7998	0.7931	0.7858	0.7782
48°	0.8371	0.8352	0.8320	0.8277	0.8223	0.8160	0.8089	0.8012	0.7931
49°	0.8545	0.8525	0.8491	0.8446	0.8389	0.8322	0.8247	0.8165	0.8079
50°	0.8719	0.8698	0.8663	0.8614	0.8554	0.8483	0.8404	0.8317	0.8227
51°	0.8894	0.8871	0.8834	0.8783	0.8719	0.8644	0.8560	0.8469	0.8373
52°	0.9068	0.9044	0.9004	0.8951	0.8884	0.8805	0.8716	0.8620	0.8518
53°	0.9242	0.9217	0.9175	0.9119	0.9048	0.8965	0.8872	0.8770	0.8663
54°	0.9416	0.9389	0.9345	0.9287	0.9212	0.9125	0.9026	0.8919	0.8806
55°	0.9590	0.9562	0.9517	0.9454	0.9376	0.9284	0.9181	0.9068	0.8949
56°	0.9764	0.9735	0.9687	0.9622	0.9540	0.9443	0.9335	0.9216	0.9091
57°	0.9938	0.9908	0.9858	0.9789	0.9703	0.9602	0.9488	0.9363	0.9232
58°	1.0112	1.0080	1.0028	0.9956	0.9866	0.9760	0.9641	0.9510	0.9372
59°	1.0286	1.0253	1.0198	1.0123	1.0029	0.9918	0.9793	0.9656	0.9511
60°	1.0460	1.0426	1.0368	1.0290	1.0191	1.0076	0.9945	0.9801	0.9650
61°	1.0634	1.0598	1.0538	1.0456	1.0354	1.0233	1.0096	0.9946	0.9787
62°	1.0808	1.0771	1.0708	1.0623	1.0516	1.0389	1.0246	1.0090	0.9924
63°	1.0982	1.0943	1.0878	1.0789	1.0678	1.0546	1.0397	1.0233	1.0060
64°	1.1156	1.1115	1.1048	1.0955	1.0839	1.0702	1.0547	1.0376	1.0195
65°	1.1330	1.1288	1.1218	1.1121	1.1001	1.0858	1.0696	1.0518	1.0329
66°	1.1504	1.1460	1.1387	1.1287	1.1162	1.1013	1.0845	1.0660	1.0463
67°	1.1678	1.1632	1.1557	1.1453	1.1323	1.1168	1.0993	1.0801	1.0596
68°	1.1852	1.1805	1.1726	1.1618	1.1483	1.1323	1.1141	1.0941	1.0728
69°	1.2026	1.1977	1.1896	1.1784	1.1644	1.1478	1.1289	1.1081	1.0859
70°	1.2200	1.2149	1.2065	1.1949	1.1804	1.1632	1.1436	1.1221	1.0990
71°	1.2374	1.2321	1.2234	1.2114	1.1964	1.1786	1.1583	1.1359	1.1120
72°	1.2548	1.2493	1.2403	1.2280	1.2124	1.1939	1.1729	1.1498	1.1250
73°	1.2722	1.2666	1.2573	1.2445	1.2284	1.2093	1.1875	1.1636	1.1379
74°	1.2896	1.2838	1.2742	1.2609	1.2443	1.2246	1.2021	1.1773	1.1507
75°	1.3070	1.3010	1.2911	1.2774	1.2603	1.2399	1.2167	1.1910	1.1635
76°	1.3244	1.3182	1.3080	1.2939	1.2762	1.2552	1.2312	1.2047	1.1762
77°	1.3418	1.3354	1.3249	1.3104	1.2921	1.2704	1.2457	1.2183	1.1889
78°	1.3592	1.3526	1.3417	1.3268	1.3080	1.2856	1.2601	1.2319	1.2015
79°	1.3765	1.3698	1.3586	1.3432	1.3239	1.3009	1.2746	1.2454	1.2141
80°	1.3939	1.3870	1.3755	1.3597	1.3398	1.3161	1.2890	1.2590	1.2266
81°	1.4113	1.4042	1.3924	1.3761	1.3556	1.3312	1.3034	1.2725	1.2391
82°	1.4287	1.4214	1.4093	1.3925	1.3715	1.3464	1.3177	1.2859	1.2516
83°	1.4461	1.4386	1.4261	1.4090	1.3873	1.3616	1.3321	1.2994	1.2640
84°	1.4635	1.4558	1.4430	1.4254	1.4032	1.3767	1.3464	1.3128	1.2765
85°	1.4809	1.4729	1.4598	1.4418	1.4190	1.3919	1.3608	1.3262	1.2889
86°	1.4983	1.4901	1.4767	1.4582	1.4348	1.4070	1.3751	1.3396	1.3012
87°	1.5156	1.5073	1.4936	1.4746	1.4507	1.4221	1.3894	1.3530	1.3136
88°	1.5330	1.5245	1.5104	1.4910	1.4665	1.4372	1.4037	1.3664	1.3260
89°	1.5504	1.5417	1.5273	1.5074	1.4823	1.4523	1.4180	1.3798	1.3383
90°	1.5678	1.5589	1.5442	1.5238	1.4981	1.4675	1.4323	1.3931	1.3506
ϕ / θ	5°	10°	15°	20°	25°	30°	35°	40°	45°

$$E(k,\phi) = \int_0^{\phi} (1 - \sin^2\theta \sin^2\phi)^{\frac{1}{2}} \, d\phi$$

Values of the Elliptic Integral of the Second Kind: $E(k,\phi)$

Values of the Elliptic Integral of the Second Kind: $E(k,\phi)$

ϕ \ θ	50°	55°	60°	65°	70°	75°	80°	85°	90°
46°	0.7560	0.7488	0.7419	0.7356	0.7301	0.7255	0.7221	0.7200	0.7193
47°	0.7705	0.7628	0.7555	0.7488	0.7429	0.7380	0.7344	0.7321	0.7314
48°	0.7849	0.7768	0.7690	0.7618	0.7555	0.7502	0.7464	0.7440	0.7431
49°	0.7992	0.7905	0.7822	0.7746	0.7679	0.7623	0.7581	0.7556	0.7547
50°	0.8134	0.8042	0.7954	0.7872	0.7801	0.7741	0.7697	0.7670	0.7660
51°	0.8275	0.8177	0.8084	0.7997	0.7921	0.7858	0.7811	0.7781	0.7771
52°	0.8414	0.8311	0.8212	0.8120	0.8039	0.7972	0.7922	0.7891	0.7880
53°	0.8553	0.8444	0.8339	0.8241	0.8155	0.8084	0.8031	0.7998	0.7986
54°	0.8690	0.8575	0.8464	0.8361	0.8270	0.8194	0.8137	0.8102	0.8090
55°	0.8827	0.8705	0.8588	0.8479	0.8382	0.8302	0.8242	0.8204	0.8192
56°	0.8962	0.8834	0.8710	0.8595	0.8493	0.8408	0.8344	0.8304	0.8290
57°	0.9096	0.8961	0.8831	0.8709	0.8601	0.8511	0.8443	0.8401	0.8387
58°	0.9230	0.9088	0.8950	0.8822	0.8707	0.8612	0.8540	0.8496	0.8480
59°	0.9362	0.9213	0.9068	0.8932	0.8812	0.8711	0.8635	0.8588	0.8572
60°	0.9493	0.9336	0.9184	0.9042	0.8914	0.8808	0.8728	0.8677	0.8660
61°	0.9623	0.9459	0.9299	0.9149	0.9015	0.8903	0.8817	0.8764	0.8746
62°	0.9752	0.9580	0.9412	0.9254	0.9113	0.8995	0.8905	0.8849	0.8829
63°	0.9880	0.9700	0.9524	0.9358	0.9210	0.9085	0.8990	0.8930	0.8910
64°	1.0007	0.9818	0.9634	0.9460	0.9304	0.9173	0.9072	0.9009	0.8988
65°	1.0133	0.9936	0.9743	0.9561	0.9397	0.9258	0.9152	0.9086	0.9063
66°	1.0258	1.0052	0.9850	0.9659	0.9487	0.9341	0.9230	0.9159	0.9135
67°	1.0383	1.0167	0.9956	0.9756	0.9576	0.9422	0.9305	0.9230	0.9205
68°	1.0506	1.0281	1.0061	0.9852	0.9662	0.9501	0.9377	0.9299	0.9272
69°	1.0628	1.0394	1.0164	0.9946	0.9747	0.9578	0.9447	0.9364	0.9336
70°	1.0750	1.0506	1.0266	1.0038	0.9830	0.9652	0.9514	0.9427	0.9397
71°	1.0871	1.0617	1.0367	1.0129	0.9911	0.9724	0.9579	0.9487	0.9455
72°	1.0991	1.0727	1.0467	1.0218	0.9990	0.9794	0.9642	0.9544	0.9511
73°	1.1110	1.0836	1.0565	1.0306	1.0067	0.9862	0.9702	0.9599	0.9563
74°	1.1228	1.0944	1.0662	1.0392	1.0143	0.9928	0.9759	0.9650	0.9613
75°	1.1346	1.1051	1.0759	1.0477	1.0217	0.9992	0.9814	0.9699	0.9659
76°	1.1463	1.1158	1.0854	1.0561	1.0290	1.0053	0.9867	0.9745	0.9703
77°	1.1580	1.1263	1.0948	1.0643	1.0361	1.0113	0.9917	0.9789	0.9744
78°	1.1695	1.1368	1.1041	1.0724	1.0430	1.0171	0.9965	0.9829	0.9781
79°	1.1811	1.1472	1.1133	1.0805	1.0498	1.0228	1.0011	0.9867	0.9816
80°	1.1926	1.1576	1.1225	1.0884	1.0565	1.0282	1.0054	0.9902	0.9848
81°	1.2040	1.1678	1.1316	1.0962	1.0630	1.0335	1.0096	0.9935	0.9877
82°	1.2154	1.1781	1.1406	1.1040	1.0695	1.0387	1.0135	0.9965	0.9903
83°	1.2267	1.1883	1.1495	1.1116	1.0758	1.0437	1.0173	0.9992	0.9925
84°	1.2381	1.1984	1.1584	1.1192	1.0821	1.0486	1.0209	1.0017	0.9945
85°	1.2493	1.2085	1.1673	1.1267	1.0882	1.0534	1.0244	1.0039	0.9962
86°	1.2606	1.2186	1.1761	1.1342	1.0944	1.0581	1.0277	1.0060	0.9976
87°	1.2719	1.2286	1.1848	1.1417	1.1004	1.0628	1.0309	1.0078	0.9986
88°	1.2831	1.2386	1.1936	1.1491	1.1064	1.0673	1.0340	1.0095	0.9994
89°	1.2943	1.2487	1.2023	1.1565	1.1124	1.0719	1.0371	1.0111	0.9998
90°	1.3055	1.2587	1.2111	1.1638	1.1184	1.0764	1.0401	1.0127	1.0000
ϕ / θ	50°	55°	60°	65°	70°	75°	80°	85°	90°

$$E(k,\phi) = \int_0^\phi (1 - \sin^2\theta \sin^2\phi)^{1/2} \, d\phi$$

Values of the Elliptic Integral of the Second Kind: $E(k,\phi)$

Square Root Divisors

For Calculating Square Roots to 5 Significant Figures

A	Col. 1	Col. 2	A	Col. 1	Col. 2	A	Col. 1	Col. 2
100	2 000 000	6 324 555	**255**	3 193 744	1 009 951	**579**	4 812 484	1 521 841
102	2 019 901	6 387 488	259	3 218 695	1 017 841	587	4 845 617	1 532 319
104	2 039 608	6 449 806	263	3 243 455	1 025 671	595	4 878 524	1 542 725
106	2 059 126	6 511 528	267	3 268 027	1 033 441	603	4 911 212	1 553 062
108	2 078 461	6 572 671	271	3 292 416	1 041 153	611	4 943 683	1 563 330
110	2 097 618	6 633 250	**275**	3 316 625	1 048 809	**619**	4 975 942	1 573 531
112	2 116 601	6 693 280	279	3 340 659	1 056 409	627	5 007 994	1 583 667
114	2 135 416	6 752 777	283	3 364 521	1 063 955	635	5 039 841	1 593 738
116	2 154 066	6 811 755	287	3 388 215	1 071 448	643	5 071 489	1 603 746
118	2 172 556	6 870 226	291	3 411 744	1 078 888	651	5 102 940	1 613 691
120	2 190 890	6 928 203	**295**	3 435 112	1 086 278	**659**	5 134 199	1 623 576
122	2 209 072	6 985 700	299	3 458 323	1 093 618	667	5 165 269	1 633 401
124	2 227 104	7 042 727	303	3 481 379	1 100 909	675	5 196 152	1 643 168
126	2 244 994	7 099 296	307	3 504 283	1 108 152	683	5 226 854	1 652 876
128	2 262 742	7 155 418	311	3 527 038	1 115 348	692	5 261 179	1 663 731
130	2 280 351	7 211 103	**315**	3 549 648	1 122 497	**701**	5 295 281	1 674 515
132	2 297 825	7 266 361	319	3 572 115	1 129 602	710	5 329 165	1 685 230
134	2 315 167	7 321 202	324	3 600 000	1 138 420	719	5 362 835	1 695 877
136	2 332 381	7 375 636	329	3 627 671	1 147 170	728	5 396 295	1 706 458
138	2 349 468	7 429 670	334	3 655 133	1 155 855	737	5 429 549	1 716 974
140	2 366 432	7 483 315	**339**	3 682 391	1 164 474	**746**	5 462 600	1 727 426
142	2 383 277	7 536 577	344	3 709 447	1 173 030	755	5 495 453	1 737 815
144	2 400 000	7 589 466	349	3 736 308	1 181 524	764	5 528 110	1 748 142
146	2 416 609	7 641 989	354	3 762 978	1 189 958	773	5 560 576	1 758 408
148	2 433 105	7 694 154	359	3 789 459	1 198 332	782	5 592 853	1 768 615
150	2 449 490	7 745 969	**364**	3 815 757	1 206 648	**791**	5 624 944	1 778 764
152	2 465 766	7 797 435	369	3 841 875	1 214 907	801	5 660 389	1 789 972
154	2 481 935	7 848 567	374	3 867 816	1 223 111	811	5 695 612	1 801 111
156	2 497 999	7 899 367	379	3 893 584	1 231 260	821	5 730 620	1 812 181
158	2 513 961	7 949 843	384	3 919 184	1 239 355	831	5 765 414	1 823 184
160	2 529 822	8 000 000	**389**	3 944 617	1 247 397	**841**	5 800 000	1 834 121
163	2 553 429	8 074 652	394	3 969 887	1 255 388	851	5 834 381	1 844 993
166	2 576 820	8 148 620	399	3 994 997	1 263 329	861	5 868 560	1 855 802
169	2 600 000	8 221 922	405	4 024 922	1 272 792	871	5 902 542	1 866 548
172	2 622 975	8 294 577	411	4 054 627	1 282 186	881	5 936 329	1 877 232
175	2 645 751	8 366 600	**417**	4 084 116	1 291 511	**891**	5 969 925	1 887 856
178	2 668 333	8 438 009	423	4 113 393	1 300 769	901	6 003 332	1 898 420
181	2 690 725	8 508 819	429	4 142 463	1 309 962	912	6 039 868	1 909 974
184	2 712 932	8 579 044	435	4 171 331	1 319 091	923	6 076 183	1 921 458
187	2 734 959	8 648 699	441	4 200 000	1 328 157	934	6 112 283	1 932 874
190	2 756 810	8 717 798	**447**	4 228 475	1 337 161	**945**	6 148 170	1 944 222
193	2 778 489	8 786 353	453	4 256 759	1 346 106	956	6 183 850	1 955 505
196	2 800 000	8 854 377	459	4 284 857	1 354 991	967	6 219 325	1 966 723
199	2 821 347	8 921 883	465	4 312 772	1 363 818			
202	2 842 534	8 988 882	471	4 340 507	1 372 589	**978**	6 254 598	1 977 878
205	2 863 564	9 055 385	**477**	4 368 066	1 381 304	989	6 289 674	1 988 970
208	2 884 441	9 121 403	483	4 395 452	1 389 964	999	6 321 392	1 999 000
211	2 905 168	9 186 947	489	4 422 668	1 398 571			
214	2 925 748	9 252 027	495	4 449 719	1 407 125			
217	2 946 184	9 316 652	502	4 481 071	1 417 039			
220	2 966 479	9 380 832	**509**	4 512 206	1 426 885			
223	2 986 637	9 444 575	516	4 543 127	1 436 663			
226	3 006 659	9 507 891	523	4 573 839	1 446 375			
229	3 026 549	9 570 789	530	4 604 346	1 456 022			
232	3 046 309	9 633 276	537	4 634 652	1 465 606			
235	3 065 942	9 695 360	**544**	4 664 762	1 475 127			
239	3 091 925	9 777 525	551	4 694 678	1 484 588			
243	3 117 691	9 859 006	558	4 724 405	1 493 988			
247	3 143 247	9 939 819	565	4 753 946	1 503 330			
251	3 168 596	1 001 998	572	4 783 304	1 512 614			
A	Col. 1	Col. 2	A	Col. 1	Col. 2	A	Col. 1	Col. 2

To find $\sqrt{N}$: Separate the integral part and the fractional part of N into periods of two figures each, working both ways from the decimal point. Use the divisor in Col. 1 or Col. 2 according as the leading period of N contains 1 or 2 significant figures, respectively. Select from Col. A the number nearest to the three left significant figures of N. Add A to N, lining up the first significant figures. Divide the sum by the appropriate square root divisor corresponding to A.

PART TWO

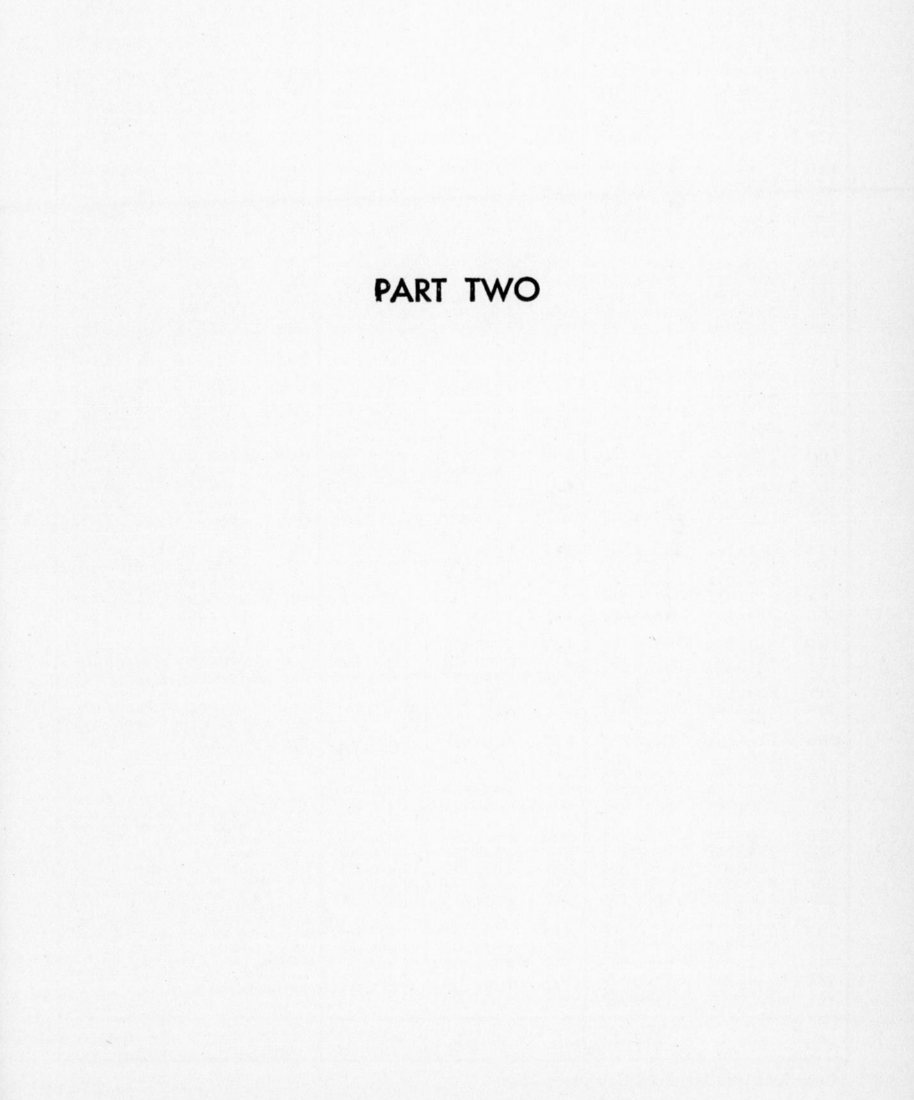

1 Greek Alphabet

Letters		*Names*	*Letters*		*Names*
Α	α	Alpha	Ν	ν	Nu
Β	β	Beta	Ξ	ξ	Xi
Γ	γ	Gamma	Ο	o	Omicron
Δ	δ	Delta	Π	π	Pi
Ε	ϵ	Epsilon	Ρ	ρ	Rho
Ζ	ζ	Zeta	Σ	σ ς	Sigma
Η	η	Eta	Τ	τ	Tau
Θ	θ	Theta	Υ	υ	Upsilon
Ι	ι	Iota	Φ	ϕ	Phi
Κ	κ	Kappa	Χ	χ	Chi
Λ	λ	Lambda	Ψ	ψ	Psi
Μ	μ	Mu	Ω	ω	Omega

2 Weights and Measures

LENGTH

12 inches = 1 foot
3 feet = 1 yard
$16\frac{1}{2}$ feet, $5\frac{1}{2}$ yards = 1 rod

63,360 inches, 5,280 feet, 1,760 yards, 320 rods = 1 mile

AREA

144 square inches = 1 square foot
9 square feet = 1 square yard
$30\frac{1}{4}$ square yards = 1 square rod
160 square rods = 1 acre
640 acres = 1 square mile = 1 section

VOLUME

1728 cubic inches = 1 cubic foot
27 cubic feet = 1 cubic yard

DRY MEASURE

2 pints = 1 quart
8 quarts = 1 peck
4 pecks = 1 bushel
1 bushel = 2150.42 cubic inches

LIQUID MEASURE

2 gills = 1 cup
2 cups = 1 pint
2 pints = 1 quart
4 quarts = 1 gallon
$31\frac{1}{2}$ gallons = 1 barrel
2 barrels = 1 hogshead
1 gallon = 231 cubic inches

AVOIRDUPOIS WEIGHT

7000 grains = 16 ounces
16 ounces = 1 pound
2000 pounds = 1 ton
2240 pounds = 1 long ton

TROY WEIGHT

24 grains = 1 pennyweight
20 pennyweights = 1 ounce
12 ounces, 5760 grains = 1 pound

APOTHECARIES' WEIGHT

20 grains	= 1 scruple	8 drams	= 1 ounce
3 scruples	= 1 dram	12 ounces	= 1 pound

APOTHECARIES' LIQUID

60 minims	= 1 fluid dram	16 fluid ounces	= 1 pint
8 fluid drams	= 1 fluid ounce	8 pints	= 1 gallon

SURVEYOR'S LENGTH

7.92 inches	= 1 link	4 rods	= 1 chain
25 links	= 1 rod	80 chains	= 1 mile

SURVEYOR'S AREA

625 square links	= 1 square rod	640 acres	= 1 square mile
16 square rods	= 1 square chain	1 square mile	= 1 section
10 square chains	= 1 acre	36 sections	= 1 township

PAPER

24 sheets	= 1 quire	2 reams	= 1 bundle
20 quires	= 1 ream	5 bundles	= 1 bale

(500 sheets is commonly called a ream)

TEMPERATURE

Freezing point	= 0° C. or 32° F.	$C = \frac{5}{9}(F - 32)$
Boiling point	= 100° C. or 212° F.	$F = \frac{9}{5}C + 32$

MARITIME MEASURE

6 feet	= 1 fathom
120 fathoms	= 1 cable length
1 nautical mile	= 6080.20 feet (U.S.)
3 nautical miles	= 1 league
1 knot	= 1 nautical mile per hour
1 displacement ton	= 35 cubic feet
1 freight ton	= 40 cubic feet
1 capacity ton	= 100 cubic feet closed-in space

MISCELLANEOUS

1 acre	= 40 yd. × 121 yd.
1 carat	= 200 milligrams
1 cord	= 128 cubic feet
1 hand	= 4 inches
1 furlong	= 40 rods
1 cubic foot	= about 7½ gallons
1 British bushel	= 1.03205 U. S. bu.
1 British gallon	= 1.20095 U. S. gal.

METRIC SYSTEM

The metric weights and measures are derived by combining the following six numerical prefixes with the words *meter*, *gram*, and *liter:*

milli	= one-thousandth	*deka*	= ten
centi	= one-hundredth	*hecto*	= one hundred
deci	= one-tenth	*kilo*	= one thousand

For example,

10 millimeters	= 1 centimeter	10 meters	= 1 dekameter
10 centimeters	= 1 decimeter	10 dekameters	= 1 hectometer
10 decimeters	= 1 meter	10 hectometers	= 1 kilometer

APPROXIMATE METRIC EQUIVALENTS

1 inch	= 2.54001 centimeters
1 foot	= 30.48006 centimeters
1 yard	= 91.4402 centimeters
1 centimeter	= 0.032808 feet
1 mile	= 1.60935 kilometers
1 square mile	= 2,589,998 square meters
1 acre	= 4046.873 square meters
1 meter	= 39.37 inches, exactly

1 kilometer = 0.62137 mile = 1093.61 yards = 3,280.83 feet
1 kilogram = 2.20462 pounds = 35.27396 ounces (Av.)
1 liter = 1.05671 liquid quarts = 0.908102 dry quart

1 pound (Av.)	= 0.453592 kilograms
1 gallon	= 3.78533 liters
1 liquid quart	= 0.946333 liter
1 liter	= 61.0250 cubic inches
1 cubic inch	= 16.3872 cubic centimeters
1 cubic meter	= 35.314 cubic feet
1 dry quart	= 1.10120 liters

1 kilogram per square meter	= 0.204817 pound per square foot
1 pound per square foot	= 4.88241 kilograms per square meter
1 fluid ounce	= 29.573 cubic centimeters

3 Miscellaneous Physical Constants

g (average value) = 32.16 ft./sec.^{2} = 980 cm./sec.^{2}

g (sea level, lat. 45°) = 32.172 ft./sec.^{2} = 980.616 cm./sec.^{2}

1 hp. = 550 ft.-lb./sec. = 33,000 ft.-lb./min. = 76.0404 kg.-m./sec. = 745.70 watts

Weight of 1 cu. ft. water = 62.425 lb. (max. density)

Velocity of light in a vacuum = 2.99776×10^8 m./sec. = 186,284 mi./sec.

Velocity of sound in dry air at 0° C. = 33,136 cm./sec. = 1,087 ft./sec.

1 mi./hr. = 88 ft./min. = 1.467 ft./sec. = 0.8684 knot

1 knot = 101.3 ft./min. = 1.689 ft./sec. = 1.152 mi./hr.

1 micron = 10^{-4} cm. 1 angstrom unit = 10^{-8} cm.

Mean radius of earth = 3,959 mi. = 6,371 km.

Equatorial diameter of earth = 7,926.68 mi. = 12,756.78 km.

Polar diameter of earth = 7,899.98 mi. = 12,713.82 km.

Constant of gravitation = 6.670×10^{-8} dyne · cm^2/gram^2

Electronic charge = 4.803×10^{-10} e.s.u.

Mass of electron = 9.107×10^{-28} gram

Mass of hydrogen atom = 1.673×10^{-24} gram

Avogadro's number = 6.023×10^{23} mole^{-1}

Planck's constant = 6.624×10^{-27} erg. sec.

4 Important Mathematical Constants

$$\pi = 3.14159\ 26535\ 89793$$
$$\log_{10} \pi = 0.49714\ 98726\ 94134$$
$$e = 2.71828\ 18284\ 59045$$
$$\log_{10} e = 0.43429\ 44819\ 03252$$
$$\log_e 10 = 2.30258\ 50929\ 94046$$
$$\log_{10} \log_{10} e = 9.63778\ 43113\ 00537$$
$$\log_e 2 = 0.69314\ 71805\ 59945$$

NUMBERS CONTAINING π

	N	$\log_{10} N$		N	$\log_{10} N$
π	3.141 5927	0.497 1499	π^2	9.869 6044	0.994 2997
2π	6.283 1853	0.798 1799	$2\pi^2$	19.739 2088	1.295 3297
3π	9.424 7780	0.974 2711	$4\pi^2$	39.478 4176	1.596 3597
4π	12.566 3706	1.099 2099	$\pi^2/2$	4.934 8022	0.693 2697
$\pi/2$	1.570 7963	0.196 1199	$1/\pi^2$	0.101 3212	9.005 7003 − 10
$3\pi/2$	4.712 3890	0.673 2411	$1/2\pi^2$	0.050 6606	8.704 6703 − 10
$\pi/3$	1.047 1976	0.020 0286	$1/4\pi^2$	0.025 3303	8.403 6403 − 10
$2\pi/3$	2.094 3951	0.321 0586	π^3	31.006 2767	1.491 4496
$4\pi/3$	4.188 7902	0.622 0886	$1/\pi^3$	0.032 2515	8.508 5504 − 10
$\pi/4$	0.785 3982	9.895 0899 − 10	$\sqrt{\pi}$	1.772 4539	0.248 5749
$3\pi/4$	2.356 1945	0.372 2111	$\sqrt{2\pi}$	2.506 6283	0.399 0899
$\pi/6$	0.523 5988	9.718 9986 − 10	$\frac{1}{2}\sqrt{\pi}$	0.886 2269	9.947 5449 − 10
$1/\pi$	0.318 3099	9.502 8501 − 10	$\sqrt{\pi/2}$	1.253 3141	0.098 0599
$2/\pi$	0.636 6198	9.803 8801 − 10	$1/\sqrt{\pi}$	0.564 1896	9.751 4251 − 10
$3/\pi$	0.954 9297	9.979 9714 − 10	$1/\sqrt{2\pi}$	0.398 9423	9.600 9101 − 10
$4/\pi$	1.273 2395	0.104 9101	$\sqrt{2/\pi}$	0.797 8846	9.901 9401 − 10
$1/2\pi$	0.159 1549	9.201 8201 − 10	$\sqrt[3]{\pi}$	1.464 5919	0.165 7166
$1/3\pi$	0.106 1033	9.025 7289 − 10	$\sqrt[3]{\pi/6}$	0.805 9960	9.906 3329 − 10
$1/4\pi$	0.079 5775	8.900 7901 − 10	$\sqrt[3]{\pi^2}$	2.145 0294	0.331 4332
$\pi/180$	0.017 4533	8.241 8774 − 10	$1/\sqrt[3]{\pi}$	0.682 7841	9.834 2834 − 10
$180/\pi$	57.295 7795	1.758 1226	$\sqrt[3]{3/4\pi}$	0.620 3505	9.792 6371 − 10

5 Formulas from Algebra

1. SPECIAL PRODUCTS AND FACTORS

$$(x + y)(x - y) = x^2 - y^2$$

$$(ax + by)(cx + dy) = acx^2 + (ad + bc)xy + bdy^2$$

$$(x + y)^2 = x^2 + 2xy + y^2 \qquad (x + y)^3 = x^3 + 3x^2y + 3xy^2 + y^3$$

$$(x - y)^2 = x^2 - 2xy + y^2 \qquad (x - y)^3 = x^3 - 3x^2y + 3xy^2 - y^3$$

$$(x + y + z + \cdots)^2 = x^2 + y^2 + z^2 + \cdots + 2(xy + xz + yz + \cdots)$$

$$x^3 + y^3 = (x + y)(x^2 - xy + y^2)$$

$$x^3 - y^3 = (x - y)(x^2 + xy + y^2)$$

$$x^4 + x^2y^2 + y^4 = (x^2 + xy + y^2)(x^2 - xy + y^2)$$

$$x^n - y^n = (x - y)(x^{n-1} + x^{n-2}y + x^{n-3}y^2 + \cdots + y^{n-1})$$

$$x^n - y^n = (x + y)(x^{n-1} - x^{n-2}y + x^{n-3}y^2 - \cdots - y^{n-1}) \quad (n \text{ even})$$

$$x^n + y^n = (x + y)(x^{n-1} - x^{n-2}y + x^{n-3}y^2 - \cdots + y^{n-1}) \quad (n \text{ odd})$$

2. PROPORTION

If $a : b = c : d$ or $\frac{a}{b} = \frac{c}{d}$, then

$$ad = bc \qquad \frac{a}{c} = \frac{b}{d} \qquad \frac{b}{a} = \frac{d}{c} \qquad \frac{a + b}{b} = \frac{c + d}{d}$$

$$\frac{a - b}{b} = \frac{c - d}{d} \qquad \frac{a + b}{a - b} = \frac{c + d}{c - d} \qquad \frac{pa + qb}{ra + sb} = \frac{pc + qd}{rc + sd}.$$

If $a : m = m : b$, then $m = \sqrt{ab}$ is the mean proportional between a and b.

If $\frac{a}{b} = \frac{c}{d} = \frac{e}{f} = \cdots = k$, then

$$k = \frac{a + c + e + \cdots}{b + d + f + \cdots} = \frac{pa + qc + re + \cdots}{pb + qd + rf + \cdots}.$$

3. VARIATION

If y varies directly as x, then $y = kx$. (k = constant)

If y varies inversely as x, then $y = \frac{k}{x}$.

If y varies jointly as x and z, then $y = kxz$.

If y varies directly as x and inversely as z, then $y = \frac{kx}{z}$.

4. COMPLEX NUMBERS

$$i = \sqrt{-1}, \quad i^2 = -1, \quad i^3 = -i, \quad i^4 = 1, \quad i^5 = i, \quad \text{etc.}$$

$$i^{4p} = 1, \quad i^{4p+1} = i, \quad i^{4p+2} = -1, \quad i^{4p+3} = -i. \quad (p \text{ an integer})$$

If $a + bi = 0$, then $a = b = 0$, and conversely.
If $a + bi = c + di$, then $a = c$, $b = d$, and conversely.

$$(a + bi) + (c + di) = (a + c) + (b + d)i$$

$$(a + bi) - (c + di) = (a - c) + (b - d)i$$

$$(a + bi)(c + di) = (ac - bd) + (ad + bc)i$$

$$\frac{a + bi}{c + di} = \frac{(a + bi)(c - di)}{(c + di)(c - di)} = \frac{ac + bd}{c^2 + d^2} + \frac{bc - ad}{c^2 + d^2}\, i$$

Polar form: $a + bi = r(\cos\alpha + i\sin\alpha)$,

where $r = \sqrt{a^2 + b^2}$, $\tan\alpha = \frac{b}{a}$.

Let $A = r(\cos\alpha + i\sin\alpha)$, $B = R(\cos\beta + i\sin\beta)$. Then

$$A \cdot B = rR[\cos(\alpha + \beta) + i\sin(\alpha + \beta)]$$

$$\frac{A}{B} = \frac{r}{R}[\cos(\alpha - \beta) + i\sin(\alpha - \beta)]$$

$$A^n = r^n[\cos n\alpha + i\sin n\alpha]$$

$$A^{1/n} = r^{1/n}\left[\cos\frac{\alpha + k360^\circ}{n} + i\sin\frac{\alpha + k360^\circ}{n}\right], k = 0, 1, 2, \cdots, n - 1$$

5. RADICALS

If $R^q = A$, then R is a qth root of A. The *principal qth* root is denoted by $\sqrt[q]{A}$.

$$\sqrt[q]{A} \text{ is } \begin{cases} \text{positive if } A \text{ is positive} \\ \text{negative if } A \text{ is negative and } q \text{ odd} \\ \text{imaginary if } A \text{ is negative and } q \text{ even} \end{cases}$$

$$\sqrt[q]{a^q} = \begin{cases} a \text{ if } a \geqq 0 \\ a \text{ if } a < 0 \text{ and } q \text{ odd} \\ -a \text{ if } a < 0 \text{ and } q \text{ even} \end{cases}$$

$$\sqrt[q]{a} \cdot \sqrt[q]{b} = \sqrt[q]{ab}$$

$$\sqrt[q]{\frac{a}{b}} = \frac{\sqrt[q]{a}}{\sqrt[q]{b}}$$

(Except for $a < 0$, $b < 0$, and q even. For this case, use the rules given above for complex numbers.)

6. EXPONENTS

If p is a positive integer, $a^p = a \cdot a \cdot a \cdots$ to p factors.

$$a^0 = 1 \quad (a \neq 0) \qquad a^{-n} = \frac{1}{a^n} \qquad a^{p/q} = \sqrt[q]{a^p} = (\sqrt[q]{a})^p$$

$$a^m \cdot a^n = a^{m+n} \qquad (ab)^n = a^n b^n$$

$$a^m \div a^n = a^{m-n} \qquad \left(\frac{a}{b}\right)^n = \frac{a^n}{b^n}$$

$$(a^m)^n = a^{mn}$$

7. LOGARITHMS

Let M, N, b be positive and $b \neq 1$. Then

$$\log_b M \cdot N = \log_b M + \log_b N$$

$$\log_b \frac{M}{N} = \log_b M - \log_b N$$

$$\log_b M^k = k \log_b M$$

$$\log_b \sqrt[q]{M} = \frac{1}{q} \log_b M$$

$$\log_b b = 1 \qquad \log_b 1 = 0 \qquad b^{\log_b M} = M$$

$$\log_a M = \log_b M \cdot \log_a b = \frac{\log_b M}{\log_b a}$$

$$\log_e M = 2.3026 \log_{10} M \qquad \log_{10} M = 0.43429 \log_e M$$

Rule for the characteristics of common logarithms: *The characteristic of the logarithm of* N *is numerically equal to the number of digits between the reference position of the decimal point and its actual position in* N. *It is positive or negative according as the decimal point is to the right or left of the reference position. (The reference position of a decimal point is immediately to the right of the first nonzero digit in the number.)*

8. QUADRATIC EQUATIONS

Let r_1, r_2 be the roots of $ax^2 + bx + c = 0 \quad (a \neq 0)$. Then

$$r_1, r_2 = \frac{-b \pm \sqrt{b^2 - 4ac}}{2a} \qquad r_1 + r_2 = -\frac{b}{a} \qquad r_1 r_2 = \frac{c}{a}.$$

If a, b, c are real and

$b^2 - 4ac > 0$, the roots are real and unequal;

$b^2 - 4ac = 0$, the roots are real and equal;

$b^2 - 4ac < 0$, the roots are imaginary and unequal.

If a, b, c are rational and

$b^2 - 4ac =$ a perfect square, the roots are rational;

$b^2 - 4ac \neq$ a perfect square, the roots are irrational.

9. FACTORIALS

$$n! = \underline{|n} = 1 \cdot 2 \cdot 3 \cdots n \qquad n! = n \cdot (n-1)!$$

Stirling's approximation: $\quad n! = \sqrt{2\pi n}\, n^n e^{-n}$

Forsyth's approximation: $\quad n! = \sqrt{2\pi} \left\{ \dfrac{\sqrt{n^2 + n + \frac{1}{6}}}{e} \right\}^{n+\frac{1}{2}}$

$$\log_e n! = (n + \tfrac{1}{2}) \log_e n + \log_e \sqrt{2\pi} - n + \frac{1}{12n} - \frac{1}{360n^3} + \frac{1}{2352n^5} - \cdots$$

0! =	1	7! =	5,040	14! =	87,178,291,200
1! =	1	8! =	40,320	15! =	1,307,674,368,000
2! =	2	9! =	362,880	16! =	20,922,789,888,000
3! =	6	10! =	3,628,800	17! =	355,687,428,096,000
4! =	24	11! =	39,916,800	18! =	6,402,373,705,728,000
5! =	120	12! =	479,001,600	19! =	121,645,100,408,832,000
6! =	720	13! =	6,227,020,800	20! =	2,432,902,008,176,640,000

10. THE BINOMIAL THEOREM

If n is a positive integer,

$$(x + y)^n = x^n + {}_nC_1 x^{n-1} y + {}_nC_2 x^{n-2} y^2 + \cdots + {}_nC_n y^n$$

where $\quad {}_nC_r = \dfrac{n!}{r!(n-r)!} = \dfrac{n(n-1)(n-2)\cdots(n-r+1)}{1 \cdot 2 \cdot 3 \cdots r}$

is equal to the number of combinations of n distinct objects taking them r at a time.

$${}_nC_0 = {}_nC_n = 1 \qquad {}_nC_r = {}_nC_{n-r}.$$

n	${}_nC_0$	${}_nC_1$	${}_nC_2$	${}_nC_3$	${}_nC_4$	${}_nC_5$	${}_nC_6$	${}_nC_7$	${}_nC_8$	${}_nC_9$	${}_nC_{10}$
1	1	1	..	...	...	...	...	...	..	..	.
2	1	2	1	...	...	...	...	...	..	..	.
3	1	3	3	1	...	...	...	...	..	..	.
4	1	4	6	4	1	...	...	...	..	..	.
5	1	5	10	10	5	1	...	...	..	..	.
6	1	6	15	20	15	6	1	...	..	..	.
7	1	7	21	35	35	21	7	1	..	..	.
8	1	8	28	56	70	56	28	8	1	..	.
9	1	9	36	84	126	126	84	36	9	1	.
10	1	10	45	120	210	252	210	120	45	10	1

Note in the preceding table that each number, plus the number on its left, is equal to the number next below.

$${}_nC_0 + {}_nC_1 + {}_nC_2 + \cdots + {}_nC_n = 2^n$$

$${}_nC_0 - {}_nC_1 + {}_nC_2 - \cdots + (-1)^n{}_nC_n = 0$$

$${}_nC_0 + {}_{n+1}C_1 + {}_{n+2}C_2 + \cdots + {}_{n+r}C_r = {}_{n+r+1}C_r$$

$$({}_nC_0)^2 + ({}_nC_1)^2 + ({}_nC_2)^2 + \cdots + ({}_nC_n)^2 = {}_{2n}C_n$$

$${}_xC_n + {}_xC_{n-1} \cdot {}_yC_1 + {}_xC_{n-2} \cdot {}_yC_2 + \cdots + {}_yC_n = {}_{x+y}C_n$$

11. PROGRESSIONS

Let l = the nth term, S = the sum of n terms.

Arithmetical progression: $a, a + d, a + 2d, \cdots$

$$l = a + (n - 1)d \qquad S = \frac{n}{2}(a + l) = \frac{n}{2}\{2a + (n - 1)d\}$$

Geometrical progression: $a, ar, ar^2, \cdots$

$$l = ar^{n-1} \qquad S = a\frac{r^n - 1}{r - 1} = \frac{rl - a}{r - 1}$$

If $r^2 < 1$, $$\lim_{n\to\infty} S = \frac{a}{1 - r}.$$

12. INTERPOLATION

Let $U_a, U_b, U_c, \cdots$ denote the values of the function U_x for $x = a, b, c, \cdots$, and let

$$\Delta U_x = \frac{U_{x+h} - U_x}{h}, \quad \Delta^2 U_x = \Delta(\Delta U_x) = \frac{U_{x+2h} - 2U_{x+h} + U_x}{h^2}, \text{ etc.}$$

Lagrange's interpolation formula for nonequidistant ordinates:

$$U_x = U_a \frac{(x-b)(x-c)\cdots(x-n)}{(a-b)(a-c)\cdots(a-n)} + U_b \frac{(x-a)(x-c)\cdots(x-n)}{(b-a)(b-c)\cdots(b-n)} + \cdots + U_n \frac{(x-a)(x-b)\cdots(x-m)}{(n-a)(n-b)\cdots(n-m)}$$

Newton's interpolation formula for equidistant ordinates:

$$U_{a+k} = U_a + k\Delta U_a + \frac{k(k-h)}{2!}\Delta^2 U_a + \frac{k(k-h)(k-2h)}{3!}\Delta^3 U_a + \cdots$$

Simple interpolation: For interpolation in the tables of this book, sufficient accuracy may be obtained by using Newton's formula to first differences. Then

$$U_{a+k} = U_a + k\frac{U_{a+h} - U_a}{h}, \qquad k = h\frac{U_{a+k} - U_a}{U_{a+h} - U_a}$$

13. PRIME NUMBERS

A prime number is a number greater than 1 which is not exactly divisible by any number except itself and unity. The number of primes is infinite.

If p is a prime number and N is prime to p, then $N^{p-1} - 1$ is a multiple of p. (Fermat's Theorem.)

If p is a prime number, then $1 + (p-1)!$ is divisible by p. (Wilson's Theorem.)

SHORT TABLE OF PRIME NUMBERS

2	53	127	199	283	383	467	577	661	769	877	983
3	59	131	211	293	389	479	587	673	773	881	991
5	61	137	223	307	397	487	593	677	787	883	997
7	67	139	227	311	401	491	599	683	797	887	1009
11	71	149	229	313	409	499	601	691	809	907	1013
13	73	151	233	317	419	503	607	701	811	911	1019
17	79	157	239	331	421	509	613	709	821	919	1021
19	83	163	241	337	431	521	617	719	823	929	1031
23	89	167	251	347	433	523	619	727	827	937	1033
29	97	173	257	349	439	541	631	733	829	941	1039
31	101	179	263	353	443	547	641	739	839	947	1049
37	103	181	269	359	449	557	643	743	853	953	1051
41	107	191	271	367	457	563	647	751	857	967	1061
43	109	193	277	373	461	569	653	757	859	971	1063
47	113	197	281	379	463	571	659	761	863	977	1069

6 Formulas from Geometry

In the following, K = area, r = radius of the inscribed circle, R = radius of the circumscribed circle, S = lateral area, T = total area, and V = volume.

1. RIGHT TRIANGLE

$A + B = C = 90°$

$A + B + C = 180°$

$c^2 = a^2 + b^2$

$a = \sqrt{(c + b)(c - b)}$

$K = \frac{1}{2}ab \qquad r = \dfrac{ab}{a + b + c} \qquad R = \frac{1}{2}c$

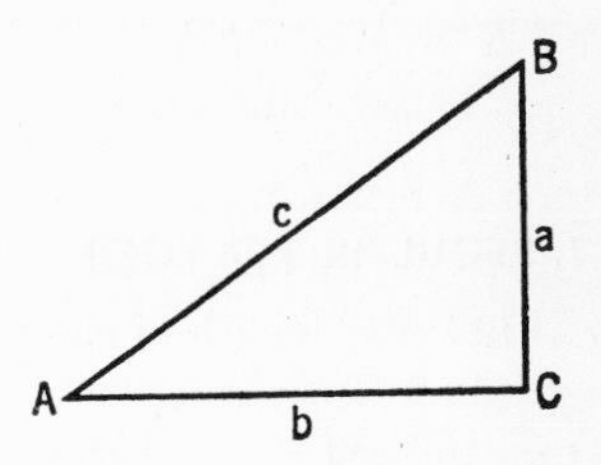

2. EQUILATERAL TRIANGLE

$A = B = C = 60°$

$A + B + C = 180°$

$h = \dfrac{\sqrt{3}}{2}a \qquad K = \dfrac{\sqrt{3}}{4}a^2$

$r = \dfrac{a}{2\sqrt{3}} \qquad R = \dfrac{a}{\sqrt{3}}$

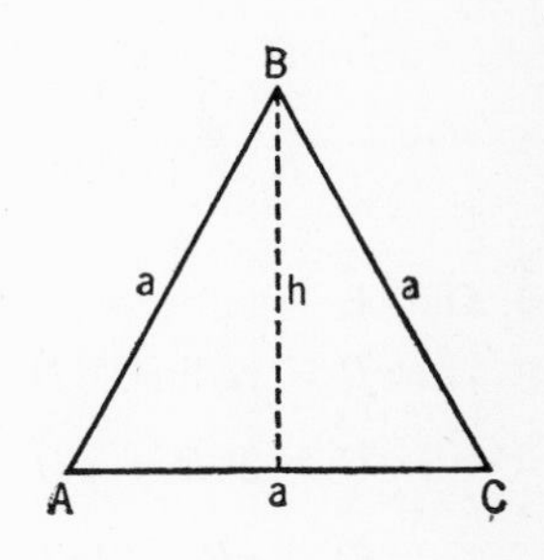

3. OBLIQUE TRIANGLE

$A + B + C = 180°$

$h = c \sin A = a \sin C$

$K = \frac{1}{2}bh = \frac{1}{2}ab \sin C = \frac{1}{2}bc \sin A$

$K = \sqrt{s(s-a)(s-b)(s-c)}, \quad s = \frac{1}{2}(a+b+c)$

$r = \dfrac{K}{s} \qquad R = \dfrac{abc}{4K}$

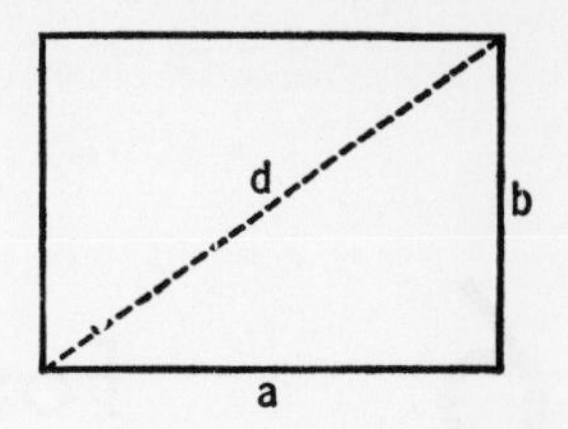

4. RECTANGLE

$d = \sqrt{a^2 + b^2}$ $K = ab$

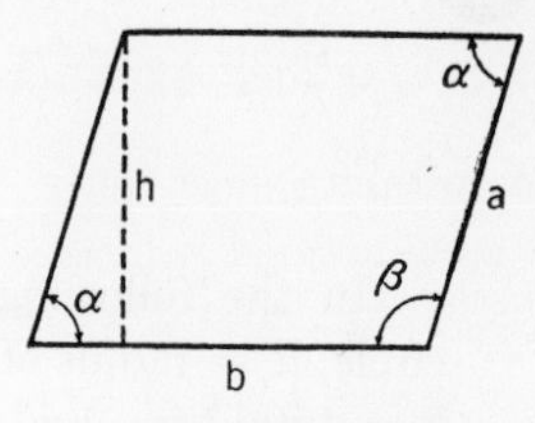

5. PARALLELOGRAM

$\alpha + \beta = 180°$

$h = a \sin \alpha = a \sin \beta$

$K = bh = ab \sin \alpha = ab \sin \beta$

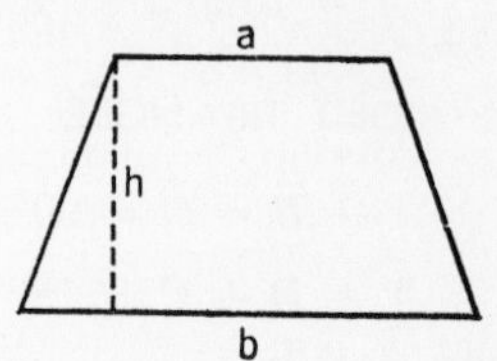

6. TRAPEZOID

$K = \frac{1}{2}(a + b)h$

7. REGULAR POLYGON OF *n* SIDES

Let a = length of each side, θ = one of the equal angles.

$$\theta = \left(\frac{n-2}{n}\right)180° \qquad a = 2r \tan \frac{180°}{n} = 2R \sin \frac{180°}{n}$$

$$r = \frac{a}{2} \operatorname{ctn} \frac{180°}{n} \qquad R = \frac{a}{2} \csc \frac{180°}{n}$$

$$K = \tfrac{1}{4}na^2 \operatorname{ctn} \frac{180°}{n} = nr^2 \tan \frac{180°}{n} = \tfrac{1}{2}nR^2 \sin \frac{360°}{n}$$

8. CIRCLE

Let R = radius, D = diameter, C = circumference.

$$C = 2\pi R = \pi D \qquad (\pi = 3.14159 \cdots)$$

$$K = \pi R^2 = \tfrac{1}{4}\pi D^2 = 0.7854D^2$$

$$C = 2\sqrt{\pi K} = \frac{2K}{R} \qquad K = \frac{C^2}{4\pi} = \tfrac{1}{2}CR$$

9. SECTOR AND SEGMENT OF A CIRCLE

Let θ = central angle in radians ($\theta < \pi$), and s = length of arc subtended by θ.

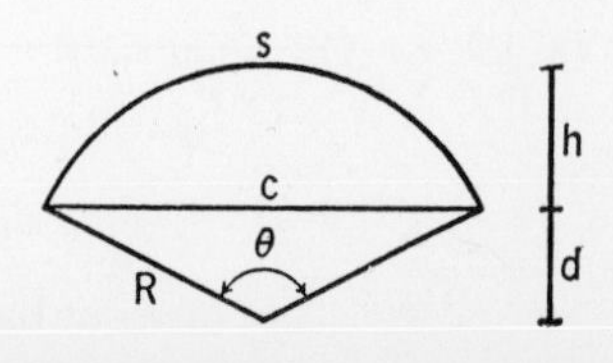

$$h = R - d \qquad d = R - h$$

$$s = R\theta$$

$$d = R \cos \tfrac{1}{2}\theta = \tfrac{1}{2}c \operatorname{ctn} \tfrac{1}{2}\theta$$

$$= \tfrac{1}{2}\sqrt{4R^2 - c^2}$$

$$c = 2R \sin \tfrac{1}{2}\theta = 2d \tan \tfrac{1}{2}\theta = 2\sqrt{R^2 - d^2} = \sqrt{4h(2R - h)}$$

$$\theta = \frac{s}{R} = 2 \operatorname{Arccos} \frac{d}{R} = 2 \operatorname{Arctan} \frac{c}{2d} = 2 \operatorname{Arcsin} \frac{c}{2R}$$

$$K(\text{sector}) = \tfrac{1}{2}Rs = \tfrac{1}{2}R^2\theta$$

$$K(\text{segment}) = \tfrac{1}{2}R^2(\theta - \sin\theta) = \tfrac{1}{2}(Rs - cd)$$

$$= R^2 \operatorname{Arccos} \frac{d}{R} - d\sqrt{R^2 - d^2}$$

10. AREA OF PLANE FIGURE BY APPROXIMATION

Divide the plane area into n strips by the equidistant parallel chords y_0, y_1, y_2, $\cdots$, y_n (y_0 and y_n may be zero), and let h denote the common distance between them. Then, approximately,

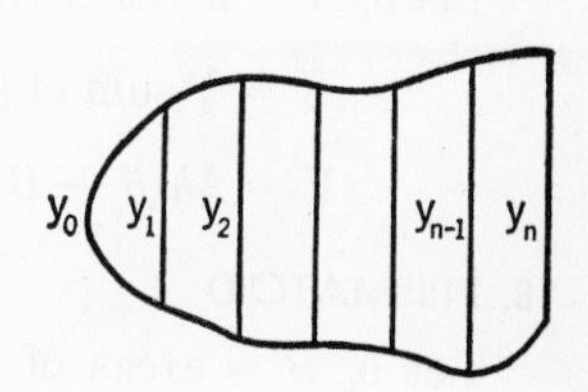

Trapezoidal Rule:

$$K = h(\tfrac{1}{2}y_0 + y_1 + y_2 + y_3 + \cdots + y_{n-1} + \tfrac{1}{2}y_n).$$

Also, if n is even,

Simpson's Rule:

$$K = \tfrac{1}{3}h(y_0 + 4y_1 + 2y_2 + 4y_3 + 2y_4 + \cdots + 4y_{n-1} + y_n).$$

11. CUBE

Let a = length of each side.

$T = 6a^2$ Diagonal of face $= a\sqrt{2}$

$V = a^3$ Diagonal of cube $= a\sqrt{3}$

12. RECTANGULAR PARALLELEPIPED

Let a, b, c be the lengths of the sides.

$T = 2(ab + ac + bc)$ $V = abc$

$$\text{Diagonal} = \sqrt{a^2 + b^2 + c^2}$$

13. PRISM OR CYLINDER

S = (perimeter of right section) × (lateral edge)

V = (area of right section) × (lateral edge)

= (area of base) × (altitude)

14. RIGHT CIRCULAR CYLINDER

Let R = radius of base and h = altitude.

$$S = 2\pi Rh \qquad V = \pi R^2 h$$

15. PYRAMID OR CONE

$$V = \tfrac{1}{3}(\text{area of base}) \times (\text{altitude})$$

$$S(\text{regular pyramid}) = \tfrac{1}{2}(\text{perimeter of base}) \times (\text{slant height})$$

16. RIGHT CIRCULAR CONE

Let R = radius of base and h = altitude.

$$S = \pi R\sqrt{R^2 + h^2} \qquad V = \tfrac{1}{3}\pi R^2 h$$

17. FRUSTUM OF REGULAR PYRAMID OR CONE

Let b, B = areas of the bases and h = altitude.

$$S = \tfrac{1}{2}(\text{sum of perimeters of bases}) \times (\text{slant height})$$

$$V = \tfrac{1}{3}h(b + B + \sqrt{bB})$$

18. PRISMATOID

Let b, B = areas of bases, M = area of midsection, h = altitude.

$$V = \tfrac{1}{6}h(b + B + 4M)$$

19. REGULAR POLYHEDRA OF EDGE *a*

Name	*Nature of Surface*	*Total Area*	*Volume*
Tetrahedron	4 equilateral triangles	$1.73205a^2$	$0.11785a^3$
Hexahedron (cube)	6 squares	$6.00000a^2$	$1.00000a^3$
Octahedron	8 equilateral triangles	$3.46410a^2$	$0.47140a^3$
Dodecahedron	12 pentagons	$20.64573a^2$	$7.66312a^3$
Icosahedron	20 equilateral triangles	$8.66025a^2$	$2.18170a^3$

20. SPHERE

Let R = radius, D = diameter, and h = altitude of segment or zone.

$$S = 4\pi R^2 = \pi D^2 \qquad V = \tfrac{4}{3}\pi R^3 = \tfrac{1}{6}\pi D^3$$

$$S(\text{zone}) = 2\pi Rh = \pi Dh$$

$$V(\text{spherical sector}) = \tfrac{2}{3}\pi R^2 h = \tfrac{1}{6}\pi D^2 h$$

V(spherical segment, one base of radius a)

$$= \tfrac{1}{3}\pi h^2(3R - h) = \tfrac{1}{6}\pi h(3a^2 + h^2)$$

$$V(\text{spherical segment, two bases of radii } a \text{ and } b) = \tfrac{1}{6}\pi h(3a^2 + 3b^2 + h^2)$$

21. CIRCULAR TORUS

$$S = 4\pi^2 Rr$$

$$V = 2\pi^2 Rr^2$$

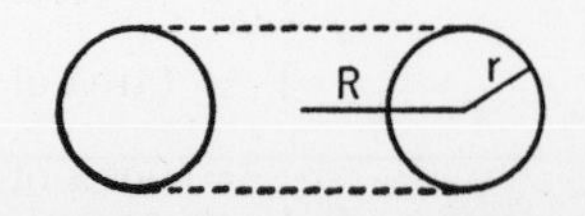

22. THEOREMS OF PAPPUS

1. The area of a surface generated by revolving a plane curve about an external axis in its plane is equal to the product of the length of the curve and the length of the circumference of the circle described by its center of gravity.

2. The volume of a solid generated by revolving a plane area about an external axis in its plane is equal to the product of the area and the length of the circumference of the circle described by its center of gravity.

23. CENTROIDS

If a body has a center of symmetry, that point is the centroid.
If a body has an axis of symmetry, the centroid lies on that axis.

Body	*Location of Centroid*
Triangle	Intersection of medians
Rectangle	Intersection of diagonals
Quadrilateral	Trisect each side and construct a parallelogram with sides passing through pairs of adjacent third-points. The intersection of its diagonals is the desired centroid.
Area of semicircle of radius r	Distance from diameter $= \frac{4r}{3\pi}$
Arc of semicircle of radius r	Distance from diameter $= \frac{2r}{\pi}$
Area of semiellipse of altitude h	Distance from base $= \frac{4h}{3\pi}$
Area of parabolic segment of altitude h	Distance from base $= \frac{2}{5}h$
Volume of right circular cone	Distance from base $= \frac{1}{4}h$
Volume of hemisphere of radius r	Distance from center of sphere $= \frac{3}{8}r$
Volume of paraboloid of altitude h	Distance from base $= \frac{1}{3}h$

7 Formulas from Trigonometry

1. THE TRIGONOMETRIC FUNCTIONS

In the right triangle ABC,

$$\sin A = \frac{a}{c} \qquad \csc A = \frac{c}{a}$$

$$\cos A = \frac{b}{c} \qquad \sec A = \frac{c}{b}$$

$$\tan A = \frac{a}{b} \qquad \text{ctn}\, A = \frac{b}{a}$$

$$\text{exsec}\, A = \sec A - 1 \qquad \text{vers}\, A = 1 - \cos A$$

$$\text{covers}\, A = 1 - \sin A \qquad \text{hav}\, A = \tfrac{1}{2}\,\text{vers}\, A$$

2. THE SIGNS OF THE FUNCTIONS

Quadrant	*sin*	*cos*	*tan*	*ctn*	*sec*	*csc*
I	+	+	+	+	+	+
II	+	−	−	−	−	+
III	−	−	+	+	−	−
IV	−	+	−	−	+	−

3. FUNCTIONS OF SPECIAL ANGLES

	sin	*cos*	*tan*	*ctn*	*sec*	*csc*
0°	0	1	0	....	1	....
30°	$1/2$	$\sqrt{3}/2$	$1/\sqrt{3}$	$\sqrt{3}$	$2/\sqrt{3}$	2
45°	$1/\sqrt{2}$	$1/\sqrt{2}$	1	1	$\sqrt{2}$	$\sqrt{2}$
60°	$\sqrt{3}/2$	$1/2$	$\sqrt{3}$	$1/\sqrt{3}$	2	$2/\sqrt{3}$
90°	1	0	....	0	....	1
120°	$\sqrt{3}/2$	$-1/2$	$-\sqrt{3}$	$-1/\sqrt{3}$	−2	$2/\sqrt{3}$
135°	$1/\sqrt{2}$	$-1/\sqrt{2}$	−1	−1	$-\sqrt{2}$	$\sqrt{2}$
150°	$1/2$	$-\sqrt{3}/2$	$-1/\sqrt{3}$	$-\sqrt{3}$	$-2/\sqrt{3}$	2
180°	0	−1	0	....	−1	....
270°	−1	0	....	0	....	−1

4. REDUCTION FORMULAS

$$\sin\theta = +\cos(\theta - 90°) = -\sin(\theta - 180°) = -\cos(\theta - 270°)$$

$$\cos\theta = -\sin(\theta - 90°) = -\cos(\theta - 180°) = +\sin(\theta - 270°)$$

$$\tan\theta = -\operatorname{ctn}(\theta - 90°) = +\tan(\theta - 180°) = -\operatorname{ctn}(\theta - 270°)$$

$$\operatorname{ctn}\theta = -\tan(\theta - 90°) = +\operatorname{ctn}(\theta - 180°) = -\tan(\theta - 270°)$$

$$\sec\theta = -\csc(\theta - 90°) = -\sec(\theta - 180°) = +\csc(\theta - 270°)$$

$$\csc\theta = +\sec(\theta - 90°) = -\csc(\theta - 180°) = -\sec(\theta - 270°)$$

5. REDUCTION FORMULAS (continued)

	sin	*cos*	*tan*	*ctn*	*sec*	*csc*
$-\theta$	$-\sin\theta$	$+\cos\theta$	$-\tan\theta$	$-\operatorname{ctn}\theta$	$+\sec\theta$	$-\csc\theta$
$90° + \theta$	$+\cos\theta$	$-\sin\theta$	$-\operatorname{ctn}\theta$	$-\tan\theta$	$-\csc\theta$	$+\sec\theta$
$90° - \theta$	$+\cos\theta$	$+\sin\theta$	$+\operatorname{ctn}\theta$	$+\tan\theta$	$+\csc\theta$	$+\sec\theta$
$180° + \theta$	$-\sin\theta$	$-\cos\theta$	$+\tan\theta$	$+\operatorname{ctn}\theta$	$-\sec\theta$	$-\csc\theta$
$180° - \theta$	$+\sin\theta$	$-\cos\theta$	$-\tan\theta$	$-\operatorname{ctn}\theta$	$-\sec\theta$	$+\csc\theta$
$270° + \theta$	$-\cos\theta$	$+\sin\theta$	$-\operatorname{ctn}\theta$	$-\tan\theta$	$+\csc\theta$	$-\sec\theta$
$270° - \theta$	$-\cos\theta$	$-\sin\theta$	$+\operatorname{ctn}\theta$	$+\tan\theta$	$-\csc\theta$	$-\sec\theta$
$360° + \theta$	$+\sin\theta$	$+\cos\theta$	$+\tan\theta$	$+\operatorname{ctn}\theta$	$+\sec\theta$	$+\csc\theta$
$360° - \theta$	$-\sin\theta$	$+\cos\theta$	$-\tan\theta$	$-\operatorname{ctn}\theta$	$+\sec\theta$	$-\csc\theta$

6. FUNDAMENTAL IDENTITIES

(Where a double sign occurs, the choice depends upon the quadrant in which the angle is located.)

$$\sin\theta\csc\theta = 1 \qquad \cos\theta\sec\theta = 1 \qquad \tan\theta\operatorname{ctn}\theta = 1$$

$$\sin^2\theta + \cos^2\theta = 1 \qquad 1 + \tan^2\theta = \sec^2\theta \qquad 1 + \operatorname{ctn}^2\theta = \csc^2\theta$$

$$\tan\theta = \frac{\sin\theta}{\cos\theta} \qquad \operatorname{ctn}\theta = \frac{\cos\theta}{\sin\theta} \qquad \tan^2\theta = \frac{1 - \cos 2\theta}{1 + \cos 2\theta}$$

$$\sin^2\theta = \tfrac{1}{2}(1 - \cos 2\theta) \qquad \cos^2\theta = \tfrac{1}{2}(1 + \cos 2\theta)$$

$$\sin^3\theta = \tfrac{1}{4}(3\sin\theta - \sin 3\theta) \qquad \cos^3\theta = \tfrac{1}{4}(3\cos\theta + \cos 3\theta)$$

$$\sin^4\theta = \tfrac{1}{8}(3 - 4\cos 2\theta + \cos 4\theta) \qquad \cos^4\theta = \tfrac{1}{8}(3 + 4\cos 2\theta + \cos 4\theta)$$

$$\sin 2\theta = 2\sin\theta\cos\theta = \frac{2\tan\theta}{1 + \tan^2\theta}$$

$$\cos 2\theta = \cos^2\theta - \sin^2\theta = 2\cos^2\theta - 1 = 1 - 2\sin^2\theta = \frac{1 - \tan^2\theta}{1 + \tan^2\theta}$$

$$\tan 2\theta = \frac{2\tan\theta}{1 - \tan^2\theta} \qquad \operatorname{ctn} 2\theta = \frac{\operatorname{ctn}^2\theta - 1}{2\operatorname{ctn}\theta}$$

$$\sin 3\theta = 3\sin\theta - 4\sin^3\theta \qquad \cos 3\theta = 4\cos^3\theta - 3\cos\theta$$

$$\sin 4\theta = 4 \sin \theta \cos \theta - 8 \sin^3 \theta \cos \theta$$

$$\cos 4\theta = 8 \cos^4 \theta - 8 \cos^2 \theta + 1$$

$$\sin \tfrac{1}{2}\theta = \pm \sqrt{\frac{1 - \cos \theta}{2}} \qquad \cos \tfrac{1}{2}\theta = \pm \sqrt{\frac{1 + \cos \theta}{2}}$$

$$\tan \tfrac{1}{2}\theta = \pm \sqrt{\frac{1 - \cos \theta}{1 + \cos \theta}} = \frac{1 - \cos \theta}{\sin \theta} = \frac{\sin \theta}{1 + \cos \theta}$$

$$\operatorname{ctn} \tfrac{1}{2}\theta = \pm \sqrt{\frac{1 + \cos \theta}{1 - \cos \theta}} = \frac{1 + \cos \theta}{\sin \theta} = \frac{\sin \theta}{1 - \cos \theta}$$

$$\sin (\alpha + \beta) = \sin \alpha \cos \beta + \cos \alpha \sin \beta$$

$$\cos (\alpha + \beta) = \cos \alpha \cos \beta - \sin \alpha \sin \beta$$

$$\tan (\alpha + \beta) = \frac{\tan \alpha + \tan \beta}{1 - \tan \alpha \tan \beta} \qquad \operatorname{ctn} (\alpha + \beta) = \frac{\operatorname{ctn} \beta \operatorname{ctn} \alpha - 1}{\operatorname{ctn} \beta + \operatorname{ctn} \alpha}$$

$$\sin (\alpha - \beta) = \sin \alpha \cos \beta - \cos \alpha \sin \beta$$

$$\cos (\alpha - \beta) = \cos \alpha \cos \beta + \sin \alpha \sin \beta$$

$$\tan (\alpha - \beta) = \frac{\tan \alpha - \tan \beta}{1 + \tan \alpha \tan \beta} \qquad \operatorname{ctn} (\alpha - \beta) = \frac{\operatorname{ctn} \beta \operatorname{ctn} \alpha + 1}{\operatorname{ctn} \beta - \operatorname{ctn} \alpha}$$

$$\sin \alpha + \sin \beta = 2 \sin \tfrac{1}{2}(\alpha + \beta) \cos \tfrac{1}{2}(\alpha - \beta)$$

$$\sin \alpha - \sin \beta = 2 \cos \tfrac{1}{2}(\alpha + \beta) \sin \tfrac{1}{2}(\alpha - \beta)$$

$$\cos \alpha + \cos \beta = 2 \cos \tfrac{1}{2}(\alpha + \beta) \cos \tfrac{1}{2}(\alpha - \beta)$$

$$\cos \alpha - \cos \beta = -2 \sin \tfrac{1}{2}(\alpha + \beta) \sin \tfrac{1}{2}(\alpha - \beta)$$

$$\sin (\alpha + \beta) \sin (\alpha - \beta) = \sin^2 \alpha - \sin^2 \beta = \cos^2 \beta - \cos^2 \alpha$$

$$\cos (\alpha + \beta) \cos (\alpha - \beta) = \cos^2 \alpha - \sin^2 \beta = \cos^2 \beta - \sin^2 \alpha$$

$$\sin (\alpha + \beta) + \sin (\alpha - \beta) = 2 \sin \alpha \cos \beta$$

$$\sin (\alpha + \beta) - \sin (\alpha - \beta) = 2 \cos \alpha \sin \beta$$

$$\cos (\alpha + \beta) + \cos (\alpha - \beta) = 2 \cos \alpha \cos \beta$$

$$\cos (\alpha + \beta) - \cos (\alpha - \beta) = -2 \sin \alpha \sin \beta$$

$$\tan \alpha + \tan \beta = \frac{\sin (\alpha + \beta)}{\cos \alpha \cos \beta} \qquad \tan \alpha - \tan \beta = \frac{\sin (\alpha - \beta)}{\cos \alpha \cos \beta}$$

$$\operatorname{ctn} \alpha + \operatorname{ctn} \beta = \frac{\sin (\alpha + \beta)}{\sin \alpha \sin \beta} \qquad \operatorname{ctn} \alpha - \operatorname{ctn} \beta = \frac{\sin (\beta - \alpha)}{\sin \alpha \sin \beta}$$

$$\frac{\sin \alpha + \sin \beta}{\sin \alpha - \sin \beta} = \frac{\tan \frac{1}{2}(\alpha + \beta)}{\tan \frac{1}{2}(\alpha - \beta)} \qquad \frac{\sin \alpha + \sin \beta}{\cos \alpha - \cos \beta} = \operatorname{ctn} \tfrac{1}{2}(\beta - \alpha)$$

$$\frac{\sin\alpha + \sin\beta}{\cos\alpha + \cos\beta} = \tan\tfrac{1}{2}(\alpha + \beta) \qquad \frac{\sin\alpha - \sin\beta}{\cos\alpha + \cos\beta} = \tan\tfrac{1}{2}(\alpha - \beta)$$

$$e^{ix} = \cos x + i\sin x \qquad (i = \sqrt{-1})$$

$$\sin x = \frac{e^{ix} - e^{-ix}}{2i} \qquad \cos x = \frac{e^{ix} + e^{-ix}}{2}$$

$$\tan x = -i\left(\frac{e^{ix} - e^{-ix}}{e^{ix} + e^{-ix}}\right) = -i\left(\frac{e^{2ix} - 1}{e^{2ix} + 1}\right)$$

7. EQUIVALENT EXPRESSIONS FOR SIN θ, COS θ, AND TAN θ

$$\sin\theta = \pm\sqrt{1-\cos^2\theta} = \frac{\tan\theta}{\pm\sqrt{1+\tan^2\theta}} = \frac{1}{\pm\sqrt{1+\text{ctn}^2\theta}} = \frac{\pm\sqrt{\sec^2\theta - 1}}{\sec\theta}$$

$$= \frac{1}{\csc\theta} = \cos\theta\tan\theta = \pm\sqrt{\frac{1-\cos 2\theta}{2}} = 2\sin\tfrac{1}{2}\theta\cos\tfrac{1}{2}\theta$$

$$\cos\theta = \pm\sqrt{1-\sin^2\theta} = \frac{1}{\pm\sqrt{1+\tan^2\theta}} = \frac{\text{ctn}\,\theta}{\pm\sqrt{1+\text{ctn}^2\theta}} = \frac{1}{\sec\theta}$$

$$= \frac{\pm\sqrt{\csc^2\theta - 1}}{\csc\theta} = \sin\theta\,\text{ctn}\,\theta = \pm\sqrt{\frac{1+\cos 2\theta}{2}} = \cos^2\tfrac{1}{2}\theta - \sin^2\tfrac{1}{2}\theta$$

$$\tan\theta = \frac{\sin\theta}{\pm\sqrt{1-\sin^2\theta}} = \frac{\pm\sqrt{1-\cos^2\theta}}{\cos\theta} = \frac{1}{\text{ctn}\,\theta} = \pm\sqrt{\sec^2\theta - 1}$$

$$= \frac{1}{\pm\sqrt{\csc^2\theta - 1}} = \frac{\sin\theta}{\cos\theta} = \frac{\sin 2\theta}{1+\cos 2\theta} = \frac{1-\cos 2\theta}{\sin 2\theta} = \pm\sqrt{\frac{1-\cos 2\theta}{1+\cos 2\theta}}$$

8. RADIAN MEASURE

A *radian* is an angle which, if its vertex is placed at the center of a circle, intercepts an arc equal in length to the radius.

$$180° = \pi \text{ radians} \qquad 1° = \frac{\pi}{180} \text{ radians} \qquad 1 \text{ radian} = \frac{180°}{\pi}$$

Approximately,

$$1° = 0.01745\ 32925 \text{ radian}$$

$$1' = 0.00029\ 08882 \text{ radian}$$

$$1'' = 0.00000\ 48481 \text{ radian}$$

$$1 \text{ radian} = 57.29577\ 95131°$$

$$= 57°\ 17'\ 44.80625''$$

Degrees	*Radians*	*Degrees*	*Radians*	*Degrees*	*Radians*
30	$\pi/6$	135	$3\pi/4$	270	$3\pi/2$
45	$\pi/4$	150	$5\pi/6$	300	$5\pi/3$
60	$\pi/3$	210	$7\pi/6$	315	$7\pi/4$
90	$\pi/2$	225	$5\pi/4$	330	$11\pi/6$
120	$2\pi/3$	240	$4\pi/3$	360	2π

9. THE MIL SYSTEM OF ANGULAR MEASURE

$1600 \text{ mils} = 90°$ $\qquad$ $1000 \text{ mils} = 56.25°$

$$1 \text{ mil} = 0.05625° = 3.375' = 202.5''$$

$1° = 17.777778 \text{ mils}$ $\qquad$ $1 \text{ mil} = 0.00098175 \text{ radian}$

$1' = 0.296296 \text{ mil}$ $\qquad$ $1 \text{ radian} = 1018.6 \text{ mils}$

The length of the arc or chord subtended on the circumference of a circle of radius r by a small central angle θ measured in mils is, approximately,

$$S = \frac{r\theta}{1000}.$$

10. PLANE TRIANGLE FORMULAS

In the following, A, B, C represent the angles of any plane triangle, a, b, c the corresponding opposite sides, and $s = \frac{1}{2}(a + b + c)$.

Radius of the inscribed circle:

$$r = \sqrt{\frac{(s-a)(s-b)(s-c)}{s}}$$

Radius of the circumscribed circle:

$$R = \frac{a}{2 \sin A} = \frac{b}{2 \sin B} = \frac{c}{2 \sin C}$$

Law of sines:

$$\frac{a}{\sin A} = \frac{b}{\sin B} = \frac{c}{\sin C}$$

Law of cosines:

$$a^2 = b^2 + c^2 - 2bc \cos A \qquad \cos A = \frac{b^2 + c^2 - a^2}{2bc}$$

$$b^2 = a^2 + c^2 - 2ac \cos B \qquad \cos B = \frac{a^2 + c^2 - b^2}{2ac}$$

$$c^2 = a^2 + b^2 - 2ab \cos C \qquad \cos C = \frac{a^2 + b^2 - c^2}{2ab}$$

Law of tangents:

$$\frac{a-b}{a+b} = \frac{\tan \frac{1}{2}(A-B)}{\tan \frac{1}{2}(A+B)} \qquad \frac{b-c}{b+c} = \frac{\tan \frac{1}{2}(B-C)}{\tan \frac{1}{2}(B+C)}$$

$$\frac{a-c}{a+c} = \frac{\tan \frac{1}{2}(A-C)}{\tan \frac{1}{2}(A+C)}$$

Half-angle formulas:

$$\tan \tfrac{1}{2}A = \frac{r}{s-a} \qquad \tan \tfrac{1}{2}B = \frac{r}{s-b} \qquad \tan \tfrac{1}{2}C = \frac{r}{s-c}$$

$$\sin \tfrac{1}{2}A = \sqrt{\frac{(s-b)(s-c)}{bc}} \qquad \cos \tfrac{1}{2}A = \sqrt{\frac{s(s-a)}{bc}}$$

$$\sin \tfrac{1}{2}B = \sqrt{\frac{(s-a)(s-c)}{ac}} \qquad \cos \tfrac{1}{2}B = \sqrt{\frac{s(s-b)}{ac}}$$

$$\sin \tfrac{1}{2}C = \sqrt{\frac{(s-a)(s-b)}{ab}} \qquad \cos \tfrac{1}{2}C = \sqrt{\frac{s(s-c)}{ab}}$$

Area:

$$K = \tfrac{1}{2}ab \sin C = \tfrac{1}{2}ac \sin B = \tfrac{1}{2}bc \sin A$$

$$K = \frac{a^2 \sin B \sin C}{2 \sin A} = \frac{b^2 \sin C \sin A}{2 \sin B} = \frac{c^2 \sin A \sin B}{2 \sin C}$$

$$K = \sqrt{s(s-a)(s-b)(s-c)} = rs \qquad K = \frac{abc}{4R}$$

Newton's formulas:

$$\frac{a+b}{c} = \frac{\cos \frac{1}{2}(A-B)}{\sin \frac{1}{2}C} \qquad \frac{a+c}{b} = \frac{\cos \frac{1}{2}(A-C)}{\sin \frac{1}{2}B}$$

$$\frac{b+c}{a} = \frac{\cos \frac{1}{2}(B-C)}{\sin \frac{1}{2}A}$$

Mollweide's formulas:

$$\frac{a-b}{c} = \frac{\sin \frac{1}{2}(A-B)}{\cos \frac{1}{2}C} \qquad \frac{a-c}{b} = \frac{\sin \frac{1}{2}(A-C)}{\cos \frac{1}{2}B}$$

$$\frac{b-c}{a} = \frac{\sin \frac{1}{2}(B-C)}{\cos \frac{1}{2}A}$$

11. SUMMARY OF THE SOLUTION OF OBLIQUE TRIANGLES

Given	*Nonlogarithmic Solution*	*Logarithmic Solution*	*Check*	*Area*
Two angles and one side	Law of sines	Law of sines	Newton's formula, or law of tangents	$\dfrac{a^2 \sin B \sin C}{2 \sin A}$
Two sides and their included angle	Law of cosines	Law of tangents, then law of sines	Newton's formula, or law of sines	$\dfrac{ab \sin C}{2}$
Three sides	Law of cosines	Tangents of half angles	$A + B + C = 180°$	$\sqrt{s(s-a)(s-b)(s-c)}$
Two sides and an opposite angle	Law of sines	Law of sines	Newton's formula, or law of tangents	$\dfrac{ab \sin C}{2}$

12. INVERSE TRIGONOMETRIC FUNCTIONS

Principal values:

$$-\frac{\pi}{2} \leqq \operatorname{Arcsin} x \leqq \frac{\pi}{2}, \qquad -1 \leqq x \leqq 1$$

$$-\frac{\pi}{2} < \operatorname{Arctan} x < \frac{\pi}{2}, \qquad -\infty < x < \infty$$

$$0 \leqq \operatorname{Arccos} x \leqq \pi, \qquad -1 \leqq x \leqq 1$$

$$0 < \operatorname{Arcctn} x < \pi, \qquad -\infty < x < \infty$$

$$0 \leqq \operatorname{Arcsec} x < \frac{\pi}{2}, \qquad x \geqq 1$$

$$-\pi \leqq \operatorname{Arcsec} x < -\frac{\pi}{2}, \qquad x \leqq -1$$

$$0 < \operatorname{Arccsc} x \leqq \frac{\pi}{2}, \qquad x \geqq 1$$

$$-\pi < \operatorname{Arccsc} x \leqq -\frac{\pi}{2}, \qquad x \leqq -1$$

Note: There is disagreement on the definitions of the principal values of arcctn x, arcsec x, and arccsc x for negative values of x.

Fundamental identities involving principal values:

$$\operatorname{Arcsin} x + \operatorname{Arccos} x = \frac{\pi}{2}$$

$$\operatorname{Arctan} x + \operatorname{Arcctn} x = \frac{\pi}{2}$$

If $\theta = \text{Arcsin } x$, then

$$\sin\theta = x \qquad \tan\theta = \frac{x}{\sqrt{1-x^2}} \qquad \sec\theta = \frac{1}{\sqrt{1-x^2}}$$

$$\cos\theta = \sqrt{1-x^2} \qquad \text{ctn } \theta = \frac{\sqrt{1-x^2}}{x} \qquad \csc\theta = \frac{1}{x}$$

If $\theta = \text{Arccos } x$, then

$$\sin\theta = \sqrt{1-x^2} \qquad \tan\theta = \frac{\sqrt{1-x^2}}{x} \qquad \sec\theta = \frac{1}{x}$$

$$\cos\theta = x \qquad \text{ctn } \theta = \frac{x}{\sqrt{1-x^2}} \qquad \csc\theta = \frac{1}{\sqrt{1-x^2}}$$

If $\theta = \text{Arctan } x$, then

$$\sin\theta = \frac{x}{\sqrt{1+x^2}} \qquad \tan\theta = x \qquad \sec\theta = \sqrt{1+x^2}$$

$$\cos\theta = \frac{1}{\sqrt{1+x^2}} \qquad \text{ctn } \theta = \frac{1}{x} \qquad \csc\theta = \frac{\sqrt{1+x^2}}{x}$$

13. SPHERICAL TRIANGLE FORMULAS

In the following, A, B, C represent the angles of any spherical triangle, a, b, c the corresponding opposite sides, $S = \frac{1}{2}(A + B + C)$, and $s = \frac{1}{2}(a + b + c)$.

Napier's rules, $C = 90°$:

1. The sine of any middle part is equal to the product of the *tangents* of the *adjacent* parts.
2. The sine of any middle part is equal to the product of the *cosines* of the *opposite* parts.

co-B
co-C
a
co-A
b

Law of sines:

$$\frac{\sin a}{\sin A} = \frac{\sin b}{\sin B} = \frac{\sin c}{\sin C}$$

Law of cosines for sides:

$$\cos a = \cos b \cos c + \sin b \sin c \cos A$$
$$\cos b = \cos a \cos c + \sin a \sin c \cos B$$
$$\cos c = \cos a \cos b + \sin a \sin b \cos C$$

Law of cosines for angles:

$$\cos A = -\cos B \cos C + \sin B \sin C \cos a$$
$$\cos B = -\cos A \cos C + \sin A \sin C \cos b$$
$$\cos C = -\cos A \cos B + \sin A \sin B \cos c$$

Law of tangents:

$$\frac{\tan \frac{1}{2}(A - B)}{\tan \frac{1}{2}(A + B)} = \frac{\tan \frac{1}{2}(a - b)}{\tan \frac{1}{2}(a + b)} \qquad \frac{\tan \frac{1}{2}(A - C)}{\tan \frac{1}{2}(A + C)} = \frac{\tan \frac{1}{2}(a - c)}{\tan \frac{1}{2}(a + c)}$$

$$\frac{\tan \frac{1}{2}(B - C)}{\tan \frac{1}{2}(B + C)} = \frac{\tan \frac{1}{2}(b - c)}{\tan \frac{1}{2}(b + c)}$$

Half-angle formulas:

$$\tan \tfrac{1}{2}A = \frac{k}{\sin (s - a)} \qquad \tan \tfrac{1}{2}B = \frac{k}{\sin (s - b)} \qquad \tan \tfrac{1}{2}C = \frac{k}{\sin (s - c)}$$

where $$k^2 = \frac{\sin (s - a) \sin (s - b) \sin (s - c)}{\sin s}$$

Half-side formulas:

$$\tan \tfrac{1}{2}a = K \cos (S - A) \qquad \tan \tfrac{1}{2}b = K \cos (S - B)$$

$$\tan \tfrac{1}{2}c = K \cos (S - C)$$

where $$K^2 = \frac{-\cos S}{\cos (S - A) \cos (S - B) \cos (S - C)}$$

Napier's analogies:

$$\frac{\sin \frac{1}{2}(A - B)}{\sin \frac{1}{2}(A + B)} = \frac{\tan \frac{1}{2}(a - b)}{\tan \frac{1}{2}c} \qquad \frac{\sin \frac{1}{2}(a - b)}{\sin \frac{1}{2}(a + b)} = \frac{\tan \frac{1}{2}(A - B)}{\operatorname{ctn} \frac{1}{2}C}$$

$$\frac{\cos \frac{1}{2}(A - B)}{\cos \frac{1}{2}(A + B)} = \frac{\tan \frac{1}{2}(a + b)}{\tan \frac{1}{2}c} \qquad \frac{\cos \frac{1}{2}(a - b)}{\cos \frac{1}{2}(a + b)} = \frac{\tan \frac{1}{2}(A + B)}{\operatorname{ctn} \frac{1}{2}C}$$

Gauss's formulas:

$$\frac{\sin \frac{1}{2}(a - b)}{\sin \frac{1}{2}c} = \frac{\sin \frac{1}{2}(A - B)}{\cos \frac{1}{2}C} \qquad \frac{\sin \frac{1}{2}(a + b)}{\sin \frac{1}{2}c} = \frac{\cos \frac{1}{2}(A - B)}{\sin \frac{1}{2}C}$$

$$\frac{\cos \frac{1}{2}(a - b)}{\cos \frac{1}{2}c} = \frac{\sin \frac{1}{2}(A + B)}{\cos \frac{1}{2}C} \qquad \frac{\cos \frac{1}{2}(a + b)}{\cos \frac{1}{2}c} = \frac{\cos \frac{1}{2}(A + B)}{\sin \frac{1}{2}C}$$

The law of species:

1. If $A > B > C$, then $a > b > c$.
2. Half the sum of any two sides and half the sum of the opposite angles are of the same species.
3. A side (angle) which differs from 90° more than another side (angle) does is of the same species as its opposite angle (side).

14. SUMMARY OF THE SOLUTION OF SPHERICAL TRIANGLES

Given	*Solution*	*Check*
Three sides	Half-angle formulas	Law of sines
Three angles	Half-side formulas	Law of sines
Two sides and their included angle	Napier's analogies (find sum and difference of unknown angles), then law of sines	Gauss's formula
Two angles and their included side	Napier's analogies (find sum and difference of unknown sides), then law of sines	Gauss's formula
Two sides and an opposite angle	Law of sines, then Napier's analogies	Gauss's formula
Two angles and an opposite side	Law of sines, then Napier's analogies	Gauss's formula

15. HAVERSINES

$$\text{hav}\ \theta = \tfrac{1}{2}\text{ vers}\ \theta = \tfrac{1}{2}(1 - \cos\theta) = \sin^2 \tfrac{1}{2}\theta$$

$$\text{hav}(-\theta) = \text{hav}\ \theta$$

$$\text{hav}\ (180° - \theta) = \text{hav}\ (180° + \theta) = 1 - \text{hav}\ \theta$$

Let A, B, C be the angles of a spherical triangle, a, b, c the corresponding opposite sides, and $s = \frac{1}{2}(a + b + c)$. Then

$$\text{hav}\ a = \text{hav}\ (b - c) + \sin b \sin c\ \text{hav}\ A$$

$$\text{hav}\ A = \frac{\sin (s - b) \sin (s - c)}{\sin b \sin c}$$

$$= \frac{\text{hav}\ a - \text{hav}\ (b - c)}{\sin b \sin c}$$

$$= \text{hav}\ [180° - (B + C)] + \sin B \sin C\ \text{hav}\ a$$

8 Hyperbolic Functions

$$\sinh x = \frac{e^x - e^{-x}}{2} \qquad \operatorname{csch} x = \frac{1}{\sinh x}$$

$$\cosh x = \frac{e^x + e^{-x}}{2} \qquad \operatorname{sech} x = \frac{1}{\cosh x}$$

$$\tanh x = \frac{e^x - e^{-x}}{e^x + e^{-x}} \qquad \operatorname{ctnh} x = \frac{1}{\tanh x}$$

$$\sinh(-x) = -\sinh x \qquad \operatorname{ctnh}(-x) = -\operatorname{ctnh} x$$

$$\cosh(-x) = \cosh x \qquad \operatorname{sech}(-x) = \operatorname{sech} x$$

$$\tanh(-x) = -\tanh x \qquad \operatorname{csch}(-x) = -\operatorname{csch} x$$

$$\tanh x = \frac{\sinh x}{\cosh x} \qquad \operatorname{ctnh} x = \frac{\cosh x}{\sinh x}$$

$$\cosh^2 x - \sinh^2 x = 1 \qquad \sinh^2 x = \tfrac{1}{2}(\cosh 2x - 1)$$

$$\tanh^2 x + \operatorname{sech}^2 x = 1 \qquad \cosh^2 x = \tfrac{1}{2}(\cosh 2x + 1)$$

$$\operatorname{ctnh}^2 x - \operatorname{csch}^2 x = 1 \qquad \operatorname{csch}^2 x - \operatorname{sech}^2 x = \operatorname{csch}^2 x \operatorname{sech}^2 x$$

$$\sinh(x + y) = \sinh x \cosh y + \cosh x \sinh y$$

$$\cosh(x + y) = \cosh x \cosh y + \sinh x \sinh y$$

$$\sinh(x - y) = \sinh x \cosh y - \cosh x \sinh y$$

$$\cosh(x - y) = \cosh x \cosh y - \sinh x \sinh y$$

$$\tanh(x + y) = \frac{\tanh x + \tanh y}{1 + \tanh x \tanh y} \qquad \tanh(x - y) = \frac{\tanh x - \tanh y}{1 - \tanh x \tanh y}$$

$$\sinh(x + y) + \sinh(x - y) = 2 \sinh x \cosh y$$

$$\sinh(x + y) - \sinh(x - y) = 2 \cosh x \sinh y$$

$$\cosh(x + y) + \cosh(x - y) = 2 \cosh x \cosh y$$

$$\cosh(x + y) - \cosh(x - y) = 2 \sinh x \sinh y$$

$$\sinh (x + y) \sinh (x - y) = \sinh^2 x - \sinh^2 y = \cosh^2 x - \cosh^2 y$$

$$\cosh (x + y) \cosh (x - y) = \sinh^2 x + \cosh^2 y = \cosh^2 x + \sinh^2 y$$

$$\sinh x + \sinh y = 2 \sinh \tfrac{1}{2}(x + y) \cosh \tfrac{1}{2}(x - y)$$

$$\sinh x - \sinh y = 2 \cosh \tfrac{1}{2}(x + y) \sinh \tfrac{1}{2}(x - y)$$

$$\cosh x + \cosh y = 2 \cosh \tfrac{1}{2}(x + y) \cosh \tfrac{1}{2}(x - y)$$

$$\cosh x - \cosh y = 2 \sinh \tfrac{1}{2}(x + y) \sinh \tfrac{1}{2}(x - y)$$

$$\sinh 2x = 2 \sinh x \cosh x \qquad \sinh 3x = 3 \sinh x + 4 \sinh^3 x$$

$$\cosh 2x = \cosh^2 x + \sinh^2 x \qquad \cosh 3x = 4 \cosh^3 x - 3 \cosh x$$

$$\tanh 2x = \frac{2 \tanh x}{1 + \tanh^2 x} \qquad \tanh 3x = \frac{3 \tanh x + \tanh^3 x}{1 + 3 \tanh^2 x}$$

$$\sinh \tfrac{1}{2}x = \pm\sqrt{\tfrac{1}{2}(\cosh x - 1)} \qquad \cosh \tfrac{1}{2}x = \sqrt{\tfrac{1}{2}(\cosh x + 1)}$$

$$\tanh \tfrac{1}{2}x = \frac{\cosh x - 1}{\sinh x} = \frac{\sinh x}{\cosh x + 1}$$

$$\sinh^{-1} x = \log_e (x + \sqrt{x^2 + 1}) \qquad \operatorname{ctnh}^{-1} x = \tfrac{1}{2} \log_e \left(\frac{x + 1}{x - 1}\right) \quad (x^2 > 1)$$

$$\cosh^{-1} x = \log_e (x \pm \sqrt{x^2 - 1}) \quad (x \geqq 1) \qquad \operatorname{sech}^{-1} x = \log_e \left(\frac{1 \pm \sqrt{1 - x^2}}{x}\right) \quad (0 < x \leqq 1)$$

$$\tanh^{-1} x = \tfrac{1}{2} \log_e \left(\frac{1 + x}{1 - x}\right) \quad (x^2 < 1) \qquad \operatorname{csch}^{-1} x = \log_e \left(\frac{1}{x} + \sqrt{1 + \frac{1}{x^2}}\right)$$

$$\sinh ix = i \sin x \qquad \sinh x = -i \sin ix$$

$$\cosh ix = \cos x \qquad \cosh x = \cos ix$$

$$\tanh ix = i \tan x \qquad \tanh x = -i \tan ix$$

$$\sinh (x + iy) = \sinh x \cos y + i \cosh x \sin y$$

$$\cosh (x + iy) = \cosh x \cos y + i \sinh x \sin y$$

$$\sinh (x - iy) = \sinh x \cos y - i \cosh x \sin y$$

$$\cosh (x - iy) = \cosh x \cos y - i \sinh x \sin y$$

$$\sinh (x + \tfrac{1}{2}\pi i) = i \cosh x \qquad \cosh (x + \tfrac{1}{2}\pi i) = i \sinh x$$

$$\sinh (x + \pi i) = -\sinh x \qquad \cosh (x + \pi i) = -\cosh x$$

$$\sinh (x + 2\pi i) = \sinh x \qquad \cosh (x + 2\pi i) = \cosh x$$

9 Formulas from Plane Analytic Geometry

In the following formulas P_1 has the coordinates (x_1,y_1) and P_2 has the coordinates (x_2,y_2).

1. POINTS AND SLOPES

Length of segment P_1P_2: $d = \sqrt{(x_1 - x_2)^2 + (y_1 - y_2)^2}$

Point dividing P_1P_2 in ratio $\frac{r}{s}$: $x = \frac{rx_2 + sx_1}{r + s}$, $y = \frac{ry_2 + sy_1}{r + s}$

Midpoint of P_1P_2: $x = \frac{1}{2}(x_1 + x_2)$, $y = \frac{1}{2}(y_1 + y_2)$

Slope of P_1P_2: $m = \frac{y_1 - y_2}{x_1 - x_2}$

Angle between two lines: $\tan \theta = \frac{m_2 - m_1}{1 + m_1m_2}$

For parallel lines, $m_1 = m_2$.

For perpendicular lines, $m_1m_2 = -1$.

Area of triangle $P_1P_2P_3 = \frac{1}{2}(x_1y_2 + x_2y_3 + x_3y_1 - x_1y_3 - x_2y_1 - x_3y_2)$.

2. STRAIGHT LINES

Line parallel to the y-axis: $x = h$

Line parallel to the x-axis: $y = k$

Point-slope form: $y - y_1 = m(x - x_1)$

Slope-intercept form: $y = mx + b$

Two-point form: $\frac{y - y_1}{x - x_1} = \frac{y_2 - y_1}{x_2 - x_1}$

Intercept form: $\frac{x}{a} + \frac{y}{b} = 1$

Normal form: $x \cos \omega + y \sin \omega = p$

General form: $Ax + By + C = 0$

To reduce $Ax + By + C = 0$ to the normal form, divide the members of the equation by $\pm\sqrt{A^2 + B^2}$. Choose the sign of the radical opposite to that of C. If $C = 0$, choose the sign to be the same as the sign of B.

Distance from $Ax + By + C = 0$ to P_1: $$d = \frac{Ax_1 + By_1 + C}{\pm\sqrt{A^2 + B^2}}$$

3. CIRCLES

Center at origin, radius r: $x^2 + y^2 = r^2$

Center at (h,k), radius r: $(x - h)^2 + (y - k)^2 = r^2$

General form: $Ax^2 + Ay^2 + Dx + Ey + F = 0$

4. PARABOLAS ($e = 1$)

Distance from the vertex to the focus $= p$, length of the latus rectum $= 4p$.

Vertex at origin, focus at $(p,0)$: $y^2 = 4px$

Vertex at origin, focus at $(0,p)$: $x^2 = 4py$

Vertex at (h,k), focus at $(h + p,k)$: $(y - k)^2 = 4p(x - h)$

Vertex at (h,k), focus at $(h,k + p)$: $(x - h)^2 = 4p(y - k)$

General form, axis parallel to x-axis: $Cy^2 + Dx + Ey + F = 0$

General form, axis parallel to y-axis: $Ax^2 + Dx + Ey + F = 0$ or $y = ax^2 + bx + c$

General form, axis oblique to x- and y-axes:

$$Ax^2 + Bxy + Cy^2 + Dx + Ey + F = 0 \qquad (B^2 - 4AC = 0)$$

5. ELLIPSES ($e < 1$)

Length of major axis $= 2a$, length of minor axis $= 2b$, length of latus rectum $= \dfrac{2b^2}{a}$, distance from center to either focus $= \sqrt{a^2 - b^2}$, eccentricity $= \dfrac{\sqrt{a^2 - b^2}}{a}$.

Center at origin, foci on x-axis: $$\frac{x^2}{a^2} + \frac{y^2}{b^2} = 1$$

Center at origin, foci on y-axis: $$\frac{x^2}{b^2} + \frac{y^2}{a^2} = 1$$

Center at (h,k), major axis parallel to x-axis: $$\frac{(x-h)^2}{a^2}+\frac{(y-k)^2}{b^2}=1$$

Center at (h,k), major axis parallel to y-axis: $$\frac{(x-h^2)}{b^2}+\frac{(y-k)^2}{a^2}=1$$

General form, axes parallel to x- and y-axes:

$$Ax^2+Cy^2+Dx+Ey+F=0 \qquad (AC>0)$$

General form, axes oblique to x- and y-axes:

$$Ax^2+Bxy+Cy^2+Dx+Ey+F=0 \qquad (B^2-4AC<0)$$

6. HYPERBOLAS ($e > 1$)

Length of transverse axis $= 2a$, length of conjugate axis $= 2b$, length of latus rectum $= \frac{2b^2}{a}$, distance from center to either focus $= \sqrt{a^2+b^2}$, eccentricity $= \frac{\sqrt{a^2+b^2}}{a}$.

Center at origin, foci on x-axis: $$\frac{x^2}{a^2}-\frac{y^2}{b^2}=1$$

Center at origin, foci on y-axis: $$\frac{y^2}{a^2}-\frac{x^2}{b^2}=1$$

Center at origin, x- and y-axes as asymptotes: $xy=c$

Center at (h,k), transverse axis parallel to x-axis: $$\frac{(x-h)^2}{a^2}-\frac{(y-k)^2}{b^2}=1$$

Center at (h,k), transverse axis parallel to y-axis: $$\frac{(y-k)^2}{a^2}-\frac{(x-h)^2}{b^2}=1$$

General form, axes parallel to x- and y-axes:

$$Ax^2+Cy^2+Dx+Ey+F=0 \qquad (AC<0)$$

General form, axes oblique to x- and y-axes:

$$Ax^2+Bxy+Cy^2+Dx+Ey+F=0 \qquad (B^2-4AC>0)$$

7. TRANSFORMATION OF COORDINATES

Translation: $\begin{cases} x = x' + h \\ y = y' + k \end{cases}$ [Coordinates of the new origin in terms of the old coordinates $= (h,k)$.]

Rotation: $\begin{cases} x = x'\cos\theta - y'\sin\theta \\ y = x'\sin\theta + y'\cos\theta \end{cases}$ [The x'-axis makes an angle θ with the x-axis.]

To remove the xy-term from the equation $Ax^2 + Bxy + Cy^2 + Dx + Ey + F = 0$, rotate the axes through the acute angle arctan m, where m is the positive root of

$$Bm^2 + 2(A - C)m - B = 0.$$

8. TANGENTS

The slope m of the tangent line may be obtained by differentiation, or by substituting the coordinates of the point of tangency in the following equations of tangent lines.

To the parabola $y^2 = 4px$: $\quad y = mx + \dfrac{p}{m}$

To the parabola $x^2 = 4py$: $\quad y = mx - pm^2$

To the circle $x^2 + y^2 = r^2$: $\quad y = mx \pm r\sqrt{m^2 + 1}$

To the ellipse $\dfrac{x^2}{a^2} + \dfrac{y^2}{b^2} = 1$: $\quad y = mx \pm \sqrt{a^2m^2 + b^2}$

To the hyperbola $\dfrac{x^2}{a^2} - \dfrac{y^2}{b^2} = 1$: $\quad y = mx \pm \sqrt{a^2m^2 - b^2}$

To the hyperbola $xy = c$: $\quad y = mx \pm 2\sqrt{-cm}$

To $Ax^2 + Bxy + Cy^2 + Dx + Ey + F = 0$ at the point (x_1,y_1):

$$Ax_1x + B\left(\frac{x_1y + y_1x}{2}\right) + Cy_1y + D\left(\frac{x + x_1}{2}\right) + E\left(\frac{y + y_1}{2}\right) + F = 0$$

9. POLAR COORDINATES

If (x,y) are the rectangular coordinates and (ρ,θ) the polar coordinates of a point, then

$$x = \rho\cos\theta \qquad \rho = \sqrt{x^2 + y^2} \qquad \sin\theta = \frac{y}{\sqrt{x^2 + y^2}}$$

$$y = \rho\sin\theta \qquad \theta = \arctan\frac{y}{x} \qquad \cos\theta = \frac{x}{\sqrt{x^2 + y^2}}$$

Straight line, normal form: $\quad \rho\cos(\theta - \omega) = p$

Circle, center at pole, radius a: $\quad \rho = a$

Circle through pole, center at $(a,0)$: $\quad \rho = 2a\cos\theta$

Circle through pole, center at $\left(a, \dfrac{\pi}{2}\right)$: $\quad \rho = 2a\sin\theta$

Conic section, focus at pole, distance from directrix to focus = $2p$:

$$\rho = \frac{2ep}{1 - e \cos \theta} \qquad \text{(Directrix to left of pole)}$$

$$\rho = \frac{2ep}{1 + e \cos \theta} \qquad \text{(Directrix to right of pole)}$$

$$\rho = \frac{2ep}{1 - e \sin \theta} \qquad \text{(Directrix below pole)}$$

$$\rho = \frac{2ep}{1 + e \sin \theta} \qquad \text{(Directrix above pole)}$$

10. GENERAL EQUATION OF THE SECOND DEGREE

The character of the graph of any equation of the second degree,

$$Ax^2 + Bxy + Cy^2 + Dx + Ey + F = 0,$$

is indicated by the values of Δ and d, where

$$\Delta = B^2 - 4AC \quad \text{and} \quad d = \begin{vmatrix} 2A & B & D \\ B & 2C & E \\ D & E & 2F \end{vmatrix}.$$

Case 1. $\Delta = 0$, $d = 0$: Two parallel, coincident, or imaginary lines
Case 2. $\Delta \neq 0$, $d = 0$: Two intersecting lines or a point
Case 3. $\Delta = 0$, $d \neq 0$: Parabola
Case 4. $\Delta < 0$, $d \neq 0$: Ellipse, real or imaginary
Case 5. $\Delta > 0$, $d \neq 0$: Hyperbola

In Cases 4 and 5, the center $C(x_o, y_o)$ is given by the solution of the equations $2Ax + By + D = 0$, $Bx + 2Cy + E = 0$. The equations of the axes of the conic are

$$y - y_o = m(x - x_o) \qquad y - y_o = -\frac{1}{m}(x - x_o)$$

where m is the positive root of

$$Bm^2 + 2(A - C)m - B = 0.$$

10 Formulas from Solid Analytic Geometry

1. POINTS AND LINES

Let α, β, γ be the angles that P_1P_2 or any parallel line makes with the x-, y-, and z-axes, respectively.

Midpoint of P_1P_2: $x = \frac{1}{2}(x_1 + x_2)$, $y = \frac{1}{2}(y_1 + y_2)$, $z = \frac{1}{2}(z_1 + z_2)$

Length of P_1P_2: $d = \sqrt{(x_1 - x_2)^2 + (y_1 - y_2)^2 + (z_1 - z_2)^2}$

Direction cosines of P_1P_2:

$$\cos\alpha = \frac{x_2 - x_1}{d}, \qquad \cos\beta = \frac{y_2 - y_1}{d}, \qquad \cos\gamma = \frac{z_2 - z_1}{d}$$

$$\cos^2\alpha + \cos^2\beta + \cos^2\gamma = 1$$

If $a : b : c = \cos\alpha : \cos\beta : \cos\gamma$, then

$$\cos\alpha = \frac{a}{\pm\sqrt{a^2 + b^2 + c^2}}, \qquad \cos\beta = \frac{b}{\pm\sqrt{a^2 + b^2 + c^2}},$$

$$\cos\gamma = \frac{c}{\pm\sqrt{a^2 + b^2 + c^2}}$$

Angle between two lines with direction angles α_1, β_1, γ_1 and α_2, β_2, γ_2:

$$\cos\theta = \cos\alpha_1\cos\alpha_2 + \cos\beta_1\cos\beta_2 + \cos\gamma_1\cos\gamma_2$$

Two lines are parallel if $\alpha_1 = \alpha_2$, $\beta_1 = \beta_2$, $\gamma_1 = \gamma_2$

or $\frac{a_1}{a_2} = \frac{b_1}{b_2} = \frac{c_1}{c_2}$

Two lines are perpendicular if

$$\cos\alpha_1\cos\alpha_2 + \cos\beta_1\cos\beta_2 + \cos\gamma_1\cos\gamma_2 = 0$$

or $a_1a_2 + b_1b_2 + c_1c_2 = 0$

2. PLANES

General form: $Ax + By + Cz + D = 0$

Perpendicular to xy-plane: $Ax + By + D = 0$

Perpendicular to yz-plane: $By + Cz + D = 0$

Perpendicular to xz-plane: $Ax + Cz + D = 0$

Perpendicular to x-axis: $Ax + D = 0$

Perpendicular to y-axis: $By + D = 0$

Perpendicular to z-axis: $Cz + D = 0$

Intercept form: $\frac{x}{a} + \frac{y}{b} + \frac{z}{c} = 1$

Normal form: $x \cos \alpha + y \cos \beta + z \cos \gamma = p$

Here α, β, γ are the direction angles of a normal to the plane and p is the perpendicular distance from the origin to the plane.

To reduce $Ax + By + Cz + D = 0$ to the normal form, divide the members of the equation by $\pm\sqrt{A^2 + B^2 + C^2}$, choosing the sign of the radical opposite to that of D. If $D = 0$, choose the sign the same as that of C, or the same as the sign of B if $C = D = 0$.

Angle between the planes $A_1x + B_1y + C_1z + D_1 = 0$ and $A_2x + B_2y + C_2z + D_2 = 0$:

$$\cos \theta = \frac{A_1A_2 + B_1B_2 + C_1C_2}{\pm\sqrt{A_1^2 + B_1^2 + C_1^2} \cdot \pm\sqrt{A_2^2 + B_2^2 + C_2^2}}$$

The planes are parallel if $\frac{A_1}{A_2} = \frac{B_1}{B_2} = \frac{C_1}{C_2}$

The planes are perpendicular if $A_1A_2 + B_1B_2 + C_1C_2 = 0$

Distance from plane to P_1: $d = \frac{Ax_1 + By_1 + Cz_1 + D}{\pm\sqrt{A^2 + B^2 + C^2}}$

3. STRAIGHT LINES

General form: $\begin{cases} A_1x + B_1y + C_1z + D_1 = 0 \\ A_2x + B_2y + C_2z + D_2 = 0 \end{cases}$

Parametric form, line through P_1:

$$x = x_1 + t \cos \alpha, \qquad y = y_1 + t \cos \beta, \qquad z = z_1 + t \cos \gamma$$

Symmetric form, line through P_1: $\frac{x - x_1}{\cos \alpha} = \frac{y - y_1}{\cos \beta} = \frac{z - z_1}{\cos \gamma}$

Two-point form: $\frac{x - x_1}{x_2 - x_1} = \frac{y - y_1}{y_2 - y_1} = \frac{z - z_1}{z_2 - z_1}$

4. SPECIAL SURFACES

Sphere, center at origin, radius r: $x^2 + y^2 + z^2 = r^2$

Sphere, center at (h, k, l), radius r: $(x-h)^2 + (y-k)^2 + (z-l)^2 = r^2$

Cylinder: Any equation in which one variable is lacking is a cylinder with elements parallel to the axis of the missing variable.

Cone: Any equation which is homogeneous in the variables x, y, and z is a cone with vertex at the origin.

Quadric surfaces:

Ellipsoid: $$\frac{x^2}{a^2} + \frac{y^2}{b^2} + \frac{z^2}{c^2} = 1$$

Hyperboloid of one sheet: $$\frac{x^2}{a^2} + \frac{y^2}{b^2} - \frac{z^2}{c^2} = 1$$

Hyperboloid of two sheets: $$\frac{x^2}{a^2} - \frac{y^2}{b^2} - \frac{z^2}{c^2} = 1$$

Elliptic paraboloid: $$\frac{x^2}{a^2} + \frac{y^2}{b^2} = cz$$

Hyperbolic paraboloid: $$\frac{x^2}{a^2} - \frac{y^2}{b^2} = cz$$

5. CYLINDRICAL COORDINATES

If (ρ, θ, z) are the cylindrical coordinates and (x, y, z) are the rectangular coordinates of a point P, then

$$x = \rho \cos \theta \qquad \rho = \sqrt{x^2 + y^2}$$

$$y = \rho \sin \theta \qquad \theta = \arctan \frac{y}{x}$$

$$z = z$$

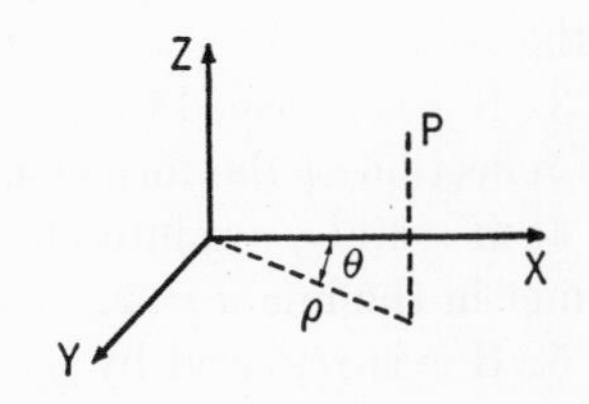

6. SPHERICAL COORDINATES

If (ρ, θ, ϕ) are the spherical coordinates and (x, y, z) are the rectangular coordinates of a point P, then

$$x = \rho \sin \theta \cos \phi \qquad \phi = \arctan \frac{y}{x}$$

$$y = \rho \sin \theta \sin \phi \qquad \rho = \sqrt{x^2 + y^2 + z^2}$$

$$z = \rho \cos \theta \qquad \theta = \arccos \frac{z}{\sqrt{x^2 + y^2 + z^2}}$$

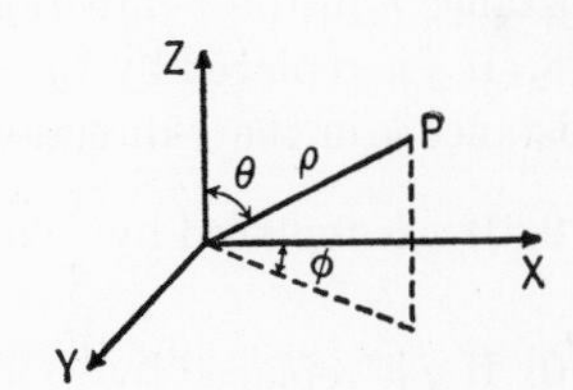

11 Curves for Reference

This table contains the graphs of certain standard functions studied in elementary mathematics. Graphs of many other functions may be obtained from these by means of suitable transformations. The more important transformations for plane curves are summarized in the following theorems.

RECTANGULAR COORDINATES

1. If x is replaced by $-x$, the new curve is the reflection of the former in the y-axis.
2. If y is replaced by $-y$, the new curve is the reflection of the former in the x-axis.
3. If x is replaced by $-x$ and y is replaced by $-y$, the new curve is the reflection of the former in the origin.
4. If x and y are interchanged, the new curve is the reflection of the former in the line $y = x$.
5. If x is replaced by y and y is replaced by $-x$, the new curve is the former rotated about the origin through 90°.
6. If x is replaced by $-y$ and y is replaced by x, the new curve is the former rotated about the origin through $-90°$.
7. If x is replaced by $(x - h)$, the new curve is the former translated a distance h in the x-direction.
8. If y is replaced by $(y - k)$, the new curve is the former translated a distance k in the y-direction.
9. If x is replaced by $\frac{x}{a}$, all the abscissas are multiplied by a.
10. If y is replaced by $\frac{y}{b}$, all the ordinates are multiplied by b.

POLAR COORDINATES

1. If θ is replaced by $-\theta$, the new curve is the reflection of the former in the polar axis.
2. If θ is replaced by $(\pi + \theta)$, the new curve is the reflection of the former in the pole.

3. If θ is replaced by $(\pi - \theta)$, the new curve is the reflection of the former in the 90° axis.

4. If ρ is replaced by $-\rho$, the new curve is the reflection of the former in the pole.

5. If ρ is replaced by $-\rho$ and θ is replaced by $-\theta$, the new curve is the reflection of the former in the 90° axis.

6. If ρ is replaced by $-\rho$ and θ is replaced by $(\pi - \theta)$, the new curve is the reflection of the former in the polar axis.

7. If θ is replaced by $(\theta - \alpha)$, the new curve is the former rotated about the pole through the angle α.

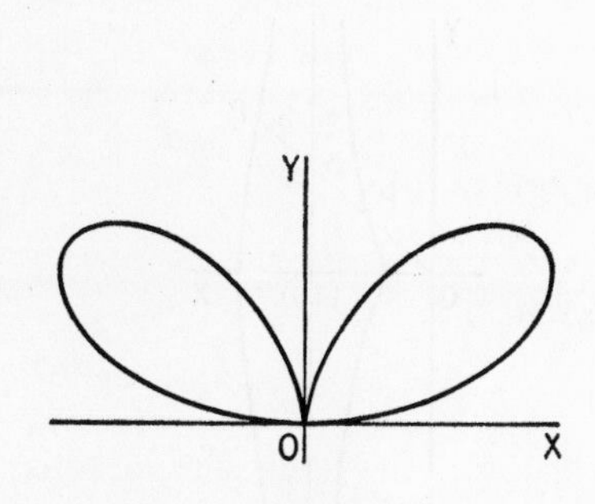

BIFOLIUM

$$(x^2 + y^2)^2 = ax^2y$$

$$\rho = a \sin \theta \cos^2 \theta$$

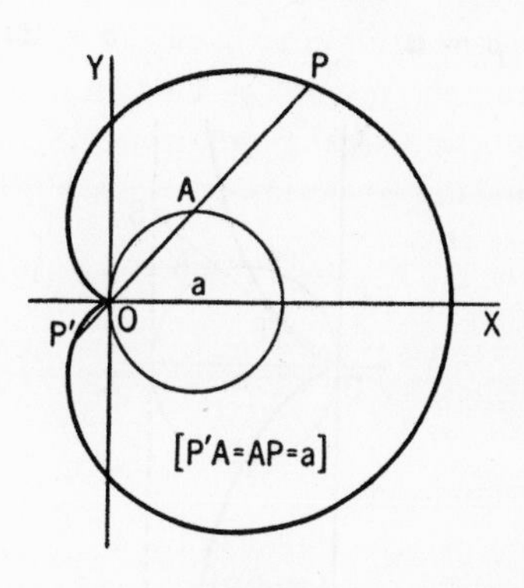

CARDIOID

$$(x^2 + y^2 - ax)^2 = a^2(x^2 + y^2)$$

$$\rho = a(\cos \theta + 1) \text{ or } \rho = a(\cos \theta - 1)$$

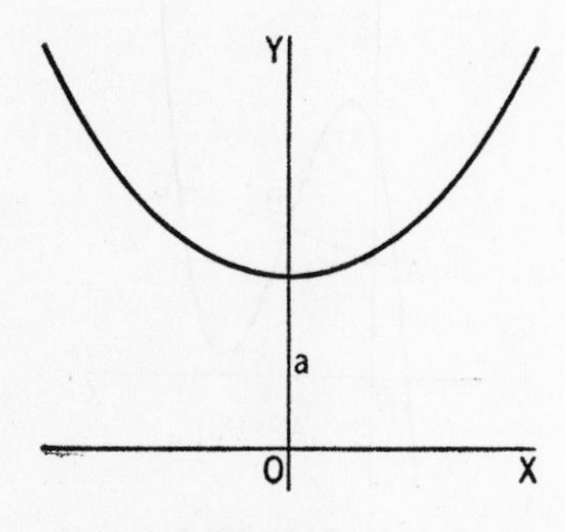

CATENARY

$$y = \frac{a}{2}(e^{x/a} + e^{-x/a}) = a \cosh \frac{x}{a}$$

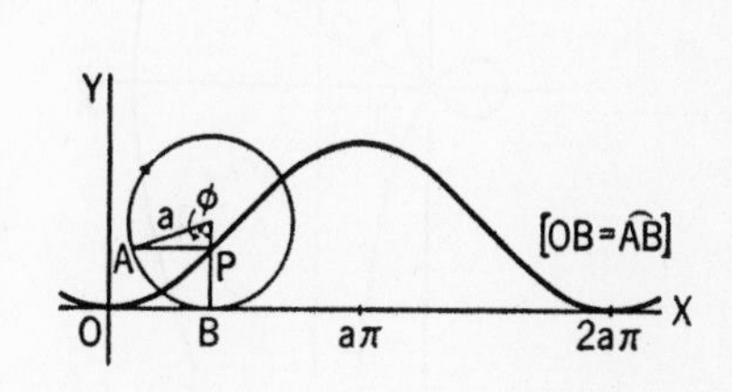

COMPANION TO THE CYCLOID

$$x = a\varphi, y = a(1 - \cos \varphi)$$

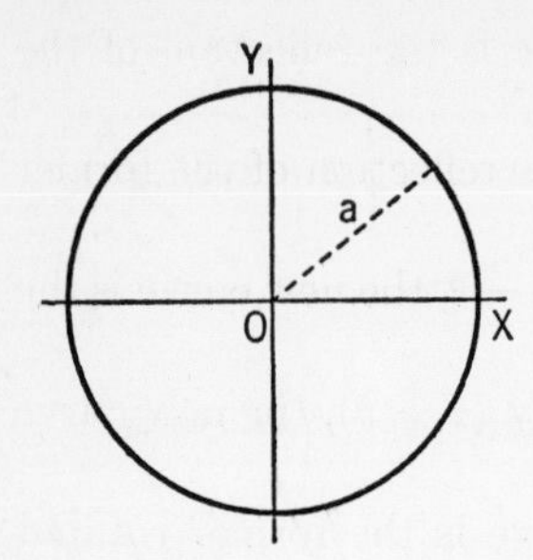

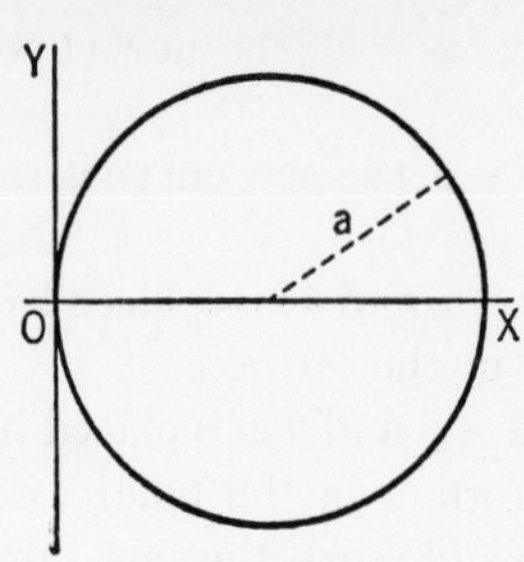

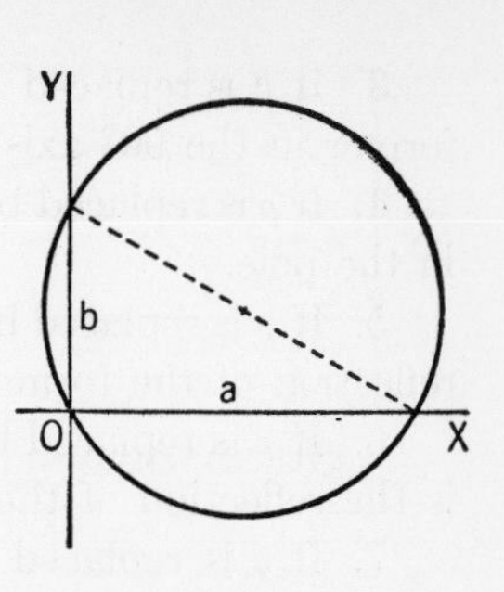

CIRCLES

$x^2 + y^2 = a^2$

$\rho = a$

$x^2 + y^2 = 2ax$

$\rho = 2a \cos \theta$

$x^2 + y^2 = ax + by$

$\rho = a \cos \theta + b \sin \theta$

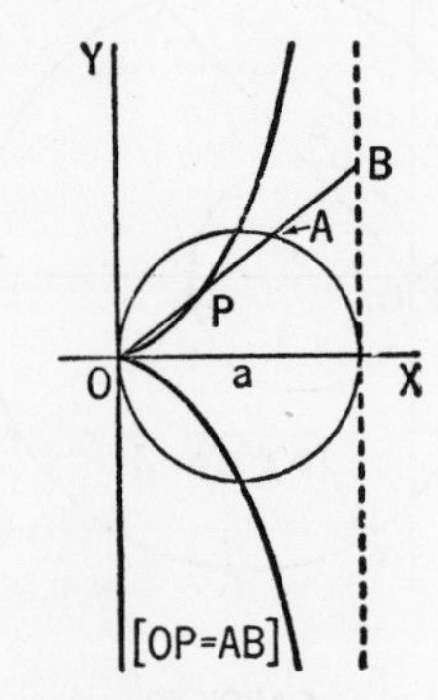

CISSOID OF DIOCLES

$y^2(a - x) = x^3$

$\rho = a \sin \theta \tan \theta$

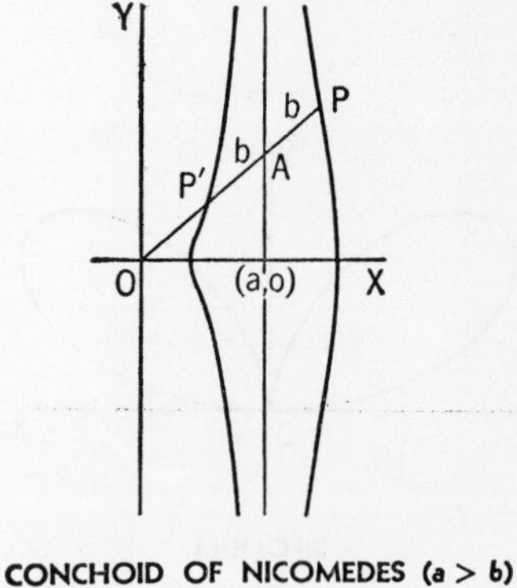

CONCHOID OF NICOMEDES ($a > b$)

$(x - a)^2(x^2 + y^2) = b^2x^2$

$\rho = a \sec \theta \pm b$

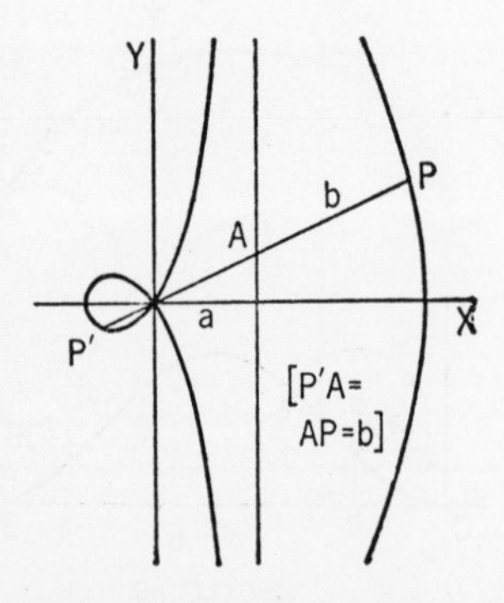

CONCHOID OF NICOMEDES ($a < b$)

$(x - a)^2(x^2 + y^2) = b^2x^2$

$\rho = a \sec \theta \pm b$

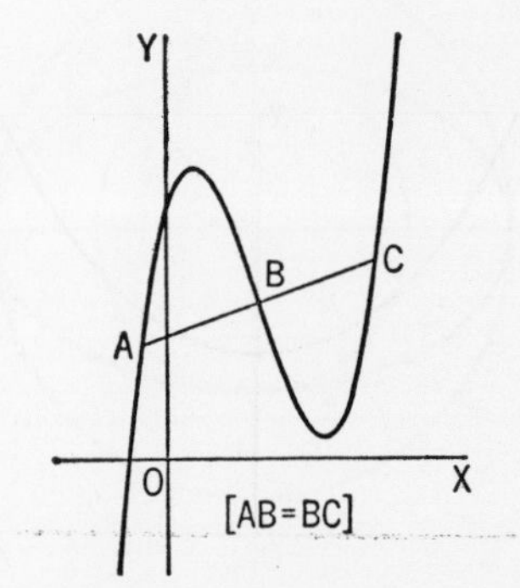

CUBICAL PARABOLA ($a > 0$)

$y = ax^3 + bx^2 + cx + d$

$\left[\text{abscissa of } B = -\frac{b}{3a}\right]$

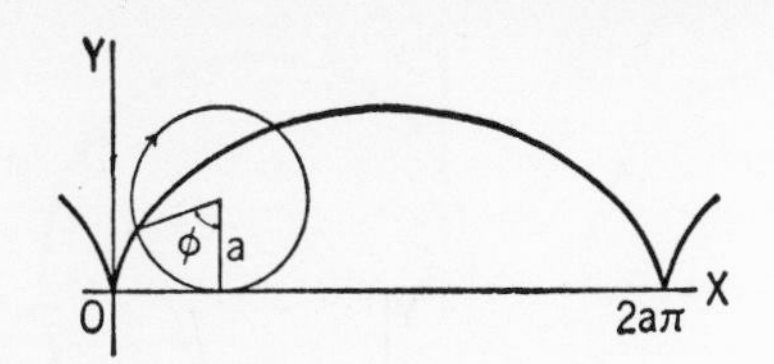

CYCLOID, ORDINARY CASE

$$x = a \operatorname{arcvers} \frac{y}{a} - \sqrt{2ay - y^2}$$

$$x = a(\varphi - \sin\varphi), \quad y = a(1 - \cos\varphi)$$

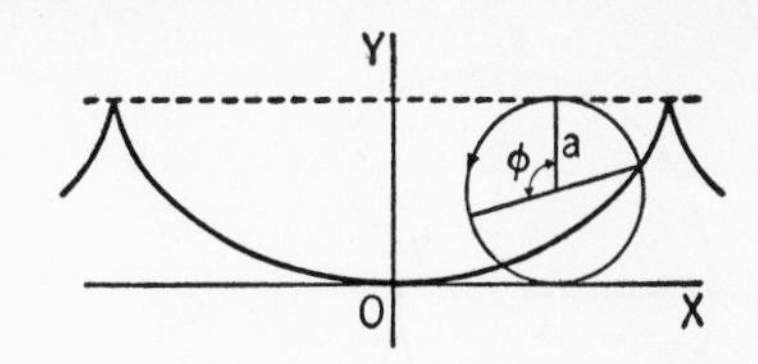

CYCLOID, VERTEX AT ORIGIN

$$x = a \operatorname{arcvers} \frac{y}{a} + \sqrt{2ay - y^2}$$

$$x = a(\varphi + \sin\varphi), \quad y = a(1 - \cos\varphi)$$

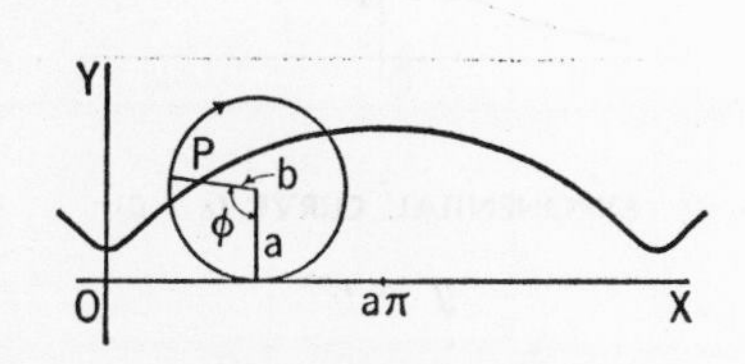

CYCLOID, CURTATE

$$\begin{cases} x = a\varphi - b\sin\varphi \\ y = a - b\cos\varphi \end{cases}$$

$$a > b$$

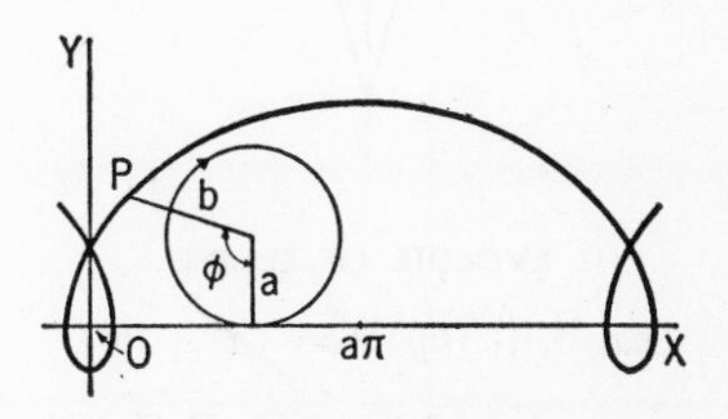

CYCLOID, PROLATE

$$\begin{cases} x = a\varphi - b\sin\varphi \\ y = a - b\cos\varphi \end{cases}$$

$$a < b$$

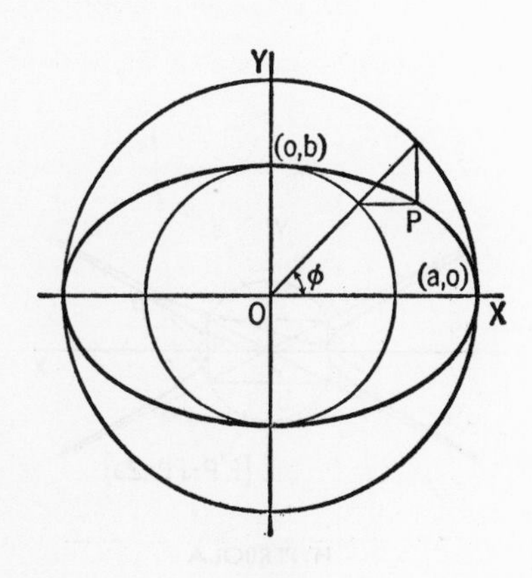

ELLIPSE

$$\frac{x^2}{a^2} + \frac{y^2}{b^2} = 1$$

$$x = a\cos\varphi, \quad y = b\sin\varphi$$

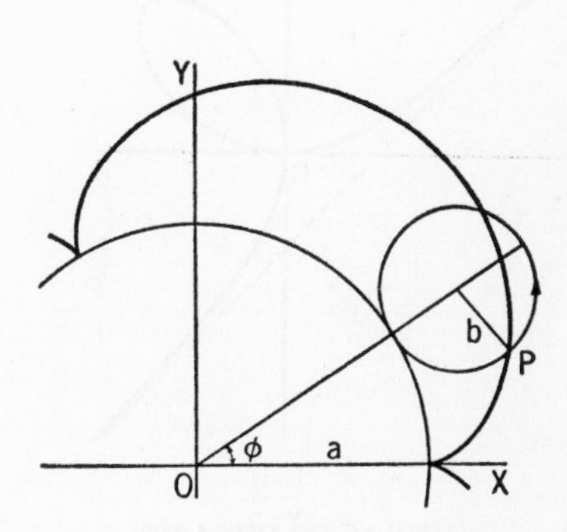

EPICYCLOID

$$\begin{cases} x = (a+b)\cos\varphi - b\cos\dfrac{a+b}{b}\varphi \\ y = (a+b)\sin\varphi - b\sin\dfrac{a+b}{b}\varphi \end{cases}$$

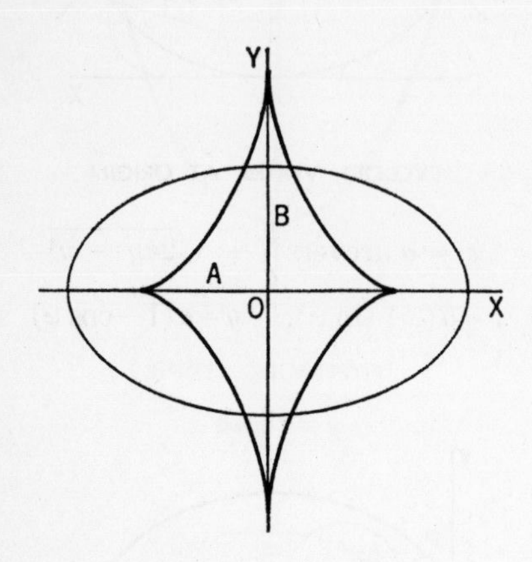

EVOLUTE OF ELLIPSE

$$(ax)^{2/3} + (by)^{2/3} = (a^2 - b^2)^{2/3}$$

$$x = A\cos^3\theta, \quad y = B\sin^3\theta$$

$$\left[A = \frac{(a^2 - b^2)}{a}, \; B = \frac{(a^2 - b^2)}{b}\right]$$

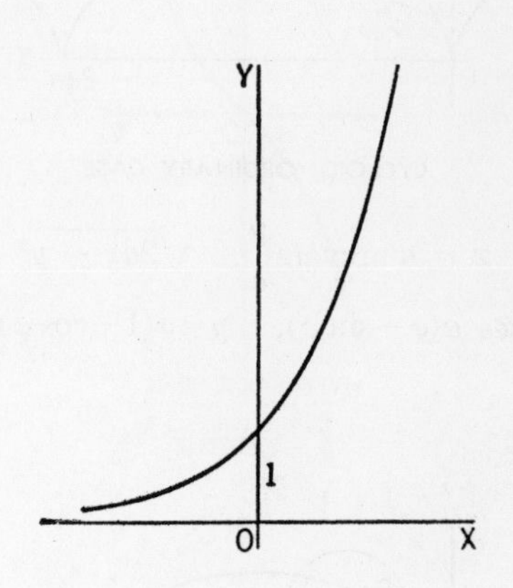

EXPONENTIAL CURVE ($a > 0$)

$$y = e^{ax}$$

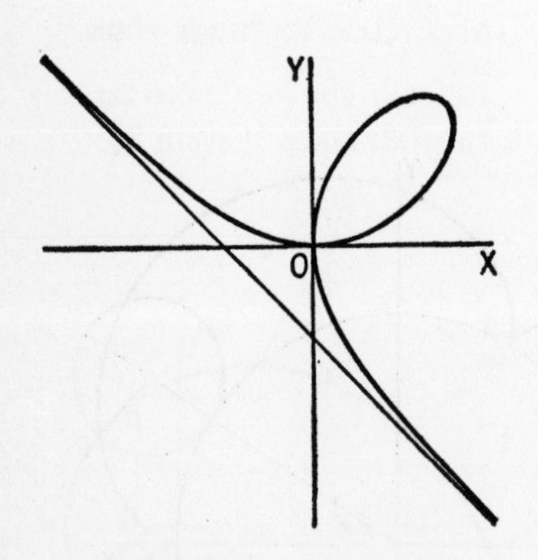

FOLIUM OF DESCARTES

$$x^3 + y^3 = 3axy$$

[asymptote: $x + y + a = 0$]

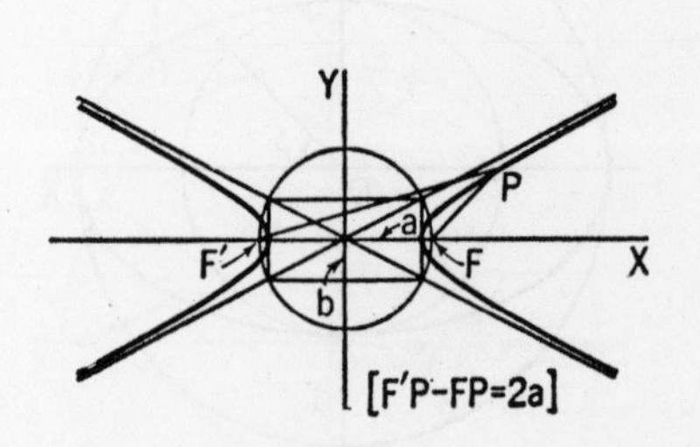

HYPERBOLA

$$\frac{x^2}{a^2} - \frac{y^2}{b^2} = 1$$

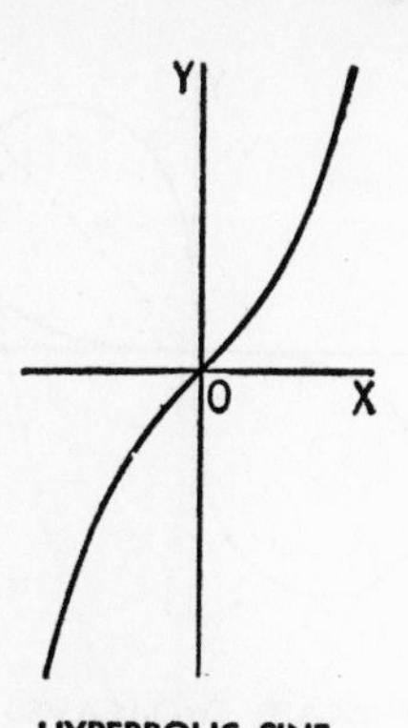

HYPERBOLIC SINE

$$y = \sinh x$$

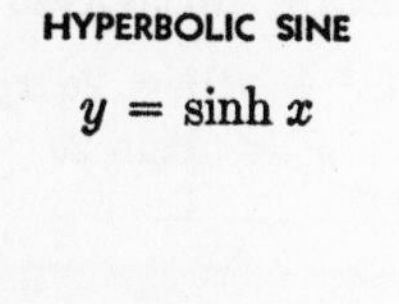

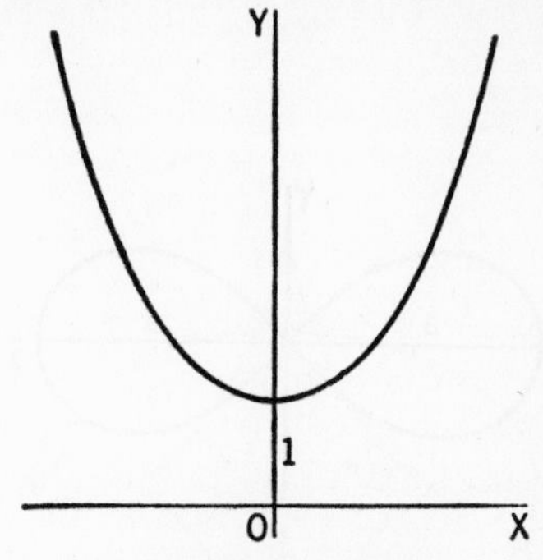

HYPERBOLIC COSINE

$$y = \cosh x$$

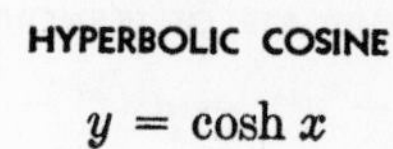

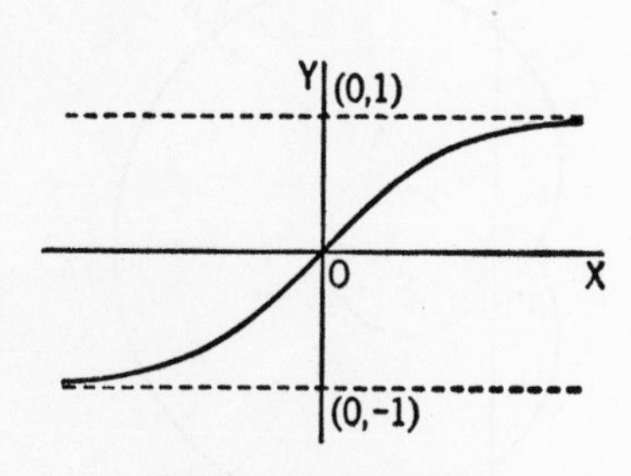

HYPERBOLIC TANGENT

$$y = \tanh x$$

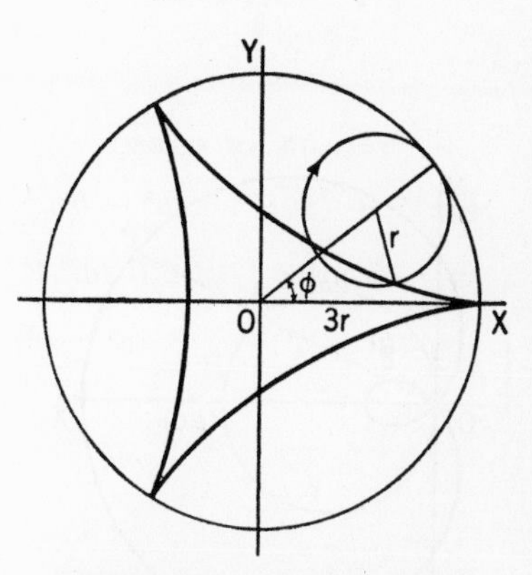

HYPOCYCLOID OF THREE CUSPS

$$\begin{cases} x = 2r \cos \varphi + r \cos 2\varphi \\ y = 2r \sin \varphi - r \sin 2\varphi \end{cases}$$

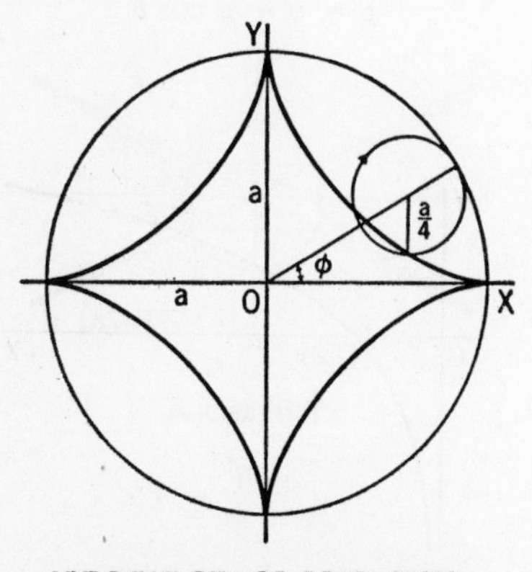

HYPOCYCLOID OF FOUR CUSPS

$$x^{2/3} + y^{2/3} = a^{2/3}$$

$$x = a \cos^3 \varphi, \quad y = a \sin^3 \varphi$$

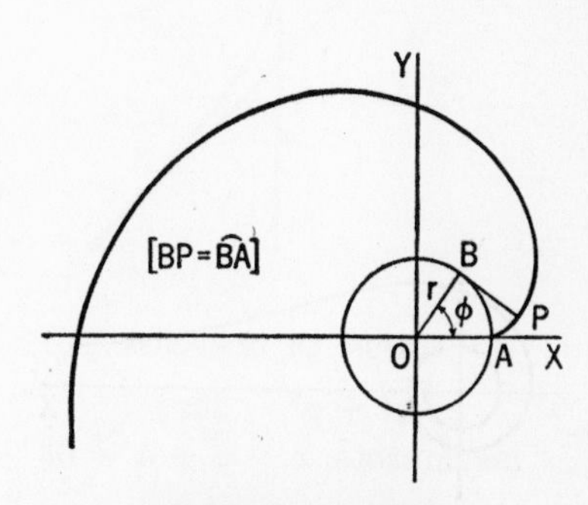

INVOLUTE OF CIRCLE

$$\begin{cases} x = r \cos \varphi + r\varphi \sin \varphi \\ y = r \sin \varphi - r\varphi \cos \varphi \end{cases}$$

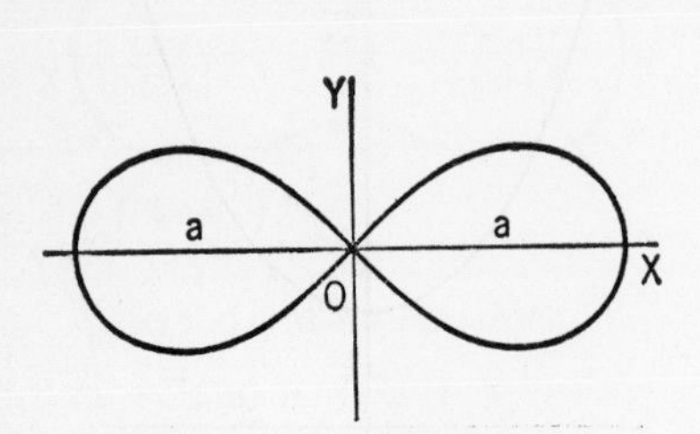

LEMNISCATE OF BERNOULLI

$$(x^2 + y^2)^2 = a^2(x^2 - y^2)$$
$$\rho^2 = a^2 \cos 2\theta$$

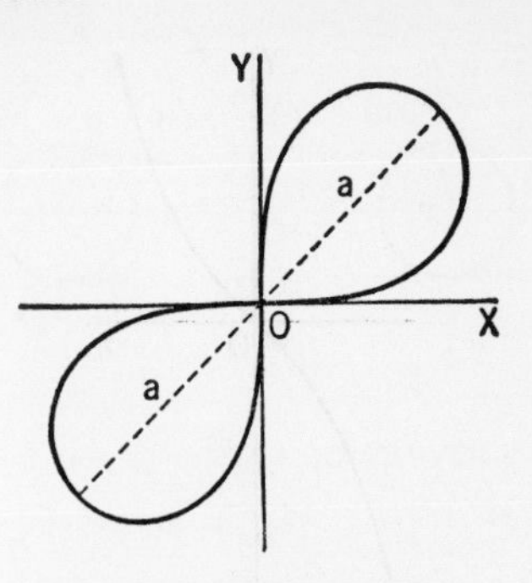

LEMNISCATE, TWO-LEAVED ROSE

$$(x^2 + y^2)^2 = 2a^2xy$$
$$\rho^2 = a^2 \sin 2\theta$$

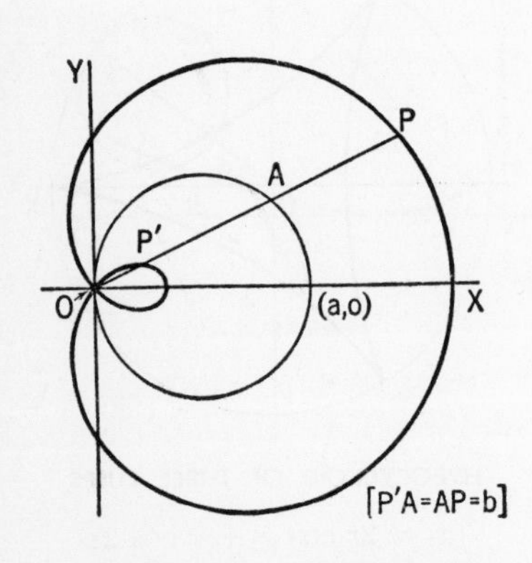

LIMAÇON OF PASCAL ($a > b$)

$$\rho = b + a \cos \theta$$

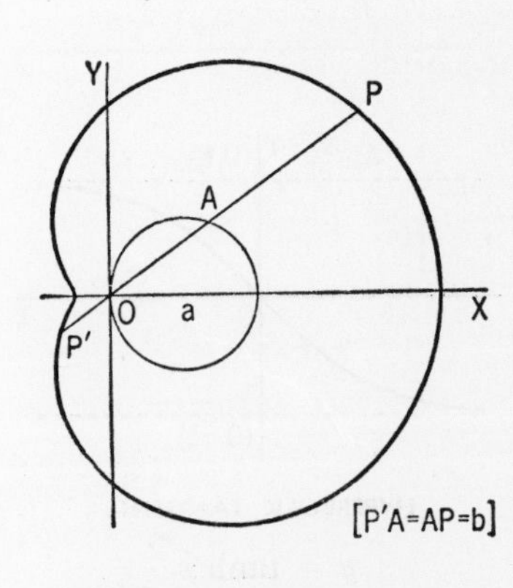

LIMAÇON OF PASCAL ($a < b$)

$$\rho = b + a \cos \theta$$

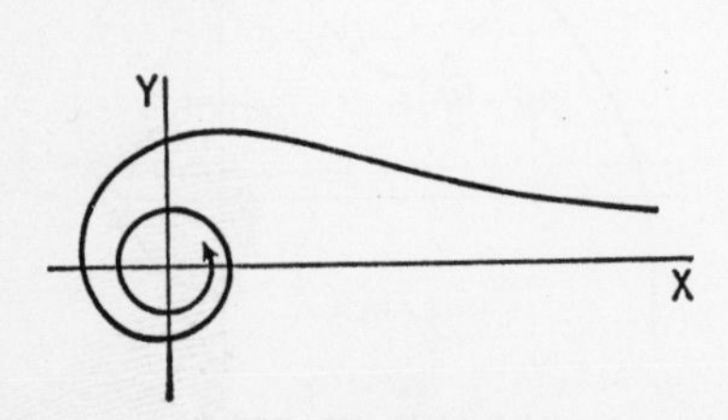

LITUUS

$$\rho^2\theta = a^2$$

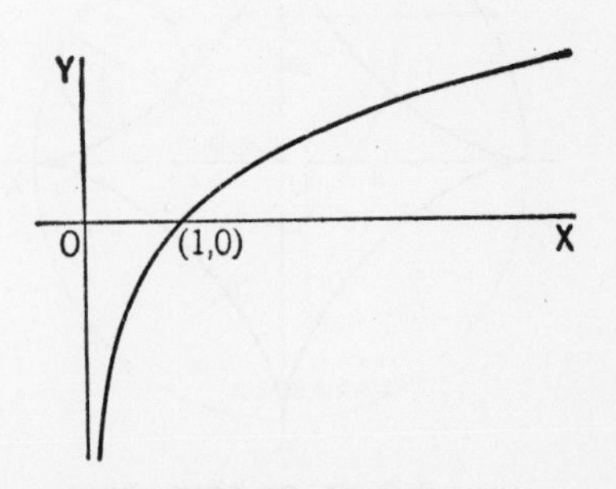

LOGARITHMIC CURVE

$$y = \log_e x$$

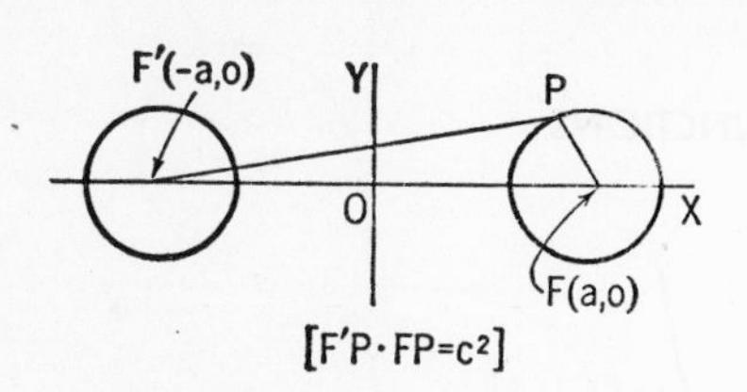

OVALS OF CASSINI ($a > c$)

$$(x^2 + y^2 + a^2)^2 - 4a^2x^2 = c^4$$

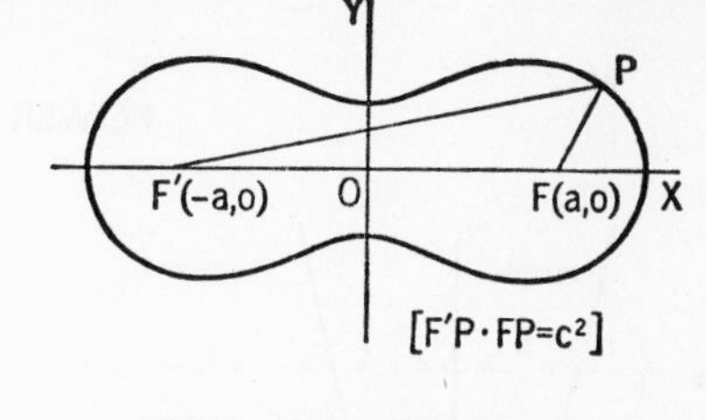

OVAL OF CASSINI ($a < c$)

$$(x^2 + y^2 + a^2)^2 - 4a^2x^2 = c^4$$

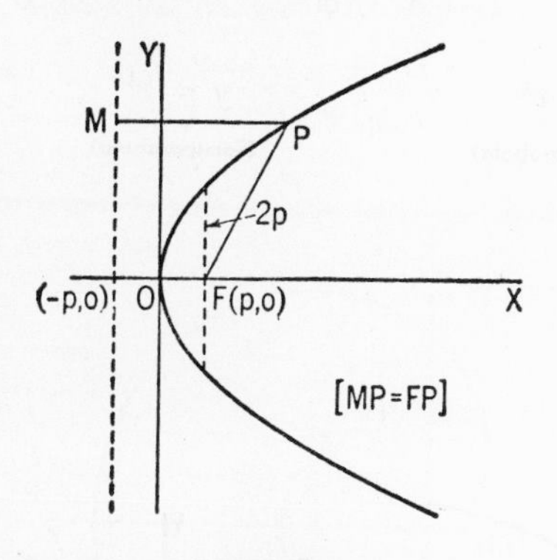

PARABOLA

$$y^2 = 4px$$

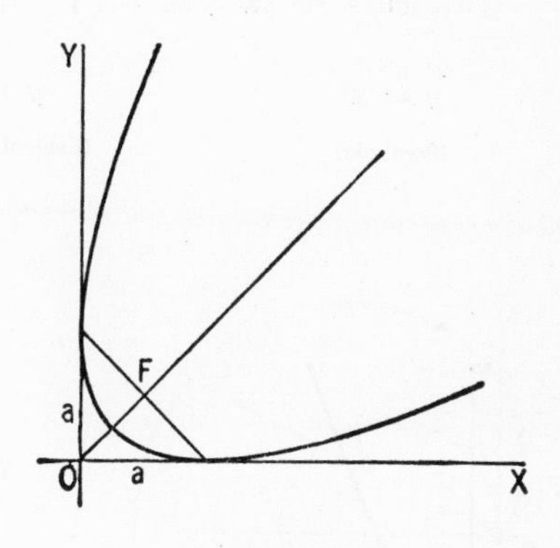

PARABOLA

$$\pm x^{1/2} \pm y^{1/2} = a^{1/2}$$

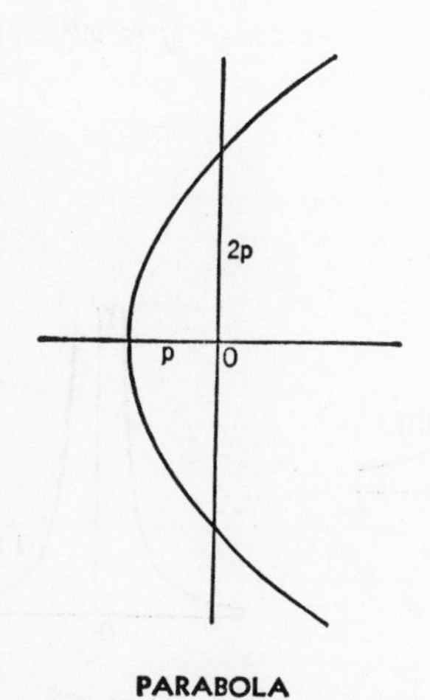

PARABOLA

$$\rho = \frac{2p}{1 - \cos\theta}$$

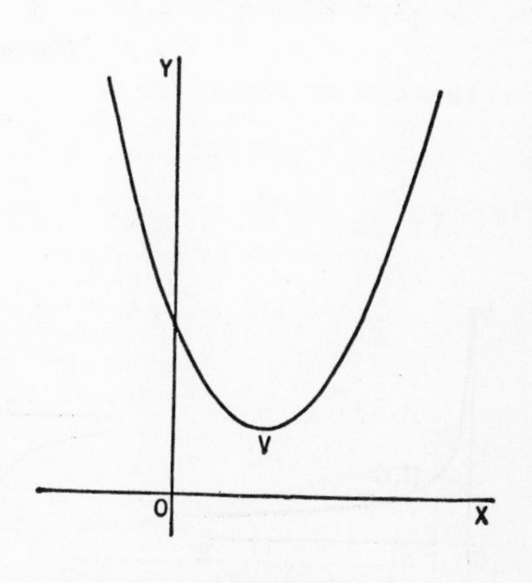

PARABOLA

$$y = ax^2 + bx + c, \quad a > o$$

$$\left[\text{Abscissa of vertex} = -\frac{b}{2a}\right]$$

POWER FUNCTIONS

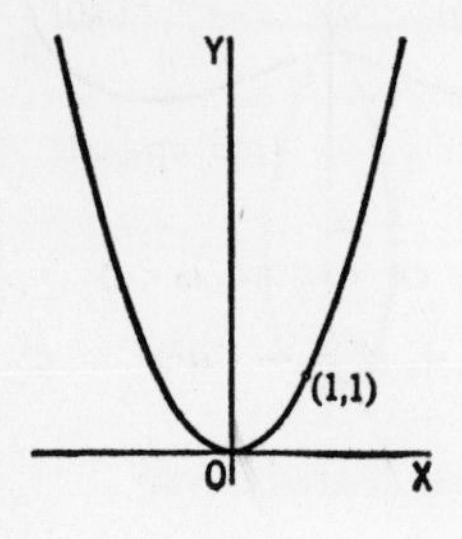

$y = x^2$

(Parabola)

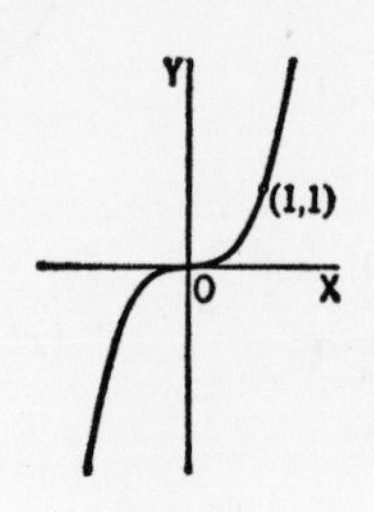

$y = x^3$

(Cubical Parabola)

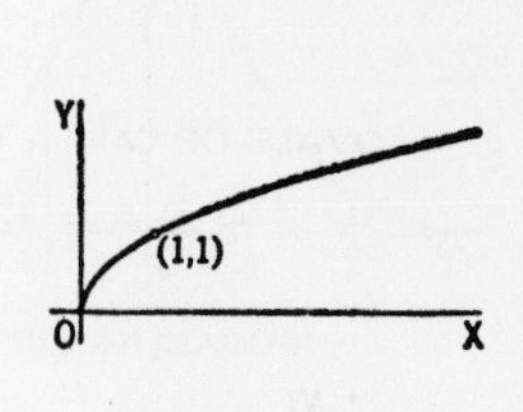

$y = x^{1/2}$

(Semiparabola)

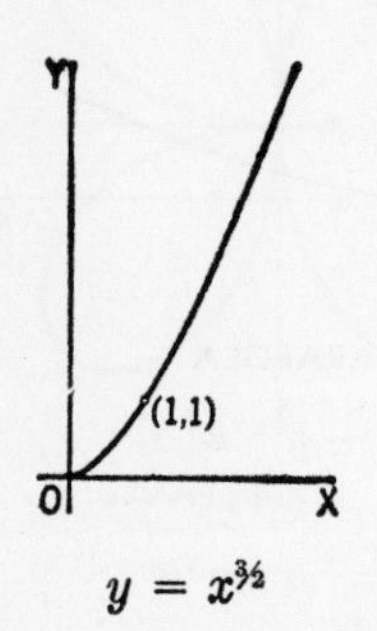

$y = x^{3/2}$

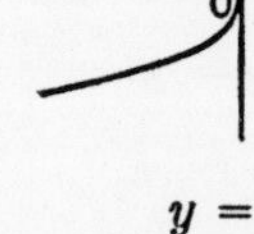

$y = x^{1/3}$

(Cubical Parabola)

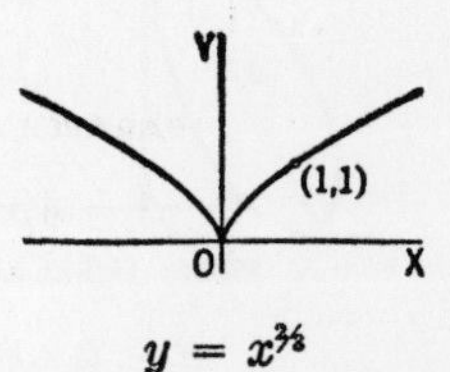

$y = x^{2/3}$

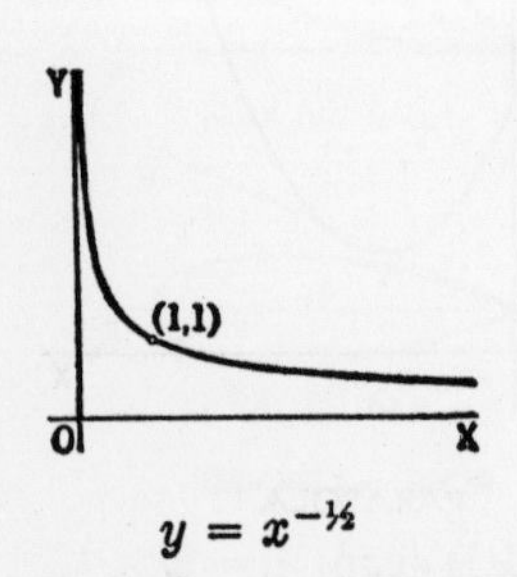

$y = x^{-1/2}$

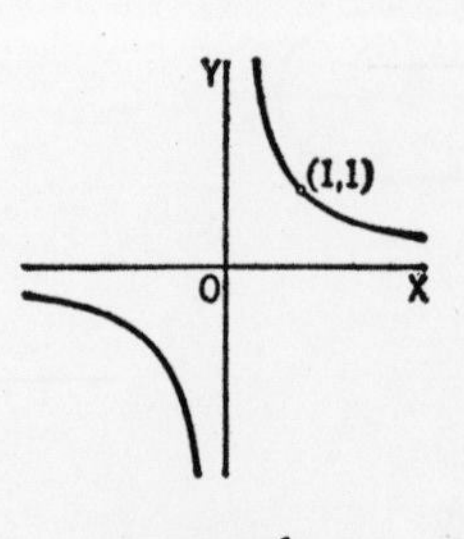

$y = x^{-1}$

(Equilateral Hyperbola)

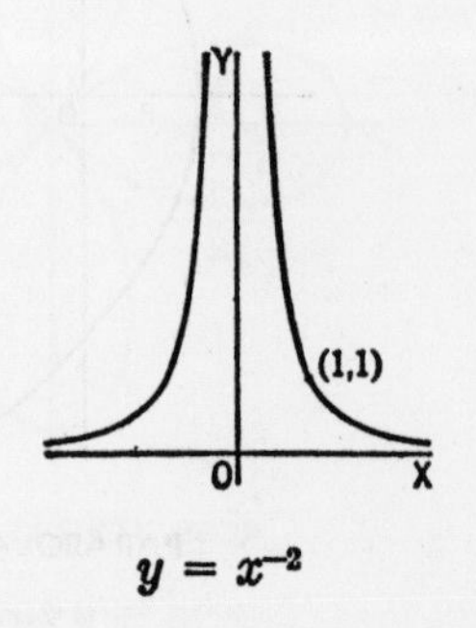

$y = x^{-2}$

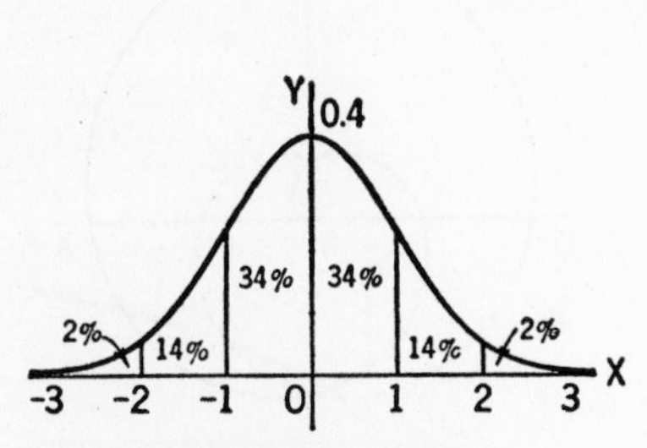

PROBABILITY CURVE

$$y = \frac{1}{\sqrt{2\pi}} e^{-\frac{x^2}{2}}$$

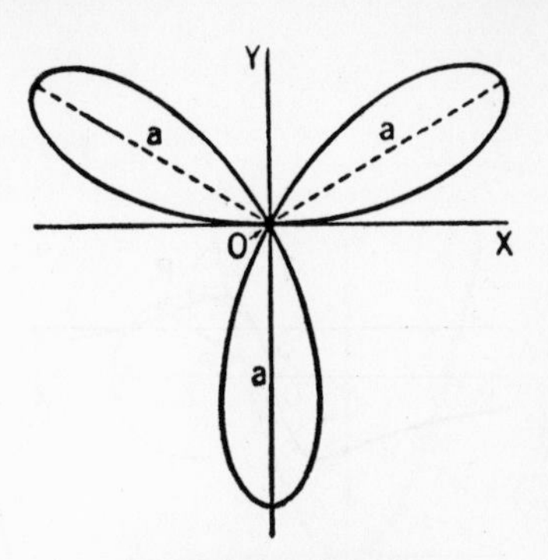

ROSE, THREE-LEAVED

$\rho = a \sin 3\theta$

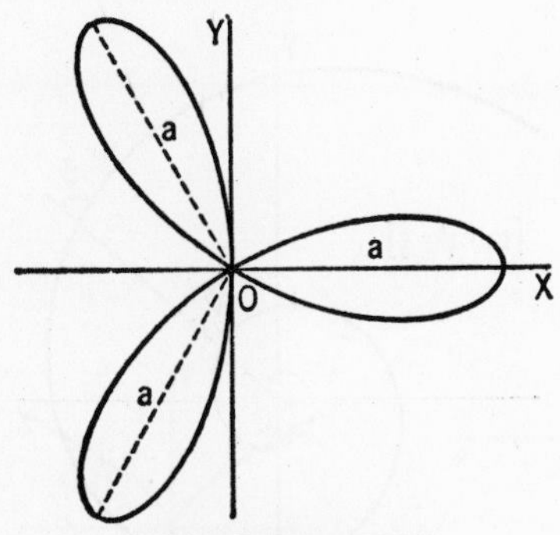

ROSE, THREE-LEAVED

$\rho = a \cos 3\theta$

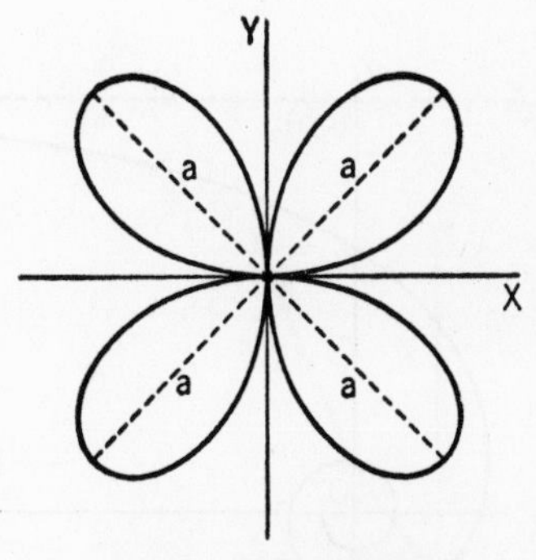

ROSE, FOUR-LEAVED

$\rho = a \sin 2\theta$

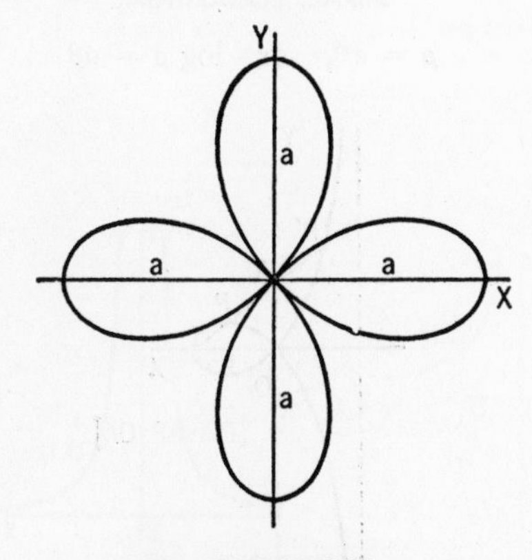

ROSE, FOUR-LEAVED

$\rho = a \cos 2\theta$

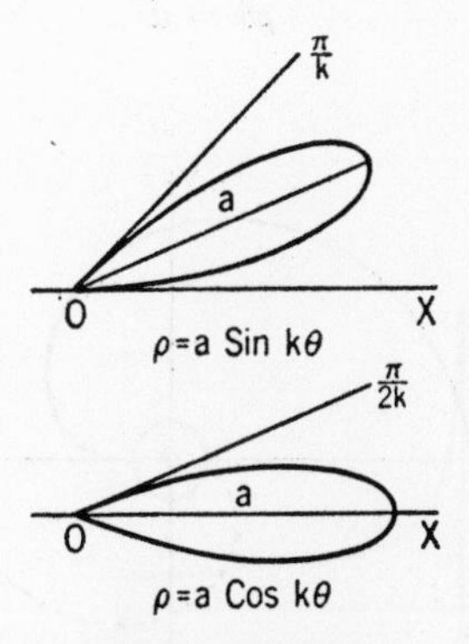

ROSE, n-LEAVED

If k is even, $n = 2k$.
If k is odd, $n = k$.
(The diagram shows the position of the first leaf.)

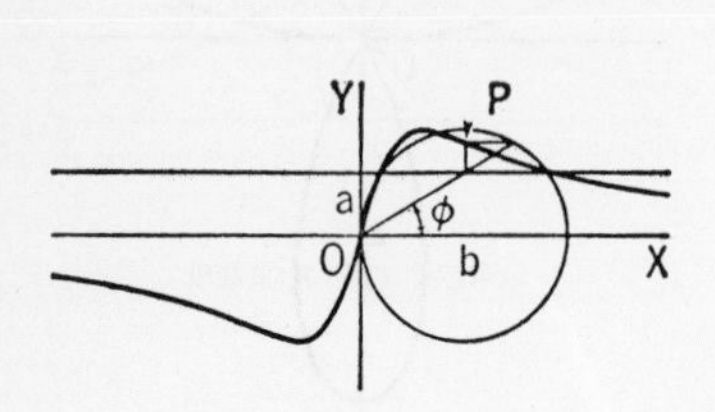

SERPENTINE

$$(a^2 + x^2)y = abx$$
$$x = a \operatorname{ctn} \varphi,\ y = b \sin \varphi \cos \varphi$$

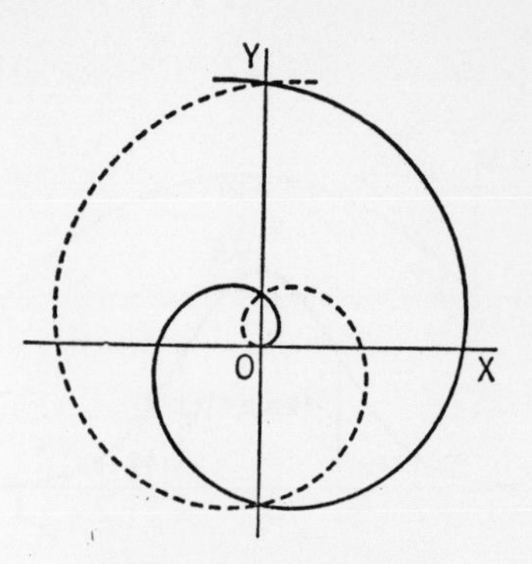

SPIRAL OF ARCHIMEDES

$$\rho = a\theta$$

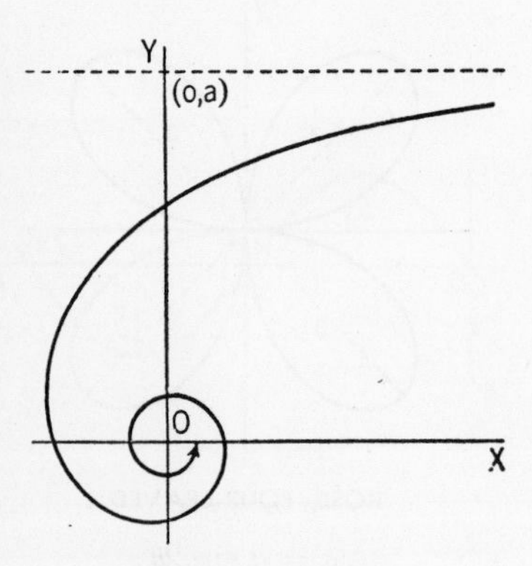

SPIRAL, HYPERBOLIC

$$\rho\theta = a$$

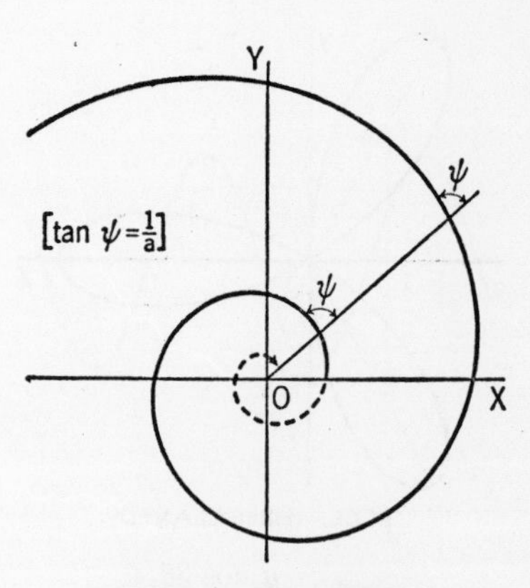

SPIRAL, LOGARITHMIC

$$\rho = e^{a\theta}, \quad \text{or} \quad \log \rho = a\theta$$

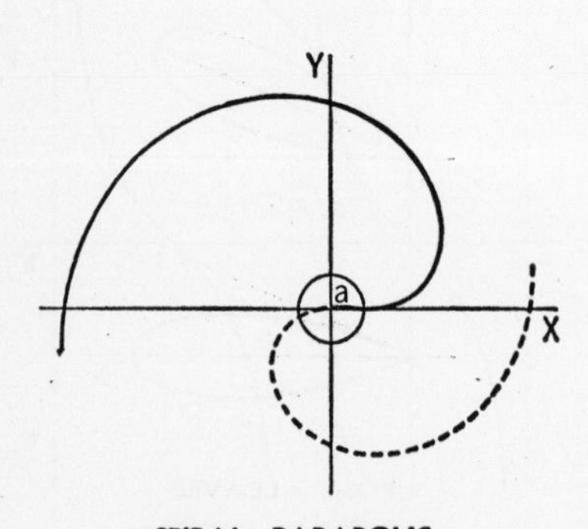

SPIRAL, PARABOLIC

$$(\rho - a)^2 = 4ac\theta$$

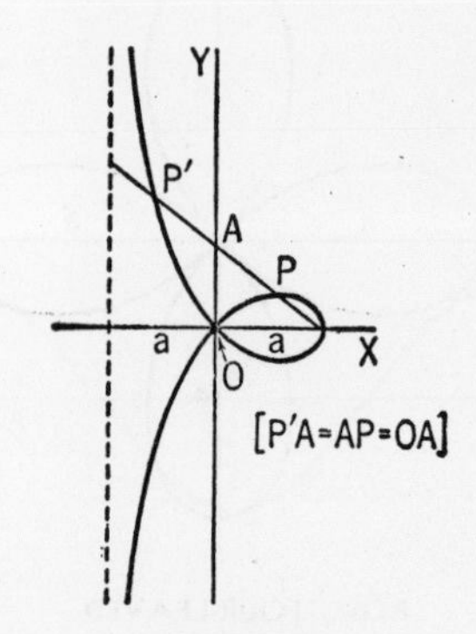

STROPHOID

$$y^2 = x^2 \frac{a - x}{a + x}$$
$$\rho = a \cos 2\theta \sec \theta$$

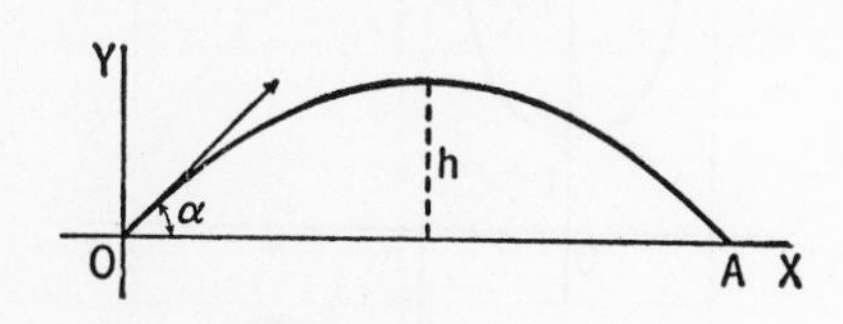

TRAJECTORY

$$y = x \tan \alpha - \frac{gx^2}{2v_0^2 \cos^2 \alpha}$$

$$x = (v_0 \cos \alpha)t, \quad y = (v_0 \sin \alpha)t - \tfrac{1}{2}gt^2$$

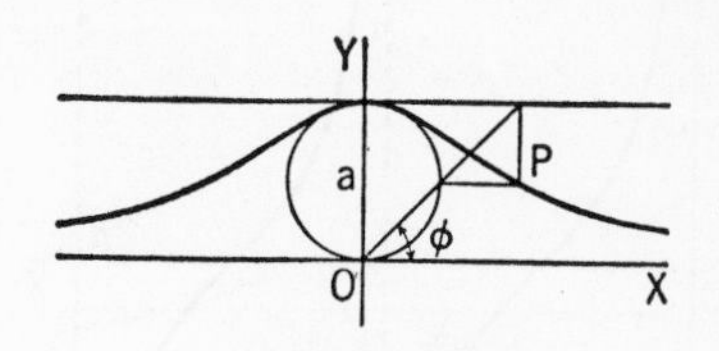

WITCH OF AGNESI

$$y = \frac{a^3}{(x^2 + a^2)}$$

$$x = a \operatorname{ctn} \varphi, \quad y = a \sin^2 \varphi$$

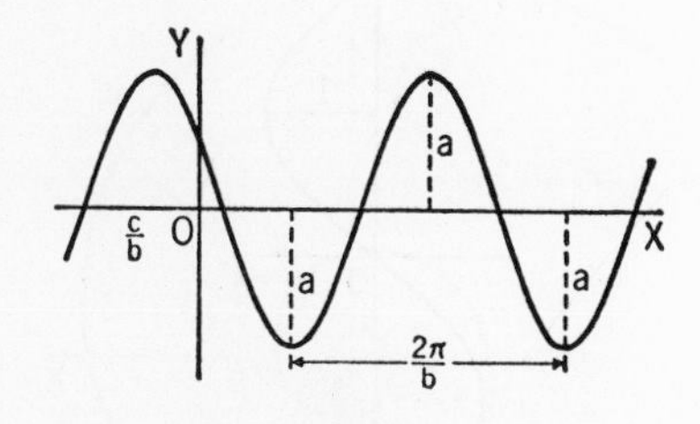

SINUSOID

$$y = a \sin (bx + c)$$

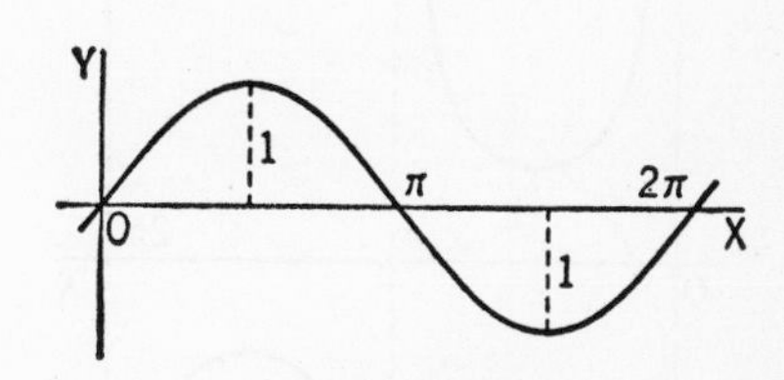

SINE CURVE

$$y = \sin x$$

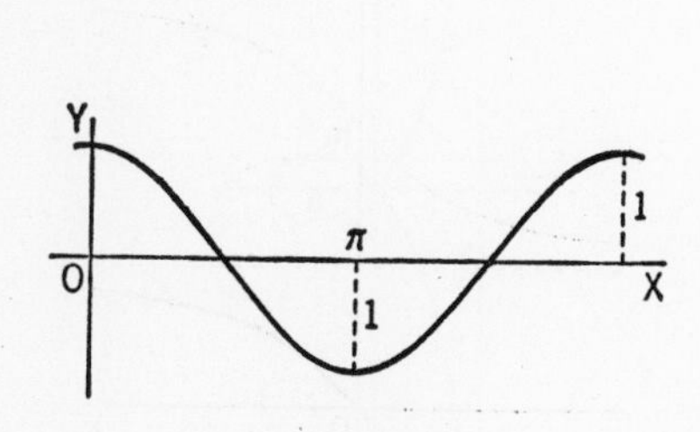

COSINE CURVE

$$y = \cos x$$

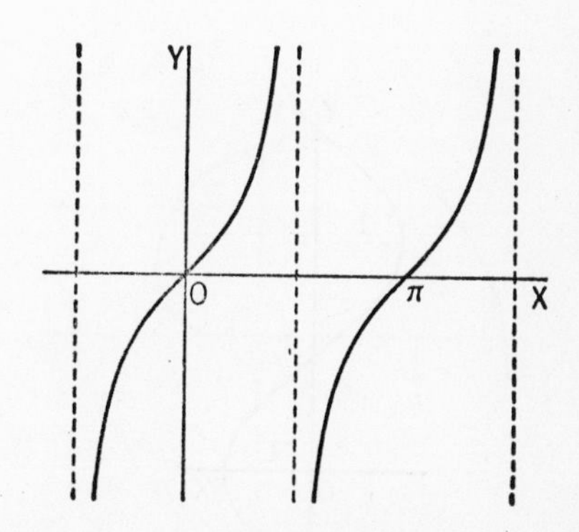

TANGENT CURVE

$$y = \tan x$$

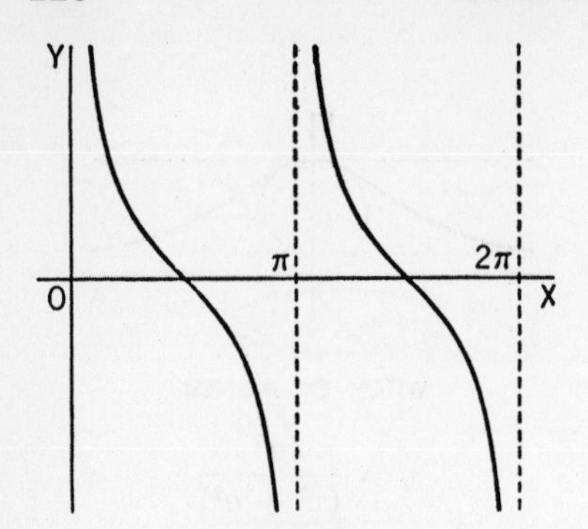

COTANGENT CURVE

$y = \text{ctn } x$

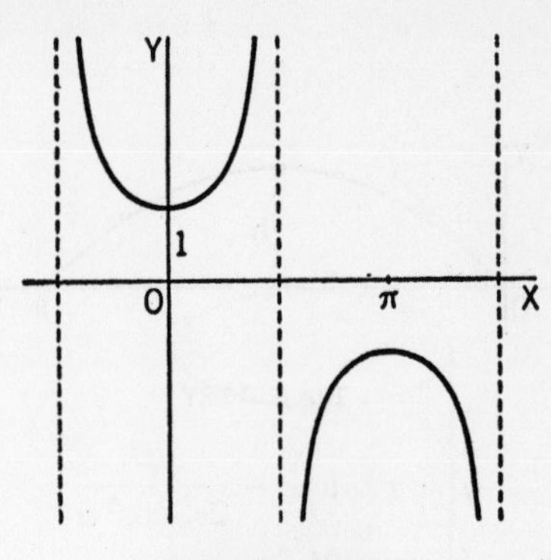

SECANT CURVE

$y = \sec x$

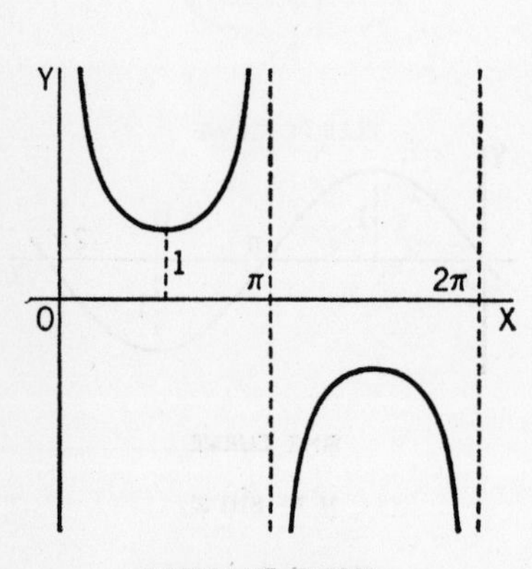

COSECANT CURVE

$y = \csc x$

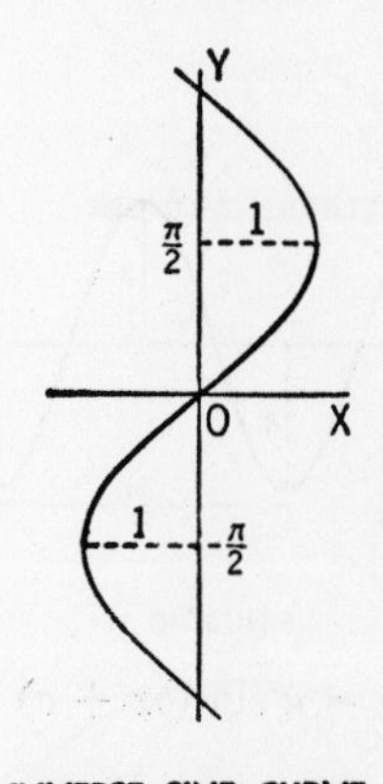

INVERSE SINE CURVE

$y = \arcsin x$

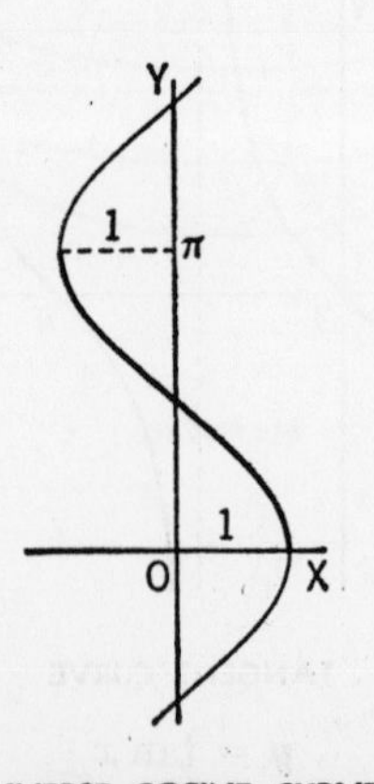

INVERSE COSINE CURVE

$y = \arccos x$

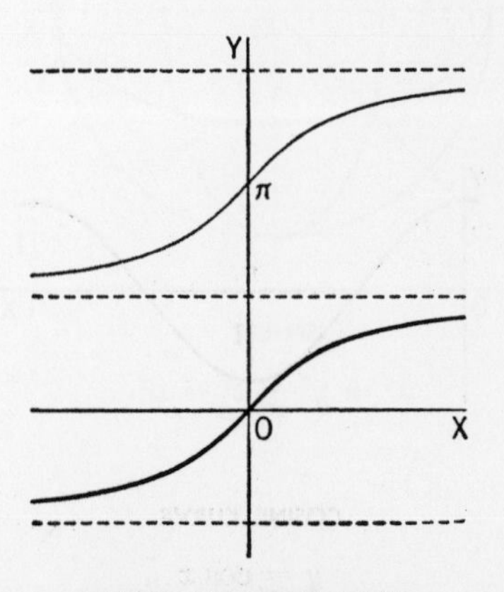

INVERSE TANGENT CURVE

$y = \arctan x$

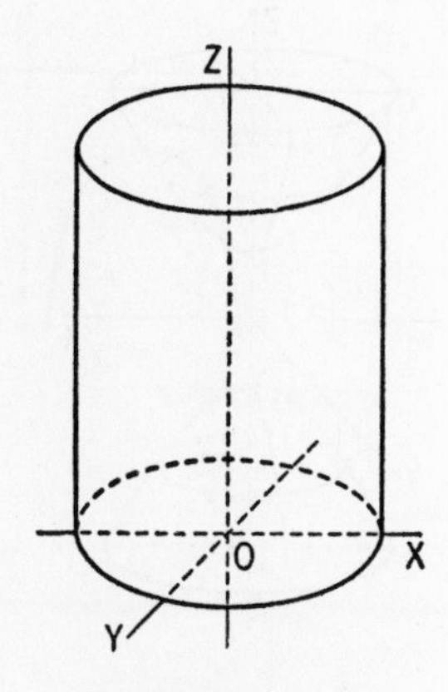

ELLIPTIC CYLINDER

$$\frac{x^2}{a^2} + \frac{y^2}{b^2} = 1$$

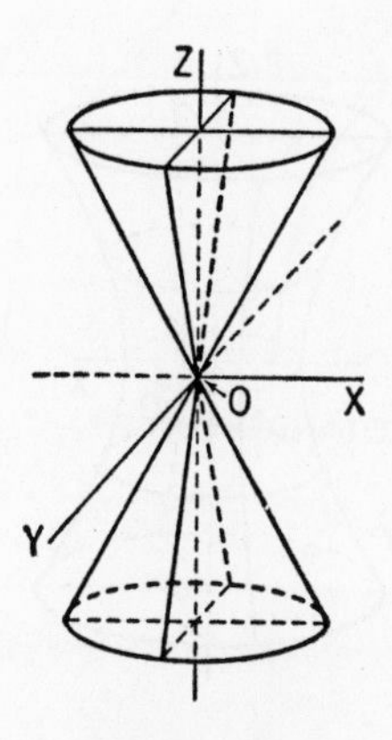

ELLIPTIC CONE

$$\frac{x^2}{a^2} + \frac{y^2}{b^2} - \frac{z^2}{c^2} = 0$$

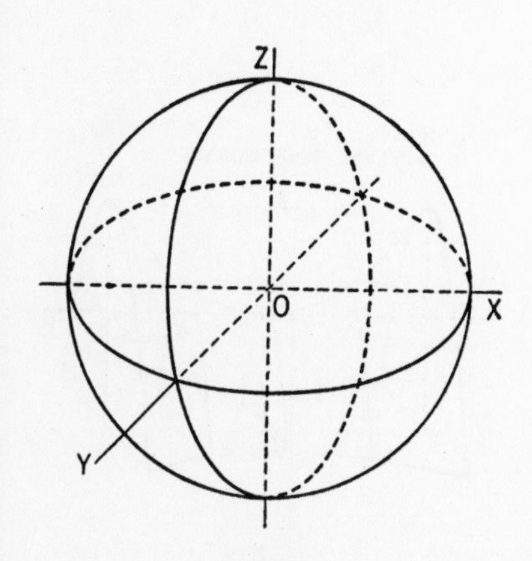

SPHERE

$$x^2 + y^2 + z^2 = a^2$$

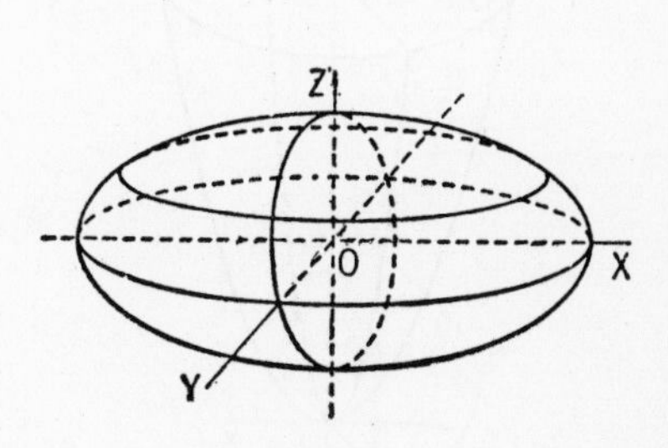

ELLIPSOID

$$\frac{x^2}{a^2} + \frac{y^2}{b^2} + \frac{z^2}{c^2} = 1$$

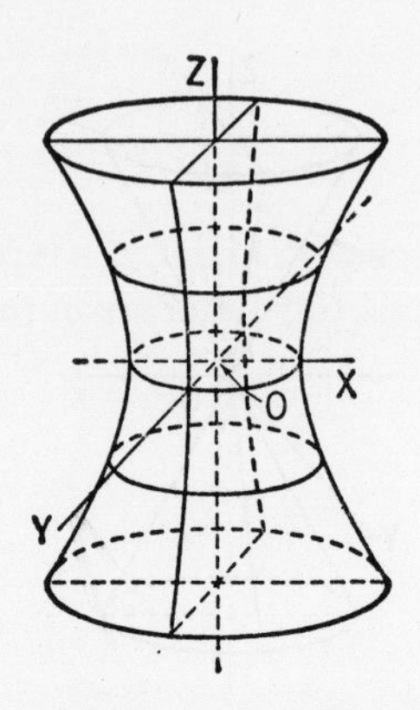

HYPERBOLOID OF ONE SHEET

$$\frac{x^2}{a^2} + \frac{y^2}{b^2} - \frac{z^2}{c^2} = 1$$

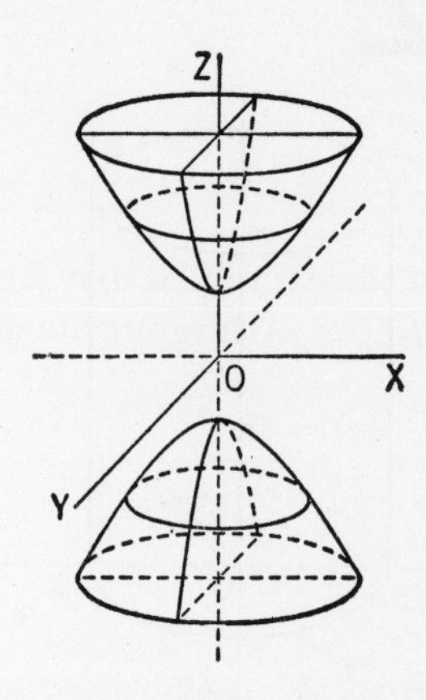

HYPERBOLOID OF TWO SHEETS

$$\frac{x^2}{a^2} + \frac{y^2}{b^2} - \frac{z^2}{c^2} = -1$$

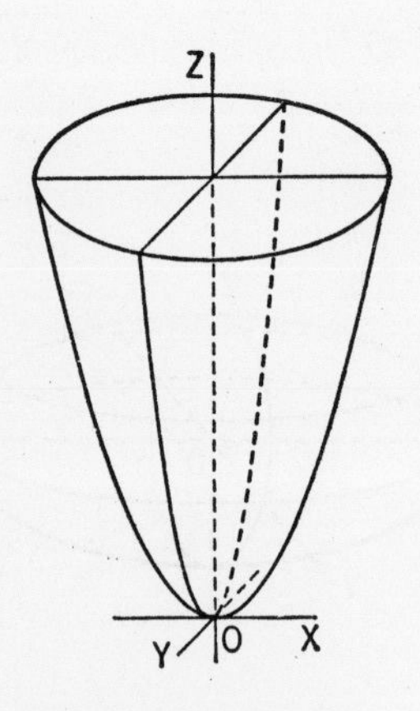

ELLIPTIC PARABOLOID

$$\frac{y^2}{b^2} + \frac{x^2}{a^2} = cz$$

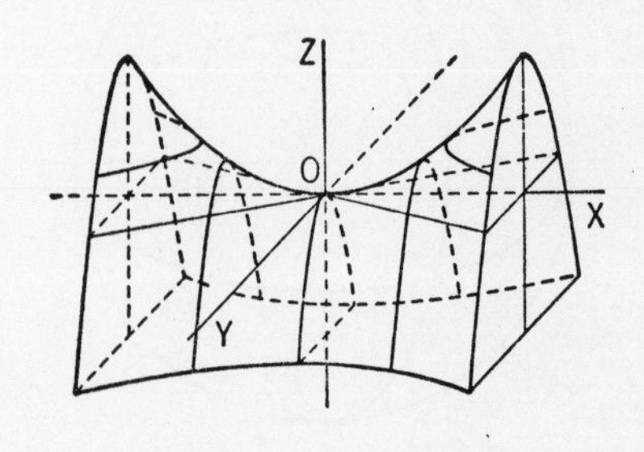

HYPERBOLIC PARABOLOID

$$\frac{x^2}{a^2} - \frac{y^2}{b^2} = cz$$

12 Derivatives

In these formulas u, v, w represent functions of x, and a, c, n represent constants. All arguments of the trigonometric functions are in radians.

1. $\dfrac{d}{dx}(c) = 0$

2. $\dfrac{d}{dx}(x) = 1$

3. $\dfrac{d}{dx}(cu) = c\dfrac{du}{dx}$

4. $\dfrac{d}{dx}(u + v - w) = \dfrac{du}{dx} + \dfrac{dv}{dx} - \dfrac{dw}{dx}$

5. $\dfrac{d}{dx}(uv) = u\dfrac{dv}{dx} + v\dfrac{du}{dx}$

6. $\dfrac{d}{dx}(uvw) = uv\dfrac{dw}{dx} + uw\dfrac{dv}{dx} + vw\dfrac{du}{dx}$

7. $\dfrac{d}{dx}\left(\dfrac{u}{v}\right) = \dfrac{v\dfrac{du}{dx} - u\dfrac{dv}{dx}}{v^2}$

8. $\dfrac{d}{dx}(u^n) = nu^{n-1}\dfrac{du}{dx}$

9. $\dfrac{d}{dx}(\sqrt{u}) = \dfrac{1}{2\sqrt{u}}\dfrac{du}{dx}$

10. $\dfrac{d}{dx}\left(\dfrac{1}{u}\right) = -\dfrac{1}{u^2}\dfrac{du}{dx}$

11. $\dfrac{d}{dx}f(u) = \dfrac{d}{du}f(u)\dfrac{du}{dx}$

12. $\dfrac{du}{dx} = \dfrac{1}{\dfrac{dx}{du}}$

13. $$\frac{d}{dx}(\log_a u) = (\log_a e)\,\frac{1}{u}\,\frac{du}{dx}$$

14. $$\frac{d}{dx}(\log_e u) = \frac{1}{u}\,\frac{du}{dx}$$

15. $$\frac{d}{dx}(a^u) = (\log_e a)\,a^u\,\frac{du}{dx}$$

16. $$\frac{d}{dx}(e^u) = e^u\,\frac{du}{dx}$$

17. $$\frac{d}{dx}(u^v) = vu^{v-1}\,\frac{du}{dx} + (\log_e u)\,u^v\,\frac{dv}{dx}$$

18. $$\frac{d}{dx}(\sin u) = \cos u\,\frac{du}{dx}$$

19. $$\frac{d}{dx}(\cos u) = -\sin u\,\frac{du}{dx}$$

20. $$\frac{d}{dx}(\tan u) = \sec^2 u\,\frac{du}{dx}$$

21. $$\frac{d}{dx}(\text{ctn}\,u) = -\csc^2 u\,\frac{du}{dx}$$

22. $$\frac{d}{dx}(\sec u) = \sec u \tan u\,\frac{du}{dx}$$

23. $$\frac{d}{dx}(\csc u) = -\csc u\;\text{ctn}\,u\,\frac{du}{dx}$$

24. $$\frac{d}{dx}(\text{vers}\,u) = \sin u\,\frac{du}{dx}$$

25. $$\frac{d}{dx}(\arcsin u) = \frac{1}{\sqrt{1-u^2}}\,\frac{du}{dx} \qquad \left(-\frac{\pi}{2} \leqq \arcsin u \leqq \frac{\pi}{2}\right)$$

26. $$\frac{d}{dx}(\arccos u) = -\frac{1}{\sqrt{1-u^2}}\,\frac{du}{dx} \qquad (0 \leqq \arccos u \leqq \pi)$$

27. $$\frac{d}{dx}(\arctan u) = \frac{1}{1+u^2}\,\frac{du}{dx} \qquad \left(-\frac{\pi}{2} < \arctan u < \frac{\pi}{2}\right)$$

28. $$\frac{d}{dx}(\text{arcctn}\,u) = -\frac{1}{1+u^2}\,\frac{du}{dx} \qquad (0 < \text{arcctn}\,u < \pi)$$

29. $$\frac{d}{dx}(\operatorname{arcsec} u) = \frac{1}{u\sqrt{u^2-1}}\frac{du}{dx}$$
$$\left(0 \leqq \operatorname{arcsec} u < \frac{\pi}{2}, \quad -\pi \leqq \operatorname{arcsec} u < -\frac{\pi}{2}\right)$$

30. $$\frac{d}{dx}(\operatorname{arccsc} u) = -\frac{1}{u\sqrt{u^2-1}}\frac{du}{dx}$$
$$\left(0 < \operatorname{arccsc} u \leqq \frac{\pi}{2}, \quad -\pi < \operatorname{arccsc} u \leqq -\frac{\pi}{2}\right)$$

31. $$\frac{d}{dx}(\operatorname{arcvers} u) = \frac{1}{\sqrt{2u-u^2}}\frac{du}{dx} \qquad (0 \leqq \operatorname{arcvers} u \leqq \pi)$$

32. $$\frac{d}{dx}(\sinh u) = \cosh u \frac{du}{dx}$$

33. $$\frac{d}{dx}(\cosh u) = \sinh u \frac{du}{dx}$$

34. $$\frac{d}{dx}(\tanh u) = \operatorname{sech}^2 u \frac{du}{dx}$$

35. $$\frac{d}{dx}(\operatorname{ctnh} u) = -\operatorname{csch}^2 u \frac{du}{dx}$$

36. $$\frac{d}{dx}(\operatorname{sech} u) = -\operatorname{sech} u \tanh u \frac{du}{dx}$$

37. $$\frac{d}{dx}(\operatorname{csch} u) = -\operatorname{csch} u \operatorname{ctnh} u \frac{du}{dx}$$

38. $$\frac{d}{dx}(\sinh^{-1} u) = \frac{d}{dx}[\log_e(u+\sqrt{u^2+1})] = \frac{1}{\sqrt{u^2+1}}\frac{du}{dx}$$

39. $$\frac{d}{dx}(\cosh^{-1} u) = \frac{d}{dx}[\log_e(u+\sqrt{u^2-1})] = \frac{1}{\sqrt{u^2-1}}\frac{du}{dx} \qquad (u > 1)$$

40. $$\frac{d}{dx}(\tanh^{-1} u) = \frac{d}{dx}\left[\frac{1}{2}\log_e\frac{1+u}{1-u}\right] = \frac{1}{1-u^2}\frac{du}{dx} \qquad (u^2 < 1)$$

41. $$\frac{d}{dx}(\operatorname{ctnh}^{-1} u) = \frac{d}{dx}\left[\frac{1}{2}\log_e\frac{u+1}{u-1}\right] = \frac{1}{1-u^2}\frac{du}{dx} \qquad (u^2 > 1)$$

42. $$\frac{d}{dx}(\operatorname{sech}^{-1} u) = \frac{d}{dx}\left[\log_e\frac{1+\sqrt{1-u^2}}{u}\right] = -\frac{1}{u\sqrt{1-u^2}}\frac{du}{dx}$$
$$(0 < u < 1)$$

43. $$\frac{d}{dx}(\operatorname{csch}^{-1} u) = \frac{d}{dx}\left[\log_e\frac{1+\sqrt{1+u^2}}{u}\right] = -\frac{1}{u\sqrt{1+u^2}}\frac{du}{dx}$$
$$(u > 0)$$

13 Indefinite Integrals

A constant of integration should be added to each of the following formulas. All arguments of the trigonometric functions are in radians and all logarithms are in the natural system.

FUNDAMENTAL FORMS

1. $\int df(x) = f(x)$

2. $\int dx = x$

3. $\int af(x)\,dx = a\int f(x)\,dx$

4. $\int [u(x) \pm v(x)]\,dx = \int u(x)\,dx \pm \int v(x)\,dx$

5. $\int x^m\,dx = \dfrac{x^{m+1}}{m+1}$ $\quad (m \neq -1)$

6. $\int \dfrac{dx}{x} = \log|x|$

7. $\int \dfrac{dx}{\sqrt{x}} = 2\sqrt{x}$

8. $\int \dfrac{dx}{a^2 + x^2} = \dfrac{1}{a}\arctan\dfrac{x}{a}$

9. $\int \dfrac{dx}{a^2 - x^2} = \dfrac{1}{2a}\log\left|\dfrac{a+x}{a-x}\right|$

10. $\int \dfrac{dx}{x^2 - a^2} = \dfrac{1}{2a}\log\left|\dfrac{a-x}{a+x}\right|$

11. $\int u\,dv = uv - \int v\,du$

12. $$\int u \frac{dv}{dx}\, dx = uv - \int v \frac{du}{dx}\, dx$$

13. $$\int f(y)\, dx = \int \frac{f(y)\, dy}{\frac{dy}{dx}}$$

FORMS INVOLVING $ax + b$

14. $$\int (ax+b)^m\, dx = \frac{(ax+b)^{m+1}}{a(m+1)} \qquad (m \neq -1)$$

15. $$\int \frac{dx}{ax+b} = \frac{1}{a} \log |ax+b|$$

16. $$\int \frac{dx}{(ax+b)^2} = -\frac{1}{a(ax+b)}$$

17. $$\int \frac{dx}{(ax+b)^3} = -\frac{1}{2a(ax+b)^2}$$

18. $$\int x(ax+b)^m\, dx = \frac{(ax+b)^{m+2}}{a^2(m+2)} - \frac{b(ax+b)^{m+1}}{a^2(m+1)}, \quad (m \neq -1, -2)$$

19. $$\int \frac{x\, dx}{ax+b} = \frac{x}{a} - \frac{b}{a^2} \log |ax+b|$$

20. $$\int \frac{x\, dx}{(ax+b)^2} = \frac{b}{a^2(ax+b)} + \frac{1}{a^2} \log |ax+b|$$

21. $$\int \frac{x\, dx}{(ax+b)^3} = \frac{b}{2a^2(ax+b)^2} - \frac{1}{a^2(ax+b)}$$

22. $$\int x^2(ax+b)^m\, dx = \frac{1}{a^3}\left[\frac{(ax+b)^{m+3}}{m+3} - \frac{2b(ax+b)^{m+2}}{m+2} + \frac{b^2(ax+b)^{m+1}}{m+1}\right] \qquad (m \neq -1, -2, -3)$$

23. $$\int \frac{x^2\, dx}{ax+b} = \frac{1}{a^3}\left[\tfrac{1}{2}(ax+b)^2 - 2b(ax+b) + b^2 \log |ax+b|\right]$$

24. $$\int \frac{x^2\, dx}{(ax+b)^2} = \frac{1}{a^3}\left[(ax+b) - \frac{b^2}{ax+b} - 2b \log |ax+b|\right]$$

25. $$\int \frac{x^2\, dx}{(ax+b)^3} = \frac{1}{a^3}\left[\log |ax+b| + \frac{2b}{ax+b} - \frac{b^2}{2(ax+b)^2}\right]$$

26. $$\int \frac{dx}{x(ax+b)} = \frac{1}{b} \log \left| \frac{x}{ax+b} \right|$$

27. $$\int \frac{dx}{x^2(ax+b)} = -\frac{1}{bx} + \frac{a}{b^2} \log \left| \frac{ax+b}{x} \right|$$

28. $$\int \frac{dx}{x(ax+b)^2} = \frac{1}{b(ax+b)} - \frac{1}{b^2} \log \left| \frac{ax+b}{x} \right|$$

29. $$\int \frac{dx}{x^2(ax+b)^2} = -\frac{2ax+b}{b^2x(ax+b)} + \frac{2a}{b^3} \log \left| \frac{ax+b}{x} \right|$$

30. $$\int x^m(ax+b)^n\,dx$$

$$= \frac{1}{a(m+n+1)}\left[x^m(ax+b)^{n+1} - mb\int x^{m-1}(ax+b)^n\,dx\right]$$

$$= \frac{1}{m+n+1}\left[x^{m+1}(ax+b)^n + nb\int x^m(ax+b)^{n-1}\,dx\right]$$

$$(m > 0, \quad m+n+1 \neq 0)$$

If n is a positive integer, this form may be integrated term by term after expanding $(ax+b)^n$ by the binomial theorem.

31. $$\int x^m(ax+b)^n\,dx = \frac{1}{a^{m+1}}\int u^n(u-b)^m\,du \qquad (u = ax+b)$$

See the note after Formula 30.

32. $$\int \frac{x^m\,dx}{(ax+b)^n} = \frac{1}{a^{m+1}}\int \frac{(u-b)^m\,du}{u^n} \qquad (u = ax+b)$$

See the note after Formula 30.

33. $$\int \frac{dx}{x^m(ax+b)^n} = -\frac{1}{b^{m+n-1}}\int \frac{(v-a)^{m+n-2}\,dv}{v^n} \qquad \left(v = \frac{ax+b}{x}\right)$$

See the note after Formula 30.

FORMS INVOLVING $ax + b$ AND $cx + d$ $(bc \neq ad)$

34. $$\int \frac{dx}{(ax+b)(cx+d)} = \frac{1}{bc-ad} \log \left| \frac{cx+d}{ax+b} \right|$$

35. $$\int \frac{x\,dx}{(ax+b)(cx+d)} = \frac{1}{bc-ad}\left[\frac{b}{a}\log|ax+b| - \frac{d}{c}\log|cx+d|\right]$$

36. $$\int \frac{dx}{(ax+b)^2(cx+d)} = \frac{1}{bc-ad}\left[\frac{1}{ax+b} + \frac{c}{bc-ad}\log\left|\frac{cx+d}{ax+b}\right|\right]$$

37. $$\int \frac{x\,dx}{(ax+b)^2(cx+d)} = \frac{1}{bc-ad}\left[-\frac{b}{a(ax+b)} - \frac{d}{bc-ad}\log\left|\frac{cx+d}{ax+b}\right|\right]$$

38. $$\int \frac{x^2\,dx}{(ax+b)^2(cx+d)} = \frac{b^2}{a^2(bc-ad)(ax+b)} + \frac{1}{(bc-ad)^2}\left[\frac{d^2}{c}\log|cx+d| + \frac{b(bc-2ad)}{a^2}\log|ax+b|\right]$$

39. $$\int \frac{ax+b}{cx+d}\,dx = \frac{ax}{c} + \frac{bc-ad}{c^2}\log|cx+d|$$

40. $$\int (ax+b)^m(cx+d)^n\,dx = \frac{1}{a(m+n+1)}\left[(ax+b)^{m+1}(cx+d)^n - n(bc-ad)\int (ax+b)^m(cx+d)^{n-1}\,dx\right]$$

41. $$\int \frac{(ax+b)^m\,dx}{(cx+d)^n}$$
$$= -\frac{1}{(n-1)(bc-ad)}\left[\frac{(ax+b)^{m+1}}{(cx+d)^{n-1}} + a(n-m-2)\int \frac{(ax+b)^m\,dx}{(cx+d)^{n-1}}\right]$$
$$= -\frac{1}{c(n-m-1)}\left[\frac{(ax+b)^m}{(cx+d)^{n-1}} + m(bc-ad)\int \frac{(ax+b)^{m-1}\,dx}{(cx+d)^n}\right]$$
$$= -\frac{1}{(n-1)c}\left[\frac{(ax+b)^m}{(cx+d)^{n-1}} - ma\int \frac{(ax+b)^{m-1}\,dx}{(cx+d)^{n-1}}\right]$$

42. $$\int \frac{dx}{(ax+b)^m(cx+d)^n} = \frac{-1}{(n-1)(bc-ad)}\left[\frac{1}{(ax+b)^{m-1}(cx+d)^{n-1}} + a(m+n-2)\int \frac{dx}{(ax+b)^m(cx+d)^{n-1}}\right]$$

FORMS INVOLVING $ax^2 + c$

43. $$\int \frac{dx}{ax^2+c} = \frac{1}{\sqrt{ac}}\arctan\left(x\sqrt{\frac{a}{c}}\right) \qquad (a>0,\quad c>0)$$

44. $$\int \frac{dx}{ax^2+c} = \frac{1}{2\sqrt{-ac}}\log\left|\frac{x\sqrt{a}-\sqrt{-c}}{x\sqrt{a}+\sqrt{-c}}\right| \qquad (a>0,\quad c<0)$$

45. $$\int \frac{dx}{ax^2+c} = \frac{1}{2\sqrt{-ac}}\log\left|\frac{\sqrt{c}+x\sqrt{-a}}{\sqrt{c}-x\sqrt{-a}}\right| \qquad (a<0,\quad c>0)$$

46. $\int \frac{x\,dx}{ax^2 + c} = \frac{1}{2a} \log |ax^2 + c|$

47. $\int \frac{x^2\,dx}{ax^2 + c} = \frac{x}{a} - \frac{c}{a} \int \frac{dx}{ax^2 + c}$

48. $\int \frac{x^m\,dx}{ax^2 + c} = \frac{x^{m-1}}{a(m-1)} - \frac{c}{a} \int \frac{x^{m-2}\,dx}{ax^2 + c}$ $(m \neq 1)$

49. $\int \frac{dx}{x(ax^2 + c)} = \frac{1}{2c} \log \left| \frac{ax^2}{ax^2 + c} \right|$

50. $\int \frac{dx}{x^2(ax^2 + c)} = -\frac{1}{cx} - \frac{a}{c} \int \frac{dx}{ax^2 + c}$

51. $\int \frac{dx}{x^m(ax^2 + c)} = -\frac{1}{c(m-1)x^{m-1}} - \frac{a}{c} \int \frac{dx}{x^{m-2}(ax^2 + c)}$ $(m \neq 1)$

52. $\int \frac{dx}{(ax^2+c)^m} = \frac{1}{2(m-1)c} \cdot \frac{x}{(ax^2+c)^{m-1}} + \frac{2m-3}{2(m-1)c} \int \frac{dx}{(ax^2+c)^{m-1}}$ $(m \neq 1)$

53. $\int \frac{x\,dx}{(ax^2 + c)^m} = -\frac{1}{2a(m-1)(ax^2 + c)^{m-1}}$ $(m \neq 1)$

54. $\int \frac{x^2\,dx}{(ax^2+c)^m} = -\frac{x}{2a(m-1)(ax^2+c)^{m-1}} + \frac{1}{2a(m-1)} \int \frac{dx}{(ax^2+c)^{m-1}}$ $(m \neq 1)$

55. $\int \frac{dx}{x(ax^2 + c)^m} = \frac{1}{2c(m-1)(ax^2 + c)^{m-1}} + \frac{1}{c} \int \frac{dx}{x(ax^2 + c)^{m-1}}$ $(m \neq 1)$

56. $\int \frac{dx}{x^2(ax^2 + c)^m} = \frac{1}{c} \int \frac{dx}{x^2(ax^2 + c)^{m-1}} - \frac{a}{c} \int \frac{dx}{(ax^2 + c)^m}$

FORMS INVOLVING $ax^2 + bx + c$

Let $X = ax^2 + bx + c$, $D = b^2 - 4ac$.

57. $\int X^m\,dx = \frac{1}{2a(2m+1)} \left[(2ax + b)X^m - Dm \int X^{m-1}\,dx \right]$

58. $\int \frac{dx}{X} = \frac{1}{\sqrt{D}} \log \left| \frac{2ax + b - \sqrt{D}}{2ax + b + \sqrt{D}} \right|$ $(D > 0)$

59. $\int \frac{dx}{X} = \frac{2}{\sqrt{-D}} \arctan \frac{2ax + b}{\sqrt{-D}}$ $(D < 0)$

60. $\int \frac{dx}{X} = -\frac{2}{2ax+b}$ $(D = 0)$

61. $\int \frac{x\,dx}{X} = \frac{1}{2a}\log|X| - \frac{b}{2a}\int \frac{dx}{X}$

62. $\int \frac{dx}{xX} = \frac{1}{2c}\log\frac{x^2}{|X|} - \frac{b}{2c}\int \frac{dx}{X}$

63. $\int \frac{x^m\,dx}{X} = \frac{x^{m-1}}{a(m-1)} - \frac{c}{a}\int \frac{x^{m-2}\,dx}{X} - \frac{b}{a}\int \frac{x^{m-1}\,dx}{X}$ $(m \neq 1)$

64. $\int \frac{dx}{x^m X} = -\frac{1}{(m-1)cx^{m-1}} - \frac{b}{c}\int \frac{dx}{x^{m-1}X} - \frac{a}{c}\int \frac{dx}{x^{m-2}X}$ $(m \neq 1)$

65. $\int \frac{dx}{X^m} = -\frac{2ax+b}{(m-1)DX^{m-1}} - \frac{2(2m-3)a}{(m-1)D}\int \frac{dx}{X^{m-1}}$ $(m \neq 1,\quad D \neq 0)$

66. $\int \frac{x\,dx}{X^m} = \frac{2c+bx}{(m-1)DX^{m-1}} + \frac{b(2m-3)}{(m-1)D}\int \frac{dx}{X^{m-1}}$ $(m \neq 1,\quad D \neq 0)$

67. $\int \frac{dx}{xX^m} = \frac{1}{2c(m-1)X^{m-1}} - \frac{b}{2c}\int \frac{dx}{X^m} + \frac{1}{c}\int \frac{dx}{xX^{m-1}}$ $(m \neq 1)$

68. $\int \frac{x^m\,dx}{X^n} = -\frac{x^{m-1}}{a(2n-m-1)X^{n-1}} - \frac{n-m}{2n-m-1}\cdot\frac{b}{a}\int \frac{x^{m-1}\,dx}{X^n}$

$+ \frac{m-1}{2n-m-1}\cdot\frac{c}{a}\int \frac{x^{m-2}\,dx}{X^n}$

69. $\int \frac{dx}{x^m X^n} = -\frac{1}{(m-1)cx^{m-1}X^{n-1}} - \frac{n+m-2}{m-1}\cdot\frac{b}{c}\int \frac{dx}{x^{m-1}X^n}$

$- \frac{2n+m-3}{m-1}\cdot\frac{a}{c}\int \frac{dx}{x^{m-2}X^n}$ $(m \neq 1)$

FORMS INVOLVING $\sqrt{ax+b}$, WHERE $ax + b > 0$

70. $\int \sqrt{ax+b}\,dx = \frac{2}{3a}\sqrt{(ax+b)^3}$

71. $\int x\sqrt{ax+b}\,dx = \frac{2(3ax-2b)}{15a^2}\sqrt{(ax+b)^3}$

72. $\int x^2\sqrt{ax+b}\,dx = \frac{2(15a^2x^2-12abx+8b^2)}{105a^3}\sqrt{(ax+b)^3}$

73. $\int x^m\sqrt{ax+b}\,dx = \frac{2}{a(2m+3)}\left[x^m\sqrt{(ax+b)^3} - mb\int x^{m-1}\sqrt{ax+b}\,dx\right]$

74. $$\int \frac{\sqrt{ax+b}\,dx}{x} = 2\sqrt{ax+b} + \sqrt{b}\log\left|\frac{\sqrt{ax+b}-\sqrt{b}}{\sqrt{ax+b}+\sqrt{b}}\right| \qquad (b > 0)$$

75. $$\int \frac{\sqrt{ax+b}\,dx}{x} = 2\sqrt{ax+b} - 2\sqrt{-b}\arctan\sqrt{\frac{ax+b}{-b}} \qquad (b < 0)$$

76. $$\int \frac{\sqrt{ax+b}}{x^2}\,dx = -\frac{\sqrt{ax+b}}{x} + \frac{a}{2}\int \frac{dx}{x\sqrt{ax+b}}$$

77. $$\int \frac{\sqrt{ax+b}\,dx}{x^m} = -\frac{1}{(m-1)b}\left[\frac{\sqrt{(ax+b)^3}}{x^{m-1}} + \frac{(2m-5)a}{2}\int \frac{\sqrt{ax+b}\,dx}{x^{m-1}}\right] \qquad (m \neq 1)$$

78. $$\int \frac{dx}{\sqrt{ax+b}} = \frac{2\sqrt{ax+b}}{a}$$

79. $$\int \frac{x\,dx}{\sqrt{ax+b}} = \frac{2(ax-2b)\sqrt{ax+b}}{3a^2}$$

80. $$\int \frac{x^2\,dx}{\sqrt{ax+b}} = \frac{2(3a^2x^2 - 4abx + 8b^2)\sqrt{ax+b}}{15a^3}$$

81. $$\int \frac{x^m\,dx}{\sqrt{ax+b}} = \frac{2}{a(2m+1)}\left[x^m\sqrt{ax+b} - mb\int \frac{x^{m-1}\,dx}{\sqrt{ax+b}}\right] \qquad (m \neq -\tfrac{1}{2})$$

82. $$\int \frac{dx}{x\sqrt{ax+b}} = \frac{1}{\sqrt{b}}\log\left|\frac{\sqrt{ax+b}-\sqrt{b}}{\sqrt{ax+b}+\sqrt{b}}\right| \qquad (b > 0)$$

83. $$\int \frac{dx}{x\sqrt{ax+b}} = \frac{2}{\sqrt{-b}}\arctan\sqrt{\frac{ax+b}{-b}} \qquad (b < 0)$$

84. $$\int \frac{dx}{x^2\sqrt{ax+b}} = -\frac{\sqrt{ax+b}}{bx} - \frac{a}{2b}\int \frac{dx}{x\sqrt{ax+b}}$$

85. $$\int \frac{dx}{x^m\sqrt{ax+b}} = -\frac{\sqrt{ax+b}}{(m-1)bx^{m-1}} - \frac{(2m-3)a}{(2m-2)b}\int \frac{dx}{x^{m-1}\sqrt{ax+b}} \qquad (m \neq 1)$$

86. $$\int (ax+b)^{\pm\frac{m}{2}}\,dx = \frac{2(ax+b)^{\frac{2\pm m}{2}}}{a(2\pm m)}$$

87. $$\int x(ax+b)^{\pm\frac{m}{2}}\,dx = \frac{2}{a^2}\left[\frac{(ax+b)^{\frac{4\pm m}{2}}}{4\pm m} - \frac{b(ax+b)^{\frac{2\pm m}{2}}}{2\pm m}\right]$$

88. $\displaystyle\int \frac{(ax+b)^{\frac{m}{2}}\,dx}{x} = a\int (ax+b)^{\frac{m-2}{2}}\,dx + b\int \frac{(ax+b)^{\frac{m-2}{2}}\,dx}{x}$

89. $\displaystyle\int \frac{dx}{x(ax+b)^{\frac{m}{2}}} = \frac{1}{b}\int \frac{dx}{x(ax+b)^{\frac{m-2}{2}}} - \frac{a}{b}\int \frac{dx}{(ax+b)^{\frac{m}{2}}}$

90. $\displaystyle\int F(x, \sqrt{ax+b})\,dx = \frac{2}{a}\int F\left(\frac{u^2-b}{a}, u\right) u\,du \qquad (ax+b=u^2)$

91. $\displaystyle\int \frac{\sqrt{ax+b}\,dx}{cx+d} = \frac{2\sqrt{ax+b}}{c} + \frac{1}{c}\sqrt{\frac{bc-ad}{c}}\log\left|\frac{\sqrt{c(ax+b)}-\sqrt{bc-ad}}{\sqrt{c(ax+b)}+\sqrt{bc-ad}}\right|$

$(c>0, \quad bc>ad)$

92. $\displaystyle\int \frac{\sqrt{ax+b}\,dx}{cx+d} = \frac{2\sqrt{ax+b}}{c} - \frac{2}{c}\sqrt{\frac{ad-bc}{c}}\arctan\sqrt{\frac{c(ax+b)}{ad-bc}}$

$(c>0, \quad bc<ad)$

93. $\displaystyle\int \frac{(cx+d)\,dx}{\sqrt{ax+b}} = \frac{2}{3a^2}(3ad-2bc+acx)\sqrt{ax+b}$

94. $\displaystyle\int \frac{dx}{(cx+d)\sqrt{ax+b}} = \frac{2}{\sqrt{c}\sqrt{ad-bc}}\arctan\sqrt{\frac{c(ax+b)}{ad-bc}}$

$(c>0, \quad bc<ad)$

95. $\displaystyle\int \frac{dx}{(cx+d)\sqrt{ax+b}} = \frac{1}{\sqrt{c}\sqrt{bc-ad}}\log\left|\frac{\sqrt{c(ax+b)}-\sqrt{bc-ad}}{\sqrt{c(ax+b)}+\sqrt{bc-ad}}\right|$

$(c>0, \quad bc>ad)$

96. $\displaystyle\int \sqrt{ax+b}\sqrt{cx+d}\,dx = \int \sqrt{acx^2+(ad+bc)x+bd}\,dx$

(See Formula 186)

97. $\displaystyle\int \frac{dx}{\sqrt{ax+b}\sqrt{cx+d}} = \int \frac{dx}{\sqrt{acx^2+(ad+bc)x+bd}}$

(See Formulas 191, 192)

98. $\displaystyle\int \frac{\sqrt{ax+b}\,dx}{\sqrt{cx+d}} = \int \frac{(ax+b)\,dx}{\sqrt{acx^2+(ad+bc)x+bd}}$ (See Formula 201)

FORMS INVOLVING $\sqrt{a^2+x^2}$ OR $\sqrt{(a^2+x^2)^3}$

99. $\displaystyle\int \sqrt{a^2+x^2}\,dx = \frac{x}{2}\sqrt{a^2+x^2} + \frac{a^2}{2}\log(x+\sqrt{a^2+x^2})$

100. $\int x\sqrt{a^2+x^2}\,dx = \frac{1}{3}\sqrt{(a^2+x^2)^3}$

101. $\int x^2\sqrt{a^2+x^2}\,dx = \frac{x}{4}\sqrt{(a^2+x^2)^3} - \frac{a^2x}{8}\sqrt{a^2+x^2} - \frac{a^4}{8}\log\,(x+\sqrt{a^2+x^2})$

102. $\int x^3\sqrt{a^2+x^2}\,dx = (\frac{1}{5}x^2 - \frac{2}{15}a^2)\sqrt{(a^2+x^2)^3}$

103. $\int \frac{\sqrt{a^2+x^2}\,dx}{x} = \sqrt{a^2+x^2} - a\log\left|\frac{a+\sqrt{a^2+x^2}}{x}\right|$

104. $\int \frac{\sqrt{a^2+x^2}\,dx}{x^2} = -\frac{\sqrt{a^2+x^2}}{x} + \log\,(x+\sqrt{a^2+x^2})$

105. $\int \frac{\sqrt{a^2+x^2}\,dx}{x^3} = -\frac{\sqrt{a^2+x^2}}{2x^2} - \frac{1}{2a}\log\left|\frac{a+\sqrt{a^2+x^2}}{x}\right|$

106. $\int \frac{dx}{\sqrt{a^2+x^2}} = \log\,(x+\sqrt{a^2+x^2})$

107. $\int \frac{x\,dx}{\sqrt{a^2+x^2}} = \sqrt{a^2+x^2}$

108. $\int \frac{x^2\,dx}{\sqrt{a^2+x^2}} = \frac{x}{2}\sqrt{a^2+x^2} - \frac{a^2}{2}\log\,(x+\sqrt{a^2+x^2})$

109. $\int \frac{x^3\,dx}{\sqrt{a^2+x^2}} = \frac{1}{3}\sqrt{(a^2+x^2)^3} - a^2\sqrt{a^2+x^2}$

110. $\int \frac{dx}{x\sqrt{a^2+x^2}} = -\frac{1}{a}\log\left|\frac{a+\sqrt{a^2+x^2}}{x}\right|$

111. $\int \frac{dx}{x^2\sqrt{a^2+x^2}} = -\frac{\sqrt{a^2+x^2}}{a^2x}$

112. $\int \frac{dx}{x^3\sqrt{a^2+x^2}} = -\frac{\sqrt{a^2+x^2}}{2a^2x^2} + \frac{1}{2a^3}\log\left|\frac{a+\sqrt{a^2+x^2}}{x}\right|$

113. $\int \sqrt{(a^2+x^2)^3}\,dx$

$$= \frac{x}{4}\sqrt{(a^2+x^2)^3} + \frac{3a^2x}{8}\sqrt{a^2+x^2} + \frac{3a^4}{8}\log\,(x+\sqrt{a^2+x^2})$$

114. $\int x\sqrt{(a^2+x^2)^3}\,dx = \frac{1}{5}\sqrt{(a^2+x^2)^5}$

115. $\int x^2\sqrt{(a^2+x^2)^3}\,dx=\frac{x}{6}\sqrt{(a^2+x^2)^5}-\frac{a^2x}{24}\sqrt{(a^2+x^2)^3}-\frac{a^4x}{16}\sqrt{a^2+x^2}$

$-\frac{a^6}{16}\log\left(x+\sqrt{a^2+x^2}\right)$

116. $\int x^3\sqrt{(a^2+x^2)^3}\,dx=\frac{1}{7}\sqrt{(a^2+x^2)^7}-\frac{a^2}{5}\sqrt{(a^2+x^2)^5}$

117. $\int\frac{\sqrt{(a^2+x^2)^3}\,dx}{x}=\frac{1}{3}\sqrt{(a^2+x^2)^3}+a^2\sqrt{a^2+x^2}-a^3\log\left|\frac{a+\sqrt{a^2+x^2}}{x}\right|$

118. $\int\frac{\sqrt{(a^2+x^2)^3}\,dx}{x^2}$

$=-\frac{1}{x}\sqrt{(a^2+x^2)^3}+\frac{3x}{2}\sqrt{a^2+x^2}+\frac{3a^2}{2}\log\left(x+\sqrt{a^2+x^2}\right)$

119. $\int\frac{\sqrt{(a^2+x^2)^3}\,dx}{x^3}=-\frac{\sqrt{(a^2+x^2)^3}}{2x^2}+\frac{3}{2}\sqrt{a^2+x^2}-\frac{3a}{2}\log\left|\frac{a+\sqrt{a^2+x^2}}{x}\right|$

120. $\int\frac{dx}{\sqrt{(a^2+x^2)^3}}=\frac{x}{a^2\sqrt{a^2+x^2}}$

121. $\int\frac{x\,dx}{\sqrt{(a^2+x^2)^3}}=\frac{-1}{\sqrt{a^2+x^2}}$

122. $\int\frac{x^2\,dx}{\sqrt{(a^2+x^2)^3}}=-\frac{x}{\sqrt{a^2+x^2}}+\log\left(x+\sqrt{x^2+a^2}\right)$

123. $\int\frac{x^3\,dx}{\sqrt{(a^2+x^2)^3}}=\sqrt{a^2+x^2}+\frac{a^2}{\sqrt{a^2+x^2}}$

124. $\int\frac{dx}{x\sqrt{(a^2+x^2)^3}}=\frac{1}{a^2\sqrt{a^2+x^2}}-\frac{1}{a^3}\log\left|\frac{a+\sqrt{a^2+x^2}}{x}\right|$

125. $\int\frac{dx}{x^2\sqrt{(a^2+x^2)^3}}=-\frac{1}{a^4}\left[\frac{\sqrt{a^2+x^2}}{x}+\frac{x}{\sqrt{a^2+x^2}}\right]$

126. $\int\frac{dx}{x^3\sqrt{(a^2+x^2)^3}}$

$=-\frac{1}{2a^2x^2\sqrt{a^2+x^2}}-\frac{3}{2a^4\sqrt{a^2+x^2}}+\frac{3}{2a^5}\log\left|\frac{a+\sqrt{a^2+x^2}}{x}\right|$

127. $\int F(x,\sqrt{a^2+x^2})\,dx=a\int F(a\tan z,a\sec z)\sec^2 z\,dz$

$(x=a\tan z)$

FORMS INVOLVING $\sqrt{a^2 - x^2}$ OR $\sqrt{(a^2 - x^2)^3}$, WHERE $a^2 > x^2$, $a > 0$

128. $\int \sqrt{a^2 - x^2}\,dx = \frac{1}{2}\left(x\sqrt{a^2 - x^2} + a^2 \arcsin \frac{x}{a}\right)$

129. $\int x\sqrt{a^2 - x^2}\,dx = -\frac{1}{3}\sqrt{(a^2 - x^2)^3}$

130. $\int x^2\sqrt{a^2 - x^2}\,dx = -\frac{x}{4}\sqrt{(a^2 - x^2)^3} + \frac{a^2}{8}\left(x\sqrt{a^2 - x^2} + a^2 \arcsin \frac{x}{a}\right)$

131. $\int x^3\sqrt{a^2 - x^2}\,dx = \left(-\frac{1}{5}x^2 - \frac{2}{15}a^2\right)\sqrt{(a^2 - x^2)^3}$

132. $\int \frac{\sqrt{a^2 - x^2}\,dx}{x} = \sqrt{a^2 - x^2} - a \log \left|\frac{a + \sqrt{a^2 - x^2}}{x}\right|$

133. $\int \frac{\sqrt{a^2 - x^2}\,dx}{x^2} = -\frac{\sqrt{a^2 - x^2}}{x} - \arcsin \frac{x}{a}$

134. $\int \frac{\sqrt{a^2 - x^2}\,dx}{x^3} = -\frac{\sqrt{a^2 - x^2}}{2x^2} + \frac{1}{2a} \log \left|\frac{a + \sqrt{a^2 - x^2}}{x}\right|$

135. $\int \frac{dx}{\sqrt{a^2 - x^2}} = \arcsin \frac{x}{a}$

136. $\int \frac{x\,dx}{\sqrt{a^2 - x^2}} = -\sqrt{a^2 - x^2}$

137. $\int \frac{x^2\,dx}{\sqrt{a^2 - x^2}} = -\frac{x}{2}\sqrt{a^2 - x^2} + \frac{a^2}{2} \arcsin \frac{x}{a}$

138. $\int \frac{x^3\,dx}{\sqrt{a^2 - x^2}} = \frac{1}{3}\sqrt{(a^2 - x^2)^3} - a^2\sqrt{a^2 - x^2}$

139. $\int \frac{dx}{x\sqrt{a^2 - x^2}} = -\frac{1}{a} \log \left|\frac{a + \sqrt{a^2 - x^2}}{x}\right|$

140. $\int \frac{dx}{x^2\sqrt{a^2 - x^2}} = -\frac{\sqrt{a^2 - x^2}}{a^2 x}$

141. $\int \frac{dx}{x^3\sqrt{a^2 - x^2}} = -\frac{\sqrt{a^2 - x^2}}{2a^2x^2} - \frac{1}{2a^3} \log \left|\frac{a + \sqrt{a^2 - x^2}}{x}\right|$

142. $\int \sqrt{(a^2 - x^2)^3}\,dx = \frac{1}{4}x\sqrt{(a^2 - x^2)^3} + \frac{3a^2x}{8}\sqrt{a^2 - x^2} + \frac{3a^4}{8} \arcsin \frac{x}{a}$

143. $\int x\sqrt{(a^2 - x^2)^3}\,dx = -\frac{1}{5}\sqrt{(a^2 - x^2)^5}$

144. $$\int x^2\sqrt{(a^2-x^2)^3}\,dx = -\frac{1}{6}x\sqrt{(a^2-x^2)^5} + \frac{a^2x}{24}\sqrt{(a^2-x^2)^3} + \frac{a^4x}{16}\sqrt{a^2-x^2} + \frac{a^6}{16}\arcsin\frac{x}{a}$$

145. $$\int x^3\sqrt{(a^2-x^2)^3}\,dx = \frac{1}{7}\sqrt{(a^2-x^2)^7} - \frac{a^2}{5}\sqrt{(a^2-x^2)^5}$$

146. $$\int \frac{\sqrt{(a^2-x^2)^3}\,dx}{x} = \tfrac{1}{3}\sqrt{(a^2-x^2)^3} + a^2\sqrt{a^2-x^2} - a^3\log\left|\frac{a+\sqrt{a^2-x^2}}{x}\right|$$

147. $$\int \frac{\sqrt{(a^2-x^2)^3}\,dx}{x^2} = -\frac{\sqrt{(a^2-x^2)^3}}{x} - \frac{3x}{2}\sqrt{a^2-x^2} - \frac{3a^2}{2}\arcsin\frac{x}{a}$$

148. $$\int \frac{\sqrt{(a^2-x^2)^3}\,dx}{x^3} = -\frac{\sqrt{(a^2-x^2)^3}}{2x^2} - \frac{3}{2}\sqrt{a^2-x^2} + \frac{3a}{2}\log\left|\frac{a+\sqrt{a^2-x^2}}{x}\right|$$

149. $$\int \frac{dx}{\sqrt{(a^2-x^2)^3}} = \frac{x}{a^2\sqrt{a^2-x^2}}$$

150. $$\int \frac{x\,dx}{\sqrt{(a^2-x^2)^3}} = \frac{1}{\sqrt{a^2-x^2}}$$

151. $$\int \frac{x^2\,dx}{\sqrt{(a^2-x^2)^3}} = \frac{x}{\sqrt{a^2-x^2}} - \arcsin\frac{x}{a}$$

152. $$\int \frac{x^3\,dx}{\sqrt{(a^2-x^2)^3}} = \sqrt{a^2-x^2} + \frac{a^2}{\sqrt{a^2-x^2}}$$

153. $$\int \frac{dx}{x\sqrt{(a^2-x^2)^3}} = \frac{1}{a^2\sqrt{a^2-x^2}} - \frac{1}{a^3}\log\left|\frac{a+\sqrt{a^2-x^2}}{x}\right|$$

154. $$\int \frac{dx}{x^2\sqrt{(a^2-x^2)^3}} = \frac{1}{a^4}\left[-\frac{\sqrt{a^2-x^2}}{x} + \frac{x}{\sqrt{a^2-x^2}}\right]$$

155. $$\int \frac{dx}{x^3\sqrt{(a^2-x^2)^3}} = -\frac{1}{2a^2x^2\sqrt{a^2-x^2}} + \frac{3}{2a^4\sqrt{a^2-x^2}} - \frac{3}{2a^5}\log\left|\frac{a+\sqrt{a^2-x^2}}{x}\right|$$

156. $$\int F(x, \sqrt{a^2-x^2})\,dx = a\int F(a\sin z, a\cos z)\cos z\,dz$$

$(x = a\sin z)$

FORMS INVOLVING $\sqrt{x^2 - a^2}$ OR $\sqrt{(x^2 - a^2)^3}$, WHERE $a^2 < x^2$, $a > 0$

157. $\int \sqrt{x^2 - a^2}\, dx = \frac{x}{2}\sqrt{x^2 - a^2} - \frac{a^2}{2}\log|x + \sqrt{x^2 - a^2}|$

158. $\int x\sqrt{x^2 - a^2}\, dx = \frac{1}{3}\sqrt{(x^2 - a^2)^3}$

159. $\int x^2\sqrt{x^2 - a^2}\, dx = \frac{x}{4}\sqrt{(x^2 - a^2)^3} + \frac{a^2x}{8}\sqrt{x^2 - a^2} - \frac{a^4}{8}\log|x + \sqrt{x^2 - a^2}|$

160. $\int x^3\sqrt{x^2 - a^2}\, dx = \frac{1}{5}\sqrt{(x^2 - a^2)^5} + \frac{a^2}{3}\sqrt{(x^2 - a^2)^3}$

161. $\int \frac{\sqrt{x^2 - a^2}\, dx}{x} = \sqrt{x^2 - a^2} - a \arccos\frac{a}{x}$

162. $\int \frac{\sqrt{x^2 - a^2}\, dx}{x^2} = -\frac{1}{x}\sqrt{x^2 - a^2} + \log|x + \sqrt{x^2 - a^2}|$

163. $\int \frac{\sqrt{x^2 - a^2}\, dx}{x^3} = -\frac{\sqrt{x^2 - a^2}}{2x^2} + \frac{1}{2a}\arccos\frac{a}{x}$

164. $\int \frac{dx}{\sqrt{x^2 - a^2}} = \log|x + \sqrt{x^2 - a^2}|$

165. $\int \frac{x\, dx}{\sqrt{x^2 - a^2}} = \sqrt{x^2 - a^2}$

166. $\int \frac{x^2\, dx}{\sqrt{x^2 - a^2}} = \frac{x}{2}\sqrt{x^2 - a^2} + \frac{a^2}{2}\log|x + \sqrt{x^2 - a^2}|$

167. $\int \frac{x^3\, dx}{\sqrt{x^2 - a^2}} = \frac{1}{3}\sqrt{(x^2 - a^2)^3} + a^2\sqrt{x^2 - a^2}$

168. $\int \frac{dx}{x\sqrt{x^2 - a^2}} = \frac{1}{a}\arccos\frac{a}{x}$

169. $\int \frac{dx}{x^2\sqrt{x^2 - a^2}} = \frac{\sqrt{x^2 - a^2}}{a^2x}$

170. $\int \frac{dx}{x^3\sqrt{x^2 - a^2}} = \frac{\sqrt{x^2 - a^2}}{2a^2x^2} + \frac{1}{2a^3}\arccos\frac{a}{x}$

171. $\int \sqrt{(x^2 - a^2)^3}\, dx$

$$= \frac{x}{4}\sqrt{(x^2 - a^2)^3} - \frac{3a^2x}{8}\sqrt{x^2 - a^2} + \frac{3a^4}{8}\log|x + \sqrt{x^2 - a^2}|$$

172. $\int x\sqrt{(x^2 - a^2)^3}\, dx = \frac{1}{5}\sqrt{(x^2 - a^2)^5}$

173. $\int x^2\sqrt{(x^2 - a^2)^3}\, dx = \frac{x}{6}\sqrt{(x^2 - a^2)^5} + \frac{a^2x}{24}\sqrt{(x^2 - a^2)^3}$

$$- \frac{a^4x}{16}\sqrt{x^2 - a^2} + \frac{a^6}{16}\log|x + \sqrt{x^2 - a^2}|$$

174. $\int x^3\sqrt{(x^2 - a^2)^3}\, dx = \frac{1}{7}\sqrt{(x^2 - a^2)^7} + \frac{a^2}{5}\sqrt{(x^2 - a^2)^5}$

175. $\int \frac{\sqrt{(x^2 - a^2)^3}\, dx}{x} = \frac{1}{3}\sqrt{(x^2 - a^2)^3} - a^2\sqrt{x^2 - a^2} + a^3 \arccos\frac{a}{x}$

176. $\int \frac{\sqrt{(x^2 - a^2)^3}\, dx}{x^2}$

$$= -\frac{1}{x}\sqrt{(x^2 - a^2)^3} + \frac{3x}{2}\sqrt{x^2 - a^2} - \frac{3a^2}{2}\log|x + \sqrt{x^2 - a^2}|$$

177. $\int \frac{\sqrt{(x^2 - a^2)^3}\, dx}{x^3} = -\frac{\sqrt{(x^2 - a^2)^3}}{2x^2} + \frac{3}{2}\sqrt{x^2 - a^2} - \frac{3a}{2}\arccos\frac{a}{x}$

178. $\int \frac{dx}{\sqrt{(x^2 - a^2)^3}} = -\frac{x}{a^2\sqrt{x^2 - a^2}}$

179. $\int \frac{x\, dx}{\sqrt{(x^2 - a^2)^3}} = -\frac{1}{\sqrt{x^2 - a^2}}$

180. $\int \frac{x^2\, dx}{\sqrt{(x^2 - a^2)^3}} = -\frac{x}{\sqrt{x^2 - a^2}} + \log|x + \sqrt{x^2 - a^2}|$

181. $\int \frac{x^3\, dx}{\sqrt{(x^2 - a^2)^3}} = \sqrt{x^2 - a^2} - \frac{a^2}{\sqrt{x^2 - a^2}}$

182. $\int \frac{dx}{x\sqrt{(x^2 - a^2)^3}} = -\frac{1}{a^2\sqrt{x^2 - a^2}} - \frac{1}{a^3}\arccos\frac{a}{x}$

183. $\int \frac{dx}{x^2\sqrt{(x^2 - a^2)^3}} = -\frac{1}{a^4}\left(\frac{\sqrt{x^2 - a^2}}{x} + \frac{x}{\sqrt{x^2 - a^2}}\right)$

184. $\int \frac{dx}{x^3\sqrt{(x^2 - a^2)^3}} = \frac{1}{2a^2x^2\sqrt{x^2 - a^2}} - \frac{3}{2a^4\sqrt{x^2 - a^2}} - \frac{3}{2a^5}\arccos\frac{a}{x}$

185. $\int F(x, \sqrt{x^2 - a^2})\, dx = a\int F(a \sec z, a \tan z) \sec z \tan z\, dz.$

$(x = a \sec z)$

FORMS INVOLVING $\sqrt{ax^2 + bx + c}$, WHERE $ax^2 + bx + c > 0$

Let $X = ax^2 + bx + c$, $D = b^2 - 4ac$, $k = \dfrac{4a}{D}$, $l = an^2 - bmn + cm^2$.

186. $$\int \sqrt{X}\,dx = \frac{2ax + b}{4a}\sqrt{X} - \frac{b^2 - 4ac}{8a}\int \frac{dx}{\sqrt{X}}$$

187. $$\int x\sqrt{X}\,dx = \frac{X\sqrt{X}}{3a} - \frac{b}{2a}\int \sqrt{X}\,dx$$

188. $$\int x^2\sqrt{X}\,dx = \left(x - \frac{5b}{6a}\right)\frac{X\sqrt{X}}{4a} + \frac{5b^2 - 4ac}{16a^2}\int \sqrt{X}\,dx$$

189. $$\int \frac{\sqrt{X}\,dx}{x} = \sqrt{X} + \frac{b}{2}\int \frac{dx}{\sqrt{X}} + c\int \frac{dx}{x\sqrt{X}}$$

190. $$\int \frac{\sqrt{X}\,dx}{x^2} = -\frac{\sqrt{X}}{x} + \frac{b}{2}\int \frac{dx}{x\sqrt{X}} + a\int \frac{dx}{\sqrt{X}}$$

191. $$\int \frac{dx}{\sqrt{X}} = \frac{1}{\sqrt{a}} \log |2ax + b + 2\sqrt{a}\,\sqrt{X}| \qquad (a > 0)$$

192. $$\int \frac{dx}{\sqrt{X}} = \frac{1}{\sqrt{-a}} \arcsin\left(\frac{-2ax - b}{\sqrt{D}}\right) \qquad (a < 0)$$

193. $$\int \frac{x\,dx}{\sqrt{X}} = \frac{\sqrt{X}}{a} - \frac{b}{2a}\int \frac{dx}{\sqrt{X}}$$

194. $$\int \frac{x^2\,dx}{\sqrt{X}} = \left(\frac{2ax - 3b}{4a^2}\right)\sqrt{X} + \frac{3b^2 - 4ac}{8a^2}\int \frac{dx}{\sqrt{X}}$$

195. $$\int \frac{dx}{x\sqrt{X}} = -\frac{1}{\sqrt{c}} \log \left|\frac{\sqrt{X} + \sqrt{c}}{x} + \frac{b}{2\sqrt{c}}\right| \qquad (c > 0)$$

196. $$\int \frac{dx}{x\sqrt{X}} = \frac{1}{\sqrt{-c}} \arcsin\left(\frac{bx + 2c}{x\sqrt{D}}\right) \qquad (c < 0)$$

197. $$\int \frac{dx}{x\sqrt{X}} = -\frac{2\sqrt{X}}{bx} \qquad (c = 0)$$

198. $$\int \frac{dx}{x^2\sqrt{X}} = -\frac{\sqrt{X}}{cx} - \frac{b}{2c}\int \frac{dx}{x\sqrt{X}}$$

199. $$\int (mx + n)\sqrt{X}\,dx = \frac{mX\sqrt{X}}{3a} + \frac{2an - bm}{2a}\int \sqrt{X}\,dx$$

200. $$\int \frac{\sqrt{X}\,dx}{mx+n} = \frac{\sqrt{X}}{m} + \frac{bm-2an}{2m^2}\int\frac{dx}{\sqrt{X}} + \frac{an^2-bmn+cm^2}{m^2}\int\frac{dx}{(mx+n)\sqrt{X}}$$

201. $$\int \frac{(mx+n)\,dx}{\sqrt{X}} = \frac{m\sqrt{X}}{a} + \frac{2an-bm}{2a}\int\frac{dx}{\sqrt{X}}$$

202. $$\int \frac{dx}{(mx+n)\sqrt{X}} = \frac{1}{\sqrt{l}}\log\left|\frac{2l+(bm-2an)(mx+n)-2m\sqrt{lX}}{mx+n}\right| \qquad (l>0)$$

203. $$\int \frac{dx}{(mx+n)\sqrt{X}} = \frac{1}{\sqrt{-l}}\arcsin\left[\frac{(bm-2an)(mx+n)+2l}{m(mx+n)\sqrt{D}}\right] \qquad (l<0)$$

204. $$\int \frac{dx}{(mx+n)\sqrt{X}} = -\frac{2m\sqrt{X}}{(bm-2an)(mx+n)} \qquad (l=0)$$

205. $$\int X\sqrt{X}\,dx = \frac{(2ax+b)\sqrt{X}}{8a}\left(X-\frac{3D}{8a}\right)+\frac{3D^2}{128a^2}\int\frac{dx}{\sqrt{X}}$$

206. $$\int xX\sqrt{X}\,dx = \frac{X^2\sqrt{X}}{5a} - \frac{b}{2a}\int X\sqrt{X}\,dx$$

207. $$\int \frac{dx}{X\sqrt{X}} = -\frac{4ax+2b}{D\sqrt{X}} \qquad (D\neq 0)$$

208. $$\int \frac{dx}{X\sqrt{X}} = -\frac{1}{2\sqrt{a^3}\left(x+\frac{b}{2a}\right)^2} \qquad (D=0)$$

209. $$\int \frac{x\,dx}{X\sqrt{X}} = \frac{2bx+4c}{D\sqrt{X}}$$

210. $$\int X^m\sqrt{X}\,dx = \frac{(2ax+b)X^m\sqrt{X}}{4a(m+1)} - \frac{2m+1}{2(m+1)k}\int X^{m-1}\sqrt{X}\,dx$$

211. $$\int xX^m\sqrt{X}\,dx = \frac{X^{m+1}\sqrt{X}}{a(2m+3)} - \frac{b}{2a}\int X^m\sqrt{X}\,dx$$

212. $$\int \frac{X^m\sqrt{X}\,dx}{x} = \frac{X^m\sqrt{X}}{2m+1} + c\int\frac{X^{m-1}\sqrt{X}\,dx}{x} + \frac{b}{2}\int X^{m-1}\sqrt{X}\,dx$$

213. $$\int \frac{dx}{X^m\sqrt{X}} = -\frac{(4ax+2b)\sqrt{X}}{(2m-1)DX^m} - \frac{2k(m-1)}{2m-1}\int\frac{dx}{X^{m-1}\sqrt{X}}$$

214. $$\int \frac{x\,dx}{X^m\sqrt{X}} = -\frac{\sqrt{X}}{(2m-1)aX^m} - \frac{b}{2a}\int \frac{dx}{X^m\sqrt{X}}$$

215. $$\int \frac{dx}{xX^m\sqrt{X}} = \frac{\sqrt{X}}{(2m-1)cX^m} + \frac{1}{c}\int \frac{dx}{xX^{m-1}\sqrt{X}} - \frac{b}{2c}\int \frac{dx}{X^m\sqrt{X}}$$

216. $$\int \frac{x^m X^n\,dx}{\sqrt{X}} = \frac{x^{m-1}X^n\sqrt{X}}{(m+2n)a} - \frac{b(2m+2n-1)}{2a(m+2n)}\int \frac{x^{m-1}X^n\,dx}{\sqrt{X}}$$
$$- \frac{c(m-1)}{a(m+2n)}\int \frac{x^{m-2}X^n\,dx}{\sqrt{X}}$$

217. $$\int \frac{X^n\,dx}{x^m\sqrt{X}} = -\frac{X^{n-1}\sqrt{X}}{(m-1)x^{m-1}} + \frac{(2n-1)b}{2(m-1)}\int \frac{X^{n-1}\,dx}{x^{m-1}\sqrt{X}}$$
$$+ \frac{(2n-1)a}{m-1}\int \frac{X^{n-1}\,dx}{x^{m-2}\sqrt{X}} \qquad (m \neq 1)$$

218. $$\int \frac{x^m\,dx}{X^n\sqrt{X}} = \frac{1}{a}\int \frac{x^{m-2}\,dx}{X^{n-1}\sqrt{X}} - \frac{b}{a}\int \frac{x^{m-1}\,dx}{X^n\sqrt{X}} - \frac{c}{a}\int \frac{x^{m-2}\,dx}{X^n\sqrt{X}}$$

219. $$\int \frac{dx}{x^m X^n\sqrt{X}} = -\frac{\sqrt{X}}{(m-1)cx^{m-1}X^n}$$
$$- \frac{(2m+2n-3)b}{2c(m-1)}\int \frac{dx}{x^{m-1}X^n\sqrt{X}}$$
$$- \frac{(m+2n-2)a}{(m-1)c}\int \frac{dx}{x^{m-2}X^n\sqrt{X}}$$

FORMS INVOLVING $\sqrt{2ax - x^2}$, WHERE $2ax - x^2 > 0$

220. $$\int \sqrt{2ax - x^2}\,dx = \frac{x-a}{2}\sqrt{2ax-x^2} + \frac{a^2}{2}\arcsin\left(\frac{x-a}{a}\right)$$

221. $$\int x\sqrt{2ax-x^2}\,dx = -\frac{3a^2+ax-2x^2}{6}\sqrt{2ax-x^2} + \frac{a^3}{2}\arcsin\left(\frac{x-a}{a}\right)$$

222. $$\int x^m\sqrt{2ax-x^2}\,dx$$
$$= -\frac{x^{m-1}\sqrt{(2ax-x^2)^3}}{m+2} + \frac{a(2m+1)}{m+2}\int x^{m-1}\sqrt{2ax-x^2}\,dx$$

223. $$\int \frac{\sqrt{2ax-x^2}\,dx}{x} = \sqrt{2ax-x^2} + a\arcsin\left(\frac{x-a}{a}\right)$$

224. $\int \frac{\sqrt{2ax - x^2}\,dx}{x^m} = -\frac{\sqrt{(2ax - x^2)^3}}{a(2m-3)x^m} + \frac{m-3}{a(2m-3)}\int \frac{\sqrt{2ax - x^2}\,dx}{x^{m-1}}$

225. $\int \frac{dx}{\sqrt{2ax - x^2}} = \arcsin\left(\frac{x-a}{a}\right)$

226. $\int \frac{x\,dx}{\sqrt{2ax - x^2}} = -\sqrt{2ax - x^2} + a \arcsin\left(\frac{x-a}{a}\right)$

227. $\int \frac{x^m\,dx}{\sqrt{2ax - x^2}} = -\frac{x^{m-1}\sqrt{2ax - x^2}}{m} + \frac{a(2m-1)}{m}\int \frac{x^{m-1}\,dx}{\sqrt{2ax - x^2}}$

228. $\int \frac{dx}{x\sqrt{2ax - x^2}} = -\frac{\sqrt{2ax - x^2}}{ax}$

229. $\int \frac{dx}{x^m\sqrt{2ax - x^2}} = -\frac{\sqrt{2ax - x^2}}{a(2m-1)x^m} + \frac{m-1}{a(2m-1)}\int \frac{dx}{x^{m-1}\sqrt{2ax - x^2}}$

MISCELLANEOUS ALGEBRAIC FORMS

230. $\int \sqrt{\frac{a+x}{b+x}}\,dx = \sqrt{(a+x)(b+x)} + (a-b)\log(\sqrt{a+x} + \sqrt{b+x})$

$(a + x > 0 \text{ and } b + x > 0)$

231. $\int \sqrt{\frac{a+x}{b-x}}\,dx = -\sqrt{(a+x)(b-x)} - (a+b)\arcsin\sqrt{\frac{b-x}{a+b}}$

($a + x$ and $b - x$ have the same sign)

232. $\int \sqrt{\frac{a-x}{b+x}}\,dx = \sqrt{(a-x)(b+x)} + (a+b)\arcsin\sqrt{\frac{b+x}{a+b}}$

($a - x$ and $b + x$ have the same sign)

233. $\int \sqrt{\frac{1+x}{1-x}}\,dx = -\sqrt{1 - x^2} + \arcsin x$

($1 + x$ and $1 - x$ have the same sign)

234. $\int \frac{dx}{\sqrt{(x-a)(b-x)}} = 2 \arcsin\sqrt{\frac{x-a}{b-a}}$

($x - a$ and $b - x$ have the same sign)

235. $\int \frac{dx}{ax^3 + b} = \frac{k}{3b}\left[\sqrt{3}\arctan\frac{2x-k}{k\sqrt{3}} + \log\left|\frac{k+x}{\sqrt{x^2 - kx + k^2}}\right|\right]$

$\left(b \neq 0,\ k = \sqrt[3]{\frac{b}{a}}\right)$

236. $$\int \frac{x\,dx}{ax^3+b} = \frac{1}{3ak}\left[\sqrt{3}\arctan\frac{2x-k}{k\sqrt{3}} - \log\left|\frac{k+x}{\sqrt{x^2-kx+k^2}}\right|\right]$$
$$\left(b \neq 0,\ k = \sqrt[3]{\frac{a}{b}}\right)$$

237. $$\int \frac{dx}{x(ax^m+b)} = \frac{1}{bm}\log\left|\frac{x^m}{ax^m+b}\right| \qquad (b \neq 0)$$

238. $$\int \frac{dx}{\sqrt{(2ax-x^2)^3}} = \frac{x-a}{a^2\sqrt{2ax-x^2}}$$

239. $$\int \frac{x\,dx}{\sqrt{(2ax-x^2)^3}} = \frac{x}{a\sqrt{2ax-x^2}}$$

240. $$\int \frac{dx}{\sqrt{2ax+x^2}} = \log|x+a+\sqrt{2ax+x^2}|$$

241. $$\int F(x^{\frac{1}{n}})\,dx = n\int F(z)z^{n-1}\,dz \qquad (x = z^n)$$

242. $$\int F[x,\ (ax+b)^{\frac{1}{n}}]\,dx = \frac{n}{a}\int F\left(\frac{z^n-b}{a},\ z\right)z^{n-1}\,dz$$
$$(ax+b = z^n)$$

BINOMIAL REDUCTION FORMULAS

In the following formulas m, n, and p may be any numbers for which the denominators do not become zero, and $u = ax^n + b$.

243. $$\int x^m(ax^n+b)^p\,dx = \frac{x^{m+1}u^p}{m+np+1} + \frac{bnp}{m+np+1}\int x^m u^{p-1}\,dx$$

244. $$\int x^m(ax^n+b)^p\,dx = \frac{x^{m-n+1}u^{p+1}}{a(m+np+1)} - \frac{b(m-n+1)}{a(m+np+1)}\int x^{m-n}u^p\,dx$$

245. $$\int \frac{(ax^n+b)^p\,dx}{x^m} = \frac{u^p}{(np-m+1)x^{m-1}} + \frac{bnp}{np-m+1}\int \frac{u^{p-1}\,dx}{x^m}$$

246. $$\int \frac{(ax^n+b)^p\,dx}{x^m} = -\frac{u^{p+1}}{b(m-1)x^{m-1}} - \frac{a(m-n-np-1)}{b(m-1)}\int \frac{u^p\,dx}{x^{m-n}}$$

247. $$\int \frac{x^m\,dx}{(ax^n+b)^p} = \frac{x^{m+1}}{bn(p-1)u^{p-1}} - \frac{m+n-np+1}{bn(p-1)}\int \frac{x^m\,dx}{u^{p-1}}$$

248. $$\int \frac{x^m\,dx}{(ax^n+b)^p} = \frac{x^{m-n+1}}{a(m-np+1)u^{p-1}} - \frac{b(m-n+1)}{a(m-np+1)}\int \frac{x^{m-n}\,dx}{u^p}$$

249. $$\int \frac{dx}{x^m(ax^n+b)^p} = \frac{1}{bn(p-1)x^{m-1}u^{p-1}} + \frac{m-n+np-1}{bn(p-1)}\int \frac{dx}{x^m u^{p-1}}$$

250. $\int \frac{dx}{x^m(ax^n+b)^p} = -\frac{1}{b(m-1)x^{m-1}u^{p-1}} - \frac{a(m-n+np-1)}{b(m-1)} \int \frac{dx}{x^{m-n}u^p}$

FORMS INVOLVING SIN x

When the result contains an infinite series, the interval of convergence is given in parentheses.

251. $\int \sin x \, dx = -\cos x$

252. $\int \sin^2 x \, dx = \frac{x}{2} - \frac{\sin 2x}{4}$

253. $\int \sin^3 x \, dx = \frac{\cos^3 x}{3} - \cos x$

254. $\int \sin^4 x \, dx = \frac{3x}{8} - \frac{\sin 2x}{4} + \frac{\sin 4x}{32}$

255. $\int \sin^{2m} x \, dx = -\frac{\sin^{2m-1} x \cos x}{2m} + \frac{2m-1}{2m} \int \sin^{2(m-1)} x \, dx$

256. $\int \sin^{2m+1} x \, dx = \int (1 - \cos^2 x)^m \sin x \, dx$

Expand and use Formula 316.

257. $\int \frac{dx}{\sin x} = \int \csc x \, dx = \log \left| \tan \frac{x}{2} \right| = \log |\csc x - \operatorname{ctn} x|$

258. $\int \frac{dx}{\sin^2 x} = \int \csc^2 x \, dx = -\operatorname{ctn} x$

259. $\int \frac{dx}{\sin^m x} = \int \csc^m x \, dx = -\frac{\cos x}{(m-1)\sin^{m-1} x} + \frac{m-2}{m-1} \int \frac{dx}{\sin^{m-2} x}$

$(m \neq 1)$

260. $\int x \sin x \, dx = \sin x - x \cos x$

261. $\int x^2 \sin x \, dx = 2x \sin x - (x^2 - 2) \cos x$

262. $\int x^m \sin x \, dx = -x^m \cos x + mx^{m-1} \sin x$

$- m(m-1) \int x^{m-2} \sin x \, dx$

263. $\int x \sin^2 x \, dx = \frac{x^2}{4} - \frac{x \sin 2x}{4} - \frac{\cos 2x}{8}$

264. $$\int x^2 \sin^2 x\,dx = \frac{x^3}{6} - \left(\frac{x^2}{4} - \frac{1}{8}\right)\sin 2x - \frac{x\cos 2x}{4}$$

265. $$\int \frac{x\,dx}{\sin x} = x + \frac{x^3}{3\cdot 3!} + \frac{7x^5}{3\cdot 5\cdot 5!} + \frac{31x^7}{3\cdot 7\cdot 7!} + \frac{127x^9}{3\cdot 5\cdot 9!} + \cdots \qquad (x^2 < \pi^2)$$

266. $$\int \frac{x^2\,dx}{\sin x} = \frac{x^2}{2} + \frac{x^4}{4\cdot 3!} + \frac{7x^6}{3\cdot 6\cdot 5!} + \frac{31x^8}{3\cdot 8\cdot 7!} + \frac{127x^{10}}{5\cdot 5\cdot 6\cdot 8!} + \cdots \qquad (x^2 < \pi^2)$$

267. $$\int \frac{x\,dx}{\sin^2 x} = -x\operatorname{ctn} x + \log|\sin x|$$

268. $$\int \frac{\sin x\,dx}{x} = x - \frac{x^3}{3\cdot 3!} + \frac{x^5}{5\cdot 5!} - \frac{x^7}{7\cdot 7!} + \cdots \qquad (x^2 < \infty)$$

269. $$\int \frac{\sin x\,dx}{x^2} = -\frac{\sin x}{x} + \log|x| - \frac{x^2}{2\cdot 2!} + \frac{x^4}{4\cdot 4!} - \frac{x^6}{6\cdot 6!} + \cdots \qquad (0 < x^2 < \infty)$$

270. $$\int \frac{\sin x\,dx}{x^m} = -\frac{\sin x}{(m-1)x^{m-1}} - \frac{\cos x}{(m-1)(m-2)x^{m-2}} - \frac{1}{(m-1)(m-2)}\int \frac{\sin x\,dx}{x^{m-2}} \qquad (m \neq 1, 2)$$

271. $$\int x^m \sin^n x\,dx = \frac{1}{n^2}x^{m-1}\sin^{n-1} x(m\sin x - nx\cos x) + \frac{n-1}{n}\int x^m \sin^{n-2} x\,dx - \frac{m(m-1)}{n^2}\int x^{m-2}\sin^n x\,dx$$

272. $$\int \frac{x^m\,dx}{\sin^n x\,dx} = -\frac{x^{m-1}[m\sin x + (n-2)x\cos x]}{(n-1)(n-2)\sin^{n-1} x} + \frac{n-2}{n-1}\int \frac{x^m\,dx}{\sin^{n-2} x} + \frac{m(m-1)}{(n-1)(n-2)}\int \frac{x^{m-2}\,dx}{\sin^{n-2} x} \qquad (n \neq 1, 2)$$

273. $$\int \frac{\sin^n x\,dx}{x^m} = -\frac{\sin^{n-1} x[(m-2)\sin x + nx\cos x]}{(m-1)(m-2)x^{m-1}} - \frac{n^2}{(m-1)(m-2)}\int \frac{\sin^n x\,dx}{x^{m-2}} + \frac{n(n-1)}{(m-1)(m-2)}\int \frac{\sin^{n-2} x\,dx}{x^{m-2}} \qquad (m \neq 1, 2)$$

274. $\int \sin ax \sin bx \, dx = \frac{\sin (a-b)x}{2(a-b)} - \frac{\sin (a+b)x}{2(a+b)} \qquad (a \neq b)$

275. $\int \frac{dx}{1 + \sin x} = -\tan\left(\frac{\pi}{4} - \frac{x}{2}\right) = \tan x - \sec x$

276. $\int \frac{dx}{1 - \sin x} = \tan\left(\frac{\pi}{4} + \frac{x}{2}\right) = \tan x + \sec x$

277. $\int \frac{dx}{a + b \sin x} = \frac{-2}{\sqrt{a^2 - b^2}} \arctan\left[\sqrt{\frac{a-b}{a+b}} \tan\left(\frac{\pi}{4} - \frac{x}{2}\right)\right]$

$(a^2 > b^2)$

278. $\int \frac{dx}{a + b \sin x} = \frac{-1}{\sqrt{b^2 - a^2}} \log \frac{b + a \sin x + \sqrt{b^2 - a^2} \cos x}{a + b \sin x}$

$(a^2 < b^2)$

279. $\int F(\sin x) \, dx = \int F(z) \frac{dz}{\sqrt{1 - z^2}} \qquad (z = \sin x)$

280. $\int F(\sin x) \, dx = 2 \int F\left(\frac{2z}{1 + z^2}\right) \frac{dz}{1 + z^2} \qquad \left(z = \tan \frac{x}{2}\right)$

FORMS INVOLVING COS x

When the result contains an infinite series, the interval of convergence is given in parentheses.

281. $\int \cos x \, dx = \sin x$

282. $\int \cos^2 x \, dx = \frac{x}{2} + \frac{\sin 2x}{4}$

283. $\int \cos^3 x \, dx = \sin x - \frac{\sin^3 x}{3}$

284. $\int \cos^4 x \, dx = \frac{3x}{8} + \frac{\sin 2x}{4} + \frac{\sin 4x}{32}$

285. $\int \cos^{2m} x \, dx = \frac{1}{2m} \cos^{2m-1} x \sin x + \frac{2m-1}{2m} \int \cos^{2(m-1)} x \, dx$

286. $\int \cos^{2m+1} x \, dx = \int (1 - \sin^2 x)^m \cos x \, dx.$

Expand and use Formula 315.

287. $\displaystyle\int \frac{dx}{\cos x} = \int \sec x\,dx = \log|\sec x + \tan x| = \log\left|\tan\left(\frac{\pi}{4} + \frac{x}{2}\right)\right|$

288. $\displaystyle\int \frac{dx}{\cos^2 x} = \int \sec^2 x\,dx = \tan x$

289. $\displaystyle\int \frac{dx}{\cos^m x} = \int \sec^m x\,dx = \frac{\sin x}{(m-1)\cos^{m-1} x} + \frac{m-2}{m-1}\int \frac{dx}{\cos^{m-2} x}$

$(m \neq 1)$

290. $\displaystyle\int x \cos x\,dx = \cos x + x \sin x$

291. $\displaystyle\int x^2 \cos x\,dx = 2x \cos x + (x^2 - 2) \sin x$

292. $\displaystyle\int x^m \cos x\,dx = x^m \sin x + mx^{m-1} \cos x$

$\displaystyle - m(m-1)\int x^{m-2} \cos x\,dx$

293. $\displaystyle\int x \cos^2 x\,dx = \frac{x^2}{4} + \frac{x \sin 2x}{4} + \frac{\cos 2x}{8}$

294. $\displaystyle\int x^2 \cos^2 x\,dx = \frac{x^3}{6} + \left(\frac{x^2}{4} - \frac{1}{8}\right) \sin 2x + \frac{x \cos 2x}{4}$

295. $\displaystyle\int \frac{x\,dx}{\cos x} = \frac{x^2}{2} + \frac{x^4}{4 \cdot 2!} + \frac{5x^6}{6 \cdot 4!} + \frac{61x^8}{8 \cdot 6!} + \frac{1385x^{10}}{10 \cdot 8!} + \cdots$

$\left(x^2 < \frac{\pi^2}{4}\right)$

296. $\displaystyle\int \frac{x^2\,dx}{\cos x} = \frac{x^3}{3} + \frac{x^5}{5 \cdot 2!} + \frac{5x^7}{7 \cdot 4!} + \frac{61x^9}{9 \cdot 6!} + \frac{1385x^{11}}{11 \cdot 8!} + \cdots$

$\left(x^2 < \frac{\pi^2}{4}\right)$

297. $\displaystyle\int \frac{x\,dx}{\cos^2 x} = x \tan x + \log|\cos x|$

298. $\displaystyle\int \frac{\cos x\,dx}{x} = \log|x| - \frac{x^2}{2 \cdot 2!} + \frac{x^4}{4 \cdot 4!} - \frac{x^6}{6 \cdot 6!} + \cdots$

$(0 < x^2 < \infty)$

299. $\displaystyle\int \frac{\cos x\,dx}{x^2} = -\frac{\cos x}{x} - x + \frac{x^3}{3 \cdot 3!} - \frac{x^5}{5 \cdot 5!} + \frac{x^7}{7 \cdot 7!} - \cdots$

$(0 < x^2 < \infty)$

300. $$\int \frac{\cos x\,dx}{x^m} = -\frac{\cos x}{(m-1)x^{m-1}} + \frac{\sin x}{(m-1)(m-2)x^{m-2}} - \frac{1}{(m-1)(m-2)}\int \frac{\cos x\,dx}{x^{m-2}}$$

301. $$\int x^m \cos^n x\,dx = \frac{1}{n^2} x^{m-1} \cos^{n-1} x(m \cos x + nx \sin x) + \frac{n-1}{n}\int x^m \cos^{n-2} x\,dx - \frac{m(m-1)}{n^2}\int x^{m-2} \cos^n x\,dx$$

302. $$\int \frac{x^m\,dx}{\cos^n x} = -\frac{x^{m-1}[m \cos x - (n-2)x \sin x]}{(n-1)(n-2)\cos^{n-1} x} + \frac{n-2}{n-1}\int \frac{x^m\,dx}{\cos^{n-2} x} + \frac{m(m-1)}{(n-1)(n-2)}\int \frac{x^{m-2}\,dx}{\cos^{n-2} x} \quad (n \neq 1, 2)$$

303. $$\int \frac{\cos^n x\,dx}{x^m} = \frac{\cos^{n-1} x[nx \sin x - (m-2)\cos x]}{(m-1)(m-2)x^{m-1}} - \frac{n^2}{(m-1)(m-2)}\int \frac{\cos^n x\,dx}{x^{m-2}} + \frac{n(n-1)}{(m-1)(m-2)}\int \frac{\cos^{n-2} x\,dx}{x^{m-2}} \quad (m \neq 1, 2)$$

304. $$\int \cos ax \cos bx\,dx = \frac{\sin (a-b)x}{2(a-b)} + \frac{\sin (a+b)x}{2(a+b)} \quad (a \neq b)$$

305. $$\int \frac{dx}{1+\cos x} = \tan \frac{x}{2} = \csc x - \operatorname{ctn} x$$

306. $$\int \frac{dx}{1-\cos x} = -\operatorname{ctn} \frac{x}{2} = -\csc x - \operatorname{ctn} x$$

307. $$\int \frac{dx}{a+b\cos x} = \frac{2}{\sqrt{a^2-b^2}} \arctan\left[\sqrt{\frac{a-b}{a+b}} \tan \frac{x}{2}\right] \quad (a^2 > b^2)$$

308. $$\int \frac{dx}{a+b\cos x} = \frac{1}{\sqrt{b^2-a^2}} \log\left|\frac{b + a\cos x + \sqrt{b^2-a^2}\sin x}{a+b\cos x}\right| \quad (a^2 < b^2)$$

309. $$\int F(\cos x)\,dx = -\int F(z)\frac{dz}{\sqrt{1-z^2}} \quad (z = \cos x)$$

310. $$\int F(\cos x)\,dx = 2\int F\left(\frac{1-z^2}{1+z^2}\right)\frac{dz}{1+z^2} \quad \left(z = \tan \frac{x}{2}\right)$$

FORMS INVOLVING BOTH SIN *x* AND COS *x*

311. $\int \sin x \cos x \, dx = \frac{1}{2} \sin^2 x$

312. $\int \sin ax \cos bx \, dx = -\frac{\cos (a-b)x}{2(a-b)} - \frac{\cos (a+b)x}{2(a+b)} \qquad (a^2 \neq b^2)$

313. $\int \frac{\sin x \, dx}{\cos x} = \int \tan x \, dx = \log |\sec x|$

314. $\int \frac{\cos x \, dx}{\sin x} = \int \operatorname{ctn} x \, dx = \log |\sin x|$

315. $\int \sin^m x \cos x \, dx = \frac{\sin^{m+1} x}{m+1} \qquad (m \neq -1)$

316. $\int \sin x \cos^m x \, dx = -\frac{\cos^{m+1} x}{m+1} \qquad (m \neq -1)$

317. $\int \sin^2 x \cos^2 x \, dx = \frac{x}{8} - \frac{\sin 4x}{32}$

318. $\int \frac{\sin^2 x \, dx}{\cos x} = -\sin x + \log \left| \tan \left(\frac{\pi}{4} + \frac{x}{2} \right) \right|$

319. $\int \frac{\sin x \, dx}{\cos^2 x} = \sec x$

320. $\int \frac{\cos^2 x \, dx}{\sin x} = \cos x + \log \left| \tan \frac{x}{2} \right|$

321. $\int \frac{\cos x \, dx}{\sin^2 x} = -\csc x$

322. $\int \frac{dx}{\sin x \cos x} = \log |\tan x|$

323. $\int \frac{dx}{\sin^2 x \cos x} = -\csc x + \log \left| \tan \left(\frac{\pi}{4} + \frac{x}{2} \right) \right|$

324. $\int \frac{dx}{\sin x \cos^2 x} = \sec x + \log \left| \tan \frac{x}{2} \right|$

325. $\int \frac{dx}{\sin^m x \cos x} = -\frac{1}{(m-1) \sin^{m-1} x} + \int \frac{dx}{\sin^{m-2} x \cos x} \qquad (m \neq 1)$

326. $\int \frac{dx}{\sin x \cos^m x} = \frac{1}{(m-1) \cos^{m-1} x} + \int \frac{dx}{\sin x \cos^{m-2} x} \qquad (m \neq 1)$

327. $\int \frac{dx}{\sin^2 x \cos^2 x} = \tan x - \operatorname{ctn} x$

328. $\int \sin^m x \cos^n x \, dx$

$$= -\frac{\sin^{m-1} x \cos^{n+1} x}{m+n} + \frac{m-1}{m+n} \int \sin^{m-2} x \cos^n x \, dx \qquad (m \neq -n)$$

329. $\int \sin^m x \cos^n x \, dx$

$$= \frac{\sin^{m+1} x \cos^{n-1} x}{m+n} + \frac{n-1}{m+n} \int \sin^m x \cos^{n-2} x \, dx \qquad (m \neq -n)$$

330. $\int \frac{\sin^m x \, dx}{\cos^n x} = \frac{\sin^{m+1} x}{(n-1) \cos^{n-1} x} - \frac{m-n+2}{n-1} \int \frac{\sin^m x \, dx}{\cos^{n-2} x} \qquad (n \neq 1)$

331. $\int \frac{\sin^m x \, dx}{\cos^n x} = -\frac{\sin^{m-1} x}{(m-n) \cos^{n-1} x} + \frac{m-1}{m-n} \int \frac{\sin^{m-2} x \, dx}{\cos^n x} \; (m \neq n)$

332. $\int \frac{dx}{\sin^m x \cos^n x}$

$$= -\frac{1}{(m-1) \sin^{m-1} x \cos^{n-1} x} + \frac{m+n-2}{m-1} \int \frac{dx}{\sin^{m-2} x \cos^n x} \qquad (m \neq 1)$$

333. $\int \frac{dx}{\sin^m x \cos^n x}$

$$= \frac{1}{(n-1) \sin^{m-1} x \cos^{n-1} x} + \frac{m+n-2}{n-1} \int \frac{dx}{\sin^m x \cos^{n-2} x} \qquad (n \neq 1)$$

334. $\int \frac{\cos^n x \, dx}{\sin^m x} = -\frac{\cos^{n+1} x}{(m-1) \sin^{m-1} x} - \frac{n-m+2}{m-1} \int \frac{\cos^n x \, dx}{\sin^{m-2} x} \qquad (m \neq 1)$

335. $\int \frac{\cos^n x \, dx}{\sin^m x} = \frac{\cos^{n-1} x}{(n-m) \sin^{m-1} x} + \frac{n-1}{n-m} \int \frac{\cos^{n-2} x \, dx}{\sin^m x} \quad (m \neq n)$

336. $\int \frac{dx}{\sin x + \cos x} = \frac{1}{\sqrt{2}} \log \left| \tan \left(\frac{x}{2} + \frac{\pi}{8} \right) \right|$

337. $\int \frac{dx}{\sin x - \cos x} = \frac{1}{\sqrt{2}} \log \left| \tan \left(\frac{x}{2} - \frac{\pi}{8} \right) \right|$

338. $$\int \frac{dx}{a \sin x + b \cos x} = \frac{1}{\sqrt{a^2 + b^2}} \log \left| \tan \frac{1}{2}\left(x + \arctan \frac{b}{a}\right) \right|$$

339. $$\int \frac{dx}{a^2 \sin^2 x + b^2 \cos^2 x} = \frac{1}{ab} \arctan \left(\frac{a}{b} \tan x\right)$$

340. $$\int \frac{dx}{a^2 \sin^2 x - b^2 \cos^2 x} = \frac{1}{2ab} \log \left| \frac{a \sin x - b \cos x}{a \sin x + b \cos x} \right|$$

341. $$\int \frac{dx}{a + b \sin x + c \cos x} = \frac{2}{\sqrt{a^2 - b^2 - c^2}} \arctan \frac{b + (a - c) \tan \frac{x}{2}}{\sqrt{a^2 - b^2 - c^2}} \qquad (a^2 > b^2 + c^2)$$

342. $$\int \frac{dx}{a + b \sin x + c \cos x} = \frac{1}{\sqrt{b^2 + c^2 - a^2}} \log \left| \frac{b - \sqrt{b^2 + c^2 - a^2} + (a - c) \tan \frac{x}{2}}{b + \sqrt{b^2 + c^2 - a^2} + (a - c) \tan \frac{x}{2}} \right| \qquad (a^2 < b^2 + c^2)$$

343. $$\int F(\sin x, \cos x)\, dx = \int F(z, \sqrt{1 - z^2}) \frac{dz}{\sqrt{1 - z^2}} \qquad (z = \sin x)$$

344. $$\int F(\sin x, \cos x)\, dx = 2\int F\left(\frac{2z}{1 + z^2}, \frac{1 - z^2}{1 + z^2}\right) \frac{dz}{1 + z^2} \qquad \left(z = \tan \frac{x}{2}\right)$$

FORMS INVOLVING TAN x, CTN x, SEC x, CSC x

345. $$\int \tan x\, dx = \log |\sec x|$$

346. $$\int \tan^2 x\, dx = \tan x - x$$

347. $$\int \tan^m x\, dx = \frac{\tan^{m-1} x}{m - 1} - \int \tan^{m-2} x\, dx \qquad (m \neq 1)$$

348. $$\int \operatorname{ctn} x\, dx = \log |\sin x|$$

349. $\int \operatorname{ctn}^2 x\,dx = -\operatorname{ctn} x - x$

350. $\int \operatorname{ctn}^m x\,dx = -\frac{\operatorname{ctn}^{m-1} x}{m-1} - \int \operatorname{ctn}^{m-2} x\,dx$ $(m \neq 1)$

351. $\int \sec x\,dx = \log |\sec x + \tan x| = \log \left|\tan\left(\frac{\pi}{4} + \frac{x}{2}\right)\right|$

352. $\int \sec^2 x\,dx = \tan x$

353. $\int \sec^m x\,dx = \frac{\sin x}{(m-1)\cos^{m-1} x} + \frac{m-2}{m-1}\int \sec^{m-2} x\,dx$ $(m \neq 1)$

354. $\int \csc x\,dx = \log |\csc x - \operatorname{ctn} x| = \log \left|\tan \frac{x}{2}\right|$

355. $\int \csc^2 x\,dx = -\operatorname{ctn} x$

356. $\int \csc^m x\,dx = -\frac{\cos x}{(m-1)\sin^{m-1} x} + \frac{m-2}{m-1}\int \csc^{m-2} x\,dx$ $(m \neq 1)$

357. $\int \tan x \sec x\,dx = \sec x$

358. $\int \tan x \sec^m x\,dx = \frac{\sec^m x}{m}$ $(m \neq 0)$

359. $\int \tan^m x \sec^2 x\,dx = \frac{\tan^{m+1} x}{m+1}$ $(m \neq -1)$

360. $\int \frac{\sec^2 x\,dx}{\tan x} = \log |\tan x|$

361. $\int \operatorname{ctn} x \csc x\,dx = -\csc x$

362. $\int \operatorname{ctn} x \csc^m x\,dx = -\frac{\csc^m x}{m}$ $(m \neq 0)$

363. $\int \operatorname{ctn}^m x \csc^2 x\,dx = -\frac{\operatorname{ctn}^{m+1} x}{m+1}$ $(m \neq -1)$

364. $\int \frac{\csc^2 x\,dx}{\operatorname{ctn} x} = \log |\tan x|$

365. $\displaystyle\int \frac{dx}{a + b \tan x} = \frac{1}{a^2 + b^2} [ax + b \log |a \cos x + b \sin x|]$

366. $\displaystyle\int \frac{dx}{a + b \operatorname{ctn} x} = \frac{1}{a^2 + b^2} [ax - b \log |a \sin x + b \cos x|]$

EXPONENTIAL FORMS

For integrals involving a^x, substitute $a^x = e^{(\log a) x}$ and use the forms that follow.

367. $\displaystyle\int e^{ax}\, dx = \frac{1}{a} e^{ax}$

368. $\displaystyle\int xe^{ax}\, dx = \frac{e^{ax}}{a^2} (ax - 1)$

369. $\displaystyle\int x^m e^{ax}\, dx = \frac{1}{a} x^m e^{ax} - \frac{m}{a} \int x^{m-1} e^{ax}\, dx$

370. $\displaystyle\int x^p e^{ax}\, dx$

$$= \frac{e^{ax}}{a^{p+1}} [(ax)^p - p(ax)^{p-1} + p(p-1)(ax)^{p-2} - \cdots + (-1)^p p!]$$

$(p = \text{integer})$

371. $\displaystyle\int \frac{e^{ax}\, dx}{x} = \log |x| + ax + \frac{(ax)^2}{2 \cdot 2!} + \frac{(ax)^3}{3 \cdot 3!} + \cdots \qquad (0 < x^2 < \infty)$

372. $\displaystyle\int \frac{e^{ax}\, dx}{x^m} = -\frac{e^{ax}}{(m-1)x^{m-1}} + \frac{a}{m-1} \int \frac{e^{ax}\, dx}{x^{m-1}} \qquad (m \neq 1)$

373. $\displaystyle\int \frac{e^{ax}\, dx}{b + ce^{ax}} = \frac{1}{ac} \log |b + ce^{ax}|$

374. $\displaystyle\int \frac{dx}{b + ce^{ax}} = \frac{1}{ab} \log \left| \frac{e^{ax}}{b + ce^{ax}} \right|$

375. $\displaystyle\int \frac{dx}{ae^{cx} + be^{-cx}} = \frac{1}{c\sqrt{ab}} \arctan \left(e^{cx} \sqrt{\frac{a}{b}} \right) \qquad (ab > 0)$

376. $\displaystyle\int e^{ax} \sin bx\, dx = \frac{e^{ax}}{a^2 + b^2} (a \sin bx - b \cos bx)$

377. $\displaystyle\int e^{ax} \sin^m bx\, dx = \frac{e^{ax}(a \sin bx - mb \cos bx) \sin^{m-1} bx}{a^2 + m^2 b^2}$

$$+ \frac{m(m-1)b^2}{a^2 + m^2 b^2} \int e^{ax} \sin^{m-2} bx\, dx$$

378. $\int e^{ax} \cos bx \, dx = \frac{e^{ax}}{a^2 + b^2} (a \cos bx + b \sin bx)$

379. $\int e^{ax} \cos^m bx \, dx = \frac{e^{ax}(a \cos bx + mb \sin bx) \cos^{m-1} bx}{a^2 + m^2b^2}$

$$+ \frac{m(m-1)b^2}{a^2 + m^2b^2} \int e^{ax} \cos^{m-2} bx \, dx$$

380. $\int e^{ax} \log bx \, dx = \frac{1}{a} e^{ax} \log bx - \frac{1}{a} \int \frac{e^{ax} \, dx}{x}$ $(bx > 0)$

LOGARITHMIC FORMS

In these forms, $x > 0$.

381. $\int \log x \, dx = x(\log x - 1)$

382. $\int (\log x)^m \, dx = x(\log x)^m - m \int (\log x)^{m-1} \, dx$

383. $\int \frac{dx}{\log x} = \log |\log x| + \log x + \frac{(\log x)^2}{2 \cdot 2!} + \frac{(\log x)^3}{3 \cdot 3!} + \cdots$

$(0 < x < \infty)$

384. $\int \frac{dx}{(\log x)^m} = -\frac{x}{(m-1)(\log x)^{m-1}} + \frac{1}{m-1} \int \frac{dx}{(\log x)^{m-1}}$

385. $\int x^m \log x \, dx = x^{m+1} \left[\frac{\log x}{m+1} - \frac{1}{(m+1)^2} \right]$ $(m \neq -1)$

386. $\int \frac{(\log x)^m \, dx}{x} = \frac{(\log x)^{m+1}}{m+1}$ $(m \neq -1)$

387. $\int \frac{dx}{x \log x} = \log |\log x|$

388. $\int x^m (\log x)^n \, dx = \frac{x^{m+1}}{m+1} (\log x)^n - \frac{n}{m+1} \int x^m (\log x)^{n-1} \, dx$

$(m, n \neq -1)$

389. $\int \frac{x^m \, dx}{(\log x)^n} = -\frac{x^{m+1}}{(n-1)(\log x)^{n-1}} + \frac{m+1}{n-1} \int \frac{x^m \, dx}{(\log x)^{n-1}}$ $(n \neq 1)$

390. $\int \frac{x^m \, dx}{\log x} = \log |\log x| + (m+1) \log x + \frac{(m+1)^2(\log x)^2}{2 \cdot 2!}$

$$+ \frac{(m+1)^3(\log x)^3}{3 \cdot 3!} + \cdots$$ $(0 < x < \infty)$

391. $$\int \sin(\log x)\,dx = \frac{x}{2}[\sin(\log x) - \cos(\log x)]$$

392. $$\int \cos(\log x)\,dx = \frac{x}{2}[\sin(\log x) + \cos(\log x)]$$

FORMS INVOLVING INVERSE TRIGONOMETRIC FUNCTIONS

393. $$\int \arcsin x\,dx = x \arcsin x + \sqrt{1-x^2}$$

394. $$\int (\arcsin x)^2\,dx = x(\arcsin x)^2 - 2x + 2\sqrt{1-x^2}\arcsin x$$

395. $$\int x \arcsin x\,dx = \tfrac{1}{4}[(2x^2-1)\arcsin x + x\sqrt{1-x^2}]$$

396. $$\int \frac{\arcsin x\,dx}{x} = x + \frac{x^3}{2\cdot 3\cdot 3} + \frac{1\cdot 3x^5}{2\cdot 4\cdot 5\cdot 5} + \frac{1\cdot 3\cdot 5x^7}{2\cdot 4\cdot 6\cdot 7\cdot 7} + \cdots \qquad (x^2 < 1)$$

397. $$\int x^m \arcsin x\,dx = \frac{x^{m+1}}{m+1}\arcsin x - \frac{1}{m+1}\int \frac{x^{m+1}\,dx}{\sqrt{1-x^2}} \qquad (m \neq -1)$$

398. $$\int \arccos x\,dx = x \arccos x - \sqrt{1-x^2}$$

399. $$\int (\arccos x)^2\,dx = x(\arccos x)^2 - 2x - 2\sqrt{1-x^2}\arccos x$$

400. $$\int x \arccos x\,dx = \tfrac{1}{4}[(2x^2-1)\arccos x - x\sqrt{1-x^2}]$$

401. $$\int \frac{\arccos x\,dx}{x}$$
$$= \frac{\pi}{2}\log|x| - x - \frac{x^3}{2\cdot 3\cdot 3} - \frac{1\cdot 3x^5}{2\cdot 4\cdot 5\cdot 5} - \frac{1\cdot 3\cdot 5x^7}{2\cdot 4\cdot 6\cdot 7\cdot 7} - \cdots \qquad (x^2 < 1)$$

402. $$\int x^m \arccos x\,dx = \frac{x^{m+1}}{m+1}\arccos x + \frac{1}{m+1}\int \frac{x^{m+1}\,dx}{\sqrt{1-x^2}} \qquad (m \neq -1)$$

403. $$\int \arctan x\,dx = x \arctan x - \log\sqrt{1+x^2}$$

404. $\int x^m \arctan x\, dx = \frac{x^{m+1} \arctan x}{m+1} - \frac{1}{m+1}\int \frac{x^{m+1}\, dx}{1+x^2} \quad (m \neq -1)$

405. $\int \operatorname{arcctn} x\, dx = x \operatorname{arcctn} x + \log \sqrt{1+x^2}$

406. $\int x^m \operatorname{arcctn} x\, dx = \frac{x^{m+1}}{m+1} \operatorname{arcctn} x + \frac{1}{m+1}\int \frac{x^{m+1}\, dx}{1+x^2} \quad (m \neq -1)$

407. $\int \operatorname{arcsec} x\, dx = x \operatorname{arcsec} x - \log |x + \sqrt{x^2-1}|$

408. $\int x^m \operatorname{arcsec} x\, dx = \frac{x^{m+1}}{m+1} \operatorname{arcsec} x - \frac{1}{m+1}\int \frac{x^m\, dx}{\sqrt{x^2-1}} \quad (m \neq -1)$

409. $\int \operatorname{arccsc} x\, dx = x \operatorname{arccsc} x + \log |x + \sqrt{x^2-1}|$

410. $\int x^m \operatorname{arccsc} x\, dx = \frac{x^{m+1}}{m+1} \operatorname{arccsc} x + \frac{1}{m+1}\int \frac{x^m\, dx}{\sqrt{x^2-1}} \quad (m \neq -1)$

FORMS INVOLVING HYPERBOLIC FUNCTIONS

411. $\int \sinh x\, dx = \cosh x$

412. $\int \sinh^2 x\, dx = \frac{\sinh 2x}{4} - \frac{x}{2}$

413. $\int x \sinh x\, dx = x \cosh x - \sinh x$

414. $\int \cosh x\, dx = \sinh x$

415. $\int \cosh^2 x\, dx = \frac{\sinh 2x}{4} + \frac{x}{2}$

416. $\int x \cosh x\, dx = x \sinh x - \cosh x$

417. $\int \tanh x\, dx = \log (\cosh x)$

418. $\int \tanh^2 x\, dx = x - \tanh x$

419. $\int \operatorname{ctnh} x\, dx = \log |\sinh x|$

420. $\int \operatorname{ctnh}^2 x\, dx = x - \operatorname{ctnh} x$

421. $\int \operatorname{sech} x\, dx = \arctan(\sinh x)$

422. $\int \operatorname{sech}^2 x\, dx = \tanh x$

423. $\int \operatorname{csch} x\, dx = \log \left| \tanh \frac{x}{2} \right|$

424. $\int \operatorname{csch}^2 x\, dx = -\operatorname{ctnh} x$

425. $\int \sinh x \cosh x\, dx = \frac{1}{4} \cosh 2x$

426. $\int \operatorname{sech} x \tanh x\, dx = -\operatorname{sech} x$

427. $\int \operatorname{csch} x \operatorname{ctnh} x\, dx = -\operatorname{csch} x$

428. $\int \sinh ax \sinh bx\, dx = \frac{\sinh (a+b)x}{2(a+b)} - \frac{\sinh (a-b)x}{2(a-b)} \quad (a^2 \neq b^2)$

429. $\int \cosh ax \cosh bx\, dx = \frac{\sinh (a+b)x}{2(a+b)} + \frac{\sinh (a-b)x}{2(a-b)} \quad (a^2 \neq b^2)$

430. $\int \sinh ax \cosh bx\, dx = \frac{\cosh (a+b)x}{2(a+b)} + \frac{\cosh (a-b)x}{2(a-b)} \quad (a^2 \neq b^2)$

14 Definite Integrals

In the following formulas, a, b, m, and n represent any positive real numbers; p and q represent positive integers; k represents any positive or negative real number.

THE GAMMA FUNCTION

431. $\int_0^\infty x^{m-1}e^{-x}\,dx = \Gamma(m)$

$$\Gamma(m+1) = m\Gamma(m) \qquad \Gamma(p) = (p-1)!$$

$$\Gamma(2) = \Gamma(1) = 1 \qquad \Gamma(\tfrac{1}{2}) = \sqrt{\pi}$$

$$\Gamma(p+\tfrac{1}{2}) = \frac{1\cdot 3\cdot 5\cdots(2p-1)}{2^p}\sqrt{\pi}$$

432. $\int_0^\infty x^{m-1}e^{-ax}\,dx = \frac{1}{a^m}\Gamma(m)$

433. $\int_0^\infty e^{-x^m}\,dx = \Gamma\left(\frac{1}{m}+1\right)$

434. $\int_0^1 x^{m-1}\left(\log\frac{1}{x}\right)^{n-1}dx = \frac{1}{m^n}\Gamma(n)$

435. $\int_0^1 (\log x)^{n-1}\,dx = (-1)^{n-1}\Gamma(n)$

THE BETA FUNCTION

436. $\int_0^1 x^{m-1}(1-x)^{n-1}\,dx = B(m,n)$

$$B(m,n) = B(n,m) = \frac{\Gamma(m)\Gamma(n)}{\Gamma(m+n)}$$

$$B(p,n) = \frac{(p-1)!}{n(n+1)\cdots(n+p-1)}$$

$$B(p,q) = \frac{(p-1)!\,(q-1)!}{(p+q-1)!}$$

437. $\int_0^\infty \frac{x^{m-1}\,dx}{(1+x)^{m+n}} = B(m, n)$

438. $\int_0^a x^{m-1}(a-x)^{n-1}\,dx = a^{m+n-1}B(m, n)$

439. $\int_0^1 \frac{x^{m-1}(1-x)^{n-1}\,dx}{(a+x)^{m+n}} = \frac{B(m, n)}{a^n(a+1)^m}$

440. $\int_b^a (a-x)^{m-1}(x-b)^{n-1}\,dx = (a-b)^{m+n-1}B(m, n) \qquad (a > b)$

MISCELLANEOUS FORMS

441. $\int_1^\infty \frac{dx}{x^{m+1}} = \frac{1}{m}$

442. $\int_0^\infty \frac{x^{m-1}\,dx}{1+x^n} = \frac{\pi}{n}\csc\frac{m\pi}{n} \qquad (m < n)$

443. $\int_0^\infty \frac{dx}{a^2+x^2} = \frac{\pi}{2a}$

444. $\int_0^\infty \frac{dx}{(a^2+x^2)(b^2+x^2)} = \frac{\pi}{2ab(a+b)}$

445. $\int_0^\infty \sin(x^2)\,dx = \int_0^\infty \cos(x^2)\,dx = \frac{1}{2}\sqrt{\frac{\pi}{2}}$

446. $\int_0^\infty \frac{\sin ax}{x}\,dx = \frac{\pi}{2}$

447. $\int_0^\infty \frac{\sin ax}{\sqrt{x}}\,dx = \int_0^\infty \frac{\cos ax}{\sqrt{x}}\,dx = \sqrt{\frac{\pi}{2a}}$

448. $\int_0^\infty \frac{\cos bx}{a^2+x^2}\,dx = \frac{\pi}{2a}e^{-ab}$

449. $\int_0^\infty \frac{x\sin bx}{a^2+x^2}\,dx = \frac{\pi}{2}e^{-ab}$

450. $\int_0^\infty \frac{\sin bx}{x(a^2+x^2)}\,dx = \frac{\pi}{2a^2}(1-e^{-ab})$

451. $\int_0^\pi \sin^2 px\,dx = \int_0^\pi \cos^2 px\,dx = \frac{\pi}{2}$

452. $\int_0^\infty \frac{\sin^2 kx}{x^2}\,dx = \frac{\pi}{2}\cdot|k|$

453. $\int_0^{\frac{\pi}{p}} \sin px \cos px\, dx = \int_0^{\pi} \sin px \cos px\, dx = 0$

454. $\int_0^{\pi} \sin px \sin qx\, dx = \int_0^{\pi} \cos px \cos qx\, dx = 0 \qquad (p \neq q)$

455. $\int_0^{\pi} \sin px \cos qx\, dx = 0$ if $p - q$ is even;

$$= \frac{2p}{p^2 - q^2} \quad \text{if } p - q \text{ is odd}$$

456. $\int_0^{\infty} \frac{\sin ax \sin bx}{x}\, dx = \frac{1}{2} \log \left| \frac{a+b}{a-b} \right| \qquad (a \neq b)$

457. $\int_0^{\infty} \frac{\sin ax \cos bx}{x}\, dx = 0$ if $a < b$;

$$= \frac{\pi}{2} \quad \text{if } a > b;$$

$$= \frac{\pi}{4} \quad \text{if } a = b$$

458. $\int_0^{\infty} \frac{\cos ax - \cos bx}{x}\, dx = \log \frac{b}{a}$

459. $\int_0^{\frac{\pi}{2}} \frac{dx}{a^2 \sin^2 x + b^2 \cos^2 x} = \frac{\pi}{2ab}$

460. $\int_0^{\infty} \frac{\sin ax \sin bx}{x^2}\, dx = \frac{\pi a}{2} \qquad (a < b)$

461. $\int_0^{\frac{\pi}{2}} \sin^p x\, dx = \int_0^{\frac{\pi}{2}} \cos^p x\, dx$;

$$= \frac{1 \cdot 3 \cdot 5 \cdots (p-1)}{2 \cdot 4 \cdot 6 \cdots p} \cdot \frac{\pi}{2} \quad \text{if } p \text{ is even};$$

$$= \frac{2 \cdot 4 \cdot 6 \cdots (p-1)}{1 \cdot 3 \cdot 5 \cdots p} \quad \text{if } p \text{ is odd}$$

462. $\int_0^{\frac{\pi}{2}} \sin^{p-1} x \cos^{q-1} x\, dx = \frac{1}{2} B\left(\frac{p}{2}, \frac{q}{2}\right)$

463. $\int_0^{\infty} e^{-ax}\, dx = \frac{1}{a}$

464. $\int_0^\infty e^{-a^2x^2}\,dx = \frac{\sqrt{\pi}}{2a}$

465. $\int_0^\infty e^{-x^2-\frac{a^2}{x^2}}\,dx = \frac{\sqrt{\pi}}{2}\,e^{-2a}$

466. $\int_0^\infty e^{-m\left(\frac{x}{a}-\frac{b}{x}\right)^2}\,dx = \frac{a}{2}\sqrt{\frac{\pi}{m}}$

467. $\int_0^\infty x^{2p}e^{-a^2x^2}\,dx = \frac{1\cdot 3\cdot 5\cdots(2p-1)\sqrt{\pi}}{2^{p+1}a^{2p+1}}$

468. $\int_0^\infty x^{2p+1}e^{-a^2x^2}\,dx = \frac{p!}{2a^{2p+2}}$

469. $\int_0^\infty e^{-ax}\sin kx\,dx = \frac{k}{a^2+k^2}$

470. $\int_0^\infty e^{-ax}\cos kx\,dx = \frac{a}{a^2+k^2}$

471. $\int_0^\infty xe^{-ax}\sin kx\,dx = \frac{2ak}{(a^2+k^2)^2}$

472. $\int_0^\infty xe^{-ax}\cos kx\,dx = \frac{a^2-k^2}{(a^2+k^2)^2}$

473. $\int_0^\infty \frac{e^{-ax}\sin kx\,dx}{x} = \arctan\frac{k}{a}$

474. $\int_0^\infty e^{-a^2x^2}\cos kx\,dx = \frac{\sqrt{\pi}}{2a}\,e^{-\frac{k^2}{4a^2}}$

475. $\int_0^1 \frac{\log x}{1+x}\,dx = -\frac{\pi^2}{12}$

476. $\int_0^1 \frac{\log x}{1-x}\,dx = -\frac{\pi^2}{6}$

477. $\int_0^1 \frac{\log x}{1-x^2}\,dx = -\frac{\pi^2}{8}$

478. $\int_0^1 \frac{\log x}{\sqrt{1-x^2}}\,dx = \frac{\pi}{2}\log\frac{1}{2}$

479. $\int_0^1 \frac{x^{m-1}-x^{n-1}}{\log x}\,dx = \log\frac{m}{n}$

480. $\int_0^{\frac{\pi}{2}} \log\sin x\,dx = \int_0^{\frac{\pi}{2}} \log\cos x\,dx = \frac{\pi}{2}\log\frac{1}{2}$

481. $\int_0^{\frac{\pi}{2}} \log \tan x \, dx = \int_0^{\frac{\pi}{2}} \log \operatorname{ctn} x \, dx = 0$

482. $\int_0^{\frac{\pi}{2}} \log \sec x \, dx = \int_0^{\frac{\pi}{2}} \log \csc x \, dx = \frac{\pi}{2} \log 2$

483. $\int_0^{\pi} x \log \sin x \, dx = \frac{\pi^2}{2} \log \frac{1}{2}$

484. $\int_0^{\frac{\pi}{2}} \sin x \log \sin x \, dx = \log 2 - 1$

485. $\int_0^1 x^p \log x \, dx = -\frac{1}{(p+1)^2}$

486. $\int_0^1 \frac{x^p \, dx}{\log x} = \log (p+1)$

487. $\int_0^1 \frac{\log (1+x)}{x} \, dx = \frac{\pi^2}{12}$

488. $\int_0^1 \frac{\log (1+x)}{1+x^2} \, dx = \frac{\pi}{8} \log 2$

489. $\int_0^{\infty} \frac{\log (1+a^2x^2)}{b^2+x^2} \, dx = \frac{\pi}{b} \log (1+ab)$

490. $\int_0^1 \left(\frac{\log x}{x-1}\right)^2 dx = \frac{\pi^2}{3}$

491. $\int_0^{\infty} \left(\frac{\log x}{x-1}\right)^2 dx = \frac{2\pi^2}{3}$

492. $\int_0^1 \frac{(\log x)^2}{1+x^2} \, dx = \frac{\pi^3}{16}$

493. $\int_0^{\infty} \frac{dx}{\sinh ax} = \frac{\pi}{2a}$

494. $\int_0^{\infty} \frac{x \, dx}{\sinh ax} = \frac{\pi^2}{4a^2}$

15 Series

In the following formulas, a, b, d, n, r are constants, all arguments of the trigonometric functions are in radians, and all logarithms are in the natural system.

FINITE SERIES

1. $a + (a + d) + (a + 2d) + \cdots + (a + \overline{n - 1}\, d) = \frac{n}{2}[2a + (n - 1)d]$

2. $a + ar + ar^2 + \cdots + ar^{n-1} = a\left(\frac{r^n - 1}{r - 1}\right)$

3. $1 + 2 + 3 + \cdots + n = \frac{n}{2}(n + 1)$

4. $1 + 3 + 5 + \cdots + (2n - 1) = n^2$

5. $1^2 + 2^2 + 3^2 + \cdots + n^2 = \frac{n}{6}(n + 1)(2n + 1)$

6. $1^3 + 2^3 + 3^3 + \cdots + n^3 = \left[\frac{n(n + 1)}{2}\right]^2$

7. $1^4 + 2^4 + 3^4 + \cdots + n^4 = \frac{n}{30}(n + 1)(2n + 1)(3n^2 + 3n - 1)$

INFINITE SERIES

8. $1 - \frac{1}{2} + \frac{1}{3} - \frac{1}{4} + \cdots = \log 2$

9. $1 - \frac{1}{3} + \frac{1}{5} - \frac{1}{7} + \cdots = \frac{\pi}{4}$

10. $\frac{1}{a} - \frac{1}{a + b} + \frac{1}{a + 2b} - \frac{1}{a + 3b} + \cdots = \int_0^1 \frac{x^{a-1}\,dx}{1 + x^b}$ $\qquad (a, b > 0)$

11. $a + ar + ar^2 + ar^3 + \cdots = \frac{a}{1 - r}$ $\qquad (r^2 < 1)$

12. $1+\frac{1}{2^2}+\frac{1}{3^2}+\frac{1}{4^2}+\cdots=\frac{\pi^2}{6}$

13. $1-\frac{1}{2^2}+\frac{1}{3^2}-\frac{1}{4^2}+\cdots=\frac{\pi^2}{12}$

14. $1+\frac{1}{3^2}+\frac{1}{5^2}+\frac{1}{7^2}+\cdots=\frac{\pi^2}{8}$

15. $1+\frac{1}{1!}+\frac{1}{2!}+\frac{1}{3!}+\cdots=e$

16. $1-\frac{1}{1!}+\frac{1}{2!}-\frac{1}{3!}+\cdots=\frac{1}{e}$

POWER SERIES

The interval of convergence is given in parentheses.

17. $$f(x)=f(a)+\frac{x-a}{1!}f'(a)+\frac{(x-a)^2}{2!}f''(a)+\cdots+\frac{(x-a)^{n-1}}{(n-1)!}f^{(n-1)}(a)+\cdots \qquad \text{(Taylor's series)}$$

If $f(x)$ and its derivatives are continuous at $x=a$, and $\lambda=\lim_{n\to\infty}\left|\frac{nf^{(n-1)}(a)}{f^{(n)}(a)}\right|$, the series converges for $a-\lambda<x<a+\lambda$. In order that the series converge to $f(x)$, it is necessary and sufficient that $\lim_{n\to\infty}\frac{(x-a)^n}{n!}f^{(n)}(x_1)=0,\quad a<x_1<x.$

18. $$f(x)=f(0)+\frac{x}{1!}f'(0)+\frac{x^2}{2!}f''(0)+\frac{x^3}{3!}f'''(0)+\cdots \qquad \text{(Maclaurin's series)}$$

This series is obtained from Taylor's series when $a=0$.

19. $$(a+x)^n=a^n+\frac{n}{1!}a^{n-1}x+\frac{n(n-1)}{2!}a^{n-2}x^2+\frac{n(n-1)(n-2)}{3!}a^{n-3}x^3+\cdots \qquad (x^2<a^2)$$

This series reduces to a polynomial, valid for any finite value of x, when n is a positive integer.

20. $$(1+x)^n=1+nx+\frac{n(n-1)}{2!}x^2+\frac{n(n-1)(n-2)}{3!}x^3+\cdots \qquad (x^2<1)$$

See the note under Series 19.

21. $(1+x)^{-n}=1-nx+\frac{n(n+1)}{2!}x^2-\frac{n(n+1)(n+2)}{3!}x^3+\cdots$ $(x^2<1)$

22. $(1+x)^{-1}=1-x+x^2-x^3+\cdots$ $(x^2<1)$

23. $(1+x)^{-2}=1-2x+3x^2-4x^3+\cdots$ $(x^2<1)$

24. $(1+x)^{\frac{1}{2}}=1+\frac{1}{2}x-\frac{1\cdot 1}{2\cdot 4}x^2+\frac{1\cdot 1\cdot 3}{2\cdot 4\cdot 6}x^3-\frac{1\cdot 1\cdot 3\cdot 5}{2\cdot 4\cdot 6\cdot 8}x^4+\cdots$ $(x^2\leqq 1)$

25. $(1+x)^{-\frac{1}{2}}=1-\frac{1}{2}x+\frac{1\cdot 3}{2\cdot 4}x^2-\frac{1\cdot 3\cdot 5}{2\cdot 4\cdot 6}x^3+\frac{1\cdot 3\cdot 5\cdot 7}{2\cdot 4\cdot 6\cdot 8}x^4-\cdots$ $(x^2<1)$

26. $e^x=1+\frac{x}{1!}+\frac{x^2}{2!}+\frac{x^3}{3!}+\cdots$ $(x^2<\infty)$

27. $a^x=1+\frac{x\log a}{1!}+\frac{(x\log a)^2}{2!}+\frac{(x\log a)^3}{3!}+\cdots$ $(x^2<\infty)$

28. $\frac{x}{e^x-1}=1-\frac{x}{2}+\frac{B_1}{2!}x^2-\frac{B_2}{4!}x^4+\frac{B_3}{6!}x^6-\cdots$ $(x^2<4\pi^2)$

The Bernoulli Numbers:

$$B_1=\frac{1}{6}\qquad B_4=\frac{1}{30}\qquad B_7=\frac{7}{6}$$

$$B_2=\frac{1}{30}\qquad B_5=\frac{5}{66}\qquad B_8=\frac{3617}{510}$$

$$B_3=\frac{1}{42}\qquad B_6=\frac{691}{2730}\qquad B_9=\frac{43{,}867}{798}\text{, etc.}$$

29. $\log x=\frac{x-1}{x}+\frac{1}{2}\left(\frac{x-1}{x}\right)^2+\frac{1}{3}\left(\frac{x-1}{x}\right)^3+\cdots$ $\left(x>\frac{1}{2}\right)$

30. $\log x=(x-1)-\frac{1}{2}(x-1)^2+\frac{1}{3}(x-1)^3-\cdots$ $(0<x\leqq 2)$

31. $\log x=2\left[\frac{x-1}{x+1}+\frac{1}{3}\left(\frac{x-1}{x+1}\right)^3+\frac{1}{5}\left(\frac{x-1}{x+1}\right)^5+\cdots\right]$ $(x>0)$

32. $\log(1+x)=x-\frac{x^2}{2}+\frac{x^3}{3}-\frac{x^4}{4}+\cdots$ $(-1<x\leqq 1)$

33. $\log\left(\frac{x+1}{x-1}\right)=2\left[\frac{1}{x}+\frac{1}{3x^3}+\frac{1}{5x^5}+\frac{1}{7x^7}+\cdots\right]$ $(x^2>1)$

34. $\sin x = x - \frac{x^3}{3!} + \frac{x^5}{5!} - \frac{x^7}{7!} + \cdots \qquad (x^2 < \infty)$

35. $\cos x = 1 - \frac{x^2}{2!} + \frac{x^4}{4!} - \frac{x^6}{6!} + \cdots \qquad (x^2 < \infty)$

36. $\tan x = x + \frac{x^3}{3} + \frac{2x^5}{15} + \frac{17x^7}{315} + \frac{62x^9}{2835}$

$$+ \cdots + \frac{2^{2n}(2^{2n}-1)B_n}{(2n)!}x^{2n-1} + \cdots \qquad \left(x^2 < \frac{\pi^2}{4}\right)$$

37. $\operatorname{ctn} x = \frac{1}{x} - \frac{x}{3} - \frac{x^3}{45} - \frac{2x^5}{945} - \frac{x^7}{4725} - \cdots \qquad (x^2 < \pi^2)$

38. $\sec x = 1 + \frac{x^2}{2} + \frac{5}{24}x^4 + \frac{61}{720}x^6 + \frac{277}{8064}x^8 + \cdots \qquad \left(x^2 < \frac{\pi^2}{4}\right)$

39. $\csc x = \frac{1}{x} + \frac{x}{6} + \frac{7}{360}x^3 + \frac{31}{15{,}120}x^5 + \frac{127}{604{,}800}x^7 + \cdots \qquad (x^2 < \pi^2)$

40. $\arcsin x = x + \frac{1}{2}\cdot\frac{x^3}{3} + \frac{1\cdot 3}{2\cdot 4}\cdot\frac{x^5}{5} + \frac{1\cdot 3\cdot 5}{2\cdot 4\cdot 6}\cdot\frac{x^7}{7} + \cdots \qquad (x^2 < 1)$

41. $\arctan x = x - \frac{x^3}{3} + \frac{x^5}{5} - \frac{x^7}{7} + \cdots = \frac{\pi}{2} - \operatorname{arcctn} x \qquad (x^2 < 1)$

42. $\operatorname{arcctn} x = \frac{1}{x} - \frac{1}{3x^3} + \frac{1}{5x^5} - \frac{1}{7x^7} + \cdots = \frac{\pi}{2} - \arctan x \qquad (x^2 > 1)$

43. $\log|\sin x| = \log|x| - \frac{x^2}{6} - \frac{x^4}{180} - \frac{x^6}{2835}$

$$- \cdots - \frac{2^{2n-1}B_n x^{2n}}{n(2n)!} - \cdots \qquad (x^2 < \pi^2)$$

44. $\log\cos x = -\frac{x^2}{2} - \frac{x^4}{12} - \frac{x^6}{45} - \frac{17x^8}{2520}$

$$- \cdots - \frac{2^{2n-1}(2^{2n}-1)B_n}{n(2n)!}x^{2n} - \cdots \qquad \left(x^2 < \frac{\pi^2}{4}\right)$$

45. $\log|\tan x| = \log|x| + \frac{x^2}{3} + \frac{7x^4}{90} + \frac{62x^6}{2835}$

$$+ \cdots + \frac{2^{2n}(2^{2n-1}-1)B_n}{n(2n)!}x^{2n} + \cdots \qquad \left(x^2 < \frac{\pi^2}{4}\right)$$

46. $\sinh x = x + \frac{x^3}{3!} + \frac{x^5}{5!} + \frac{x^7}{7!} + \cdots \qquad (x^2 < \infty)$

47. $\cosh x = 1 + \frac{x^2}{2!} + \frac{x^4}{4!} + \frac{x^6}{6!} + \cdots$ $(x^2 < \infty)$

48. $\tanh x = x - \frac{x^3}{3} + \frac{2x^5}{15} - \frac{17x^7}{315}$

$$+ \cdots + \frac{(-1)^{n-1}2^{2n}(2^{2n}-1)B_n}{(2n)!}x^{2n-1} + \cdots \quad \left(x^2 < \frac{\pi^2}{4}\right)$$

49. $\sin x - \frac{1}{2}\sin 2x + \frac{1}{3}\sin 3x - \frac{1}{4}\sin 4x + \cdots = \frac{x}{2}$ $(-\pi < x < \pi)$

50. $\sin x + \frac{1}{2}\sin 2x + \frac{1}{3}\sin 3x + \frac{1}{4}\sin 4x + \cdots = \frac{\pi - x}{2}$

$(0 < x < 2\pi)$

51. $\cos x - \frac{1}{2}\cos 2x + \frac{1}{3}\cos 3x - \frac{1}{4}\cos 4x + \cdots = \log 2 \cos \frac{1}{2}x$

$(-\pi < x < \pi)$

52. $\cos x + \frac{1}{2}\cos 2x + \frac{1}{3}\cos 3x + \frac{1}{4}\cos 4x + \cdots = -\log 2 \sin \frac{1}{2}x$

$(0 < x < 2\pi)$

Index

(Numbers refer to pages)

	15	16	17	18	19	20	21	22	23	24	25	26	27	
1	1.5	1.6	1.7	1.8	1.9	2.0	2.1	2.2	2.3	2.4	2.5	2.6	2.7	1
2	3.0	3.2	3.4	3.6	3.8	4.0	4.2	4.4	4.6	4.8	5.0	5.2	5.4	2
3	4.5	4.8	5.1	5.4	5.7	6.0	6.3	6.6	6.9	7.2	7.5	7.8	8.1	3
4	6.0	6.4	6.8	7.2	7.6	8.0	8.4	8.8	9.2	9.6	10.0	10.4	10.8	4
5	7.5	8.0	8.5	9.0	9.5	10.0	10.5	11.0	11.5	12.0	12.5	13.0	13.5	5
6	9.0	9.6	10.2	10.8	11.4	12.0	12.6	13.2	13.8	14.4	15.0	15.6	16.2	6
7	10.5	11.2	11.9	12.6	13.3	14.0	14.7	15.4	16.1	16.8	17.5	18.2	18.9	7
8	12.0	12.8	13.6	14.4	15.2	16.0	16.8	17.6	18.4	19.2	20.0	20.8	21.6	8
9	13.5	14.4	15.3	16.2	17.1	18.0	18.9	19.8	20.7	21.6	22.5	23.4	24.3	9

	28	29	30	31	32	33	34	35	36	37	38	39	40	
1	2.8	2.9	3.0	3.1	3.2	3.3	3.4	3.5	3.6	3.7	3.8	3.9	4.0	1
2	5.6	5.8	6.0	6.2	6.4	6.6	6.8	7.0	7.2	7.4	7.6	7.8	8.0	2
3	8.4	8.7	9.0	9.3	9.6	9.9	10.2	10.5	10.8	11.1	11.4	11.7	12.0	3
4	11.2	11.6	12.0	12.4	12.8	13.2	13.6	14.0	14.4	14.8	15.2	15.6	16.0	4
5	14.0	14.5	15.0	15.5	16.0	16.5	17.0	17.5	18.0	18.5	19.0	19.5	20.0	5
6	16.8	17.4	18.0	18.6	19.2	19.8	20.4	21.0	21.6	22.2	22.8	23.4	24.0	6
7	19.6	20.3	21.0	21.7	22.4	23.1	23.8	24.5	25.2	25.9	26.6	27.3	28.0	7
8	22.4	23.2	24.0	24.8	25.6	26.4	27.2	28.0	28.8	29.6	30.4	31.2	32.0	8
9	25.2	26.1	27.0	27.9	28.8	29.7	30.6	31.5	32.4	33.3	34.2	35.1	36.0	9

	41	42	43	44	45	46	47	48	49	50	51	52	53	
1	4.1	4.2	4.3	4.4	4.5	4.6	4.7	4.8	4.9	5.0	5.1	5.2	5.3	1
2	8.2	8.4	8.6	8.8	9.0	9.2	9.4	9.6	9.8	10.0	10.2	10.4	10.6	2
3	12.3	12.6	12.9	13.2	13.5	13.8	14.1	14.4	14.7	15.0	15.3	15.6	15.9	3
4	16.4	16.8	17.2	17.6	18.0	18.4	18.8	19.2	19.6	20.0	20.4	20.8	21.2	4
5	20.5	21.0	21.5	22.0	22.5	23.0	23.5	24.0	24.5	25.0	25.5	26.0	26.5	5
6	24.6	25.2	25.8	26.4	27.0	27.6	28.2	28.8	29.4	30.0	30.6	31.2	31.8	6
7	28.7	29.4	30.1	30.8	31.5	32.2	32.9	33.6	34.3	35.0	35.7	36.4	37.1	7
8	32.8	33.6	34.4	35.2	36.0	36.8	37.6	38.4	39.2	40.0	40.8	41.6	42.4	8
9	36.9	37.8	38.7	39.6	40.5	41.4	42.3	43.2	44.1	45.0	45.9	46.8	47.7	9

	54	55	56	57	58	59	60	61	62	63	64	65	66	
1	5.4	5.5	5.6	5.7	5.8	5.9	6.0	6.1	6.2	6.3	6.4	6.5	6.6	1
2	10.8	11.0	11.2	11.4	11.6	11.8	12.0	12.2	12.4	12.6	12.8	13.0	13.2	2
3	16.2	16.5	16.8	17.1	17.4	17.7	18.0	18.3	18.6	18.9	19.2	19.5	19.8	3
4	21.6	22.0	22.4	22.8	23.2	23.6	24.0	24.4	24.8	25.2	25.6	26.0	26.4	4
5	27.0	27.5	28.0	28.5	29.0	29.5	30.0	30.5	31.0	31.5	32.0	32.5	33.0	5
6	32.4	33.0	33.6	34.2	34.8	35.4	36.0	36.6	37.2	37.8	38.4	39.0	39.6	6
7	37.8	38.5	39.2	39.9	40.6	41.3	42.0	42.7	43.4	44.1	44.8	45.5	46.2	7
8	43.2	44.0	44.8	45.6	46.4	47.2	48.0	48.8	49.6	50.4	51.2	52.0	52.8	8
9	48.6	49.5	50.4	51.3	52.2	53.1	54.0	54.9	55.8	56.7	57.6	58.5	59.4	9

	67	68	69	70	71	72	73	74	75	76	77	78	79	
1	6.7	6.8	6.9	7.0	7.1	7.2	7.3	7.4	7.5	7.6	7.7	7.8	7.9	1
2	13.4	13.6	13.8	14.0	14.2	14.4	14.6	14.8	15.0	15.2	15.4	15.6	15.8	2
3	20.1	20.4	20.7	21.0	21.3	21.6	21.9	22.2	22.5	22.8	23.1	23.4	23.7	3
4	26.8	27.2	27.6	28.0	28.4	28.8	29.2	29.6	30.0	30.4	30.8	31.2	31.6	4
5	33.5	34.0	34.5	35.0	35.5	36.0	36.5	37.0	37.5	38.0	38.5	39.0	39.5	5
6	40.2	40.8	41.4	42.0	42.6	43.2	43.8	44.4	45.0	45.6	46.2	46.8	47.4	6
7	46.9	47.6	48.3	49.0	49.7	50.4	51.1	51.8	52.5	53.2	53.9	54.6	55.3	7
8	53.6	54.4	55.2	56.0	56.8	57.6	58.4	59.2	60.0	60.8	61.6	62.4	63.2	8
9	60.3	61.2	62.1	63.0	63.9	64.8	65.7	66.6	67.5	68.4	69.3	70.2	71.1	9

	80	81	82	83	84	85	86	87	88	89	90	91	92	
1	8.0	8.1	8.2	8.3	8.4	8.5	8.6	8.7	8.8	8.9	9.0	9.1	9.2	1
2	16.0	16.2	16.4	16.6	16.8	17.0	17.2	17.4	17.6	17.8	18.0	18.2	18.4	2
3	24.0	24.3	24.6	24.9	25.2	25.5	25.8	26.1	26.4	26.7	27.0	27.3	27.6	3
4	32.0	32.4	32.8	33.2	33.6	34.0	34.4	34.8	35.2	35.6	36.0	36.4	36.8	4
5	40.0	40.5	41.0	41.5	42.0	42.5	43.0	43.5	44.0	44.5	45.0	45.5	46.0	5
6	48.0	48.6	49.2	49.8	50.4	51.0	51.6	52.2	52.8	53.4	54.0	54.6	55.2	6
7	56.0	56.7	57.4	58.1	58.8	59.5	60.2	60.9	61.6	62.3	63.0	63.7	64.4	7
8	64.0	64.8	65.6	66.4	67.2	68.0	68.8	69.6	70.4	71.2	72.0	72.8	73.6	8
9	72.0	72.9	73.8	74.7	75.6	76.5	77.4	78.3	79.2	80.1	81.0	81.9	82.8	9